P9-CDK-119

READINGS IN LINGUISTICS II

READINGS IN LINGUISTICS II

Edited by ERIC P. HAMP
FRED W. HOUSEHOLDER
and ROBERT AUSTERLITZ

THE UNIVERSITY OF CHICAGO PRESS
CHICAGO AND LONDON

Library of Congress Catalog Card Number: 66–8391

The University of Chicago Press, Chicago & London
The University of Toronto Press, Toronto 5, Canada

© *1966 by The University of Chicago. All rights reserved. Published 1966. Second Impression 1967. Printed in the United States of America*

PREFACE

No anthology can please everyone perfectly, least of all the compilers. It should be difficult for the worst anthology to offend everyone categorically; editors—the more so if they were either devils, druids, or drones—would be sure to find a measure of delight and instruction in such a book. Anthologies, if they are serious and have a closely determined scope, find a rather restricted range in which to excel and demonstrate worth.

Such a collection of writings would seem to be best judged on two principal grounds: the degree to which the scholarly area covered replies to an active or potential need in the field of study, and the relative quality or stimulation found in the items chosen.

We do not shirk our responsibility for the selections made; the decisions, within the limitations of space, are ultimately ours. But we have, so far as possible, taken into account, as part of the data, the judgments and evaluations of our colleagues in the profession at large. And this in two ways: many preliminary selections were made on the basis of documented influence, as evidenced by reference in the later linguistic literature or by content which on inspection turns up, by mention or by argument, in important writings of either later or earlier date. A tentative list of selections was submitted at the time of the 1962 International Congress of Linguists to a broad range of active and distinguished contributors to the field of linguistics. As a result of their comments, subsequently refined in numerous detailed discussions, we were able to make important and extensive changes in the earlier list both by incorporating assessments of value and sensitivity made by broadly learnèd scholars and by reducing our own ignorance somewhat.

If the resulting selections have the excellence and stimulation we think they have, such readings, intended as they are for serious students, have no need of accompanying commentary or apparatus by the compilers.

In 1957 a volume of *Readings in Linguistics*, edited by Martin Joos for the Committee on Language Programs (formerly Committee on the Language Program) of the American Council of Learned Societies, was published by ACLS. Its purpose was to illustrate, exemplify, and typify the development of descriptive linguistics in America from 1925 to 1957. The development represented was a highly cohesive body of doctrine whose practitioners shared a good many points of underlying outlook and a strong *esprit de corps*; the commentary tended to heighten this effect. It is perhaps ironical that *Readings*, intended as a handbook on linguistic theory, has already found wide use as a textbook in the history of linguistics ; it may be hoped that *Readings II* will still find a valid place, in some measure, in both roles.

The Committee intended to follow *Readings* with another designed to present other trends in the development of modern linguistics. It should be recalled that in the mid-'fifties general and inclusive volumes on linguistics were still rather rare, and few libraries held really broad basic collections ; if some may feel that linguistics has become all too modish nowadays, that was certainly not true then. Like many a committee idea, that plan became displaced for several years by other business. Then, in 1961, it was reactivated. Robert A. Hall, Jr. (Cornell University), Eric P. Hamp (The University of Chicago), and Fred W. Householder (Indiana University) were asked to assume responsibility for the volume.

In the meantime it had been decided that the territory to be covered by such a volume should embrace any areas whatever of modern linguistics outside that abundantly represented in the Joos volume ; in principle, excellence and the proper pursuit of knowledge know neither geographic nor national bounds. If the essays in the present volume show a distinctly European provenience, that is the accident of the ground rules which were found useful for selection and not a characteristic of the field.

After the first preliminary work, Robert Austerlitz (Columbia University) was co-opted to replace Hall, who could no longer actively continue because of commitments which were to keep him abroad for an extended period. Hall's excellent help in the early stages should be prominently acknowledged here. He should not be held responsible for any of our subsequent mistakes, and for that reason his name does not appear on the title page. The two remaining editors lost Hall's counsel regretfully ; yet in Austerlitz the volume found a valuable new resource with a welcome range of strengths not shared in like fashion by any of the others.

The criteria for selection of the essays were of two sorts, as it was finally and unanimously decided after prolonged reflection. The prime principle for inclusion had to be agreed scholarly quality ; objectivity and consensus were aimed at in the manners alluded to above. Another important principle clearly was influence, or pertinence, or centrality with respect to the field as shown by the content of the essay. A further consideration was a fair attempt at representative coverage of the range of facets or aspects that the field offers. Special attention was given to areas often neglected or now atrophied—for example, graphemics. So far as was possible, scholarly literature from all lands was canvassed.

The prime principle for exclusion was chronology : everything before the mid-'twenties ; then, for sake of economy, (nearly) everything readily available in print. The latter principle excluded articles in easily accessible cisatlantic journals (*Language*, *Word*, etc.) ; it also excluded important miscellanies in print or known at the time to be firmly projected (*For Roman Jakobson*, Cantineau's translation *Principes de phonologie*, Hjelmslev's *Essais linguistiques* TCLC 12, the TPS volume *Studies in Linguistic Analysis*, Martinet's *Économie*, and, with deliberate exceptions, Kuryłowicz's *Esquisses linguistiques* and Vachek's *Prague School Reader*). Reluctantly, for reasons of practicality, since it is our purpose and policy to preserve the original language throughout, sources in non-Roman scripts are excluded; this automatically eliminated, but without prejudice, many languages. And, of course, the tradition represented in the Joos volume was considered as already covered.

Finally, certain eminently desirable items were simply too long to be fitted in; after all, important books are excluded *a priori*.

Nevertheless, despite the technical savings of space resulting from such systematic exclusions, there was, as one might suspect, easily enough for two volumes this size until we set ourselves to cut back severely—more severely than we could wish. One misses items by Pos, Bühler, Cantineau, Malmberg, Halliday, W. Haas, Milewski, Vogt, Borgstrøm, Lacerda, McIntosh, Alarcos Llorach, and others—this list is a mere excerpt. Every reader can develop his own list of lacunae without thinking very long.

A great many articles were quickly eliminated not at all for their want of excellence but because much of their content was of rather specialized substantive interest.

The attempt has been made throughout to preserve the original text intact. Comparison with the original will show that some minor changes in typographic detail have frequently been introduced; this, to bring certain Continental conventions into line with habits of the provincial English-language area, since practicality dictates some norms. Some other changes reflect stylistic options in typesetting designed to reduce unnecessary heterogeneity among writings from so many diverse sources. Earlier faults in proofreading have been silently corrected.

Changes in text have been essentially of three sorts: adjustment of footnote numbering and the like to conform to the new pagination occasioned by resetting; a very few corrigenda kindly supplied by authors, for which we express our sincere gratitude; an exceedingly small number of silent corrections of faulty grammar or of content or allusion that clearly destroy any possible sense in the passage. Such judgments as the last have always been avoided where irony or some other stylistic rationale could be imputed. To alter these writings in any substantive way would be intolerable for the purpose in view.

It remains to thank the University of Chicago Press for their meticulous care, their patience, and their tasteful execution.

Eric P. Hamp

CONTENTS

1 AUTOUR D'UN PROBLÈME DE MORPHOLOGIE

Serge Karcevski

Ces quelques pages ne visent qu'à préciser la notion de " productif " ou " vivant " qui fournit la base de notre classification des verbes russes.

On sait que nous distinguons cinq classes verbales productives ou vivantes et répartissons en plusieurs groupes les verbes de " types improductifs " ou " morts ". Cependant, dans notre *Système du verbe russe* (Prague, 1927), on peut lire ceci : " Les différents formants qui servent à la dérivation verbale se laissent facilement grouper en cinq classes ; c'est ainsi que se constituent les classes verbales productives. Il va de soi qu'il existe des éléments morts, c.-à-d. improductifs dans les cinq grandes classes ; tels sont p. ex. les verbes monosyllabiques, et ainsi s'établit une transition entre les classes productives et les groupes verbaux improductifs " (pp. 46–7).

Il peut paraître qu'il y a là une contradiction : le " vivant " ne peut rien renfermer de " mort ", d'autant plus que c'est précisément leur séparation rigoureuse qui forme la base de notre classification. On comprend que N. N. Durnovo ait relevé cette " contradiction " dans l'article qu'il a bien voulu consacrer récemment à notre ouvrage (*Slavia, X*). Et pourtant, cette contradiction n'est qu'apparente si l'on considère les phénomènes linguistiques du point de vue *dynamique*.

Il va de soi qu'une langue n'est pas un catalogue d'étiquettes et que les groupements de faits que nous y observons ne correspondent pas à la distribution de ces étiquettes dans des cases séparées. Le fonctionnement des faits sémiologiques — et dans la langue, tout croisement de rapports constitue un signe — fait plutôt penser à des rayonnements partant de divers centres d'énergie. Une " classe " morphologique vivante est le champ d'action d'un foyer d'émission de la force " productrice ", c.-à-d. assimilatrice. Plus on est près du centre de ce foyer, et plus grande est l'action de cette force. Elle faiblit par contre vers la périphérie de cette classe, et au delà d'une certaine distance devient nulle.

Le type verbal *vyígryvat'* est au plus haut degré productif et est situé pour ainsi dire au centre même de ce foyer de rayonnement dont la zone d'action porte le nom de *Classe I*. Par contre, le verbe *znat'* n'est pas " typique " ; et ce type

Reprinted from *Suomalainen Tiedeakatemia*, Ser. B., Vol. 27, pp. 84–91 (Helsinki : Academia Scientiarum, 1929).

zéro se promène tout à fait à la périphérie de la zone, tel un satellite isolé et unique. Il appartient pourtant au champ d'action du même foyer de rayonnement que le type *vyígryvať* en marquant la limite extrême après laquelle commence un vide.

Ce que nous appelons " types (ou groupes) improductifs " sont des emplacements de foyers " éteints " autour desquels sont amoncelés les produits de leur activité de jadis. Si ressemblants entre eux que soient p. ex. les verbes *boróť, kolóť, molóť, polóť, poróť*, leur valeur typique est actuellement zéro. Grammaticalement parlant, c'est là de " la poussière verbale ", selon l'expression de F. de Saussure. Si nombreuse qu'elle soit, on en peut compter tous les grains dans chaque amoncellement. — Il est très important de se pénétrer de cette idée que ce qui est " mort " peut être identifié par le *nombre*, et vice versa : ce qui peut être compté n'est plus productif. Par contre, ce qui est vivant ne comporté pas d'expression numérique.

La structure de chaque mot reflète la nature des rapports entre la grammaire et la sémantique dans la langue donnée. On peut s'imaginer trois modes de ces rapports. 1° — Dans tous les mots d'une même partie du discours, les morphèmes grammaticaux, p. ex. les désinences personnelles du verbe, sont les mêmes, or, dans ce cas il doit y avoir des morphèmes particuliers, " formants ", p. ex. des suffixes, pour marquer les classes sémantiques. 2° — Chaque classe sémantique possède ses propres morphèmes grammaticaux et ainsi n'a pas besoin d'autre marque de classe, le formant coïncidant entièrement avec le morphème. 3° — Sont possibles diverses espèces de compromis entre ces deux cas extrêmes. La morphologie russe présente un cas de ces compromis avec une tendance fortement marquée vers la première solution du problème.

En effet, les désinences des verbes russes sont plutôt partout les mêmes : *-u, -š, -t, -m, -te*, et par conséquent ne caractérisent point la classe sémantique dont relève le verbe donné. Aussi sont-elles incorporées à des éléments morphologiques plus volumineux. Ceux-ci résultent d'un jeu très compliqué d'oppositions entre toutes les valeurs caractérisant le verbe en tant que partie du discours, y compris l'aspect, valeur mi-sémantique mi-grammaticale, et ils renferment de plus des marques directes ou indirectes de classe. On n'arrive à délimiter le morphème qu'après avoir établi l'élément " formatif " du verbe donné, porteur de la valeur sémantique de classe. Tels sont p. ex. les complexes de caractéristiques *-yvať/-yvajut, -ničať/-ničajut, -eť/-ejut, -ovať/-ujut*.

Le complexe *-yvať/-yvajut* ne se constitue qu'en vertu d'une double opposition au " sème " : a) on le retrouve, toujours avec la même valeur, joint aux sèmes différents, ex. *vyígryvať, protálkivať, razgúlivať, ukládyvať*, etc. ; b) il est membre de plusieurs associations appelées " familles de mots " où un même sème se combine avec des formants différents, p. ex. *igráť-proigráť-proígryvať*, ou bien *igrá, igrúška, igrók, výigryš, vyígryvať*, etc.

Ce n'est qu'en partant des formants que nous parvenons à dégager le morphème. Ainsi p. ex. l'élément *-ať/-ajut* est bien un morphème dépourvu de toute valeur sémantique puisqu'il fait partie de formants différents. Nous le découvrons dans *vyígryvať, sogreváť, zatopľáť, sduváť, razbójničať, šíkať, áxať, dorožáť, obédať, guľáť* et enfin dans *znať*. — Ce qui fait pour notre conscience l'unité de la " Classe verbale I ", c'est bien le morphème *-ať/-ajut*, porteur des valeurs verbales les plus abstraites, mais la structure intérieure de cette classe n'en reste pas moins très compliquée.

Si dans les types *vyígr-yv-at', sogr-ev-át', sdu-v-át', razbój-nič-at', ší-k-at'* il est facile de dégager le morphème du tout formatif, il y a par contre des cas où cette opération est bien malaisée, voire impossible. Ainsi dans le type *zatopl'-át'* et *oroš-át'*, le formant et le morphème semblent coïncider : le premier n'a pour toute caractéristique que certaines alternances de la consonne thématique et l'accentuation de *-a-*. Le formant et le morphème ne se distinguent dans le type de *áx-at'* que par la présence indispensable d'une postpalatale sourde devant *-at'* formant et l'atonie de *-a-*. Dans le type *dorož-át', krepč-át'* (comparé à *dorog-ój* et *krépk-ij*), les caractéristiques sont les mêmes que dans *zatopl'-át', oroš-át'*, donc peu marquantes. Mais comme les formations du type *dorož-át, krepč-át'* sont tout à fait rares, l'élément *-át'* ne s'impose guère à notre attention en tant qu'élément formatif. Enfin, dans le cas de *obéd-at', rabót-at', dél-at'*, le rapport de dérivation avec *obéd-, rabót-a, dél-o* n'est pas net ; par conséquent l'élément *-at'* y peut être envisagé comme simple morphème, au même titre que dans *gul'-át'*. Quant au monosyllabe *znat'*, son sème est dépourvu même de ce volume minimal qui est requis pour les sèmes des verbes de cette classe et qui est la syllabe. Le morphème fait effet d'empiéter sur le radical. Nous sommes arrivés à la périphérie extrême de la Classe I.

La productivité, la " vie " n'est propre qu'aux éléments sémantiques, aux formants. Le morphème ne connaît d'expansion qu'en tant que porté par un formant. Privé de son véhicule, il tombe dans l'état d'anabiose et peut même mourir. En créant un mot, nous ne faisons qu'ajouter un membre nouveau à une classe sémantique déjà existante. Or, il est tout à fait improbable que dans les conditions normales, un mot aussi " déclassé " que *gul'át'*, et à plus forte raison *znat'*, se présente spontanément à notre esprit comme un patron à imiter.

Un nouveau problème de grande importance surgit devant nous à cet endroit de notre développement. Du raisonnement précédent il découle que, dans un groupement de verbes qui n'est fondé que sur la communauté du morphème, il ne peut pas y avoir de force productrice. Il semblerait que le cas des Classes verbales II (*-et'/-ejut*) et IV (*-it'/-at*) vînt à l'encontre de cette déduction. Et pourtant non. Dans l'élément *-et'/-ejut*, le morphème coïncide avec le formant sans l'absorber. La valeur " intransitive " du formant est de grande vigueur ; la formule syntagmatique de ces verbes est singulièrement nette : *bel'ét'* = " être ou devenir blanc ". Or, la valeur de transitivité est une valeur mi-grammaticale, mi-sémantique. Le cas de l'élément *-it'/-at* est moins simple. Il y a coïncidence du morphème avec le formant dans le type de *belít'* (formule syntagmatique " faire blanc "), c'est la valeur de transitivité qui est à la base du formant. Cependant des verbes nouveaux se forment facilement qui sont tirés directement des substantifs et sans avoir des correspondants intransitifs dans la Classe II : *zazemlít', ugróbit'*, etc. Mais il faut noter que presque tous les néologismes sont *à préfixe*. Pour maintenir la valeur transitive là où elle n'a pas de caractéristique morphologie suffisante, la langue a recours à la préfixation.

Grammaticalement parlant, la Classe I est la royaume du morphème *-at'/-ajut*, mais ce n'est là qu'un fait extérieur. Cette classe est vivante et même la plus puissante de toutes les classes verbales pour cette raison que les formants qui s'incorporent ce morphème sont non seulement nombreux mais remplissent des fonctions très importantes dans l'économie du verbe russe. Il suffit de mentionner la formation des imperfectifs secondaires dont sont chargés plusieurs suffixes de la Classe I. Grâce i la puissance du rayonnement assimilateur de certains formants de cette classe, le morphème lui-même acquiert certaine force assimilatrice reflétée et attire vers ce centre de " vie ", pour les rajeunir, des verbes gisant autour des foyers éteints. Les verbes dits " abondants " nous en fournissent des spécimens nombreux : *klíkajut*, *poloskájut* à côté de *klíčut*, *polóščut*, etc. Cette force empruntée se révèle parfois assez puissante pour arracher aux substantifs leurs suffixes et en faire des formants verbaux, ainsi *škól-nik* > *škól-nič-ať*, et étape suivante *balbés-ničať* < *balbés*, etc.

L'énergie productrice n'est pas la même chez tous les formants de la Classe I. Il va de soi que p. ex. la formation des dénominatifs intransitifs du type *razbójničať* est d'importance infime, si nous la comparons à la formation des imperfectifs secondaires, car la notion d'aspect est l'axe principal du système verbal russe. En vertu du principe de polivocité, qui est une manifestation du dualisme asymétrique du signe linguistique,[1] le foyer du rayonnement d'où partent les imperfectifs secondaires est constitué par plusieurs formants : *vyígr-yvať*, *sogr-eváť*, *sdu-váť*, *zatopľ-áť*. Or, la force de ces quatre formants est bien différente. Le type *sdu-váť* n'est caractéristique que pour certains verbes des groupes improductifs. Le champ de son action se trouve ainsi être limité par le nombre de ces verbes. Pour peu qu'on soit pédant, on devra dire que le formant *-váť* n'est plus " productif ". Quant au formant *-eváť*, sa zone de rayonnement ne comprend que les verbes de la Classe II ; elle est donc limitée, quoique d'une manière toute différente que l'est celle du formant *-váť*. Le formant *-áť* (*zatopľ-áť*) semble être évincé de plus en plus par *-yvať* (p. ex. *zatáplivať*, avec le même sens). N'oublions pas de signaler la présence, à la périphérie extrême de l'imperfectivation secondaire, d'un verbe isolé *pád-ať* (en face de *pasť*), où le morphème se substitue au formant. — Qu'est ce qu'il y a donc de réellement " vivant " dans ce foyer d'imperfectivation secondaire ? C'est *l'idée* de l'imperfectivation secondaire, c'est le besoin de procéder au développement nouveau du procès déjà perfectivé, c'est donc le formant " idéal " et non ses incarnations fortuites.

Nous ne faisons observer qu'en passant que la matière phonique dans laquelle s'incarne tel formant " idéal " est soumise à ses propres lois. La réalisation phonique d'un même élément morphologique, qu'il s'agisse d'un formant ou d'un morphème, peut varier considérablement d'un cas à l'autre sans compromettre cependant l'intégrité idéale de cet élément. Ainsi p. ex. *razbójničať* appartient sans aucun doute à la Classe I, son morphème se réalise pourtant comme *-ĭť -ĭjŭt*, *razbojńĭč'ĭt/-ńĭč'ĭjŭt* ; de même dans *áx ať*, il est *-əť/-əjŭt*, etc. Ne subsistent que la fonction et les lois réglant les variétés de la réalisation phonique de la valeur sémiologique correspondant à cette fonction.

Il nous reste à dire quelques mots sur la structure du morphème.

Peut-on disjoindre les éléments du complexe *-ať/-ajut* pour dire que tel élément y est chargé de telle fonction ? On peut faire ressortir les caractéristiques des valeurs, mais seulement dans les cadres des oppositions réellement existantes dans la langue et non par la voie de rapprochements

[1] V. notre article " Sur le dualisme asymétrique du signe linguistique " dans *Travaux du Cercle linguistique de Prague*. I (Prague, 1929).

arbitraires. C'est la seule manière d'éviter la " vivisection ". Ainsi p. ex., les désinences du prétérit *-l*, *-la*, *-li* forment un petit système d'oppositions qu'on pourrait formuler de la façon suivante : sont opposés : 1° *genre* ∼ *non-genre* auxquels se superposent *singulier* ∼ *pluriel* ; 2° " genre " est formé par l'opposition *masculin* ∼ *non-masculin*, ce dernier chez certains verbes de types improductifs se scinde en opposition *féminin* ∼ *neutre* (ex. *raslá* ∼ *rasló*, *vz'alá* ∼ *vz'álo*). Ce petit système s'oppose à son tour au système dit " présent-futur ", mais il s'oppose en bloc : système " genres-nombres " ∼ système " nombres-personnes ", etc. En continuant ces confrontations surgissant spontanément dans notre esprit — puisqu'il s'agit de systèmes de rapports s'emboîtant les uns dans les autres — nous arrivons à constater que l'opposition morphologique entre les Classes I et II se traduit par l'opposition des éléments *-a-*/*-e-*, etc. — Un morphème n'est qu'une marque sur la ligne phonique d'un croisement des rapports, et rien d'autre.

Il n'en saurait pas être autrement. La projection des rapports constituant la pensée linguistique sur la ligne phonique ne peut viser qu'à établir des équivalences entre les oppositions spirituelles et les oppositions " matérielles " qu'on-réussit à créer sur cette ligne. Il s'agit là de deux ordres de faits irréductibles. La différenciation de la ligne phonique est une opération " arbitraire " et dont le principe varie d'un type de langues à l'autre. Dans certaines langues, plusieurs espèces de rapports peuvent être projetées sur le même point de la ligne phonique, les " tranches " de cette ligne peuvent empiéter l'une sur l'autre, et se " superposer " même, dérogeant ainsi jusqu'à une certaine mesure au principe du caractère linéaire du signifiant formulé par F. de Saussure.

Ainsi la morphologie est le système des procédés employés par la langue donnée pour révéler sur la ligne phonique les rapports projetés. Tandis que la phonologie est le système des procédés au moyen desquels est construite la ligne phonique. Enfin la phonétique, c'est la matière phonique " inerte " que la phonologie utilise. Sous certains rapports, la distinction faite entre la phonologie et la phonétique rappelle l'opposition du " productif " avec l' " improductif ".

Le Prince N. S. Troubetzkoy et R. I. Jakobson ont montré la complexité extrême de la notion de *phonème* en tant que croisement des rapports réglant la " vie " de la face phonique de la langue. Mais combien encore plus compliquée est la notion de *morphème* si nous la considérons du point de vue dynamique !

A propos d'un fait délimité, nous avons voulu montrer que la langue se présente comme un système de centres de rayonnement sémiologique. Le champ d'action de chaque foyer est limité, soit par le degré d'importance de la fonction desservie, soit par la quantité de la matière première. A mesure que nous nous éloignons du centre d'un champ de rayonnement, nous constatons une diminution de l'énergie " vitale " ; à un moment donné, nous nous retrouvons dans un espace où l'action du foyer abandonné n'atteint pas, ce qui ne signifie pas encore que cet espace ne soit animé par l'énergie émanant d'un autre centre de vie.

Voilà pourquoi dans une même classe verbale correspondant à une sorte d'équilibre instable réalisé sur un point du système linquistique entre la sémantique et la grammaire, il peut y avoir des éléments " morts " sans que la vitalité de la classe entière en soit compromise.

2 LA PHONOLOGIE ET LA POÉTIQUE

Jan Mukařovský

Les quelques remarques suivantes sur la phonologie appliquée à l'aspect phonique de l'œuvre poétique qui suivront, n'ont nullement la prétention de donner un programme de travail systématique. Il est impossible de prévoir dès aujourd'hui, jusqu'où iront, dans l'étude de l'œuvre poétique, les possibilités de l'application des méthodes, élaborées par la phonologie, et des résultats concrets, obtenus par l'étude phonologique de la langue. L'importance de la phonologie pour la langue n'apparaîtra avec une clarté suffisante que lorsqu'on procédera à l'étude comparative de différents systèmes littéraires (c'est-à-dire de différentes littératures nationales) basés sur des systèmes phonologiques différents ; cette étude sera d'autant plus fructueuse que les systèmes phonologiques seront plus ressemblants (donc si l'on compare des littératures de langues parentes) ; dans ces cas on pourra constater des diversités de structure poétique d'autant plus frappantes qu'elles se réfléchiront sur le fond des ressemblances considérables entre les systèmes phonologiques en question. Ce n'est qu'à ce moment qu'on pourra se rendre compte avec une clarté suffisante, dans quelle mesure l'aspect et la fonction structurale des procédés poétiques sont influencés par le système phonologique ; on verra des procédés absolument identiques changer d'aspect et de fonction selon le caractère du système phonologique avec lequel ils seront mis en rapport. Nos remarques ne sont pas fondées sur ce genre de comparaison entre diverses littératures ; nous nous sommes bornés à passer en revue les possibilités de l'application de la phonologie à la poétique qui nous ont été suggérées uniquement par l'étude de la littérature tchèque seule. Cette réserve faite, nous allons commencer nos remarques.

Ce n'est que depuis quelques années que l'on a commencé à distinguer les qualités phoniques inhérentes à l'œuvre elle-même de celles qui dépendent de sa réalisation déclamatoire (voir le livre de R. Jakobson, O češskom stiche, Berlin, 1923, et l'étude de S. J. Bernstein, Stich i deklamacija dans Russkaja reč I. Leningrad, 1927 ; dans la poétique tchèque, c'est Zich qui, dès 1917 quoique se déclarant d'accord avec le point de vue acoustique de l' " Ohrenphilologie ", a précisé la différence entre les qualités phoniques inhérentes à l'œuvre et celles qui sont au gré du récitateur, dans l'article " O typech básnických ", Č. M. F. VI, Praha, 1917). La question, quoique résolue en principe, est encore loin de

Reprinted from *Travaux du Cercle Linguistique de Prague* 4 (1931) : 278–88, with the permission of the author and of Bohumil Trnka, secretary of Cercle Linguistique de Prague.

l'être en détail ; on n'est pas encore d'accord sur la ligne de démarcation définitive séparant les deux groupes d'éléments phoniques ; ainsi par ex. les uns réclament l'intonation pour l'œuvre, selon d'autres elle dépend complètement de la réalisation acoustique. La phonologie devra prêter ici son secours ; il est caractéristique que les deux savants russes, cités plus haut comme adversaires du point de vue acoustique (introduit par l' " Ohrenphilologie ") ont eu recours à la phonologie à un moment où les questions phonologiques n'étaient guère actuelles. Cela ne veut pas dire qu'il soit possible d'identifier la limite entre les qualités phoniques inhérentes à l'œuvre et celles qui en sont indépendantes avec la ligne de démarcation séparant les faits phonologiques des faits extraphonologiques. Même les faits purement acoustiques peuvent non seulement être donnés par le texte, mais aussi figurer parmi les composantes de la structure de l'œuvre, à condition que leur caractère soit prédéterminé par d'autres éléments de l'œuvre (par ex. la hauteur relative du niveau tonique actualisée par quelques poètes symbolistes tchèques). Tout de même, le devoir de la phonologie est d'établir un principe de délimitation : s'il est impossible d'affirmer que, pour être extraphonologique, un élément soit exclu de l'œuvre même, du moins on peut dire avec certitude qu'un élément phonique, en tant qu'il est phonologique, fait par cela même partie de la forme phonique de l'œuvre. Il est même possible d'affirmer que différents éléments phonologiques par leur répétition régulière donnent une impulsion qui caractérise l'œuvre en question et qui a une répercussion sur les éléments voisins.

Voici l'importance générale de la phonologie pour l'analyse structurale de l'œuvre poétique. Avant d'entrer dans les détails, il sera peut-être utile d'ajouter encore une petite remarque, concernant les procédés graphiques. Ces procédés, comme p. ex. le choix de différents types d'impression, la disposition des types sur la page, l'emploi, différant de l'usage normal, des signes de ponctuation, des majuscules et des minuscules, etc., peuvent avoir la fonction de composantes intégrantes de la structure de l'œuvre poétique. Si, jusqu'ici, on s'est peu occupé de leur étude par rapport à l'œuvre c'est que la prépondérance du point de vue acoustique a fait négliger leur importance. Le plan graphique n'a pas de rapport direct avec le plan acoustique, mais de même que le plan acoustico-moteur il est en rapport direct avec le plan phonologique. C'est pourquoi l'introduction du point de vue phonologique place les procédés graphiques dans le champ de vision des théoriciens.

Une fois ces remarques faites, nous entrerons dans les détails, c'est-à-dire que nous étudierons l'un après l'autre les éléments phoniques capables d'être actualisés dans la poésie (c'est-à-dire d'acquérir le caractère spécifique des procédés d'art), pour démontrer sur chacun d'eux les possibilités de l'application du point de vue phonologique.

LE CHOIX DES PHONÈMES

Le poète a à sa disposition le répertoire des phonèmes de sa langue, caractérisé non seulement par le nombre des phonèmes et par leurs rapports (phonologiques, acoustico-articulatoires), mais aussi par la fréquence relative de leur emploi. En choisissant dans ce répertoire, il peut changer les relations numériques des phonèmes, en se servant plus fréquemment ou au contraire moins fréquemment que l'on ne le fait dans l'usage normal de certains d'entre eux. Il peut ainsi déformer p. ex. la relation numérique entre les consonnantes et les sonnantes, entre les voyelles longues et brèves etc. (cf. A. M. Peškovskij, Principy i prijemy stilističeskogo analiza i ocenki chudožestvennoj prozy dans le livre Voprosy metodiki rodnogo jazyka, lingvistiki i stilistiki, Moskva — Leningrad, 1930). Il serait même possible de se poser la question si, dans une œuvre poétique, le choix des phonèmes reste toujours le même au cours du texte ou s'il change suivant les péripéties de la composition (cf. A. Arťuškov, Zvuk i stich, Petrograd, 1923). Dans une œuvre en vers et rimée, il serait parfois intéressant de savoir à quels phonèmes ou quelles séries de phonèmes on donne la préférence pour les rimes. Il est clair que le choix des phonèmes influence non seulement le caractère phonique de l'œuvre, mais aussi son vocabulaire. Il est donc important pour l'analyse structurale d'une œuvre poétique de faire un tableau statistique de la fréquence des phonèmes et des séries de phonèmes en comparaison de leur fréquence normale. Si, en faisant cette statistique des sons, on négligeait le point de vue phonologique, on risquerait 1° de s'égarer dans le dédale des complications acoustiques, 2° de ne pas voir clairement le rôle que peuvent jouer dans la structure de l'œuvre les rapports existant à l'intérieur du système phonologique donné.[1]

LE GROUPEMENT DES PHONÈMES

Le groupement des phonèmes, surtout consonantiques, offre au poète des possibilités très variées. Ce groupement est régi, dans une langue donnée, par des principes généraux (cf. la tendance du tchèque à se servir très fréquemment de groupes consonantiques, et une autre, de placer ces groupes de préférence au commencement des mots, voir Mathesius, La structure phonologique du lexique du tchèque moderne, Travaux du Cercle linguistique de Prague I, Prague, 1929) de même que par des " affinités " particulières (certains couples de consonnes peuvent, dans une langue donnée, facilement former un groupe, d'autres, au contraire, rarement ou pas du tout ; même l'ordre dans lequel se suivent les consonnes d'un groupe n'est pas indifférent à cet égard ; voir là-dessus l'étude de Peškovskij citée plus haut). Le poète peut influencer et les principes généraux du groupement et les " affinités " en choisissant de préférence certaines possibilités ou en en évitant d'autres. Exemple de la déformation des principes généraux : le recueil lyrique du poète tchèque Vinařický où ont été évités, malgré la prédilection du tchèque pour les groupes consonantiques, tous les groupes de ce genre. Quant aux " affinités ", le poète peut p. ex. rendre plus fréquents les groupes qui sont rares dans l'usage normal et inversément ; il peut même éviter certains groupes, etc. Toutes ces variations, il peut les réaliser par le choix des mots en influençant en même temps que le caractère phonique de son œvre, son vocabulaire.

[1] Par rapport au choix des phonèmes on peut citer le témoignage du poète russe A. Belyj qui affirme que, pour l'impression de ses poèmes, les ouvriers typographes augmentaient leurs provisions de quelques types (*l*, etc.). Un autre poète russe, Deržavin a, parmi ses œuvres lyriques toute une série de poésies où il a tout à fait supprimé la consonne *r*.

Mais, par là, toutes les possibilités du groupement des phonèmes ne sont pas épuisées. Restent encore tous les groupes qui se forment à tout moment à la limite des mots voisins. Ces groupes, fortuits dans l'usage normal, peuvent ne pas l'être dans une œuvre poétique. Le poète peut — par l'arrangement de l'ordre des mots — influencer ces groupes d'une manière beaucoup plus efficace que ceux qui se trouvent à l'intérieur des mots. En plus, le choix est dans ce cas beaucoup plus étendu que dans le corps des mots, étant donné que tous les groupes, possibles à l'intérieur des mots, le sont aussi à leur limite, mais de plus, on trouve à la limite des mots beaucoup de groupes que l'on ne rencontre jamais dans leur corps (voir l'étude de Peškovskij citée plus haut). On peut dire en général que le choix des phonèmes voisins des limites des mots est très important pour le caractère phonique de l'œuvre poétique ; ainsi, dans la poésie classique française l'hiatus est défendu à la limite des mots, mais permis à l'intérieur. Quant aux groupes de consonnes se formant à la limite des mots, il est surtout important de savoir quels sont, parmi les groupes possibles, ceux qu'on évite, ou au contraire ceux qu'on préfère dans une œuvre ; ainsi il se pourrait qu'un poète évitât à la limite des mots tous les groupes qui, dans la langue donnée, sont impossibles à l'intérieur des mots (voir Peškovskij l.c.), etc.

LA DISPOSITION DES PHONÈMES (SCHÈMES EUPHONIQUES)

Cette disposition, qui est toute fortuite dans la langue de communication, peut ne pas l'être dans la langue poétique. En ce cas on entrevoit à travers la suite des phonèmes d'une phrase, d'un vers, d'une strophe, etc., certaines correspondances basées soit sur l'identité des phonèmes ou de la série corrélative, soit sur un contraste fondé sur les rapports phonologiques. Dans le premier cas, ce n'est pas l'identité phonétique qui est de rigueur ; même les variantes d'un phonème peuvent entrer en correspondance ; par ex. l'*n* dental et l'*ŋ* vélaire dans le vers suivant de Hlaváček :

mé tenké prsty *n*a stru*n*ách vždy *n*ervosně se chvějí

Pour le second cas (identité de la série corrélative) l'accumulation des longueurs, apparaissant parfois comme phénomène euphonique ou à l'intérieur d'un vers ou à la fin de plusieurs vers consécutifs fournit un exemple instructif (voir notre article " Eufonie Theerových Výprav k Já ", L. Fil. LVIII). Parfois il arrive même que cette façon de disposer les longueurs à la fin des vers prend l'importance d'un élément de composition dans le poème ; dans le recueil de Vinařický, cité plus haut, on trouve par ex. un poème où le dernier temps fort de chaque strophe est long ; dans un autre poème du même recueil tous les vers de la 1e et la 4e des quatre strophes qui le composent, s'achèvent sur un ictus long, tandis que ceux de la 2e et 3e strophe ont — sauf deux exceptions — les derniers ictus brefs. Reste encore le troisième cas, la correspondance reposant sur un contraste fondé sur les rapports phonologiques. L'euphonie tchèque en offre deux exemples très caractéristiques. Le premier concerne la corrélation longueur-brièveté : on peut faire correspondre dans les vers tchèques une voyelle longue et la même voyelle brève en les mettant à des places où — grâce à une correspondance rythmique — leur opposition est facile à saisir. En d'autres cas — et c'est là le second exemple — on met en opposition de la même façon les voyelles tchèques *i* et *u* en exploitant ainsi au profit de l'euphonie la différenciation des tons propres.

On doit considérer comme un groupe en dehors des autres phénomènes euphoniques la rime qui, outre sa fonction euphonique, a toujours en plus une fonction rythmique — essentielle celle-là — et une fonction sémantique. L'identité des phonèmes, exigée par la rime, est un peu différente de l'identité euphonique en général. Ainsi par ex. le couple corrélatif *d-t* qui donne une correspondance euphonique parfaite, est ressenti à la rime comme une identité imprécise.[2] Il importe donc d'appliquer à la rime le point de vue phonologique. En face d'un système de rimes donné il faut toujours se poser la question quelle est la fonction que peuvent y remplir les rapports phonologiques. Que cette fonction soit positive ou négative, toujours est-il qu'elle contribue à la caractéristique du système donné. Ainsi dans la poésie tchèque (tel que l'a constaté R. Jakobson dans le livre O češskom stiche, p. 57), il y a eu des époques où la rime entre une voyelle brève et la même voyelle longue était considérée comme imprécise — on évitait des rimes de ce genre ; mais à d'autres époques cette rime était traitée comme parfaitement précise et l'on s'en servait beaucoup. Les voyelles *i* et *y* qui étant l'une prépalatale et l'autre postpalatale, sont relativement éloignées l'une de l'autre au point de vue acoustico-moteur, riment dans la poésie russe, polonaise, et vieux-tchèque uniquement parce qu'elles sont des variantes combinatoires d'un même phonème.

L'INTONATION

La question fatale de savoir si l'intonation est un élément de l'œuvre poétique se pose de la façon suivante : l'intonation est-elle donnée, et — en cas d'une réponse affirmative à la question précédente [3] — dans quelle mesure peut-elle être donnée dans l'œuvre elle-même, sans tenir compte de la réalisation acoustique ? La phonologie contribue dans une large mesure à la solution de cette double question. Il est évident, qu'une fois le caractère phonologique de l'intonation non seulement définitivement prouvé, mais aussi suffisamment éclairé, on pourra tracer d'une manière précise les principaux contours de l'intonation de l'œuvre poétique. Cela ne veut pas dire que tout ce qui est donné comme intonation dans l'œuvre poétique, doive nécessairement porter le caractère d'un élément phonologique ; il y a des phénomènes d'intonation qui, tout en étant purement acoustiques, peuvent faire partie de l'œuvre elle-même. Comme exemple on peut citer la hauteur relative du niveau tonal qui, souvent, se trouve prédéterminée par la structure syntaxique et sémantique du texte (cf. E. Sievers, Rhythmisch-melodische Studien, Heidelberg, 1912, p. 66) et qui peut même acquérir la valeur d'un procédé esthétique (chez certains poètes symbolistes tchèques).

M. Karcevskij a, ici même, fait une communication très intéressante sur la

[2] Quant à la précision qu'on exige de la rime, il y a des différences d'école et d'époque. Au cours de l'évolution de la même littérature il y a toujours des périodes de rimes précises et des périodes où la rime imprécise est non seulement permise, mais où elle est recherchée.

[3] La réponse affirmative à cette question est encore loin d'avoir obtenu l'assentiment unanime. Voir les solutions négatives d'A. Heusler dans l'article "E. Sievers und die Sprachmelodie" (Deutsche Litteraturzeitung, Année 33, fasc. 24) et de S. J. Bernstein dans l'article cité plus haut.

phonologie de l'intonation. Son grand mérite est d'avoir le premier clairement affranchi l'étude de l'intonation de l'asservissement complet par la syntaxe.[4] Sa constatation est de première importance pour l'étude de l'intonation dans la poésie, car ici où l'intonation, en qualité de composante ou même de dominante de la structure, a plus de relief que dans la langue de communication, ses connexions multiples avec d'autres éléments linguistiques que la syntaxe seule ressortent avec plus de clarté ; ce sont par ex. les limites des mots, l'ordre des mots (qui, à son tour, n'est nullement un phénomène d'ordre purement syntaxique), le poids sémantique relatif des mots voisins dans le contexte, etc.[5] L'étude concrète de l'intonation dans une œuvre poétique doit suivre deux voies différentes : 1° elle doit explorer la qualité de la ligne d'intonation (rapidité ou lenteur de l'élevation ou de l'abaissement du ton, caractère des cadences finales, rapports entre l'intonation et l'intensité expiratoire, etc.) ; 2° elle doit étudier l'arrangement et les rapports mutuels des formations mélodiques de succédant dans l'œuvre. Dans les deux directions, il est impossible de se passer de la phonologie, car la qualité de la ligne d'intonation aussi bien que les formations mélodiques doivent non pas être décrites comme phénomènes acoustiques, mais être réduites à leurs connexions avec d'autres éléments de l'œuvre qui, eux, sont indépendants de la réalisation acoustique. Autrement, on n'a pas de garantie que les phénomènes décrits fassent partie de l'œuvre même.

Tout ce que nous venons de dire de l'intonation pouvait se rapporter aussi bien à la prose qu'au vers. Mais le vers offre — par rapport à l'intonation — des problèmes d'ordre spécial. Car l'intonation du vers a un double fondement ; il y a l'entrecroisement de deux sortes de schèmes mélodiques : l'un conditionné par la langue, l'autre par le rythme (car le vers est — on pourrait dire, par définition — une unité d'intonation en même temps qu'une unité rythmique). Dans un vers donné, les deux intonations, linguistique et rythmique (ou même métrique, puisque certains mètres se trouvent associés à des schèmes mélodiques caractéristiques et permanents) ; peuvent se recouvrir l'une l'autre ou s'entrecroiser ; dans les deux cas, leur relation mutuelle est un fait très important pour la structure de l'œuvre. Il est évident que la simplification de l'analyse, rendue possible par le point de vue phonologique, est encore plus indispensable ici que dans le cas précédent.

LA LIMITE DES MOTS

La limite des mots, élément dont le caractère phonologique est hors de doute, joue un rôle considérable dans la structure de l'œuvre poétique, à condition d'être actualisé. Il y a des œuvres où son rôle structural est minime (p. ex. dans les œuvres où l'intonation est dominante et où la ligne d'intonation transgresse et voile souvent toutes les limites — non seulement celles des mots, mais aussi celles des propositions et des phrases, celles des hémistiches, des vers et même

[4] Pour la bipartition mélodique de la phrase, motivée par sa structure sémantique, voir aussi L. Martin, Les symétries du français littéraire, Paris, 1924, p. 75.

[5] Voir notre article " Rapports de la ligne phonique, etc." dans les travaux du Cercle linguistique de Prague I (Prague, 1929) et l'article " Eufonie Theerových Výprav k Já ", L. Fil. LVIII (p. 167 s.).

parfois celles des strophes). Dans d'autres cas le rôle structural de l'intonation est important et très marqué.

1° *Le parallélisme des limites des mots.* Dans certains poèmes, on peut constater que les limites des mots dans le premier hémistiche du vers correspondent, en partie ou entièrement, à celles du second hémistiche dans la majorité des vers, de sorte que ce phénomène influence sérieusement la structure du poème entier. Comme il s'agit ici d'un phénomène saisissable même pour ceux qui ne comprendront pas le texte tchèque, nous donnons ici un exemple :

Ó jara | polnice || se vichří | triumfální,
a všichni | čekají || na návrat | mladých ptáků,
v jichž peří | budou chvět || se hudby | rovníkové
a až k nám | přiletí || mé všechny | jarní lásky,
na smavých | pobřežích || prapory | vyvěsíme,
a bude | naše země || dýchat | rytmem svátků,
které jsou | bělostné || jako sny | zasnoubených.

(*Theer, Výpravy k Já, Óda na jaro*).

Dans tous les hémistiches de cette strophe la première limite des mots précède chaque fois immédiatement le deuxième temps fort ; il en résulte un parallélisme, toujours renouvelé, des limites dans les deux hémistiches de chaque vers.

Le même parallélisme des limites des mots peut unir les vers consécutifs d'un poème :

Kde dříve | snů mých | horizont | v magických | barvách | plál,
pod klenbou | svého | paláce | ted' hasne | starý | král,
jenž nemá | světu | víc co říc | a o tom | jenom | sní,
kdy nad temnotou | života | se nebe | vyjasní.

(*Theer, l.c. Ztracené horizonty*).

Ou enfin ce parallélisme des limites de mots peut se faire valoir dans des strophes entières de sorte que les limites du premier vers d'une strophe correspondent à celles du premier vers de la strophe suivante ; la même ressemblance relie les seconds vers des deux strophes et ainsi de suite. Exemple :

1. Vyzáblé | stíny | letí | rovinami
2. k žebravým | ohňům | a bledým | chatrčím
3. na smolných | věncích | snášejí se | s hůry
4. potulné | čarodějnice.

1. Chorobný | dým a | jiskry | omamují
2. věštecké | věnce | bludných | vlasatic,
3. záludné | ticho | věstí pohřeb | lesů
4. vibrujíc | potměšile.

(*Nezval, Most, Domov.*)

Il est évident que le parallélisme des limites des mots peut jouer un rôle important 1° dans le choix des mots, 2° dans l'arrangement sémantique du contexte (réactions sémantiques qui se produisent à la rencontre des mots voisins).

2° La disposition des limites des mots dans le vers peut servir aussi *à la différenciation rythmique*. Dans le cas précédent, celui du parallélisme, les limites des mots influençaient la structure de l'œuvre par la régularité de leur disposition, ici, c'est au contraire l'irrégularité qui se fait valoir. Cette irrégularité concerne le rapport entre les limites des mots et le mètre. Dans le vers tchèque, les limites des mots peuvent suivre tous les contours de la scansion en se plaçant immédiatement devant chaque syllabe forte. Mais il y a encore une autre possibilité, qui est réalisée plus fréquemment : les limites des mots choisissent pour s'y placer seulement quelques temps forts du vers, laissant les autres, pour ainsi dire, s'effacer à l'intérieur des mots. Quelle en est la conséquence ? Dans les cas où la limite des mots n'est pas actualisée (et, par conséquent, reste presque sans effet dans la réalisation acoustique) le rapport entre le mètre et la disposition de la limite des mots passe presque inaperçu ; tel est l'état des choses par ex. dans les structures où l'intonation domine. Mais dans d'autres cas, là où la limite des mots est actualisée grâce aux procédés d'ordre sémantique et d'ordre syntaxique, il en ressort une forte différenciation rythmique, une grande variété et variabilité du mouvement rythmique concret par rapport au schème métrique. Ou peut trouver dans la poésie tchèque des poèmes où le rythme, quoique fondé sur un schème métrique absolument régulier et — ce qui plus est — fixé par la tradition, apparaît à l'audition moins régulier que le rythme des vers libres. Tel est le caractère rythmique de certains vers de Karel Toman où les limites des mots ont un relief très marqué — la critique impressionniste désigne ces vers du mot de " gravés " — grâce à une construction sémantique et syntaxique spéciale dont nous avons noté quelques traits dans notre article " Rapports de la ligne phonique, etc.", cité plus haut.

LE RYTHME POÉTIQUE ET LA PHONOLOGIE

La phonologie devient nécessaire pour l'étude du rythme poétique, dès que l'on commence à analyser la base prosodique d'un système rythmique donné. Comme exemple-modèle d'une analyse de ce genre il faut citer le livre de R. Jakobson sur la prosodie tchèque (O češskom stiche, Berlin, 1923 ; la version tchèque Základy českého verše, Prague, 1926). Jakobson a été le premier à confronter la question du rythme poétique avec la phonologie. Il l'a fait sur des matériaux tchèques, en démontrant que le principe prosodique du vers tchèque repose sur une canonisation de la coïncidence de la limite des mots avec les temps forts rythmiques. On peut déduire de son livre la règle générale que pour l'analyse de tout système rythmique il est absolument nécessaire de constater lesquels des éléments linguistiques, faisant partie de la base prosodique du rythme, sont phonologiques, lesquels extraphonologiques. Il est naturel que pour chaque système donné on pourra constater, à travers son évolution historique, une tendance à prendre pour élément essentiel, constituant le canevas de la structure rythmique, un des éléments phonologiques, tandis que les éléments extraphonologiques tendront à se ranger autour du noyau phonologique en qualité d'éléments concomitants.

L'application du point de vue phonologique est donc d'une utilité essentielle pour l'analyse du côté phonique de l'œuvre d'art littéraire :

1° Elle aide à établir une délimitation entre les qualités purement acoustiques (que l'on pourrait aussi appeler " déclamatoires "), facultatives au point de vue de l'œuvre, et entre ces éléments phoniques qui sont des parties intégrantes de sa structure.

2° Elle donne la possibilité de s'occuper du rapport structural entre le côté phonique et les autres éléments du poème. Ce rapport n'est pas celui d'un parallélisme automatique, mais celui d'une interaction mutuelle et active entre les membres des deux groupes. Si l'on ne se rend pas compte de cette interaction, il est sûr que dans toute analyse on déformera l'un et l'autre côtés de l'œuvre. Tel est le profit que la poétique pourra tirer des études phonologiques. Mais on pourrait aussi retourner la question qui est à la base de cet article et dire : la poétique peut-elle, à son tour, être utile à la phonologie ? La réponse à cette question ne peut être autre qu'affirmative, si l'on considère le caractère spécial de la langue poétique. Une langue fonctionnelle ayant pour but la désautomatisation des moyens d'expression, une langue où tout élément linguistique, même celui qu'habituellement on remarque le moins, peut prendre la valeur d'un procédé nettement téléologique, doit fournir des matériaux inappréciables à toute analyse phénoménologique du langage. Grâce à la langue poétique, on peut parfois distinguer plusieurs éléments linguistiques, nettement caractérisés par rapport à leur fonction, là où du point de vue de la langue de communication on n'aperçoit qu'une complication incertaine et inquiétante. La poétique, qui étudie la langue de la poésie au point de vue de sa fonction spéciale, peut donc, en adoptant le point de vue phonologique, espérer de recevoir, mais aussi de pouvoir donner.

3 ZUR PHONOLOGISCHEN GEOGRAPHIE (DAS VOKALSYSTEM DES BALKANISCHEN SPRACHBUNDES)

Bohuslav Havránek

In diesem Beitrag zur phonologischen Geographie will ich zeigen, dasz in den Balkansprachen ein im Grunde identisches Vokalsystem existiert, und andeuten, in welchem Verhältnis dasselbe Vokalsystem zum phonologischen System der anderen europäischen mediterranen Sprachen steht.

Es ist seit langem allgemein bekannt, dasz die miteinander ursprunglich nicht verwandten, aber geographisch benachbarten Balkansprachen einen wirklichen *Sprachbund* darstellen — nach der Terminologie N. Trubetzkoy's, die auf dem Haager Linguisten-Kongresse angenommen [1] und in Travaux du Cercle linguistique de Prague IV (1931) von R. Jakobson u.a. benützt wurde.

Schon am Anfange des XIX. Jahrhunderts (i. J. 1829) hat der Slavist B. Kopitar über eine Sprachform mit dreierlei Sprachmaterial (d.h. mit dem rumänischen, slavischen und albanischen) gesprochen, wie es von Kr. Sandfeld in seinem vortrefflichen *Linguistique balcanique* (1930, S. 11) wohl bemerkt wird. Seitdem sind viele höchst wertvolle Arbeiten den gemeinsamen Erscheinungen der morphologischen und syntaktischen Struktur und besonders dem Wortschatz der Balkansprachen gewidmet worden — wie von den Indogermanisten und Romanisten, so auch von den Spezialisten der einzelnen betreffenden Sprachen —, die jetzt durch die vorgenannte Schrift Sandfeld's in ihren hauptsächlichen Ergebnissen zusammengefaszt wurden und so bequem zugänglich vorliegen. Was das Lautsystem betrifft, hat man schon auf einige gemeinsame Merkmale aufmerksam gemacht, aber entweder nur auf die Existenz eines oder zweier sog. gutturalen oder " anormalen " Laute im Rumänischen, Bulgarischen und Albanischen oder auf die oder andere vermutliche parallele Entwicklung, indem man besonders ihren Ausgangspunkt in der einen von diesen Sprachen oder in dem gemeinsamen Substrat suchte.[2]

Reprinted from *Proceedings [First] International Congress of Phonetic Sciences*, 1932, pp. 28–34, with the permission of Hollandsche Maatschappij der Wetenschappen.

[1] Premier Congrès International de Linguistes à La Haye 1928, S. 20. — Jokl u.a. nennen dasselbe " Spracheinheit ".

[2] Vgl. W. Meyer-Lübke, Rumänisch, Romanisch, Albanesisch in Mitteil. des rum. Institute an d. Univ. Wien 1914, S. 1 ff. ; B. Conev, Ezikovi vzaimnosti meždu Bъlgari i Romъni in Godišnik na Sof. universitet 15–16, 1921 und dazu P. Skok in Slavia 4, 1925–6, 129 ff. ; Th. Capidan in Dacoromania 2, 1922, 450 ff. und ib. 3, 1923, 162 ff. u. dazu St. Mladenov in Slavia 5, 1926–7, 147 ff. ; A. Seliščev in Revue des études slaves 5, 1925, 49 ff. u.a. ; s. auch Kr. Sandfeld op. cit. 124 ff., wo andere Literatur.

Doch halte ich es — natürlich nicht ich allein, sondern wenigstens der Prager Linguistische Zirkel — für eine wichtigere Aufgabe, das gemeinsame Ergebnis zu enthüllen als den Ausgangspunkt, oder wenigstens für eine ebenso wichtige Aufgabe; denn man musz doch die konvergierende Entwicklung in Betracht ziehen, deren Verlauf teleologisch erklärt werden soll.[3]

Die lautlichen Unterschiede oder die lautlichen Übereinstimmungen zwischen den Sprachen oder den Dialekten " können das phonologische System betreffen oder nur die phonetische Realisierung einzelner Phoneme ".[4] Alle Detailfragen der phonetischen Realisierung lasse ich in dem folgenden Berichte ganz beiseite und werde nur die Grundsätze des phonologischen Vokalsystems der Balkansprachen skizzieren.

Erstens besitzen alle betreffenden nachgenannten Sprachen einen wortphonologischen dynamischen (exspiratorischen) Akzent und kennen keine Quantitätsunterschiede auszer der nichtphonologischen begleitenden Quantität in den betonten Silben. Das heiszt: Wörter können durch die Betonungsstelle, durch die Stärke des Stimmtones der einen oder anderen Silbe voneinander unterschieden werden, aber nicht durch die Länge der Silben; die Länge wird, wo sie doch existiert, durch die Betonung bedingt. Zu den betreffenden Sprachen mit den phonologischen Betonungsgegensätzen (mit der Betonungs- oder Tonstufenkorrelation) des monotonischen Typus gehört das Rumänische (Dakorumänische) mit dem Ukrainischen einerseits und mit dem Bulgarischen anderseits, weiter der gröszte Teil Mazedoniens, wie mit den romanischen Dialekten, dem s.g. Mazedorumänischen (Aromunischen) und Meglenorumänischen (Meglenitischen), so auch mit den slavischen Dialekten seines grösseren südöstlichen Teiles, und noch nördlich die südöstliche Peripherie des Serbischen vom südlichen Moravatal bis zum mittleren Timok [5] und südwestlich die südlichen toskischen albanischen Dialekte.[7]

Im Nordwesten von diesem monotonischen Gebiet befindet sich die polytonische serbokroatisch–slovenische Sprachinsel [6] mit den phonologischen Tonverlauf- und Quantitätsgegensätzen (in den čakavischen Dialekten auch mit der Tonstufenkorrelation); zu dieser polytonischen Insel gehören wahrscheinlich auch die nördlichen Dialekte des Albanischen, wenigstens alle gegischen.[7] Weiter im Norden findet sich der Typus des nichtphonologischen festen Akzentes im Magyarischen, Čechoslovakischen und Polnischen, mit dem Akzent auf der ersten oder der vorletzten Silbe; auch auf den Grenzen zwischen

[3] Ich nehme " die konvergierende Entwicklung " in einem mehr pragnanten Sinne an als A. Meillet in dem bekannten Artikel " Convergence des développements linguistiques " vom J. 1918, jetz in *Linguistique historique et linguistique générale*, 2. Aufg. 1926, S. 61 ff., wo er damit nur die paralelle Entwicklung derselben Spracherscheinungen erfaszt. Vgl. dazu den passenden Ausdruck R. Jakobson's *jazyki jedinoustremlennyje* (gleichstrebige Sprachen) in der Schrift K charakteristike jevrazijskogo jazykovogo sojuza 1931, S. 3.

[4] N. Trubetzkoy in Travaux du CLP. IV (1931), S. 228.

[5] Vgl. A. Belić in Srpski dijalektološki zbornik 1, 1905, 271 ff. und 2, 1911, 88 ff. und Stanojević ib. 2, 1911, 387 ff.; O. Broch, Die Dialekte des südlichsten Serbiens (Schriften der Balkankommission) 1903, 48 ff.

[6] Die phonologischen Typen dieser polytonischen Sprachinsel (ohne das Gegische des Albanischen) sind von R. Jakobson in Travaux du CLP. IV (1931) 173 ff. analysiert.

[7] Vgl. D. Pekmezis Beobachtungen über den Akzent und die Quantität im Albanischen, die er mit Unterstützung von R. Nachtigall gemacht und in Anzeiger d. Wiener Akademie d. Wissenschaften 38, 1901, S. 45 ff. und in seiner Grammatik der albanischen Sprache (1908), S. 16 f., 46 f. und 54, veröffentlicht hat. Grösztenteils stimmen sie mit den Erfahrungen des jungen englischen Linguisten St. E. Mann überein, der längere Zeit in Albanien lebte; ich danke ihm herzlich für

dem polytonischen Gebiete und unserem monotonischen Gebiete des phonologischen dynamischen Akzentes liegt ein Territorium im Nordwesten Mazedoniens mit dem festen nichtphonologischen Akzent, mit lauter Proparoxytona (vielleicht auch teilweise mit lauter Paroxytona) ohne jede Quantitäts- und Tonverlaufgegensätze.[8]

Es wäre noch zu bemerken, dasz es auf dem monotonischen Balkangebiet einen Unterschied zwischen den slavischen Dialekten ohne den Teil Ostmazedoniens samt dem Albanischen auf der einen Seite, und den anderen betreffenden Balkansprachen und Dialekten auf der anderen Seite gibt: die ersteren besitzen höhere Mannigfaltigkeit im Akzent — da die Stelle des Akzentes in ihnen unbeschränkt ist — als die anderen, wo er auf einige letzte Silben oder gerade auf einige Silben vor der letzten beschränkt ist, und zwar meistens auf die drei letzten, doch in einer zentralen Zone Mazedoniens (von Moriovo, Tikveš vielleicht bis nach Lerin und Kostur) auf die zwei vorletzten Silben.[8]

Der erwähnte wortphonologische Akzenttypus bleibt aber nicht auf die genannten Sprachen beschränkt, sondern findet sich weiter nach Norden im Russischen vor, so wie nach Süden im Neugriechischen und noch weiter in allen romanischen mediterranen Sprachen, worauf ich noch zurückkommen werde.

Zweitens werden alle oben genannten Balkansprachen samt dem Ukrainischen durch ebendieselben Vokaleigentonkorrelationen gekennzeichnet.

Das Schema des Vokalsystems dieser Sprachen stellt sich in den zwei folgenden Variationen dar:

a) die eine, die man die bulgarische nennen kann:

o	a	*e*
u	ǎ	*i*[9]

b) die andere, die rumänische:

ǫ (*ǫa*)	a	*ę* (*ęa*)
o	ǎ	*e*
u	â	*i*.

---

seine freundlichen und wertvollen Mitteilungen. In gröszter Dankbarkeit bin ich auch dem Herrn Kollegen Prof. H. Jarník für viele Ratschläge über das Albanische und Rumänische verpflichtet.

Traditionell hält man den albanischen Akzent nur für dynamisch, so nicht nur bei Brugmann, Grundriss I², 970, sondern auch noch bei H. Hirt, Indogerman, Grammatik V (Akzent), 1929, S. 180; das ist ungenau. Man musz zur südeuropäischen polytonischen Sprachinsel bei R. Jakobson in Travaux du CLP. IV (1931), S. 235, und in seiner Schrift K charakteristike evraz., jazykovogo sojuza (1931), S. 17, das Gegische hinzurechnen (das denselben Typus wie das Slovenische in Krain und einige serbische Dialekte zu haben scheint, d.h. die polytonische Betonung fällt nur auf die langen Silben, welche an der Tonstufenkorrelation nicht teilnehmen); also gehört nicht das gesamte Albanische, wie Ĺ. Novák in seinem in d. Anm. 16 zitierten Artikel meint, sondern nur das Toskische zum monotonischen Gebiet auf dem Balkan.

[8] Die Typen des Akzentes von Mazedonien wurden von B. Conev im Sbornik za narod. umotvorenija 19, 1902, 21 ff. festgestellt und zwar fünf; damit stimmt auch A. Seliščev in Očerki po makedonskoj dialektologii (1918), S. 259 ff. und St. Mladenov in Geschichte d. bulgar. Sprache (1929), S. 179, überein. Conev's Typen wurden von M. Ivković in Južnoslovenski filolog (2, 1921, 254 ff. und 4, 1924, 46 ff.) auf drei reduziert und etwas korrigiert (vgl. auch Maked. pregled 2, 1926, 127 ff.). Von neueren Beobachtungen werden sie grösztenteils bestätigt (von G. Weigand in Balkan-Archiv 4, 1928, 100 u. A. Seiščev in Polog i jego bolgar. nasel. 1929, 382) oder in Details ergänzt (von A. Mazon in Contes slaves de la Macédoine 1923, S. 34 f.).

[9] Vgl. N. Trubetzkoy in Travaux du CLP. I, 1929, S. 48. Meine Analyse der Struktur des bulgarischen Vokalsystem löst das Schwanken Trubetzkoy's zwischen diesem Viereckssystem und dem Dreiecksystem im Bulgarischen (Ukrainischen usw.) deutlich zugunsten des Viereckssystems auf.

Die Litera *ă* und *â* (oder *î*), Zeichen der rumänischen Orthographie, bezeichnen postpalatale (nichtpalatale) Vokale ohne Rundung (ohne Labialisierung) nach der Zungen- und Lippenartikulation, harte und helle Vokale der akustischen Seite nach. Das gleichartige Vokalphonem wird im Bulgarischen durch die Buchstaben ъ und ѫ, im Albanischen durch ϵ (*ë* u.a.), im Ukrainischen durch *y* (in der kyrillischen Schrift *и*) bezeichnet. In der phonetischen Transkription der Kopenhagener Konferenz v. J. 1925 werden für diese Vokalreihe die Zeichen ϵ, ə, ы verwendet. Ihre phonetische Realisierung variiert in den einzelnen Sprachen und auch in den verschiedenen Mundarten, besonders was den Öffnungsgrad betrifft, doch kann man im allgemeinen das rumänische *ă* mit dem bulgarischen ъ und mit dem albanischen ϵ identifizieren, das rumänische *â* (*î*) und das ukrainische *y* sind etwas höher.[10]

Das erste, bulgarische, Schema gehört allen betreffenden slavischen Sprachen und Dialekten an, d.h. dem Ukrainischen, den Dialekten von Mazedonien, soweit sie — in der südlichen sichelförmigen Randzone von Westen nach Osten — den Vokal *ă* (ъ) besitzen, den Dialekten der Zone von Prizren über das südliche Moratavаl zum Timok, den zetischen Dialekten in Montenegro und Umgebung, endlich noch den toskischen Dialekten des Albanischen.[11]

Das zweite Schema eignet dem Rumänischen, und zwar dem Dakorumänischen und Mazedorumänischen,[12] wobei teilweise die offenen *ę* und *ǫ* in der Maximal-Öffnungsgradreihe durch die Diphtonge *oa* und *ea*, die aus der rumänischen Schriftsprache bekannt sind, realisiert werden.

Schon aus den Schemata ist zu erkennen, dasz es sich um ein gleich gebautes System mit drei Eigentonklassen handelt; beide Schemata unterscheiden sich nur durch die Zahl der Schallfüllegrade (Öffnungsgrade), d.h. dadurch, ob es zwischen der maximalhohen und maximaltiefen Eigentonklasse noch eine mittlere Reihe gibt oder nicht.

In allen diesen Sprachen gibt es zwei Eigentonrelationen der Vokalphoneme: die Weichheitskorrelation und die Rundungskorrelation. Die erste enthält den Gegensatz: *palatal-nichtpalatal* nach der Zungenartikulation, *weich-hart* nach dem akustischen Eindruck. Dabei besitzt die merkmallose Reihe der nichtpalatalen Vokale noch die zweite Eigentonkorrelation, die Rundungskorrelation, d.h. den Gegensatz: *mit Rundung-ohne Rundung*, *labialisiert-unlabialisiert*

[10] Vgl. R. J. Sbiera, Die Physiologie der románُ. Vokale *ă* und *î* in Zt. f. rom. Phil. 28, 1904, 326 ff., wo er in *î* ein Gegenstück zu *ü* und in *ă* ein Gegenstück zu *ö* sieht. Das bulgarische (und serbische) ъ charakteriesiert Lj. Miletič (Das Ostbulgarische 34) und St. Mladenov (in Balkan-Archiv 1, 1925, 50 und in Gesch. d. bulg. Sprache 78) als Sievers *a*[1] oder nach Sweet als "mid-back-narrow", aber O. Broch op. cit. (s. Anm. 5), S. 14 ff., und Slavische Phonetik 113 und 116 als "high-back-wide", wozu A. Belić in Srpski dijalektološki zbornik 2, S. 5 ff. bemerkt, dasz es nicht "wide" ist. Zum albanischen vgl. D. Pekmezi's Grammatik d. alb. Sprache, S. 6 (Sievers *a*[1]) u.a. Zum ukrainischen *y* vgl. J. Ziłyński, Opis fonetyczny języka ukrainskiego (1932), S. 14 ff.

[11] Vgl. A. Seliščev op. cit. (s. Anm. 8), S. 44 ff., und in Polog i jeho bolgar. nasel. 1929, 286 u. 312, St. Mladenov in Gesch. d. bulg. Spr. 334 und St. Romanski in Makedon. pregled 8, 1, 1932, 121 ff.; A. Belić in Srpski dialekt. zbornik 1, 1905, 42 ff. und 2, 1911, 5 ff., Stanojević ib. 2, 1911, 365 ff., O. Broch op. cit. (s. Anm. 5), S. 14 ff., M. Rešetar, Der štokavische Dialekt 90 ff. und A. Leskien, Grammatik der serbokroat. Sprache, S. 108.

[12] Das Meglenorumänische hat keine betonten *ă* und *ắ* (sie gehen in *o*, *ǫ*, *a* über) und verbindet sich so dem Neugriechischen und den mazedonischen Dialekten, in welchen auch ъ in *a* oder *o* übergeht, vgl. Th. Capidan, Meglenoromânii 1925, 66 ff. und 96. Das Istrorumänische mit dem einzigen *ă* interessiert uns hier nicht.

nach der Lippenartikulation, hell-dunkel nach dem akustischen Eindruck, so dasz ein dreigliedriges Korrelationbündel[13] entsteht:

$$i - \begin{cases} \hat{a}\ (\text{ъ}) \\ u \end{cases}, \quad e - \begin{cases} a \\ o \end{cases} \quad \left(ę - \begin{cases} a \\ ǫ \end{cases}\right), \quad e - \begin{cases} ä \\ o \end{cases}$$

Der Charakter dieser Korrelationen wird noch deutlicher sein, wenn man sie mit den nächst benachbarten Vokalsystemen vergleicht, mit den Neugriechischen und dem Osmanisch-türkischen.

Das Osmanisch-türkische hat ein viergliedriges Korrelationsbündel mit beiden Eigentonkorrelationen, so dasz beide Glieder einer jeden Korrelation an der anderen teilhaben:

i — I[14]		*e* (*ę*) — a	
	und		
ü — *u*		*ö* — *o*	

Das Neugriechische hat das allgemein verbreitete dreieckige Vokalsystem:

a
o *e*
u *i*,

sodasz die beiden Eigentongegensätze in eine einzige Korrelation zusammenflieszen und dadurch nur dieser Gegensatz entsteht: *weich und hell* zu *hart und dunkel* oder nach der anderen Terminologie *palatal ohne Rundung* zu *nichtpalatal mit Rundung* (*o–e*, *u–i*).

So werden in sämtlichen Balkansprachen auszer Neugriechisch, doch zusammen mit dem Ukrainischen, folgende gemeinsame Besonderheiten deutlich:

1. drei Eigentonklassen in allen Schallfüllegraden,
2. die Rundung (Labialisierung) als Korrelationsmerkmal der post-palatalen Vokale.

Durch diese Eigenschaften werden diese Sprachen von ihrer Nachbarschaft isoliert. Auszer der Weichheitskorrelation und der Rundungskorrelation wird das Vokalsystem dieser Sprachen noch durch ebendieselbe Intensitätskorrelation, nämlich die Tonstufenkorrelation (d.h. den systematischen Gegensatz des betonten und des unbetonten Vokal) bezeichnet. In dieser Sache stehen aber diese Sprachen vonseiten ihrer Nachbarschaft nicht ganz isoliert da.

Zur Verbreitung des betrachteten Vokalsystems füge ich noch zwei Bemerkungen hinzu: erstens, dasz es in einigen, nicht zahlreichen nordostbulgarischen Dialekten für unbetonte Silben ein reduziertes Vokalsystem gibt, und zwar

a
u *i*,

das mit dem bekannten Minimalintensitätssystem des Südgroszrussischen und der russischen Schriftsprache identisch ist und sich auch in einigen meistens

[13] Zur Terminologie vgl. N. Trubetzkoy in Travaux du CLP. IV (1931), 105 ff.

[14] I, so in der neuen offiziellen Lateinschrift der Türkei; früher wurde es *y* (so auch in der sovjetischen Transkription) oder *ĭ* transkribiert, dieser Vokal ist fast mit dem Rumänischen *â* identisch. Für die Literaturnachweise danke ich herzlich der Güte des Herrn Kollegen Prof. J. Rypka.

nordöstlichen neugriechischen Dialekten findet. Die Eigentonvariationen der unbetonten Vokale in den anderen bulgarischen, rumänischen und albanischen Dialekten interessieren uns nicht, soweit das System selbst bleibt; es sind nur Begleitvariationen, so wie die Verlängerung betonte Silben begleiten kann.

Zweitens: es gibt einige bulgarische Mundarten, die sog. archaischen, die ein anderes Vokalsystem haben, wo die Existenz der drei Eigentonklassen nur auf den maximal-hohen Schallfüllegrad reduziert ist, und zwar:

a — ä
o — *e*
u ă *i*

Da diese Dialekte der Umgebung von Saloniki, der zentralen Rhodope, der Umgebung von Sumen u.a. auch andere archaische Züge aufweisen, kann man dieses System als ein Relikt (Survival) betrachten, aber ich will alle historischen Betrachtungen noch beiseite lassen.[15]

Ohne Rücksicht auf diese Erscheinungen, von denen die eine als Grenzerscheinung der das System nicht störenden Reduktion der unbetonten Vokale, die andere als ein Relikt betrachtet werden kann, ergeben sich folgende gemeinsame Eigenschaften des phonologischen Vokalsystems dieser Balkansprachen, zu denen auch das Ukrainische gehört:

1. die einseitige, asymetrische Rundungskorrelation, wodurch drei Eigentonklassen entstehen,
2. die Tonstufen- oder Stärkekorrelation.

Nur diese zweite Eigenschaft verbindet diese teilweise romanischen Sprachen mit dem Neugriechischen und den übrigen romanischen mediterranen Sprachen: der phonologische Akzent, der anstatt der phonologischen Quantität des Lateinischen eingetreten ist, ist eine charakteristische Besonderheit des Vokalsystems dieser mediterranen romanischen Sprachen, d.h. noch des Italienischen und der hispanischen Sprachen, wie soeben ein jüngeres Mitglied unses Prager Linguistischen Zirkels, Ĺ. Novák, in der Mathesius-Festschrift gezeigt hat.[16]

Ich glaube, es gibt noch eine andere gemeinsame Eigenschaft des Vokalsystems dieser mediterranen Sprachen und zugleich ein von unserem Balkansprachbund differenzierendes Merkmal; es besteht darin, dasz diese Sprachen gar keine selbständige Rundungskorrelation haben und dasz diese Korrelation stets mit der Weichheitskorrelation verbunden ist, so dasz ein Gegensatz *palatal ohne Rundung* zu *nichtpalatal mit Rundung* entsteht, so wie es schon beim Neugriechischen bemerkt wurde, ein Typus, der auch bei uns Čechen heimisch ist. Dabei ist es dann ganz gleichgültig, ob die einzelnen Sprachen drei Schallfüllegrade haben oder vier, wie z.B. im toskanischen Italienischen. In Details dieser Behauptung will ich nicht eingehen, da ich nicht Romanist, sondern nur Slavist bin, aber ich will doch noch darauf aufmerksam machen,

[15] Vgl. N. Trubetzkoy in Travaux du CLP. I (1929), S. 48 und 54. Lj. Miletič, Das Ostbulgarische 35 ff. und in Sbornik za narod. umotvorenija 21, 1905, S. 21 ff.; B. Conev ib. 20, 1904, S. 11. — Thumb, Hbd. d. neugriech. Volkssprache, S. 6. — V. Oblak, Maced. Studien 11 ff., J. Ivanov, Revue des études slaves 2, 1922, 89 ff., Stoilov, Slavia 3, 1924–5, 598 f. u. 6, 1927–8, 656 f.; Miletič, Die Rhodopemundarten d. bulg. Sprache 1912, S. 28 ff. u.a.; s. auch Mladenov, Geschichte d. bulgar. Sprache 83, 86 ff. u. 321 ff.

[16] Ĺ. Novák, De la phonologie historique romane (la quantité et l'accent) in Charisteria Guilelmo Mathesio quinquagenario oblata (1932), S. 45 ff.

dasz das Rätsel des katalanischen *u* (< *ū*) gegenüber dem provenzalischen *ü* dadurch zu erklären ist.

Am Anfange habe ich gesagt: ich werde das Vokalsystem des balkanischen Sprachbundes *skizzieren*; dies geschah nicht nur der kurzen Zeit wegen, sondern auch mit Rücksicht auf die heutigen Möglichkeiten. Diese Sprachen und Dialekte werden entweder historisch betrachtet, oder es wird ihr Lautsystem vom phonetischen Standpunkt aus beschrieben; so ist es manchmal schwer, daraus eine phonologische Charakteristik zu gewinnen. Man hat schon auf dem letzten Linguistenkongress in Genf (1931) die Anregung gegeben, möglichst alle Sprachen phonologisch zu beschreiben; doch bevor diese Arbeit fertig sein wird, wäre es notwendig, wenigstens das Repertoire der Phoneme einzelner zugänglicher Sprachen festzustellen, was auch als Vorbereitung der gründlichen Beschreibung nützlich sein würde.

4 ZUR STRUKTUR DES RUSSISCHEN VERBUMS[1]

Roman Jakobson

I. Eine der wesentlichen Eigenschaften der phonologischen Korrelation besteht darin, dass die beiden Glieder eines Korrelationspaares nicht gleichberechtigt sind: das eine Glied besitzt das betreffende Merkmal, das andere besitzt es nicht; das erste wird als merkmalhaltig bezeichnet, das zweite — als merkmallos (s. Trubetzkoy in Trav. CLP. IV 97). Dieselbe Definition kann zur Grundlage der Charakteristik der morphologischen Korrelationen dienen. Die Frage der Bedeutung einzelner morphologischer Kategorien in einer gegebenen Sprache ruft öfters ständige Meinungsverschiedenheiten und Zweifel der Sprachforscher hervor. Wie erklärt sich die Mehrzahl dieser Schwankungen? — Indem der Forscher zwei einander entgegengesetzte morphologische Kategorien betrachtet, geht er oft von der Voraussetzung aus, diese beiden Kategorien seien gleichberechtigt, und jede besitze ihre eigene positive Bedeutung: die Kategorie I. bezeichne A, die Kategorie II. bezeichne B. Oder mindestens: I. bezeichne A, II. bezeichne das Nichtvorhandensein, die Negation von A. In Wirklichkeit verteilen sich die allgemeinen Bedeutungen der korrelativen Kategorien anders: falls die Kategorie I. das Vorhandensein von A ankündigt, so kündigt die Kategorie II. das Vorhandensein von A nicht an, d. h. sie besagt nicht, ob A anwesend ist oder nicht. Die allgemeine Bedeutung der Kategorie II. im Vergleich zu der Kategorie I. beschränkt sich auf den Mangel der "A-Signalisierung". Falls in einem gewissen Kontext die Kategorie II. das Nichtvorhandensein von A ankündigt, so ist es bloss eine der Anwendungen der gegebenen Kategorie: die Bedeutung wird hier durch die Situation bedingt, und wenn es sogar die geläufigste Funktion dieser Kategorie ist, darf dennoch der Forscher nicht die statistisch vorherschende Bedeutung der Kategorie mit ihrer allgemeinen Bedeutung gleichsetzen. Eine solche Identifizierung führt zum Missbrauche des Begriffes Transposition! Die Transposition einer Kategorie findet nur dort statt, wo die Übertragung der Bedeutung empfunden wird (ich betrachte hier die

Reprinted from *Charisteria V. Mathesio oblata*, pp. 74–83 (Prague: Cercle Linguistique de Prague, 1932), with the permission of Bohumil Trnka, secretary of Cercle Linguistique de Prague.

[1] Im folgenden Beitrage skizziere ich nur vorläufig und konspektiv eine der Kapitel der strukturalen Grammatik. Den Wesenskern dieses Beitrages bildet die Analyse des Imperativs, — einer Kategorie, die nur mit Rücksicht auf die Verschiedenartigkeit der Sprachfunktionen begriffen werden kann.

Transposition bloss vom Standpunkte der synchronischen Linguistik). Das russische Wort *télka* (Färse) kündigt das weibliche Geschlecht des Tieres an, die wogegen allgemeine Bedeutung des Wortes *telénok* (Kalb) keine Ankündigung des Geschlechtes des gemeinten Tieres enthält. Wenn ich *telénok* sage, bestimme ich nicht, ob es sich um ein Männchen oder um ein Weibchen handelt, aber fragt man mich " *éto télka ?* " und ich antworte " *nét, telénok* ", so wird hier das männliche Geschlecht angekündigt, — das Wort ist in verengter Bedeutung angewandt. Soll man aber nicht eher die geschlechtslose Bedeutung des Wortes *telénok* als erweitert deuten ? — Nein ! denn hier fehlt die Empfindung einer figürlichen Bedeutung in derselben Weise wie die Redensarten *továrišč Nína* oder *éta dévuška — jegó stáryj drúg* keine Metaphern sind. Aber die Bedeutungsübertragung ist vorhanden beispielweise im Höflichkeitsplural oder bei der ironischen Anwendung der 1. Pers. Plur. im Sinne der 2. Pers. Sing. und ebenso wird *dúra* (Närrin) in Bezug auf einen Mann als Metapher empfunden, die die affektive Färbung erhöht. Die russischen Sprachforscher der Mitte des vorigen Jahrhunderts haben den wesentlichen Unterschied zwischen der allgemeinen und der gelegentlichen Bedeutung einer Kategorie richtig eingeschätzt. Schon K. Aksakov unterscheidet streng den durch die grammatische Form ausgedrückten Begriff einerseits, und den abgeleiteten Begriff als eine Sache des Gebrauches anderseits. (Sočinenija filologičeskija I, 1875, 414 ff.). Ebenfalls N. Nekrasov lehrt, dass " die Grundbedeutungen innerhalb des Gebrauches in eine Anzahl Einzelbedeutungen zerfallen, die vom Sinne und vom Ton der ganzen Rede abhängig sind ". Er hält konsequent auseinander die allgemeine grammatische Bedeutung einer Form und diejenigen episodischen partiellen Bedeutungen, welche sie im Kontext erhalten kann. Den Zusammenhang zwischen der Form und der Bedeutung definiert er im ersten Falle als tatsächlich, im zweiten als möglich. Indem die Grammatiken das, was in der Sprache bloss die Geltung eines möglichen Zusammenhangs hat, als einen tatsächlichen Zusammenhang auffassen, gelangen sie zur Aufstellung von Regeln mit einer Unmenge von Ausnahmen. (O značenii russkago glagola, 1865, bes. 94 ff., 115 ff. u. 307 f.).[2] Aus den Zitaten, die wir weiter anführen, ergibt sich folgendes: schon Aksakov, Nekrasov und noch früher Vostokov (Russkaja grammatika, 1831) haben in ihren Forschungen nach der Grundbedeutung einzelner russischer morphologischer Kategorien mehrmals festgestellt, dass während eine Kategorie ein gewisses Merkmal ankündigt, dieses in der anderen Kategorie unangekündigt bleibt. Diese Beobachtung wiederholt sich mehrfach auch in der späteren russischen Fachliteratur — besonders bei Fortunatov (O russkich zalogach in Izvěstija, II AN 1899), Šachmatov (Sintaksis russkogo jazyka, II. T, 1927), Peškovskij (Russkij sintaksis, I. Ausg., 1914, und III. ganz umgearbeitete Ausg., 1928), Karcevskij (Système du verbe russe, 1927). So behandelt Šachmatov einzelne Gegensätze verbaler Kategorien als Verwicklung (" osložnenije ") durch gewisse begleitende Vorstellungen (§ 523) ; Peškovskij spricht über " Nullkategorien ", in denen infolge des Vergleichens mit den entgegengesetzten Kategorien " der Bedeutungsmangel eine Bedeutung sui

[2] Diese beiden Linguisten, vorzügliche Erforscher der russischen sprachlichen Synchronie, wurden von den einseitig historisch eingestellten Gelehrten natürlicherweise unterschätzt. Z. B. Karskij in seinem " Očerk naučnoj razrabotki rus. jazyka " (1926) schweigt über Nekrasov und widmet Aksakovs Schriften bloss einige inhaltslose Vorwürfe.

generis bildet", — "unsere Sprache ist voll von derartigen Nullkategorien" (III 31). Diese "Nullkategorie" entspricht im wesentlichen unserer merkmallosen Kategorie. Mit Nullwerten oder negativen Werten operiert in diesem Zusammenhang auch Karcevskij, der dabei schon feststellt, dass die Gegensätze der grammatischen Kategorien binar sind (18, 22 f.). Die morphologischen Korrelationen und ihre Verbreitung in der Sprache wurden also anerkannt, blieben aber dennoch in den konkreten grammatischen Beschreibungen meistens episodischer Nebenbegriff. Nun muss der weitere Schritt gemacht werden: der Begriff der morphologischen Korrelationen soll, wie es Trubetzkoy formuliert, zur Grundlage der Analyse des grammatischen Systems werden. Falls wir unter dem Gesichtspunkte dieses Begriffes beispielweise das System des russischen Verbums betrachten, lässt sich dieses restlos auf das System einiger Korrelationen zurückführen. Die Feststellung dieser Korrelationen bildet den Inhalt der folgenden Bemerkungen. Dabei operieren wir meistens mit den traditionellen grammatischen Termini, obgleich wir uns ihrer Unexaktheit bewusst sind.

II. Die Klassen der Verba sind mit Hilfe zweier "Aspektkorrelationen" und zweier "Genus verbi-Korrelationen" gebildet.

Die allgemeine Aspektkorrelation: "Perfektiva" (merkmalhaltig) ~ "Imperfektiva" (merkmallos). Die Merkmallosigkeit der Imperfektiva ist offenbar allgemein anerkannt. Nach Šachmatov "bezeichnet der imperfektive Aspekt eine gewöhnliche, unqualifizierte Handlung" (§ 540). Schon Vostokov: "Der perfektive Aspekt zeigt die Handlung mit der Bezeichnung, dass sie angefangen oder beendet ist", wogegen der imperfektive Aspekt "die Handlung ohne Bezeichnung ihres Anfangs und ihrer Vollendung zeigt" (§ 59). Exakter könnte man definieren, dass die Perfektiva im Gegensatze zu den Imperfektiva die absolute Grenze der Handlung ankündigen. Wir betonen "absolute", weil die Verba, die wiederholende Anfänge oder Vollendungen mehrmaliger Handlungen bezeichnen, imperfektiv bleiben (*zachážival*).[3] Die Definition der Sprachforscher, welche die Funktion der Perfektiva auf die Bezeichnung der Ungedehntheit der Handlung beschränken, scheint uns allzueng, — vgl. solche Perf. wie *ponastróit'*, *povytálkivat'*, *nagul'át's'a*, wo die Vollendung der Handlungen angekündigt ist, aber keine Angaben über ihren "punktuellen" oder kurzdauernden Charakter stattfinden.

Innerhalb der Imperfektiva besteht eine weitere Aspektkorrelation: "Iterativa", die die Mehrfachheit der Handlung ankündigen (merkmalhaltig) ~ Formen ohne solche Ankündigung. Während die allgemeine Aspektkorrelation alle Konjugationsformen umfasst, gehört die zweite Korrelation bloss dem Präteritum an.

III. Die allgemeine Genuskorrelation: Formen, die die Intransitivität der Handlung ankündigen (merkmalhaltig) ~ Formen ohne solche Ankündigung, d.h. "Aktiva" im breiten Sinne des Wortes. Die Auffassung der Aktiva als der merkmallosen Kategorie ist eigentlich schon bei Fortunatov gegeben (1153 ff.).

Die merkmalhaltige Kategorie der erwähnten Korrelation verfügt über eine

[3] Imperfektiv bleiben auch diejenige Verba, bei denen der absolute Charakter der Handlungsgrenze fakultativ ist (d. h. er ist nicht grammatisch angekündigt, sondern nur durch die Situation gegeben). Vgl. *vót ón vychódit* und *ón částo vychódit*.

weitere Korrelation: " Passiva " (merkmalhaltig) ~ " Reflexiva ". Die Passiva kündigen an, dass die Handlung nicht vom Subjekt hervorgebracht wird, sondern auf dasselbe von aussen übergeht. In der Wortverbindung *dévuški, prodavájemyje na nevól'ničjem rýnke* signalisiert das Partizipium die " Passivität " ; falls wir aber in diese Wortverbindung die Form *prodajúščijes'a* unterstellen, wird hier die Passivität nur durch den Kontext gegeben, während die Form an sich bloss die Untransitivität ankündigt ; vgl. z. B. die Wortverbindung *dévuški, prodajúščijes'a za kusók chléba,* — hier fehlt die passive Bedeutung vollkommen, weil der Kontext sie nicht nahelegt. Die allgemeine Genuskorrelation umfasst alle Konjugationsformen, die zweite hingegen nur die Partizipia. In der sprachwissenschaftlichen Literatur waren Zweifel entstanden, wohin bei der Einteilung der Verba die sog. " Communia " oder " Reflexiva tantum " (*boját's'a* usw.) einverleibt werden sollten. Unter dem Gesichtspunkte der allgemeinen Genuskorrelation sind es unpaarige merkmalhaltige Formen.

IV. Konjugationssystem. Die " zusammengesetzten " Formen lasse ich beiseite. Sie stehen ausserhalb des morphologischen Verbumsystems.

Der " Infinitiv " wird von Karcevskij in Bezug auf den " syntaktischen " Wert als eine Nullform des Verbums charakterisiert, es handelt sich um " l'expression d'un procès en dehors de tout rapport syntagmatique " (18, 158). Die übrigen verbalen Formen kündigen das Vorhandensein der syntagmatischen Beziehungen an und fungieren somit im Gegensatz zum Infinitiv als merkmalhaltiges Glied der Korrelation.

Diese merkmalhaltige Kategorie zerlegt sich wiederum in zwei korrelative Reihen: " Partizipia " (merkmalhaltig) ~ " finite " Formen. Šachmatov bezeichnet die Partiz. als eine Kategorie, welche, im Vergleich mit den finiten Formen, durch die Eigenschaftsvorstellung " verwickelt " ist (§ 536). Somit fungiert hier als Korrelationsmerkmal die Signalisierung der " Adjektivität ". Umgekehrt bilden die Partiz. im Verhältnis zu den Adjektiva eine merkmalhaltige Kategorie, die die " Verbalität " signalisiert.

V. Die finiten Formen verfügen über eine " Modalitätskorrelation ". Der Indikativ wurde schon mehrmals als der negative Modus oder der Nullmodus definiert. " Es ist einfach eine Handlung, eine Handlung, die durch keine besondere modale Schattierung kompliziert ist, sowie der Nominativ einfach den Gegenstand bezeichnet ohne Schattierung der Kasualität " (Peškovskij I 126 ; vgl. Karcevskij 141). Dem merkmallosen Indikativ ist ein Modus, der den willkürhaften Einschlag der Handlung (modalité d'acte arbitraire) ankündigt, entgegengesetzt (s. Karcevskij 139 ff.) ; eben in dieser Ankündigung besteht das Korrelationsmerkmal. Die Handlung, die durch diesen Modulus ausgedrückt ist, kann dem Subjekt willkürhaft zugeschrieben werden (*pridí ón, vsé by uládilos'*), sie kann dem Subjekt willkürhaft eingezwungen werden (*vsé govor'át, a mý molčí*), oder sie kann endlich eine willkürhafte, plötzliche, unmotivierte Aktion des Subjekts darstellen (" *nečájanno zagl'aní k nemú smért' i podkosí jemú nógi* "). In den Wortverbindungen des letzten Typus sieht Nekrasov den Ausdruck der " Selbsttätigkeit der Handlung " (" samoličnost' dejstvija "), was der meisterhaften allgemeinen Charakteristik, die der genannte Forscher von dieser grammatischen Kategorie gibt, vollkommen entspricht: " Es gibt in ihr selbst keinen wirklichen Zusammenhang zwischen der Handlung und der handelnden Person ... Die sprechende Person verfügt sozusagen in diesem Falle über die Handlung " (105 ff.).

VI. Der Indikativ besitzt eine " Zeitkorrelation " : " Präteritum " (merkmalhaltig) ~ " Präsens ". Das Präteritum kündigt an, dass die Handlung der Vergangenheit gehört, während das Präsens an sich zeitlich unbestimmt ist und eine typische merkmallose Kategorie bildet. Bemerkenswert ist die Auffassung des russischen Präteritums, die Aksakov vorgeschlagen (412 ff.) und Nekrasov weiter entwickelt hat (306 ff.) : diese Form drückt, im Grunde genommen, keine Zeit aus, sondern nur den Bruch des unmittelbaren Zusammenhangs zwischen dem Subjekt und der Handlung, — die Handlung verliert eigentlich den Charakter der Handlung und wird einfach zum Kennzeichen des Subjekts.

Das Präsens ist mit zwei " Personkorrelationen " versehen.

1. Persönliche Formen (merkmalhaltig) ~ unpersönliche Formen. Als grammatisch unpersönliche Form fungiert die sog. Form der " dritten Person ", die an sich die Bezogenheit der Handlung auf ein Subjekt nicht ankündigt ; diese Form wird semantisch persönlich nur in dem Falle, dass das Subjekt gegeben oder wenigstens hinzugedacht ist. Die sogen. Verba impersonalia sind unter dem Gesichtspunkte der erwähnten Korrelation unpaarige merkmallose Formen.

2. Die persönlichen Formen verfügen über die Korrelation : Form der " ersten Person " (merkmalhaltig) ~ Form, die die Bezogenheit der Handlung auf die sprechende Person nicht ankündigt. Es ist die sog. Form der " zweiten Person ", die als merkmallose Kategorie fungiert. Die allgemeine Bedeutung der russischen Form der 2. Pers. wurde von Peškovskij treffend als " verallgemeinert-persönlich " charakterisiert (III 429 ff.). Der Kontext bestimmt, auf welche Person diese Form jeweils bezogen wird — ob auf eine beliebige (*umréš'*, *pochorón'at*), auf die sprechende (*výpješ' byválo*) oder auf die konkrete angesprochene Person. Freilich wird diese Form vorwiegend im letzten Sinne gebraucht, aber dennoch ist dies bloss eine ihrer partiellen Bedeutungen, und in der Frage nach der allgemeinen Bedeutung einer Form ist das statistische Kriterium unanwendbar, — usuelle und allgemeine Bedeutung sind nicht synonym ; ausserdem entwickelt sich im Russischen die Form der 2. Pers. in ihrer verallgemeinernden Rolle " immer mehr auf Rechnung der gewöhnlichen persönlichen Sätze ". Was den verallgemeinernden Gebrauch der Form der 1. Pers. betrifft, so wird hier das Figürliche der Wendung (pars pro toto) empfunden.

Präs. wie Prät. besitzen eine " Numeruskorrelation " : " Plural " (merkmalhaltig) ~ " Singular ". Die allgemeine Bedeutung dieser merkmallosen Kategorie begrenzt sich darauf, dass die Pluralität nicht angekündigt wird. Das hat schon Aksakov erkannt : " Der Singular ist allgemeiner, unbestimmter, er enthält sozusagen mehr Gattungscharakter ; darum kann er eher in andere Verhältnisse übertragen werden ; während der Plural einen spezielleren Charakter hat " (569). Aber im Gegensatze zu allen übrigen verbalen Korrelationen, welche wir erwähnt haben, ist die Numeruskorrelation im Ind. (und ebenfalls in den Partiz.) äusserlich bestimmt : sie ist keine selbständige Korrelation, sondern eine Kongruenzkorrelation, weil sie den grammatischen Numerus des Subjekts wiedergibt.

u der Kongruenzkorrelation gehören auch die beiden " Geschlechtskorrelationen ", die den Sing. Prät. charakterisieren. 1. " Neutrum . . . bezeichnet . . . etwas Negatives, weder Männliches, noch Weibliches " (Peškovskij I 126), d. h. es signalisiert die Beziehungslosigkeit zum Sexus ; Nomina neutra bilden also eine merkmalhaltige Kategorie gegenüber den Nicht-Neutra, die den Sexus bezeichnen können und somit keine " Asexualität " ankündigen. 2. Die Nicht-Neutra zerfallen in zwei korrelative Reihen. Die Nomina feminina bilden eine merkmalhaltige Kategorie, wogegen das Maskulinum grammatisch bloss besagt, dass die Signalisierung des weiblichen Geschlechts nicht vorhanden ist (vgl. die oben angeführten Beispiele *telénok, tёlka* usw.).

VII. Im Gegensatz zum Ind. ist der " Modus der willkürhaften Handlung " mit keinen Korrelationen versehen : er hat weder selbständige Zeit- und Personkorrelationen, noch Kongruenzkorrelationen des Numerus und des Geschlechts.[4] Aber dieser Modus ist " zweiflächig " : einerseits gehört er samt allen übrigen verbalen Kategorien zur darstellenden Sprache, anderseits — als eigentlicher " Imperativ — dient er der Auslösungsfunktion, nach K. Bühlers Terminologie.

Die Sprachwissenschaft hat eingesehen, dass der Vokativ sich nicht auf derselben Ebene befindet, wie die übrigen Kasus, und dass die vokativische Anrede ausserhalb des grammatischen Satzes steht ; ebenso ist der echte Imperativ von den übrigen verbalen Kategorien abzusondern, da er durch dieselbe Funktion wie der Vokativ gekennzeichnet ist.[5] Der Imperativ darf nicht syntaktisch als prädikative Form behandelt werden : die imperativen Sätze sind, gleich der Anrede, volle und zugleich unzerlegbare " vokativische eingeteilige Sätze ", und auch ihre Intonation ist ähnlich. Das Personalpronomen beim Imp. (*tý idí*) ist seiner Funktion nach eher Anrede als Subjekt. Der Imp. zeichnet sich innerhalb des russischen Verbalsystems deutlich nicht nur syntaktisch, sondern auch morphologisch und sogar phonologisch aus.

Die sprachliche Tendenz, den Vokativ auf den reinen Stamm zu reduzieren, ist bekannt (vgl. Obnorskij in ZfslPh. I. 102 ff.). Dasselbe kann man auch am russischen Imp. beobachten. Die merkmallose Imperativform stellt, vom synchronischen Standpunkte, den Präsensstamm ohne grammatische Endung dar. Der Bau dieser Form wird durch folgende Prinzipien bestimmt : 1. Findet im Präsensstamm eine grammatische Alternation zweier korrelativen Phoneme statt (des unbetonten und betonten Vokals, des mouillierten und unmouillierten Konsonanten), so erscheint im Imp. der merkmalhaltige Alternant : der unbetonte Vokal (*chlopočí*), der mouillierte Konsonant (*idí*). — 2. Alternieren am Ende des Präsensstammes Konsonanten, so erscheint im Imp. derjenige Konsonant, welcher in der 2. Pers. Präs. sich vorfindet (*sudí, prostí, l'ubí*) ; die einzige Ausnahme bildet die Alternation der Velaren mit den Zischphonemen : in diesem Falle hat der Imp. stets einen Velar (*lgí, pekí, l'ág*). — 3. Endet

[4] Pavskij erkennt die Fehlerhaftigkeit der Tendenz, solche Formen wie *sdélaj* als 2. Pers. Sing. zu deuten. Wenn auch diese Form " öfter in der Bedeutung der 2. Pers. Sing. und dabei ohne Zusatz von *ty* gebraucht wird, berechtigt es noch gar nicht, sie unmittelbar als 2. Pers. zu benennen. Sie wird in der Bedeutung der 2. Pers. öfter gebraucht, weil die 2. Pers. im Imper. öfter gefordert wird, als alle übrige Personen " (Filologičeskija nabl'udenija III. T., II. Ausg. 1850, § 90). Gleicherweise Buslajev (Opyt istoričeskoj grammatiki II. T., 1858, 154). Den neueren Grammatiken ist das Verständnis für diese Tatsache mehrfach abhanden gekommen.

[5] Schon Aksakov hat erkannt : " der Imperativ ist ein Ausruf ; er entspricht dem Vokativ " (568).

der Präsensstamm auf *j* und ist er unsilbig, so wird im Imp. vor *j* ein *e* als Alternant der Lautnull eingeschoben (*šéj*). — 4. Endet der Präsensstamm auf eine Konsonantengruppe oder besteht der präfixlose Stamm bloss aus unbetonten Silben, so erhält die Imperativform einen Flickvokal *i* (*sóchni, jézdi, kolotí, výgorodi*); [6] einzige Ausnahme: die unbetonten Präsensstämme auf *j* von Verben, die zu den unproduktiven Klassen gehören (s. Karcevskij 48 ff.), erhalten im Imp. die Betonung und kommen ohne Flickvokal aus (*stój, pój, žúj, sozdáj*).

Der Imp. wird durch folgende besondere Korrelationen gekennzeichnet: I. " Die Mitbeteiligungskorrelation ": Formen, die die Absicht des sprechenden, an der Handlung teilzunehmen ankündigen (merkmalhaltig) ~ Formen ohne solche Ankündigung. In der Rolle der merkmalhaltigen Kategorie wird die umgedeutete Form der 1. Pers. Plur. Präs. verwendet (*dvínem* ~ *dvín'*). — II. Die " Numeruskorrelation ": Formen, die ankündigen, dass der Wille des Sprechenden auf eine Mehrzahl gerichtet ist (merkmalhaltig) ~ Formen ohne solche Ankündigung (*dvín'te* ~ *dvín'*, *dvínemte* ~ *dvínem*). Es wurde mehrfach die Frage aufgeworfen, warum eigentlich nicht der Modus der willkürhaften Handlung in der darstellenden Sprache diejenige Form des Plurals benutzt, die er dort verwendet, wo es sich um die Auslösungsfunktion handelt. Diese Frage lässt sich auf einfache Weise lösen: zum Imp. kann kein Subjekt hinzugedacht werden, also ist die Numeruskorrelation innerhalb des Imp. eine selbständige Korrelation; und ein merkmalhaltiges Glied einer selbständigen Korrelation kann nicht in eine Kongruenzkorrelation übertragen werden. — III. Die " Intimitätskorrelation ": Formen, die eine gewissermassen intime oder familiäre Färbung der Willensäusserung signalisieren (merkmalhaltig) ~ Formen ohne solche Signalisierung (*dvín'ka, dvín'teka, dvínemteka* ~ *dvín'* usw.).

Der Unterschied zwischen der Auslösungs- und der Darstellungsfunktion äussert sich im System des russischen Verbums nicht nur durch die Liste der Korrelationen, sondern unmittelbar durch ihre Bildungsweise.[7] Die Formen des Imp. unterscheiden sich von den übrigen verbalen Formen durch die Agglutinierung der Endungen: im Imp. dient jede Endung zum Ausdruck nur je eines Korrelationsmerkmals, bei Anhäufung der Merkmale wird eine Endung an die andere angehängt. Nullendung = merkmallose imperative Form, ⟨*ĭm/im*⟩ oder ⟨*om*⟩ = Merkmal der Beteiligungskorrelation, ⟨*t'ĭ*⟩ = Merkmal der Numeruskorrelation, ⟨*s*⟩ = Merkmal der Genuskorrelation, ⟨*kă*⟩ = Merkmal der Intimitätskorrelation. Beispiel: ⟨*dv'in'-ĭm-t'ĭ-s-kă*⟩.[8] Eben durch diesen agglutinativen Charakter der Morphemverbindung im Imp. erklärt sich die relative Leichtigkeit, mit welcher seine Endungen an die Interjektionen oder an die transponierten Indikativformen hinzugefügt werden: *ná-te, ná-ka, nú-te-ka, brýs'-te, pojdú-ka*, das volkstümliche *pošél-te* usw. Die Interjektionen *ná, nú, brýs'* u ä. verschmelzen mit der merkmallosen Imperativform.

[6] Nach Mouillierung ist *i* im Russischen der geläufige Flickvokal. Denselben Flickvokal erhält gewöhnlich die Endung des Infinitivs, falls sein Stamm auf einen Konsonanten ausgeht (*nesti*). Vgl. das Erscheinen des Flickvokals *a* bei dem reflexiven Morphem *s* unter denselben Bedingungen (phonologisch transkribiert: ⟨*dul'ĭs* — *dulsá, fp'ĭlas* — *fp'ĭlsa*⟩). Ich erinnere, dass ich den Begriff " Flickvokal " vom synchronischen Standpunkte verwende.

[7] Es gibt auch noch eine morphologische Eigentümlichkeit des Imp.: die Funktionen der Aspekte sind hier einigermassen modifiziert (s. Karcevskij 139).

[8] In eckige Klammern ⟨ ⟩ ist die phonologische Transkription der Formen gesetzt.

Die Agglutinierung äussert sich auch phonologisch : die einzelnen Morpheme bewahren hier ihre Individualität, die Endungen des Imp. werden, phonologisch betrachtet, nicht als Wortteile, sondern als Enklitika behandelt. An der Morphemfuge des Imp. bleibt dic Gruppe *t'* + *s* unverändert, dagegen hat sich in den anderen Verbalformen *t/t'* + *s* in *c* mit langem Verschluss verwandelt : vgl. Imp. ⟨*zăbut'să*⟩ — Inf. ⟨*ăbutcă*⟩, III. Pers. Plur. Präs. ⟨*skr'ĭbutcă*⟩ ; Imp. ⟨*v'it'să*⟩ — Inf. *v'itcă* ; Imp. ⟨*p'at'să*⟩ — 3. Pers. Plur. Präs. ⟨*tălp'atcă*⟩. Überhaupt erscheinen im Imp. mouillierte Vorderlinguale vor unmouilliertem *s*, was sonst innerhalb des Wortes nicht geschieht : ⟨*ăden'să, žar'să, kras'să*⟩. Vor den Lingualen figurieren im Imp. mouillierte Labiale, während sonst im Wortinnern Labiale vor Lingualen keine Mouillierung zulassen : ⟨*păznăkom'kă, sip'kă, staf'kă, ŭpr'am'să, pr'ĭspăsop'să, slaf'să, grap't'ĭ*⟩ (neben ⟨*grapt'ĭ*⟩) ⟨*gătof't'ĭ*⟩ (neben ⟨*gătoft'ĭ*⟩). Im Imp. wird die Verbindung zweier *k* erhalten, die sonst im Wortinnern zu *xk* werden : vgl. Imp. ⟨*l'akkă*⟩ — Adjekt. ⟨*m'axkă*⟩.

Die russische Grammatik deutete den Imp. sozusagen metaphorisch : seine Elemente und deren Funktionen wurden, auf Grund der äusserlichen Teilähnlichkeit, mit den Elementen und Funktionen der anderen Formen identifiziert. So z. B. wurde sein Flickvokal einerseits, seine enklitikartigen Endungen anderseits mechanisch der Kategorie der Affixe zugeschrieben usw. Daher konnte selbstverständlich die Eigenart des Imp. nicht erfasst werden.

VIII. Die Partizipia werden durch die folgende Korrelation charakterisiert : Formen, die die Prädikativität ankündigen (merkmalhaltig) ~ Formen ohne solche Ankündigung, d. h. die " attributiven " Partiz. Den passiven attributiven Partiz. sind als merkmalhaltige Formen die " prädikativen " Partiz. entgegengesetzt, den aktiven attributiven Partiz. die " Gerundia ". Vgl. *júnoša, tomímyj somnénijem, skitájets'a — ju., tomím s., s.* ; *ju., tom'áščijs'a s., s. — ju., tom'ás' s., s.* Im Gegensatz zum passiven prädikativen Partiz. ist das Gerundium in der Rolle des Hauptprädikates der Schriftsprache beinahe unbekannt.

Alle attributiven und die passiven prädikativen Partiz. verfügen über dieselben Kongruenzkorrelationen wie das Prät. Ind. (nämlich über Numerus- und Geschlechtskorrelationen). Die Gerundia entbehren der Kongruenzkorrelationen. Die attributiven Partiz. besitzen ausserdem Kasusunterschiede (die Frage über die Struktur dieser Unterschiede lassen wir hier beiseite).

Die perfektiven Partiz. haben keine Zeitkorrelation ; die imperfektiven Partiz. kennen zwar diese Korrelation ; doch die passiven Partiz. haben die Zeitunterschiede fast vollkommen eingebüsst, die imperfektiven Gerundia verwenden das Präteritum sehr spärlich, und selbst bei den aktiven attributiven Partiz. wird teilweise eine Grenzverwischung zwischen den beiden zeitlichen Kategorien beobachtet (vgl. Kaganovič in Naukovi Zapysky Char'k. naukovodosl. kat. movozn. N2).

IX. Bei der Prüfung der sog. Vertauschung der grammatischen Kategorien stellen wir fest, dass es sich gewöhnlich um eine Anwendung der merkmallosen auf Kosten der entsprechenden merkmalhaltigen Formen handelt (z. B. die Substitution der finiten Formen durch den Inf., des Prät. durch das Präs., der ersten Pers. durch die zweite, der passiven Partiz. durch die reflexiven, des Plur. Imp. durch dessen Sing.), wogegen die umgekehrten Substitutionen natürlicherweise nur seltene Ausnahmen sind und als figürliche Rede aufgefasst werden. Die merkmallose Form fungiert im sprachlichen Denken als Repräsentant des Korrelationspaares; darum werden als gewissermassen primäre Formen empfunden: die Imperfektiva gegenüber den Perfektiva, die Nicht-Reflexiva gegenüber den Reflexiva, der Sing. gegenüber dem Plur., das Präs. gegenüber dem Prät., die attributiven Partiz. gegenüber den prädikativen usw. Es ist kein Zufall, dass der Inf. von uns als Repräsentant des Verbums, als " Lexikonform " eingeschätzt wird.

Die Erforschung der Aphasien zeigt, dass die merkmalhaltigen Kategorien eher als die merkmallosen eingebüsst werden (z. B. — die finiten Formen eher als der Inf., das Prät. eher als das Präs., die 3. Pers. eher als die übrigen usw.). Ich habe halbscherzhafte, halb-affektive Familien-argots beobachtet, die die Konjugation aufgehoben haben: die persönlichen Formen wurden hier durch die unpersönliche ersetzt (*já l'úbit, tý l'úbit* usw.). Dieselbe Erscheinung ist aus der Kindersprache bekannt. Auch für das humoristische Wiedergeben des Ausländerrussischen ist die Verwendung der 3. Pers. statt der zwei ersten charakteristisch (der Deutsche spricht in Turgenevs Lustspiel: *fí l'úbit = vý l'úbite* usw.). Das Präs. des Verbums *být'* hat im Russischen die Konjugation eingebüsst: die Form der 3. Pers. Sing. *jést'* vertritt die Formen aller Personen der beiden Numeri (*tý jést'*; *takový mý i jést'*).

X. Wir akzeptieren vollkommen die These Karcevskijs: der asymmetrische Bau des sprachlichen Zeichens ist eine wesentliche Voraussetzung der Sprachveränderungen (Trav. CLP. I 88 ff.). In dieser Skizze möchten wir auf zwei von den vielfältigen Antinomien hinweisen, die die Grundlage der Sprachstruktur bilden.

Die Asymmetrie der korrelativen grammatischen Formen kann als Antinomie der Signalisierung von A und der Nicht-Signalisierung von A charakterisiert werden. Zwei Zeichen können sich auf dieselbe gegenständliche Gegebenheit beziehen, aber die Bedeutung des einen Zeichens fixiert ein gewisses Merkmal (A) dieser Gegebenheit, während die Bedeutung des anderen Zeichens dieses Merkmal unerwähnt lässt. Beispiel: eine Färse kann sowie mit dem Worte *tëlka*, so auch mit dem Worte *telënok* bezeichnet werden. Es wird derselbe Gegenstand gemeint, nur ist im zweiten Falle die Bedeutung unvollständiger weniger präzisiert.

Aus der Asymmetrie der korrelativen Formen folgt eine weitere Antinomie — die der allgemeinen und der partiellen Bedeutung der merkmallosen Form, oder mit anderen Worten, die Antinomie der Nicht-Signalisierung von A und der Signalisierung von Nicht-A. Ein und dasselbe Zeichen kann zwei verschiedene Bedeutungen besitzen: in dem einen Falle bleibt ein gewisses Merkmal (A) der gemeinten gegenständlichen Gegebenheit unfixiert, d. h. sein Vorhandensein wird weder bejaht, noch verneint, im anderen Falle tritt das Fehlen dieses Merkmals hervor. Beispiel: das Wort *telënok* kann entweder das Kalb ohne Rücksicht auf den Sexus oder bloss das Männchen bezeichnen.

Diese Widersprüche bilden die Triebkraft der grammatischen Mutationen.

5 THE THEORY OF PHONEMES, AND ITS IMPORTANCE IN PRACTICAL LINGUISTICS

Daniel Jones

The idea of the phoneme is best seen from concrete illustrations. The *k*'s in *keep*, *call*, *cool* are different sounds, but belong to one phoneme. The voiceless *l̥* used in French when a word like *oncle* is final belongs to the same phoneme as the ordinary French *l*. The sound *ŋ* must be assigned to the *n*-phoneme in Italian : it " replaces " *n* before *k* and *g*.

h, *ç* and *ɸ* all occur in Japanese, but they must be regarded as members of one phoneme. *h* only occurs before *e*, *a* and *o* ; *ç* only before *i*, and *ɸ* only before *u*.

DEFINITION OF A PHONEME

A family of sounds in a given language, which are related in character and are such that no one of them ever occurs in the same surroundings as any other in words. (The term " language " here means the pronunciation of one individual speaking in a definite style. " In the same surroundings " means surrounded by the same sounds and in the same condition as regards length, stress and intonation.)

The phoneme must be distinguished from the diaphone and from the variphone. The phoneme is a family of sounds occurring in the speech of a single person. The diaphone is a family of sounds heard when we compare the speech of one person with that of another. For instance, if we listen to a number of English speakers saying the word *coat*, we generally hear several varieties of vowel. The usual sound is diphthongal (*ou*), but with some speakers the initial element is closer and with others opener. With some, especially in the North of England, the *o* is near to a French or German *o* ; in the South the sound is opener and has less lip-rounding ; in London dialect the diphthong is actually *ʌu* or *əu*. On the other hand, in Scotland one often hears a monophthongal *oː*. These sounds *oː*, *ou* (several varieties), *əu*, *ʌu* are said to belong to the same diaphone, in such English words as *coat*, *road*, *home*.

The variphone is again different. It occasionally happens that a speaker uses

Reprinted from *Proceedings* [*First*] *International Congress of Phonetic Sciences*, 1932, pp. 23–24, with the permission of Hollandsche Maatschappij der Wetenschappen.

one of two or more sounds absolutely indifferently and apparently at random. The Japanese *r* furnishes a good illustration. A single speaker will sometimes pronounce it very much like an English *r* and sometimes as a sound resembling *l*. But he does not do this according to a definite system as in the case of members of the same phoneme; when he says any particular word (say *mira*, to see), he sometimes says it with English *r* and sometimes with this *l*-like sound and sometimes with an actual *l*. He is unaware that his pronunciation varies. These three sounds may be said to constitute a variphone. Variphones are found in some varieties of German, where *p* and *b*, *ʃ* and *ʒ*, and other corresponding voiced and voiceless consonants are apparently used indifferently.

PRACTICAL IMPORTANCE OF THE PHONEME

The grouping of sounds into phonemes enables us to construct the simplest systems of phonetic transcription for every language. A system of transcription is unambiguous if one letter is provided for each phoneme of the language. It is not necessary to provide letters for subsidiary members of phonemes, since these values are determined by the surroundings.

Reformed orthographies should be based on this principle.

It follows from the definition that phonemes have a semantic function in language, but different sounds belonging to the same phoneme have no semantic function. (This is because the sounds of different phonemes can occur in identical situations, but sounds belonging to the same phoneme cannot occur in identical situations. It is therefore phonemes and not sounds that distinguish one word from another.) So the phoneme theory also has a bearing on practical language teaching. When a person is obliged to learn the elements of a language quickly, and has not time to master all the details of the pronunciation, he should concentrate on the principal members of each phoneme.

6 CHARAKTER UND METHODE DER SYSTEMATISCHEN PHONOLOGISCHEN DARSTELLUNG EINER GEGEBENEN SPRACHE

N. S. Trubetzkoy

Die vergleichende Phonologie aller Sprachen der Welt steht heute auf der Tagesordnung: ihre Notwendigkeit ist offensichtlich und braucht nicht mehr begründet zu werden. Diese vergleichende Phonologie setzt aber eine nach möglichst einheitlichem Plane und Programme durchgeführte Beschreibung der phonologischen Systeme der Welt voraus.

Die Beschreibung des phonologischen Systems einer Sprache umfasst die Wortphonologie — zerfallend in lexikalische und morphologische Phonologie — und die Satzphonologie. Soweit für alle Sprachen gültige Programme der "Morphonologie" und der Satzphonologie sich überhaupt aufstellen lassen, sind solche bereits von S. Karcevsky und mir bei der Prager Phonologischen Konferenz vorgeschlagen und in den Akten dieser Konferenz veröffentlicht worden.[1] Was die lexikalische oder allgemeine Wortphonologie betrifft, so muss sie, um vollständig zu sein, folgende Teile umfassen: 1. die Aufstellung des Phonemsystems und Erforschung seiner Struktur; 2. Erforschung der Regeln des Vorkommens der Phoneme und Phonemverbindungen; 3. statistische Untersuchung der semantischen Belastung einzelner phonologischer Gegensätze; 4. statistische Untersuchung der Häufigkeit einzelner Phoneme und Phonemverbindungen. — Über die Struktur der Phonemsysteme habe ich mich bereits geäussert [2] und kann heute zu dem früher Gesagten nichts Neues hinzufügen. Die methodologischen Fragen, die mit den statistischen Teilen der Wortphonologie verbunden sind, sind heute wohl noch nicht spruchreif. Und somit möchte ich heute nur über die Erforschung der Vorkommensregeln sprechen.

Reprinted from *Proceedings [First] International Congress of Phonetic Sciences*, 1932, pp. 18–22, with the permission of Hollandsche Maatschappij der Wetenschappen.

[1] Vgl. Réunion Phonologique Internationale (= Traveaux du Cercle Linguistique de Prague, IV), S. Karcevsky "Essai sur la phonologie de la phrase", p. 163 ff. N. Trubetzkoy "Gedanken über Morphonologie", p. 160 ff.

[2] N. Trubetzkoy "Zur allgemeinen Theorie der phonologischen Vokalsysteme" (Travaux du Cercle Linguistique de Prague, I, S. 39 ff.) und "Die phonologischen Systeme" (Travaux, IV, S. 36 ff.).

Das Vorkommen oder der Gebrauch einzelner Phoneme und Phonemverbindungen ist in fast jeder Sprache durch gewisse Regeln eingeschränkt, die man kurzweg " phonologische Lautregeln " nennen darf, und die selbstverständlich je nach der Sprache verschieden sind. Die Einschränkungen im Vorkommen oder im Gebrauche können dreierlei Art sein, je nachdem, ob sie sich auf eine Phonemverbindung, ein isoliertes Phonem oder einen phonologischen Gegensatz beziehen. Die phonologischen Folgen dieser drei Arten der Einschränkungen im Phonemengebrauche sind recht verschieden. Die absolute oder bedingte Nichtzulassung einer Phonemverbindung ändert gar nichts weder an der Gesamtzahl der Phoneme des Systems, noch am Gehalt der einzelnen Phoneme: bloss die Zahl der möglichen Kombinationen wird dadurch beeinträchtigt. Durch die Nichtzulassung eines isolierten Phonems in einer bestimmten Stellung (wie z.B. im Deutschen des *ŋ* im Anlaute und nach Konsonanten oder des *w* vor Konsonanten) wird nicht bloss die Zahl der möglichen Kombinationen, sondern auch die Gesamtzahl der Phoneme für die betreffende Stellung verringert, der Gehalt der einzelnen Phoneme bleibt aber unverändert. Stellt man ein Inventar der in der betreffenden Stellung vorkommenden Phoneme auf, so wird es weniger Pfosten als das allgemeine Phoneminventar der betreffenden Sprache enthalten; das werden aber doch immer dieselben Pfosten sein. Endlich, die Aufhebung eines phonologischen Gegensatzes in einer bestimmten Stellung verändert nicht nur die Zahl der Kombinationen und der Phoneme, sondern auch den Gehalt der Phoneme in der betreffenden Stellung. So ist z.B. in vielen Spracher der Gegensatz zwischen stimmhaften und stimmlosen Geräuschlauten vor Vokalen und Sonorlauten phonologisch gültig, vor Geräuschlauten dagegen bloss mechanisch geregelt, indem vor einem stimmlosen nur ein stimmloser, vor einem stimmhaften nur ein stimmhafter Geräuschlaut stehen darf. In dieser Stellung wird also die Stimmhaftigkeit, bezw. Stimmlosigkeit phonologisch irrelevant, der phonologische Stimmbeteiligungsgegensatz wird aufgehoben und die Stimmbeteiligung aus dem Gehalte der betreffenden Phoneme ausgeschaltet. Diese Phoneme werden in Hinsicht auf Stimmbeteiligung neutralisiert. Es handelt sich in solchen Fällen meistens um Aufhebung oder Neutralisierung von Korrelationsgegensätzen (wie " stimmhaft — stimmlos ", " asspiriert — unasspiriert ", " lang — kurz ", " steigend — fallend " usw.). Auf dieselbe Weise können aber auch disjunkte Eigenschaften der Phoneme ausgeschaltet werden. In vielen Sprachen z.B. besitzen die Artikulationsstellen der Nasale (*m*, *n*, *n̂*, *ŋ* usw.) nur vor Vokalen einen phonologischen Wert, während vor Konsonanten die Artikulationsstelle des Nasals sich mechanisch nach derjenigen des folgenden Lautes richtet — sodass in dieser Stellung der Nasal ohne jede eigene Lokalisierungseigenschaft gedacht wird.

Von allen Arten der Einschränkungen des Phonemgebrauches ist die Aufhebung phonologischer Gegensätze sicher die wichtigste. Die dadurch entstehenden neutralisierten Phoneme werden vom Sprachbewusstsein als besondere Phoneme empfunden. Dadurch erklärt sich die Tatsache, dass in vielen " nationalen " Schriftsystemen einige von diesen Phonemen durch besondere Zeichen wiedergegeben werden.[3] Manchmal äussert sich diese

[3] Im Altgriechischen bestand bei Verschlusslauten einerseits der Stimmbeteiligungsgegensatz ($\tau : \delta = \pi : \beta = \kappa : \gamma$), anderseits- der Exspirationsartgegensatz ($\tau : \vartheta = \pi : \phi = \kappa : \chi$). Beide

besondere Empfindung der neutralisierten Phoneme auch in ihrer phonetischen Realisierung, indem sie tatsächlich als Mitteldinge zwischen den merkmalhaltigen und merkmallosen Gliedern der betreffenden Korrelation ausgesprochen werden.[4] Aber ganz unabhängig von ihrer phonetischen Realisierung, nehmen sie vom phonologischen Standpunkte eine Sonderstellung ein. Daher müssen sie auch bei der phonologischen Statistik gesondert gezählt werden und dürfen nicht mit den merkmallosen Gliedern einer Korrelation verwechselt werden — denn zwischen dem einfachen Fehlen und dem aktiven Verneinen einer Eigenschaft besteht ein grundsätzlicher Unterschied.

Die phonologischen Lautregeln, die das Vorkommen und den Gebrauch der Phoneme bestimmen, müssen in Hinsicht auf ihren Spielraum, ihre Richtung und ihre Angriffspunkte untersucht werden.

Der Spielraum einer Lautregel ist desto weiter, je mehr der Gebrauch eines Phonems, einer Phonemverbindung oder das Bestehen eines phonologischen Gegensatzes durch die Wirkung dieser Regel eingeschränkt ist. Meistens lässt

hatten eine phonologische Geltung vor Vokalen und vor Sonorlauten. Die Verbindungen von zwei Verschlusslauten wurden so wie die alleinstehenden Verschlusslaute behandelt und boten dieselben Artikulationsartgegensätze ($\kappa\tau : \gamma\delta : \chi\vartheta = \pi\tau : \beta\delta : \phi\vartheta$). Vor der Spirans ς (σ) wurden aber die Artikulationsartgegensätze der Verschlusslaute aufgehoben, und die Verschlusslaute selbst wurden in dieser Stellung in Hinsicht auf Stimmbeteiligung und auf Exspirationsart phonologisch neutralisiert (wie sie in dieser Stellung phonetisch realisiert wurden, ist eine andere Frage, auf die ich hier nicht eingehe). Diese phonologisch neutralisierten Verschlusslaute wurden vom Sprachbewusstsein als ganz besondere Phoneme empfunden und mit keiner der drei Verschlusslautarten (" Tenuis ", " Media ", " Aspirata ") identifiziert. Daher mussten sie durch besondere Buchstaben bezeichnet werden. Da sie aber nur vor ς vorkamen, schuf man besondere Zeichen für die ganze Verbindung " neutralisierter Verschlusslaut + ς ", nämlich ξ und ψ. Im Avestaalphabet wird der dentale Verschlusslaut im Wortauslaute und vor Geräuschlauten durch einen besonderen Buchstaben bezeichnet, der weder mit *t* noch mit *d* identisch ist — offenbar, weil in diesen Stellungen der Verschlusslaut hinsichtlich der Stimmbeteiligung phonologisch neutralisiert war, während in den übrigen Stellungen der Gegensatz $t : d$ phonologisch gültig war. Das altindische Devanagari-Alphabet besitzt ein besonderes Zeichen (das sogenannte *anusvara*) für den hinsichtlich der Artikulationsstelle phonologisch neutralisierten Nasal.

[4] Einige Beispiele. — Im Polnischen ist der Stimmbeteiligungsgegensatz, der im An- und Inlaute vor Vokalen und Sonorlauten phonologisch gültig ist, im Auslaute aufgehoben. Vor vokalisch oder mit Sonorlauten anlautenden Wörten werden die auslautenden Geräuschlaute in einem Teile der polnischen Dialekte stimmlos realisiert, in dem anderen Teile stimmhaft. Die genaue experimentelle Untersuchung der Frau Dr. H. Koneczna hat aber gezeigt, dass in den Dialekten der zweiten Gruppe die Geräuschlaute in der genannten Stellung nicht die normale Stimmhaftigkeit aufweisen und bloss " halbstimmhaft " sind ; (vgl. die Mitteilung der Frau Dr. H. Koneczna auf dem Kongresse der phonetischen Wissenschaften in Amsterdam S. 171). Im Eskimo besteht im In- und Anlaute der phonologische Gegensatz zwischen oralen und nasalen Verschlusslauten ($t : n = p : m = k : ŋ = q : n$). In den grönländischen Dialekten wird dieser Gegensatz im Auslaute aufgehoben. Die in dieser Stellung entstehenden, hinsichtlich der Nasalität phonologisch neutralisierten Verschlusslaute werden in den einen Dialekten (Westgrönland, Labrador) als stimmlose orale Laute (*t*, *p*, *k*, *q*), in den anderen (Nord- und Ostgrönland) als Nasale realisiert. Jörgen Forchhammer, der einen Vertreter des nordgrönländischen Dialektes untersuchte, konstatierte, dass die auslautenden Verschlusslaute dieses Grönländers nur " halbnasal " waren : sie begannen ohne Nasalierung und endeten mit einem stimmlosen Nasallaut (J. Forchhammer, Die Grundlage der Phonetik, S. 192 u.f.). — Im Russischen, wo der Gegensatz zwischen mouillierten (palatalisierten) und unmouillierten Konsonanten eine bedeutende Rolle spielt, wird dieser Gegensatz, unter anderem, vor mouillierten *ť*, *l'*, *ń* aufgehoben. Die Labiale und Dentale zeigen vor diesen Lauten (wenigstens bei einigen Personen) eine " halbmouillierte " Aussprache, phonologisch sind sie in dieser Stellung hinsichtlich der Mouillierung neutralisiert. — Im Oberdeutschen besteht bekanntlich bei den Geräuschlauten der Intensitätsgegensatz " Lenis : Fortis ". In den bayrisch-österreichischen Dialekten ist dieser Gegensatz im Anlaute aufgehoben. Die hinsichtlich der Intensität phonologisch neutralisierten anlautenden Geräuschlaute werden nun in diesen Dialekten als " Halbfortes " realisiert — d.h. als Laute, die die Mitte zwischen Lenes und Fortes einnehmen. Derartige Beispiele lassen sich leicht vermehren.

sich die Weite dieses Spielraums leicht in Zahlen (in Prozentsätzen) ausdrücken. So beträgt der Spielraum der Lautregel, wonach das deutsche *ŋ* (*ng*) nur nach *u, ü, i, e, a* stehen darf, 84,4% — denn durch diese Lautregel wird *ŋ* nach 84,4% aller deutschen Phoneme ausgeschlossen. Etwas komplizierter ist die Berechnung des Spielraumes jener Lautregeln, die einen phonologischen Gegensatz in gewissen Stellungen aufheben. Aber auch hier lässt sich gewöhnlich eine mathematische Formel geben. Alle diese zahlenmässigen Ausdrücke für den Spielraum phonologischer Lautregeln dürfen Spielraumexponenten genannt werden. Wenn der Gebrauch eines Phonems (bezw. einer Phonemverbindung oder eines phonologischen Gegensatzes) durch mehrere Lautregeln eingeschränkt ist, so ergibt sich aus der Vereinigung der Spielraumexponenten all dieser Lautregeln ein mathematischer Ausdruck für den Spielraum des betreffenden Phonems. — Selbstverständlich beziehen sich alle diese Zahlen und Prozentsätze nur auf die in der betreffenden Sprache vorhandenen Möglichkeiten des Phonemgebrauches. Sie sind aber wichtig auch für die statistischen Teile der Wortphonologie, wo die tatsächliche Ausnutzung der vorhandenen Möglichkeiten erforscht werden soll.

Ihrer Wirkungsrichtung nach können die Lautregeln progressiv, regressiv oder nach beiden Seiten orientiert sein. " Progressiv " heisst eine Lautregel, die das Vorkommen oder Nichtvorkommen eines Phonems (bezw. einer Phonemverbindung usw.) vom folgenden Phonem, bezw. von der folgenden Wortgrenze abhängig macht — z.B. im Deutschen die Lautregel: " *w* darf weder *vor* Konsonanten noch im Auslaute (d.i. *vor* der Wortgrenze) stehen ". Dagegen ist die obenerwähnte Regel, wonach das deutsche *ŋ* (*ng*) nur nach *u, i, ü, e, a* stehen darf, als eine regressiv orientierte Lautregel zu bezeichnen. Verhältnismässig selten sind die nach beiden Seiten orientierten Lautregeln.

Für die Typologie einer Sprache ist es ausserordentlich wichtig, festzustellen, ob in ihr progressive oder regressive Lautregeln vorherrschen, und welche von diesen zwei Arten von Lautregeln einen weiteren Spielraum besitzt. Es gibt Sprachen, wo sämtliche Lautregeln progressiv orientiert sind, und andere, wo, im Gegenteil, regressiv orientierte Lautregeln entschieden vorherrschen. Zum ersten Typus gehört z.B. das Russische, zum zweiten das Mordwinische, wobei der Gegensatz zwischen diesen zwei Sprachen besonders deshalb deutlich hervortritt, weil ihre Phoneminventare sonst beinahe gleich sind.[5]

Unter dem Angriffspunkte einer phonologischen Lautregel verstehen wir jene Lautstellung, an der die Lautregel wirkt, z.B. die Stellung vor Konsonanten, zwischen Vokalen, im Anlaute usw. Dieselbe Stellung kann als Angriffspunkt für mehrere Lautregeln dienen. Je grösser die Zahl der Lautregeln ist, deren gemeinsamer Angriffspunkt an einer gegebenen Stellung liegt, desto geringer ist die Zahl der Phoneme, die an jener Stellung vorkommen dürfen. So darf man für die meisten Sprachen eine Stellung der minimalen Phonemunterscheidung und eine Stellung der maximalen Phonemunterscheidung feststellen. Man kann überhaupt für jede Stellung, die als Angriffspunkt einer oder mehrerer Lautregeln dient, lokale Phoneminventare aufstellen. Manchmal verteilen sich die Lautregeln so, dass es keine Stellung gibt, wo alle Phoneme der gegebenen Sprache vorkommen, und dass die einzelnen Phoneminventare (z.B. die des

[5] Näheres darüber vgl. in meinem Artikel in der Festschrift für V. Mathesius. (*Charisteria, Guilelmo Mathesio quinquagenario . . . oblata*, Pragae, 1932, p. 21 sqq.)

Anlautes und des Inlautes) einander nicht entsprechen. Manchmal erscheint es daher geraten, auf die Aufstellung eines Gesamtinventars zu verzichten und sich mit den lokalen Phoneminventaren zu begnügen.

Die Stellungen, die als Angriffspunkte der phonologischen Lautregeln dienen, sind je nach der Sprache recht verschieden. Dabei brauchen sie gar nicht irgendeiner phonetischen Realität zu entsprechen. Dass die Wortgrenze, die ja vom phonetischen Standpunkte aus im gebundenen Redefluss gar nicht existiert, der Angriffspunkt vieler Lauregeln ist, ist allgemein bekannt. Ebenso kann aber auch eine morphologische Grenze innerhalb eines Wortes dieselbe Funktion annehmen. Dies ist der Fall z.B. im Deutschen, wo die Wortgrenze als solche in der Phonologie keine bedeutende Rolle spielt, und wo die Einheit, in deren Grenzen die phonologischen Lautregeln ihre Wirkung ausüben, nicht das Wort, sondern das Morphem, d.h. jeder morphologisch weiter nicht zerlegbare Teil des Wortes, ist. Dieser Umstand ist für die deutsche Phonologie kennzeichnend. Überhaupt ist es für die Typologie der Sprachen sehr wichtig, festzustellen, welche Stellungen als Angriffspunkte der phonologischen Lautregeln dienen, und welche von ihnen in dieser Hinsicht besonders beliebt sind.

7 DAS MORDWINISCHE PHONOLOGISCHE SYSTEM VERGLICHEN MIT DEM RUSSISCHEN

N. S. Trubetzkoy

Die Frage, ob zwischen dem phonologischen System und dem grammatischen Bau einer Sprache ein innerer Zusammenhang besteht, kann nur nach eingehenden Untersuchungen entschieden werden. Dabei müssen vor allem Sprachen mit identischen oder ähnlichen phonologischen Systemen bei grundsätzlich verschiedenem grammatischem Baue mit einander verglichen werden. Ein lehrreiches Beispiel dieser Art bietet der Vergleich des Russichen mit dem Mordwinischen.[1] Diese zwei Sprachen sind in grammatischer Hinsicht grundsätzlich verschieden, da das Russische eine indogermanische, das Mordwinische dagegen — eine finnischugrische Sprache ist. Hiebei ist aber das Inventar der Sprachlaute in beiden Sprachen beinahe das gleiche.[2] Freilich besitzen gewisse gemeinsame Lautgegensätze im Mordwinischen nicht immer denselben phonologischen Wert, wie im Russischen.[3] Immerhin sind die phonologischen Systeme des Mordwinischen und des Russischen einander so ähnlich, daß die

Reprinted from *Charisteria V. Mathesio oblata*, pp. 21–24 (Prague : Cercle Linguistique de Prague, 1932), with the permission of Bohumil Trnka, secretary of Cercle Linguistique de Prague.

[1] Wir beschränken uns hier auf die mordwinische Schriftsprache, die auf dem erza-mordwinischen Dialekte des Dorfes Kozlovka beruht. Vgl. die Beschreibung dieser Sprache bei Prof. D. V. Bubrich, Звуки и формы эрзанской речи (Moskau, 1930) vgl. ferner auch M. E. Evsevjev, Основы мордовской грамматики (Moskau, 1929).

[2] Vgl. die Äusserungen D. V. Bubrichs in *Sborník prací I. Sjezdu Slovanských Filologů v Praze 1929* (Praha, 1932) s. 455 ff.

[3] So ist der Gegensatz zwischen exspiratorisch starken (" betonten ") und schwachen (" unbetonten ") Vokalen im Russischen phonologisch gültig, im Mordwinischen dagegen nicht (vgl. Bubrich, Звуки и формы, S. 23, § 32). — Ebenso steht es mit dem Gegensatze zwischen monillierten und nicht monillierten Labialen, der im Mordwinischen rein äusserlich bedingt ist (vor und nach *e*, *i* sind alle Labiale mouilliert, in allen übrigen Stellungen — nicht mouilliert). — Das schriftmordwinische *v* steht in kombinatorischem Variantenverhältnis zu *u̯*, — indem *v* (bezw. *v́* vor *e*, *i*) nur vor Vokalen, *u̯* (bezw. *ü̯* nach *e*, *i*) nur vor Konsonanten und im Auslaute auftreten, — und darf zu den Sonorlaut-Phonemen gerechnet werden, während das russische *v*/*v* ein Geräuschlaut (freilich, ein Geräuschlaut besonderer Art) ist. — Da das mordwinische *č* (im Gegensatz zum russischen) dieselbe Artikulationstelle wie *ś*/*ź* aufweist, und da neben mordw. *c* auch ein mouilliertes *ć* besteht (was im Russischen nicht der Fall ist), so ist das Verhältnis s : c = ś : ć = š : č im Mordwinischen ein korrelatives (" Annäherungskorrelation "), während im Russischen *c*, *s* disjunkte Phoneme sind. — Zu den Begriffen des " phonologischen Wertes ", der " disjunktiven " und " korrelativen " Phoneme usw. vgl. unsere " Polabische Studien " (= *Sitzungsberichte der Akad. d. Wiss. in Wien, phil.-histor. Klasse*, 211/4) S. 111 ff., und " Die phonologischen Systeme " (*in Travaux du Cercle Linguistique de Prague* IV, S. 96 ff.).

Mordwinen für ihre Sprache das russische Alphabet ohne irgendwelche Zusätze und Veränderungen verwenden, ohne dabei die geringste Schwierigkeit zu empfinden.

Die Ähnlichkeit besteht jedoch bloß im Phonemenrepertoire (gleiche Archiphoneme, gleiche Korrelationen.[4] In der phonologischen Funktions- und Kombinationslehre gehen beide Sprachen auseinander. Der Unterschied läßt sich so formulieren : — *der Verlust* (*oder die Neutralisierung*) *irgendeiner phonologischen Eigenschaft eines Phonems geschieht im Russischen unter dem Einfluße des folgenden, im Mordwinischen dagegen unter dem Einfluße des vorhergehenden Phonems* (*bezw. der* " *Laut-Null* "). Nach diesen Grundsätzen werden in beiden Sprachen sowohl die Stimmbeteiligungskorrelation [5] als auch die Mouillierungskorrelation,[6] und speziell im Mordwinischen auch noch die Annäherungskorrelation [7] behandelt. Man darf also sagen, daß die mordwinischen Lautregeln meistens *regressiv*, die russischen dagegen *progressiv* orientiert sind.[8] Im Zusammenhange mit dieser allgemeinen regressiven Orientierung der mordwinischen Phonologie steht die dem Mordwinischen eigene *Sonderstellung der ersten Wortsilbe*. Die fünf Vokalphoneme *u*, *o*, *a*, *e* werden nur in der ersten

[4] Und zwar : — Gemeinsame Archiphoneme sind U, O, A, E, I, P, T, K, F, S, Š, X, R, L, M, N, J ; ausserdem besitzt das Russische noch Ś (щ, хж) Ĉ (ч), C (die mordw. *c*, *ć* gehören zum Archiphonem S), und das Mordwinische — V (als Sonorlaut ; die russ. *v*, *v́* gehören zum Archiphonem F) ; — gemeinsame Korrelationen sind : die kons. Stimmbeteiligungskorrelation und die kons. Mouillierungskorrelation ; ausserdem besitzt das Russische die vokal. Intensitätskorrelation (u : ŭ = a : ă = i : ĭ) und das Mordwinische — die Annäherungskorrelation (*s* : *c* = *ś* : *ć* = *š* : *č*).

[5] Bei der Verbindung mehrerer Geräuschlaute im Inlaute richten sich im Russischen alle Geräuschlaute hinsichtlich der Stimmbeteiligung nach dem letzten (*kăśit'* " mähen " ~ *kăźba* " das Mähen ", *kălodă* " grosser Holzblock " ~ *kălotkă* " kleiner Holzblock, Leiste "). Im Mordwinischen geschieht dasselbe nur dann, wenn der folgende Geräuschlaut stimmlos ist (z.B. *kuz* " Tanne " ~ *kustomo* " ohne Tanne ") ; ist er aber von Haus aus stimmhaft, — so wird er *nach* stimmlosen Geräuschlauten selbst stimmlos (*kudo* " Haus " ~ Ablat. *kudodo*, *kuz*, " Tanne " ~ *kuzdo*, aber *šokš* " Topf " ~ Ablat. *šokšto*). Im Russischen sind die *auslautenden* Geräuschlaute hinsichtlich der Stimmbeteiligung neutralisiert und werden *vor* stimmhaften Geräuschlauten stimmhaft, in allen übrigen Stellungen stimmlos realisiert (*naž dom* " unser Haus " — *naš ăt'ec* " unser Vater ", *nož d'ad'ĭ* " das Messer des Onkels ", *noš ătca* " das Messer des Vaters "). Im Mordwinischen sind, im Gegenteil, die *anlautenden* Geräuschlaute hinsichtlich der Stimmbeteiligung neutralisiert und werden *nach* einer Pause und *nach* stimmlosen Lauten stimmlos, in den übrigen Stellungen stimmhaft realisiert (z. B. *panar* " Hemd ", *orčak panar* " ziehe ein Hemd an ! " ~ *ašo banar* " weisses Hemd ", *od banar* " neues Hemd ", *ćorań banarzo* " das Hemd des Burschen "). — Nur in mehrsilbigen Wörtern werden im Mordwinischen auslautende Mediae stimmlos, jedoch nicht im Satzzusammenhange, sondern nur vor einer Pause. Diese Regel (deren Spielraum ohnehin schon sehr eng ist) kennt jedoch Ausnahmen : auslautendes *ź* bewahrt in mehrsilbigen Verbalformen auch vor der Pause seine Stimmhaftigkeit.

[6] In Hinsicht auf Mouillierung werden im Russischen die Konsonanten in gewissen Stellungen phonologisch neutralisiert : *vor* vortonigem *ă* werden alle Konsonanten, *vor* unmouillierten Dentalen alle Konsonanten ausser *l*, *vor* inlautendem *u*, *ŭ* alle Labiale immer unmouilliert, *vor e* alle Konsonanten immer mouilliert, *vor v́* und *vor* mouillierten Dentalen die *s*-Laute mouilliert, die übrigen Konsonanten (ausser *l*) unmouilliert oder halbmouilliert gesprochen. Im Mordwinischen geschieht eine solche phonologische Neutralisierung des Eigentons nicht vor, sondern *nach* gewissen Phonemen. Und zwar werden alle Dentale ausser *s*, *z*, *c*, *nach e*, *i* und *nach* mouillierten Dentalen mouilliert und *nach* unmouillierten Dentalen unmouilliert gesprochen. Progressive Eigentonangleichung geschieht nur vor mouillierten *l*, *ś* und *ź*.

[7] Und zwar werden nach Dentalen nur die Affrikaten *c*, *ć*, *č* (bezw. *dz*, *dź*, *dž*, die nur in dieser Stellung vorkommen) gesprochen. Empfunden werden sie aber als *s*, *ś*, *š* (bezw. *z*, *ź*, *ž*), da die Spiranten die " merkmallosen " Glieder der Annäherungskorrelation sind.

[8] Der Vollständigkeit halber sei noch erwähnt, dass es im Mordwinischen auch eine nach beiden Richtungen orientierte Lautregel gibt : Geräuschlaute, die sich nicht unmittelbar mit einem Vokale berühren sind hinsichtlich der Stimmbeteiligung phonologisch neutral und werden stimmlos realisiert (daher z. B. *andoms* " nähren " ~ frequent. *antnems* usw.).

Wortsilbe als wirklich selbständige Phoneme behandelt. In den übrigen Silben ist das Auftreten der Vokallaute *o*, *e*, *u* rein äußerlich, und zwar durch regressiv orientierte Lautregeln bedingt, wobei *o* und *e* als kombinatorische Varianten eines einzigen Phonems betrachtet werden dürfen.[9] Somit ist der Vokalismus der ersten Silbe von dem der übrigen Silben grundsätzlich verschieden, und da auch die anlautenden Konsonanten eine besondere Behandlung aufweisen,[10] so bekommt die erste Wortsilbe überhaupt eine phonologische Sonderstellung. — Endlich fällt es auf, daß die *Korrelations-Gegensätze* im Mordwinischen im Vergleiche mit dem Russischen *verhältnismäßig wenig ausgenützt* sind. Die vokalischen Intensitätsgegensätze, die im Russischen eine so große Rolle spielen, sind dem Mordwinischen ganz fremd. Die Mouillierungskorrelation, die sich im Russischen auf Dentale und Labiale erstreckt, ist im Mordwinischen nur auf die Dentale beschränkt. Was die Stimmbeteiligungskorrelation betrifft, so bilden in der russischen Rede die stimmhaften (also merkmalhaltigen) Geräuschlaute 37%, die stimmlosen (also merkmallosen) 39% und die hinsichtlich der Stimmbeteiligung phonologisch neutralen (z. B. auslautenden usw.) nur 24%, während in der mordwinischen Rede die stimmhaften 18%, die stimmlosen 38,7% und die phonologisch neutralisierten 43,3% bilden.[11]

Alle diese Eigentümlichkeiten der mordwinischen Phonologie hängen aufs engste mit dem grammatischen Baue des Mordwinischen zusammen. Als typische " turanische " Sprache kennt das Mordwinische keine Präfixe. Die erste Wortsilbe ist somit immer eine *Wurzelsilbe*, wodurch ihre Sonderstellung auch vom grammatischen Gesichtspunkte berechtigt erscheint. Das Mordwinische kennt keine grammatisch verwertete Veränderung der Lautgestalt der Wurzel. Das einzige Mittel der Formbildung ist die Agglutination, d. i. das Anhängen, Anreihen formativer Elemente an die unveränderte Wurzel. Die regressiv orientierten Lautregeln verbürgen die maximale Unveränderlichkeit der Lautgestalt der Wurzel und dienen zugleich als ein Bindemittel, das die formativen Elemente fest mit der Wurzel vereinigt. Die Agglutination wirkt

[9] Und zwar darf *o* in nichterster Silbe nur nach unmouillierten Konsonanten stehen, dabei nur nach einer Silbe mit, *u*, *o*, *a* ; dagegen kommt *e* nach unmouillierten Konsonanten nur dann vor, wenn die vorhergehende Silbe *e*, oder *i* enthält ; nach mouillierten Konsonanten tritt *e* ohne Rücksicht auf den Vokal der vorhergehenden Silbe auf. Somit ist der Gegensatz zwischen *o* und *e*, der in erster Wortsilbe Bedeutungsunterschiede bewirken kann (z. B. *kov* " Mond " ∼ *kev* " Stein ") in nichterster Silbe rein äusserlich, phonetisch bedingt. Der Vokal *u* kommt in nichterster Silbe nach unmonillierten Konsonanten zwischen einer Silbe mit *u*, *o*, *a* und einer Silbe mit *a*, i vor (z. B. *amul'ams* " schöpfen ", *kulcuni* " er hört "). In derselben Stellung darf auch *o* (aber nicht *e*) stehen (z. B. *kudoška* " wie ein Haus "). — Vgl. unseren Aufsatz " Zur allgemeinen Theorie der phonologischen Vokalsysteme " (*Travaux du Cercle Linguistique de Prague* I, S. 39 ff.), besonders S. 58 f.

[10] Wie bereits erwähnt (s. oben Fussn. 5), sind die anlautenden Geräuschlaute hinsichtlich der Stimmbeteiligung neutralisiert. Der Gegensatz zwischen stimmhaften und stimmlosen Geräuschlauten, der im Inlaute und Auslaute Bedeutungsunterschiede bewirken kann (z. B. *kozo* " wohin " ∼ *koso* " wo ", *lugaś* " die Wiese " ∼ *lukaś* " bewegte sich hin und her ", *ked'* " Hand " ∼ *ket'* " Hände ", *noldaź* " gelassen " ∼ *noldaś* " liess "), ist im Anlaute rein äusserlich, phonetisch bedingt (z. B. *orčan banar* " ich ziehe ein Hemd an " ∼ *orčak panar* " ziehe ein Hemd an ! "). Im Anlaute sind die Dentale ausser *s*, *z* vor *e* immer mouilliert, während im Inlaute vor *e* auch unmouillierte Dentale stehen dürfen (*śeste* " von dort ").

[11] Diese Zahlen sind aus dem als Anhang zu D. V. Bubrichs " Звуки и формы эрзянской речи " abgedruckten mordwinischen Texte und seiner russischen Übersetzung gewonnen. Beide Texte sind nicht sehr umfangreich (der mordwinische enthält ca. 1120, der russische ca. 1180 Phoneme). Wir glauben aber, dass die Prozentverhältnisse auch in grösseren Texten ungefähr dieselben sind. Es wäre interessant eine genauere Statistik der Ausnützung mordwinischer Phoneme nach V. Mathesius's Methode durchzuführen.

aber auch weiter, fügt ein Element an das andere, und die regressiv orientierten Lautregeln dehnen somit ihre Wirkung auf das ganze Wort aus. Der grammatische Bau des Mordwinischen ist rationell und regelmäßig. Er lässt keine Ausnahmen, keine unrationelle Mannigfaltigkeit der Paradigmen zu. Alles ist streng vorgeschrieben und der Spielraum der freien Wahl ist auf ein Mindestmaß eingeschränkt. Es gibt eine beschränkte Anzahl scharf umrissener, streng bestimmter grammatischer Schemen, in die jeder Gedanke hineingezwängt werden muß. Natürlich sind diese Schemen ziemlich grob gezeichnet, und lassen für feinere Nuancen wenig Raum. Dieser Art schematisch regelmäßigen Sprachdenkens entspricht auch die mordwinische Phonologie, die von der freien Ausnützung der Korrelations-Gegensätze wenig Gebrauch macht, und vorwiegend mit Archiphonemen operiert. Der phonologischen Eintönigkeit des Mordwinischen entspricht auch die Eintönigkeit des grammatischen Baues dieser Sprache. Somit zeigt das Mordwinische einen völligen Parallelismus zwischen dem phonologischen und dem grammatischen Sprachbau.

8 DÉRIVATION LEXICALE ET DÉRIVATION SYNTAXIQUE (CONTRIBUTION À LA THÉORIE DES PARTIES DU DISCOURS)[1]

Jerzy Kuryłowicz

Il existe un rapport entre la valeur lexicale d'une partie du discours et ses fonctions syntaxiques. Ce rapport est reflété par la direction des procès de dérivation et semble indépendant des particularités individuelles des systèmes linguistiques.

Tout récemment, M. Slotty[2] a mis en relief le double caractère des parties du discours. D'après lui elles représentent des catégories (de mots) possédant d'une part une valeur lexicale (ou sémantique) très générale, et d'autre part une fonction syntaxique déterminée. Ainsi par exemple le substantif désigne un objet et fonctionne en même temps comme sujet et régime, l'adjectif désigne une qualité et fonctionne en même temps comme épithète, le verbe désigne un changement ou un état (transitoire) ou une action et fonctionne en même temps comme prédicat, etc. Mais d'autre part il y a par exemple des formes qui désignent une action et fonctionnent comme sujets ou régimes (abstraits verbaux) ; il y a les adjectifs " anaphoriques ", qui sont de véritables adjectifs quant à leur valeur lexicale, mais qui fonctionnent comme des substantifs au point de vue syntaxique ; il y a les participes, dont la valeur lexicale est celle du verbe personnel correspondant, mais qui pourraient aussi être qualifiés d'adjectifs en vue de leur fonction syntaxique ; etc. Par là même l'essai de M. Slotty d'établir une corrélation entre valeur lexicale et fonction syntaxique semble, *à première vue*, une de ces constructions philosophiques qui réclament une place d'honneur dans la grammaire générale, mais qui, n'étant directement applicables à aucune langue réelle, sont destinées à rester inféconds et sans portée pour la linguistique au sens propre. En effet, dira-t-on, si une valeur lexicale donnée peut être combinée avec n'importe quelle fonction syntaxique, n'y a-t-il pas là une preuve éclatante de l'indépendance des deux séries de valeurs ou fonctions grammaticales (valeurs lexicales ou sémantiques d'une part, valeurs syntaxiques de l'autre part) ? Si tel est le cas, s'il y a indépendance

Reprinted from *Bulletin de la Société de Linguistique de Paris* 37 (1936) : 79–92, with the permission of the author and of M. Perrot of the Société de Linguistique de Paris.

[1] Communication présentée au Congrès Linguistique de Copenhague.

[2] Dans *Problem der Wortarten* (Forschungen und Fortschritte VIII [1932], p. 329–330).

de ces deux classes de fonctions, on pourra établir les parties du discours en partant de l'une ou de l'autre fonction, c'est-à-dire soit du point de vue lexical, soit du point de vue syntaxique. Suivant qu'on adopte l'un ou l'autre, on dira que dans des exemples comme : *le roi* (*est mort*) et (*Louis XIV*) *le roi* (*de France*) on a affaire à des parties du discours identiques ou différentes. La conclusion serait : 1° la distinction entre substantif, adjectif, verbe, adverbe ne peut être faite que d'un seul point de vue (le point de vue lexical étant celui qui importe, comme on verra plus bas) ; 2° il n'y a pas de rapport entre la valeur lexicale et la fonction syntaxique. La première conclusion serait juste, mais contre la seconde affirmation la grammaire traditionnelle aussi bien que les linguistes praticiens vont protester et pour de bonnes raisons. Du fait qu'un mot désignant une qualité (c'est-à-dire un adjectif) peut fonctionner soit comme épithète, soit comme attribut (prédicat), soit comme support autonome de détermination (adjectif anaphorique), il ne s'ensuit pas que toutes ces fonctions syntaxiques soient au même degré essentielles ou caractéristiques de la partie du discours en question. Autrement dit, le praticien s'en tiendra à la notion de *fonction syntaxique primaire* (*et fonctions syntaxiques secondaires*), qu'on trouve déjà chez M. Slotty *l. c.* Mais il va sans dire qu'un fondement *objectif* de la distinction entre fonction primaire et fonction secondaire doit être cherché d'abord dans la langue elle-même, c'est-à-dire dans *des critères formels*, et non pas en dehors de la langue, par exemple dans les conditions générales de la réalité ou de la vie psychique. Or la loi générale concernant le rapport de la fonction syntaxique primaire aux fonctions syntaxiques secondaires, est celle-ci :

Si le changement de la fonction syntaxique d'une forme (*d'un mot*) *A entraîne le changement formel de A en B* (*la fonction lexicale restant la même*), *est fonction syntaxique primaire celle qui correspond à la forme-base, et fonction syntaxique secondaire celle qui correspond à la forme dérivée.*

Exemples : entre lat. *amat* et *amans* il n'y a qu'une différence de fonction syntaxique. La valeur lexicale (action) est la même dans les deux cas. Mais comme c'est le participe qui est dérivé du verbe personnel et non pas inversement, on dira que chez les mots à valeur lexicale *action* (c'est-à-dire chez les verbes) la fonction prédicative est primaire et la fonction d'épithète, secondaire. De même, si par exemple en germanique l'adjectif faible est dérivé de l'adjectif fort, c'est la preuve que la fonction d'épithète est la fonction primaire de l'adjectif et que la fonction anaphorique en est une fonction secondaire. Les différences formelles entre fonction primaire et fonctions secondaires peuvent être inhérentes non pas aux mots, mais aux groupes dont le mot en question fait partie. Au lieu de parler d'une différence de forme il vaudra mieux se servir du terme différence d'entourage syntaxique ou de conditions syntaxiques. Ainsi dans la plupart des langues indo-européennes modernes l'adjectif attribut est dérivé de l'adjectif épithète moyennant le verbe *être*, par exemple *rouge* : *est rouge*. Dans la langue russe, où la forme simple (= non composée) de l'adjectif slave a été conservée dans l'usage prédicatif, cette forme simple est dérivée de la forme composée employée comme épithète. La direction du procès de dérivation a changé par suite du changement de l'emploi syntaxique des formes.

La direction de la dérivation actuelle est donnée par la juxtaposition de couples comme

$\begin{cases} belyj \\ bel \end{cases}$ d'une part, $\begin{cases} malenkij \\ malenkij \end{cases}$ de l'autre,

la coexistence desquels suppose le rapport *belyj* (base) → *bel* (dérivé).

Dans le cas assez fréquent où il y a identité phonétique entre le cas sujet et le cas régime, il existe néanmoins un rapport de dérivation entre ces deux emplois syntaxiques du substantif, lequel peut être formulé de la manière suivante : On dérive le cas régime du cas sujet en lui attribuant une place déterminée par rapport au verbe (par exemple après le verbe ou immédiatement après le verbe). La place du cas-régime est *caractérisée* ou *motivée*, celle du cas sujet étant *non-caractérisée* ou *immotivée*. On voit que dans la dérivation syntaxique (autrement que dans la dérivation lexicale) on se sert non seulement d'éléments suffixaux, de désinences, etc. mais aussi de morphèmes inhérents au groupe et non pas au mot (" *Gestaltqualitäten* ").

Il suit de ce qui précède que les mots possèdent une fonction syntaxique primaire en vertu même de leur sens lexical (*substantif* : *sujet*, *adjectif* : *déterminant-épithète du substantif*, *verbe* : *prédicat*, *adverbe* : *déterminant du verbe*), et que tout emploi dans une fonction syntaxique autre que la fonction primaire est un emploi *motivé* et *caractérisé* au point de vue formel. L'analyse structurale de la langue prouve donc que la doctrine " démodée " qui établissait des corrélations entre les fonctions syntaxiques et les parties du discours, ne manquait pas de fondement. L'objection qu'une partie du discours peut jouer n'importe quel rôle dans la structure syntaxique du groupe ou de la phrase, n'a pas tenu compte du fait qu'il existe une *hiérarchie* entre les différentes fonctions syntaxiques d'une partie du discours donnée, et que pour chaque partie du discours il existe une fonction-base ou fonction primaire. Bien que nous soyons d'accord avec M. Brøndal en postulant une distinction sévère des fonctions lexicales et des fonctions syntaxiques des mots et en soutenant le caractère foncièrement lexical des parties du discours (*L'autonomie de la syntaxe*, Journal de Psychologie XXX (1933), p. 217 ss. ; *Ordklasserne*, p. 234–5), nous maintenons, d'autre part, que les fonctions syntaxiques primaires découlent des valeurs lexicales des parties du discours et en représentent en quelque sorte une transposition. C'est ce que nous enseigne la dérivation au sens large du terme, c'est-à-dire non seulement le fait que certains mots sont dérivés d'autres mots pour rendre une fonction syntaxique différente de celle du mot-base, mais aussi le fait que le même mot peut présenter des valeurs syntaxiques *secondaires* dans un entourage syntaxique *caractérisé*. Quant à la théorie de M. Slotty, nous admettons qu'il a eu raison d'attribuer aux parties du discours une valeur lexicale (sémantique) et une fonction syntaxique propres à chacune, mais il n'a pas souligné que la seconde découlait simplement de la première. Il introduit le terme *fonction syntaxique primaire* sans en donner une explication satisfaisante. M. Hjelmslev, *Principes de grammaire générale*, p. 331, parle d'une fonction *ordinaire* des parties du discours. Ce concept est sans doute identique à celui de fonction primaire de M. Slotty. Mais M. Hjelmslev ne le définit pas non plus.

La notion de dérivation syntaxique semble ainsi claire. Un dérivé syntaxique est une forme à contenu lexical identique à celui de la forme-base, mais jouant un autre rôle syntaxique que la forme-base et par conséquent étant muni d'un morphème syntaxique (" Feldzeichen " chez M. Karl Bühler, *Sprachtheorie*, p. 35) ; par exemple flexion en *-n-* de l'adjectif germanique ; place fixe du régime par rapport au verbe ; article servant à " substantiver " : *τὸ νῦν*, *das Hier und Jetzt*, etc. (on a vu plus haut que le " *Feldzeichen* " pouvait être inhérent au mot ou à une unité syntaxique supérieure). Il en résulte des formes qu'il semble, au premier coup d'œil, difficile de loger dans les classes traditionnelles. L'adjectif anaphorique (par exemple le type slave **dobrъ-jь*) est généralement classé parmi les adjectifs, de même un cas adverbial comme lat. *ferrō* n'est, à nos yeux, qu'une forme spéciale du substantif, les deux en vertu de leur sens lexical, tandis que par exemple un mot comme français *franchement* est considéré comme un adverbe à cause de sa fonction syntaxique, et que parfois on crée une classe spéciale pour caser le participe, lequel est un verbe au point de vue lexical et un adjectif au point de vue de sa fonction syntaxique primaire. Il est vrai que dans la grammaire on s'en tient plutôt à la fonction lexicale, ce qui est juste, et l'on groupe le participe avec le verbe personnel, et l'adjectif anaphorique, avec l'adjectif épithète. Toutefois on n'ose pas grouper avec les adjectifs les soi-disant adverbes en *-ment* et les formations analogues des autres langues, mais on s'en occupe dans le chapitre consacré aux véritables adverbes (de circonstance). Or il est clair que le morphème *-ment* est un morphème syntaxique (" Feldzeichen ") ajouté à l'adjectif, non pas pour changer son sens lexical, mais pour en faire un déterminant syntaxique du verbe. On procède de manière analogue quand on ajoute la désinence d'accusatif à un substantif pour lui conférer la fonction de régime direct (déterminant du verbe transitif) : le substantif ne devient pas pour cela un adverbe, il conserve sa valeur sémantique fondamentale, puisque la désinence n'est qu'un morphème syntaxique qui ne modifie guère cette valeur.

Dès lors il n'est pas difficile de comprendre en quoi la *dérivation syntaxique* diffère de ce qu'on pourrait appeler *dérivation lexicale* et qui est appelé *dérivation* tout court. Toute comme la dérivation syntaxique se déroule à l'intérieur d'un seule et même valeur lexicale (par exemple adjectif épithète → adjectif anaphorique, la valeur lexicale restant la même), tout ainsi la dérivation lexicale suppose que le mot-base et le dérivé sont identiques quant à leur fonction syntaxique primaire. Ainsi quand on bâtit un diminutif sur un substantif donné, ce diminutif, étant substantif, aura les mêmes fonctions syntaxiques que le mot-base. Même chose quand d'un verbe perfectif on dérive un verbe imperfectif. Mais l'état des choses n'est pas tellement transparent dans tous les cas. Dans un exemple comme français *rouge* (adjectif) : (*le*) *rouge* (= crayon rouge) on distingue en même temps un changement de fonction syntaxique primaire (puisque la partie du discours est différente dans les deux cas), et un changement du contenu lexical (puisque *le rouge*, étant le nom d'un objet, implique encore d'autres qualités en dehors de la couleur rouge). On peut donc décomposer le procès de dérivation en deux étapes : 1° une étape de dérivation syntaxique : adjectif épithète → adjectif anaphorique ; 2° une étape de dérivation lexicale : [3] adjectif anaphorique → substantif. Le mot-base de français (*le*) *rouge* (= crayon rouge) est donc en réalité l'adjectif anaphorique

[3] Cf. les termes *substantivation syntaxique et substantivation sémantique* (c'est-à-dire *lexicale*) de M. Jellinek (PBB XXXIV, p. 582).

le rouge (pouvant se rapporter à n'importe quel objet) et non pas l'adjectif épithète *rouge*. Si cette analyse de l'exemple français semble à première vue exagérée, c'est uniquement parce qu'en français l'emploi comme épithète et l'emploi anaphorique n'ont aucune influence sur la forme de l'adjectif lui-même et que par conséquent (*le*) *rouge* nous semble dérivé de l'adjectif tout court et non pas de l'adjectif employé dans telle ou telle autre fonction syntaxique spéciale. Mais déjà en allemand, ou l'ancienne distinction germanique entre l'adjectif épithète et l'adjectif anaphorique a été partiellement conservée (*ein junger Mann, der junge Mann*, mais seulement *der junge* en fonction anaphorique), un substantif comme *der Junge* " le jeune homme " [4] et *ein Junge* " un jeune homme " se rattache, quant à son origine, à la forme anaphorique, qui est toujours un thème en *-n-*, tandis que l'épithète est un thème fort ou faible (dépendant de l'élément pronominal qui précède). Le fait qu'un substantif est dérivé de l'adjectif anaphorique et non pas de l'adjectif épithète est donc d'une importance capitale, bien qu'il n'entraîne des conséquences formelles que là où la langue distingue entre l'épithète et l'adjectif anaphorique. Un autre exemple instructif, ce sont les substantifs abstraits tirés d'adjectifs, comme français *hauteur*, all. *Höhe*, etc. Ce qui importe c'est que ces substantifs ne sont pas dérivés d'adjectifs épithètes, mais d'adjectits attributs (" *Prädikatsadjektiv* "). On le sait par l'étude pénétrante de M. Porzig (*Die Leistung der Abstrakta in der Sprache* dans Blätter für deutsche Philosophie IV (1930), pp. 66–77), d'après laquelle les abstraits servent à résumer une phrase en partant de son prédicat. Cela veut dire qu'ils reposent sur la substantivation syntaxique du prédicat, que ce prédicat soit un verbe ou un adjectif. Quand on dit : *la hauteur de cette montagne*, il ne s'agit pas de la qualité d'être haut, mais de la dimension verticale, et nous nous trouvons encore une fois en face d'une dérivation à deux étapes : 1° *être haut* → *hauteur* (= qualité d'être haut) représente la dérivation syntaxique ; 2° *hauteur* (= qualité d'être haut) → *hauteur* (= dimension verticale) représente la dérivation lexicale. Ici encore on va faire l'objection qu'étant donnée l'identité de l'adjectif épithète *haut* et de l'adjectif attribut (*est*) *haut* il est impossible de décider sur lequel des deux l'abstrait a été bâti. Mais ce ne sont pas seulement les langues qui différencient l'adjectif dans les deux fonctions syntaxiques en question, mais aussi le français lui-même, qui nous permet d'entrevoir la vérité : pour rendre le sens des abstraits proprements dits, on a dans cette langue recours à une locution analytique qui renferme la copule, comme : *le fait d'être haut, la qualité d'être haut*, etc., tirées de *être haut* (*il est haut*) et non pas de *haut*.

On voit dès maintenant comment en élargissant le domaine de la dérivation on peut se passer de la notion de la *flexion*. Ou bien, si en voulant sauver à tout prix cette notion, on tâche de lui créer une raison d'être, il faudra partir des notions fondamentales de fonction lexicale et fonction syntaxique, délimiter d'abord ces deux fonctions dans la forme " flexionnelle ", et établir ensuite leur hiérarchie. P. ex. fonction lexicale de la marque du pluriel en tant qu'elle sert à indiquer une pluralité d'objets ; fonction syntaxique du même élément en tant qu'il sert à indiquer l'accord, c.-à-d. la détermination " attributive " ou prédicative.

[4] Exemple de M. Slotty, *l.c.*

Revenant à la dérivation syntaxique, nous tenons à rappeler encore une fois le lien existant entre la valeur lexicale et la fonction syntaxique, toute déviation de cet " ordre naturel " étant *signalée* soit par des morphèmes syntaxiques, soit par les conditions ou l'entourage syntaxique (dans le dernier cas on parlera de la fonction secondaire de la forme en question). Il reste maintenant à passer en revue les différentes parties du discours pour en indiquer les fonctions syntaxiques primaires. Le substantif est le support d'une détermination soit " attributive " soit prédicative. L'adjectif est le déterminant " attributif " du substantif, c'est-à-dire son épithète. Le verbe est le déterminant prédicatif du substantif. L'adverbe est le déterminant du verbe. Le rapport syntaxique de l'adverbe au verbe rappelle celui de l'adjectif au substantif ; mais au point de vue lexical l'adjectif désigne une *qualité*, l'adverbe, une *relation*. On peut le prouver en appliquant *grosso modo* notre critère de dérivation à ces deux parties du discours. Il y a des procès de dérivation qui passent de l'adjectif à l'adverbe et d'autres qui passent de l'adverbe à l'adjectif. D'une part on bâtit des adverbes de qualité sur des adjectifs, d'autre part on bâtit des adjectifs sur les adverbes de lieu et de temps (par exemple all. *hiesig*, *dortig*, *heutig*, *gestrig*, etc. ; pol. *tutejszy*, *tamtejszy*, *dzisiejszy*, *wczorajszy*, etc.). Les procédés productifs de dérivation nous enseignent vite qu'il y a un domaine sémantique particulier des adjectifs et un autre, différent, propre aux adverbes. Cf. aussi les composés verbaux, qui consistent en règle générale en un verbe précédé d'adverbe de relation spatiale et non pas de qualité. Les quatre parties du discours qu'on vient d'énumérer ont en commun deux caractéristiques : 1° leur fonction lexicale essentielle est une fonction symbolique ; 2° elles sont des *mots* au sens de la définition connue de M. Meillet.[5] Qu'on les appelle parties du discours ou non, les éléments suivants ne suffisent pas à une de ces deux conditions et ne sauraient être mis en opposition directe avec les quatre classes précitées :

1° *Les interjections*. Leur fonction consiste à *exprimer* et non pas à représenter.

2° *Les pronoms*. Ils sont des éléments qui représentent en *montrant* et non pas en symbolisant (K. Bühler).

Ces deux classes ne suffisent donc pas au premier critère. Comme le pronom ne se distingue des parties du discours précitées que par la technique de représentation (et non pas par l'objet de la représentation), il s'assimile, au point de vue syntaxique, au substantif, à l'adjectif, à l'adverbe, le moment même où il cesse d'être le simple compagnon d'un geste.

3° *Les prépositions*. Un tour prépositionnel comme par exemple *sur la table* est un mot et non pas un groupe de mots. S'il était un groupe, le membre régissant du groupe serait susceptible du même emploi syntaxique que le groupe lui-même. Or *sur* n'est pas susceptible d'un tel emploi. La préposition n'est pas donc un mot, mais un morphème (et parfois un sous-morphème formant une unité avec la désinence casuelle). Dans un exemple comme *au-dessus de la table* on a affaire à un groupe (*au-dessus* étant apte à jouer le même rôle syntaxique que le groupe), mais alors il s'agit d'un adverbe déterminé par un substantif et non pas d'un tour prépositionnel.

[5] " Un mot est défini par l'association d'un *sens donné* à un ensemble donné de sons, *susceptible d'un emploi grammatical donné* " (*Linguistique historique et linguistique générale* [1921], p. 30). Le terme *sens* équivaut ici à *valeur lexicale*, le terme *emploi grammatical*, à *valeur* (*fonction*) *syntaxique*.

4° *Les conjonctions.* Leur rapport aux groupes de mots et aux phrases est analogue à celui des prépositions aux tours prépositionnels. Elles ne sont des mots capables de jouer un rôle syntaxique autonome que dans la mesure où elles gardent une valeur adverbiale (c'est-à-dire dans la mesure où elles ne sont pas de vraies conjonctions).

5° *Les noms de nombre* (*cardinaux*). Le vrai nom de nombre cardinal (non pas un substantif collectif) forme une unité sémantique avec la désinence de pluriel du substantif qu'il détermine. Un complexe comme *centum equites* s'analyse *centum* [*equit*] *-es*, c'est-à-dire que *centum* n'est que le déterminant d'un morphème, donc un morphème lui-même. Le morphème composé *centum* + *-es* est ainsi comparable au morphème composé *in* [*urb*] *-em*, à ceci près que ce dernier est d'ordre syntaxique, le premier étant d'ordre lexical. Cet état de choses nous explique pourquoi les substantifs collectifs *tendent à perdre leur flexion* au moment où ils deviennent de vrais noms de nombre cardinaux.

6° *L'article* (*défini*). Il remplit des fonctions pronominales (anaphorique, anamnestique) ou bien il sert à la substantivation syntaxique : *τὸ νῦν*. Dans le premier cas il n'a pas de valeur symbolique, dans le second cas il n'est pas un mot autonome, mais un simple morphème syntaxique.

Nous n'affirmons pas que seules les quatre classes : substantif, adjectif, verbe, adverbe, méritent le nom de parties du discours. Une telle affirmation entraînerait des controverses infructueuses. Tout ce que nous voulons dire c'est que parmi les classes qu'on a jusqu'ici trouvées dignes de ce nom, il y a un groupe plus serré qui répond aux deux conditions indiquées ci-dessus et dont les membres ne diffèrent entre eux que sous un seul rapport : celui du contenu lexical. L'existence de ce sous-groupe prouve que les classifications faites jusqu'ici n'ont pas tenu compte de l'entrecroisement des facteurs, lequel rend impossible une division faite d'après un seul principe. Mais la seconde des deux conditions mentionnées plus haut conserve en tout cas sa valeur, puisque les parties du discours sont des *classes de mots* et non pas des classes de n'importe quelles formes linguistiques (morphèmes, groupe de mots, phrases). On pourrait tout au plus tâcher de remplacer la définition de M. Meillet, jusqu'ici la meilleure à ce qu'il nous semble, par une autre plus élastique (cf. par exemple K. Bühler, *Sprachtheorie*, p. 297).

Après cette digression passons à l'aspect diachronique de la question, à savoir le rapport des changements de fonction syntaxique aux changements formels, c'est-à-dire à la création de nouveaux phonèmes syntaxiques. Quand une forme *A* acquiert une valeur syntaxique secondaire dépendant de l'entourage syntaxique, elle est remplacée par une forme *B* (mot ou groupe de mots) dont cette fonction est la fonction primaire. Le remplacement de *A* par *B* équivaut donc au remplacement de l'entourage par la forme. Au lieu de caractériser une fonction syntaxique par l'ordre des mots, par l'accentuation du groupe, par le rythme (les pauses), etc., on se sert d'une forme dont la valeur lexicale implique déjà la fonction syntaxique en question. Ainsi l'adjectif employé en fonction de support de détermination est remplacé par un substantif apparenté au point de vue étymologique, d'où l'adjectif anaphorique, cf. germanique **blindan* " homme aveugle " pour **blinda-* " aveugle " ; le français ou le grec ancien ont eu recours à l'article (défini), originairement propre au seul substantif. L'adjectif attribut de l'indo-européen est remplacé, dans presque toutes les langues indo-européennes modernes, par un tour à valeur verbale (*être + adjectif épithète*). L'adjectif employé en fonction d'un déterminant du verbe est remplacé par une forme à valeur adverbiale (par exemple par un cas concret ou par un tour prépositionnel), cf. les adverbes slaves en *-ě*, qui sont d'anciens locatifs (de substantifs abstraits) ou les adverbes romans en *-mente*, qui sont d'anciens instrumentaux. Le substantif employé comme déterminant d'un verbe est remplacé par un adverbe ou un tour adverbial, cf. les cas analytiques des langues modernes. Un verbe déterminant un autre verbe est remplacé par un mot ou un tour à valeur adverbiale (par exemple par un cas concret ou un tour prépositionnel), d'ou l'infinitif, etc., etc.

Or on sait par *Études indoeuropéennes* I, p. 271 ss. que le remplacement partiel d'une forme *A* par une forme *B* conduit au rapport de dérivation entre *A* et *B*, pourvu que les deux formes soient apparentées (au point de vue étymologique). Le fait que *B* obtient une nouvelle base de dérivation *A* conduit à des rapports proportionnels entre la série *A* et la série *B*, ce qui peut entraîner une transformation partielle de la série *B* (en *B'*). Tout en obtenant une nouvelle base de dérivation (*A*) la forme *B* acquiert une nouvelle fonction. Ainsi le type **blindan-* cesse d'être un substantif et devient un adjectif anaphorique dérivé de l'adjectif épithète. Les formes du type v. slave *pravě* ou français *franchement* cessent d'être des cas obliques et deviennent des " adverbes qualificatifs " bâtis sur les adjectifs (épithètes) correspondants. En cessant d'être un cas oblique du nom d'action l'infinitif devient le dérivé direct du verbe personnel. L'ancienne fonction ne transparaît plus que dans des conditions syntaxiques spéciales. Cf. un exemple comme *pour juger les bons et les mauvais*, avec valeur de substantif et non pas d'adjectif anaphorique.

Mais ce qui importe ici avant tout, c'est le fait du remplacement qui prouve encore une fois que chaque partie du discours a une fonction syntaxique non caractérisée propre à elle seulement, qui n'a pas besoin d'un signalement spécial. Ici se pose la question : pourquoi en est-il ainsi ? quel est le rapport intrinsèque entre la valeur lexicale (générale) et la fonction syntaxique ? La solution la plus simple est d'admettre que p. ex. la détermination " attributive " (= par épithèse) n'est qu'une transposition linguistique du procès psychique consistant à dégager des qualités dans les objets (réels ou imaginaires). Puisque les objets nous apparaissent définis (déterminés) par leurs qualités, les mots qui symbolisent les objets (*substantifs*) sont déterminés " d'une manière naturelle " par les mots qui symbolisent les qualités (*adjectifs*). Même chose pour le rapport des phénomènes et les circonstances qui les déterminent (verbes et adverbes), etc. Mais poursuivre cette idée serait dépasser les bornes d'une recherche purement linguistique et s'attaquer à la théorie générale du signe.

Si notre raisonnement est correct, il y a là une loi valable pour toutes les langues et en même temps un véritable fondement de la syntaxe générale. Car alors la description scientifique de la structure d'une langue quelconque, que ce soit le français, le chinois ou une langue athapaskane, aura à répondre à la question simple et claire (puisque ayant trait à la forme) : comment les fonctions syntaxiques secondaires sont-elles dérivées des fonctions primaires des parties du discours ? La réponse à cette question comprendra : 1° la description des formes à fonction syntaxique primaire, et 2° la description des procédés formels servant à caractériser soit le mot soit son entourage syntaxique pour conférer au mot une fonction syntaxique secondaire. Il paraît dès maintenant que c'est le degré de l'autonomie du mot, c'est-à-dire le fait de la prépondérance, soit des morphèmes syntaxiques inhérents au mot, soit des morphèmes syntaxiques inhérents aux unités supérieures, qui fera toute la différence essentielle entre les langues humaines. Mais la circonstance que p. ex. en anglais les différences entre les parties du discours sont, dans une large mesure, rendues par le contexte syntaxique (*a doubt* : *to doubt*), n'entame en rien le problème de la relation mutuelle des fonctions syntaxiques *à l'intérieur d'une seule et même valeur lexicale* (p. ex. rapport du *doubt* " doute " employé comme sujet à *doubt* " doute " fonctionnant comme régime).

9 BEITRAG ZUR ALLGEMEINEN KASUSLEHRE
Gesamtbedeutungen der russischen Kasus

Roman Jakobson

I.

Die Frage der Gesamtbedeutungen der grammatischen Formen bildet naturgemäß die Grundlage der Lehre von dem grammatischen System der Sprache. Die Wichtigkeit dieser Frage war grundsätzlich jenem linguistischen Denken klar, das mit den ganzheitlichen philosophischen Strömungen der ersten Hälfte des vorigen Jahrhunderts verknüpft ist, aber eine erschöpfende Lösung war ohne eine weitere Verselbständigung und Verfeinerung der linguistischen Methodologie unmöglich. Doch die nächste Etappe der Forschung schob eher im Gegenteil das genannte Problem zur Seite ; die mechanistisch eingestellte Sprachwissenschaft setzte die Gesamtbedeutungen auf den Index. Die Geschichte der Frage gehört nicht zu meiner Aufgabe und daher beschränke ich mich auf einige erläuternde Beispiele.

Der bekannte russische Sprachforscher Potebn'a verwirft die Lehre von einer grammatischen Gesamtbedeutung als einer Substanz, aus der die Sonderbedeutungen als Accidenzen hervorgehen, und behauptet, daß die " Gesamtbedeutung " lediglich eine Abstraktion, ein künstlicher Auszug, " bloß ein Erzeugnis des Einzeldenkens ist und keine wirkliche Existenz in der Sprache haben kann ". Weder die Sprache noch die Sprachwissenschaft bedürfe derartiger Gesamtbedeutungen. In der Sprache gäbe es bloß Einzelfälle, und die Form besitze in der Rede jedesmal bloß je eine, und zwar unzerlegbare Bedeutung, " das heißt, genauer gesprochen, jedes Mal ist es eine andere Form ". Die einzelnen Verwendungen des Wortes betrachtet Potebn'a einfach als " gleichklingende Worte ein und derselben Familie " und alle ihre Bedeutungen " als gleich partiell und gleich wesentlich " (33 f.). Die Leugnung der Gesamtbedeutungen ist hier bis zu Ende gedacht, und zwar bis zu einer unbegrenzten und unfruchtbaren Atomisierung der sprachlichen Gegebenheiten.

Es werden natürlich Versuche unternommen, den Einheitsbegriff einer grammatischen Form zu retten, einen Begriff, ohne den die Formlehre eigentlich zerfällt. Man versucht die Form von ihrer Funktion und speziell die Einheit einer grammatischen Kategorie von der Einheitlichkeit ihres Bedeutens loszureißen : so meint beispielsweise Marty, die Kasus seien " nicht Träger je

Reprinted from *Travaux du Cercle Linguistique de Prague* 6 (1936) : 240–88, with the permission of Bohumil Trnka, secretary of Cercle Linguistique de Prague.

eines generellen Begriffes, sondern vielmehr Träger eines ganzen Bündels von verschiedenartigen Bedeutungen" (32 ff., Funke 57). Infolgedessen geht der Zusammenhang zwischen dem Zeichen und der Bedeutung verloren und die Fragen der Bedeutung werden unrechtmäßig aus dem Gebiete der Zeichenlehre (Semiologie und insbesondere Sprachlehre) ausgeschaltet. Die Semantik, dieser Grundkern der Linguistik und jeder Zeichenlehre überhaupt, wird somit gegenstandslos, und es entstehen solche monströse wissenschaftliche Versuche wie eine Morphologie, welche auf die Formbedeutungen ganz und gar keine Rücksicht nimmt.

Ein hervorragender Linguist der Fortunatovschen Schule, Peškovskij, versuchte die semantische Charakteristik der grammatischen Formen aufrechtzuerhalten, indem er die These aufstellte, die Vereinigung der Formen seitens der Bedeutung könne sich nicht nur mittels einer einheitlichen Bedeutung verwirklichen, sondern auch mittels "eines einheitlichen Bündels verschiedenartiger Bedeutungen, die sich innerhalb jeder dieser Formen in gleicher Weise wiederholen" (24 ff.). So erweisen sich zum Beispiel als in ein und derselben kasuellen Kategorie des russischen Instrumentals vereinigt die Bedeutungen des Werkzeugs, des Vergleichs, der Raum- und Zeiterstreckung usw., welche "nichts Gemeinsames miteinander haben" und dennoch eine grammatische Einheit bilden, weil diese verschiedenartigen Bedeutungen "sich innerhalb jeder Form wiederholen", so daß jede beliebige Endung des Instrumentals zur Wiedergabe aller seiner Bedeutungen dienen kann. Diese Behauptung ist ungenau: jede Endung des Instrumentals Sing. masc. fällt bei den russischen Adjektiva mit der Endung des Dativs Plur. zusammen (*zlym*, *božjim*); jede Endung des Nominativs Sing. masc. fällt bei den qualitativen Adjektiven mit der Endung ihres Genitivs Sing. fem. zusammen (*zloj* — *zloj*, *staryj* — *staroj*, *tichij* — *tichoj*, *sinij* — *sinej*; die graphischen Unterscheidungen sind künstlich), und nichtsdestoweniger ist die Getrenntheit der grammatischen Kategorien in jedem dieser Fälle außer Zweifel. Das sind bloß Paare homonymer Formen, und wenn die Einzelbedeutungen eines Kasus wirklich "nichts Gemeinsames miteinander hätten", so wäre auch der Kasus unvermeidlich in mehrere homonyme, miteinander nicht verknüpfte Formen zerfallen. Aber das objektive Vorhandensein der Kasus in der Sprache und im Gegensatz hiezu die äußerst subjektive Wesensart ihrer Gliederung in Einzelbedeutungen ist allzu klar.

Peškovskij selbst muß zugeben: "die Zahl der Bedeutungen ein- und derselben Form festzustellen und dann diese Bedeutungen in Schattierungen und in selbständige Bedeutungen einzuteilen, ist eine ungemein schwere Aufgabe, die gewöhnlich von verschiedenen Sprachforschern auf verschiedene Weise gelöst wird". Wenn es, wie Peškovskij richtig schließt, allzu gefährlich wäre, den Begriff der grammatischen Kategorie von ihrer objektiven Äußerung, d. h. von der lautlich verwirklichten grammatischen Form loszutrennen, so darf man anderseits den Begriff einer derartigen Kategorie von ihrem objektiven Werte, d. h. von der Bedeutung, die ihr in der Sprache ("langue"), zum Unterschied von den anderen Kategorien zugehört, nie absondern.

Wurde in der russischen Zeitwortlehre trotz der abergläubischen Furcht des atomistischen Denkens vor der Problematik des Ganzen und der Teile die Frage der Gesamtbedeutungen der grammatischen Formen wenigstens angedeutet, so lag es viel schlimmer mit der Frage der Kasusbedeutungen. Nicht nur eine größere Verwickeltheit des Problems war daran schuld. Die flektierende Deklination ist in den Sprachen des romanisch-germanischen Westens bloß durch unbedeutende Relikte vertreten. Die westlichen Sprachforscher konnten kaum beim Buchen der mannigfaltigen Verwendungen der einzelnen Kasus in antiken und fremden Sprachen mit einem entwickelten Deklinationssystem ihr eigenes sprachliches Denken zur Kontrolle heranziehen. Deshalb wurde die Frage über das Wesen solch einer vermeintlich nutzlosen Kategorie wie ein Kasus meistenteils durch mechanisches Verzeichnen seiner verschiedenen Einzelbedeutungen ersetzt. Durch solche zerstückelnde Beschreibungen versuchten mehrmals die westlichen Sprachforscher auch den Gehalt der slavischen Zeitwortaspekte zu erfassen. Aber die Aspekte und manche andere Besonderheiten des Zeitwortsystems sind allzu spezifisch für die russische und die übrigen slavischen Sprachen, um den mißglückten Bestimmungen westlichen Ursprungs den Eintritt in die slavische Sprachwissenschaft zu gewähren. Anders verhält es sich mit der Kasuslehre, wo Muster für die Deutung des slavischen Tatbestandes die angesehene klassische Philologie und Sanskritologie gewährt hat. Die Tatsache, daß die flektierende Deklination den westlichen Sprachen verhältnismäßig fremd ist, spiegelte sich in der Linguistik der entsprechenden Länder ab, und der Einfluß der letzteren entfremdete die Kasusproblematik der slavischen Wissenschaft, trotz der Wichtigkeit der Deklination in den meisten slavischen Sprachsystemen.[1]) Derartige Beispiele einer unrechtmäßigen und zu Mißverstehen führenden Anwendung fremdartiger westlicher Kriterien zu heimischen Erscheinungen, sind keine Seltenheit in der Wissenschaft der slavischen Völker.

II.

In der Festschrift " Charisteria G. Mathesio . . . " (1932) veröffentlichte ich eine meiner Skizzen zur strukturellen Grammatik der heutigen russischen Sprache, wo ich die Gesamtbedeutungen der russischen verbalen Formen behandelt habe. Dieselben Prinzipien liegen auch dieser Studie über das russische Kasussystem zugrunde. Eine derartige Beschreibung scheint mir umso zeitgemäßer, als die Frage der Gesamtbedeutungen der Kasus endlich zum Gegenstand einer lebendigen fruchtbaren Diskussion wird.

Am internationalen Linguistenkongreß in Rom 1933 hielt M. Deutschbein einen Vortrag über die " Bedeutung der Kasus im Indogermanischen " (s. Atti), der einige interessante Bemerkungen zur Systematik der kasuellen Grundbedeutungen enthielt, jedoch starre Grundbedeutungen postulierte, ohne dabei in vollem Maße der sprachlichen Empirie Rechenschaft zu tragen. Die Gesamtbedeutung jedes Kasus ist aber " durch das ganze Kasussystem der gegebenen Sprache bedingt " und kann nur durch die Untersuchung der Struktur dieses Systems festgesetzt werden, und Thesen von allgemeiner Tragweite nur durch vergleichende Analyse und Typologie einzelner Sprachstrukturen. Man kann nicht universal und allezeit gültige und vom gegebenen System (bezw. Systemtypus) der Kasusgegensätze unabhängige Kasusbedeutungen aufstellen (s. Atti 146).

[1] Eine nicht zu unterschätzende Rolle in der Geschichte der slavischen Kasuslehre spielte gleichfalls die allmähliche Zersetzung des Systems der Kasusgegensätze auch in den meisten modernen slavischen Sprachen, außerhalb des ostslavischen und polnischen Sprachgebietes.

Einen ansehnlichen Schritt vorwärts auf dem Wege zur wissenschaftlichen Bewältigung des Kasusbaus bedeutet das wertvolle Buch von L. Hjelmslev " La catégorie des cas " (1935). Der feinsinnige dänische Sprachtheoretiker stützt sich auf eine reiche heimische Tradition : weitsichtige Beobachtungen der Komparatisten von Rask bis Pedersen, welche die Notwendigkeit einer breitangelegten vergleichenden Erforschung der verschiedenen grammatischen Systeme herausstellen, der großzügige Kampf Jespersens für die immanente funktionelle Sprachanalyse und besonders die bahnbrechenden Versuche Brøndals zur Grundlegung einer ganzheitlichen strukturellen Morphologie. In der kritischen Übersicht der älteren Kasuslehren und in der klaren, durchdachten Fragestellung liegt die Bedeutung des neuen Buches. Seine Hauptthesen knüpfen an die großartige Arbeit Wüllners an, die ihr Zeitalter weit überholt hat : " Die Grammatik ist eine Theorie der Grundbedeutungen oder der Werte und der durch sie gebildeten Systeme, und um ihre Aufgabe zu lösen, muß sie empirisch vorgehen " (Hjelmslev 84). Der Forscher hebt aus dieser Formel drei Kernprobleme hervor : Grundbedeutung, System, empirisches Verfahren.

Der erste Begriff wird durch die folgende Bestimmung klargestellt : " Ein Kasus wie eine Sprachform überhaupt bedeutet nicht einige verschiedene Dinge ; er bedeutet ein einziges Ding, er trägt einen einzigen abstrakten Begriff, aus dem man die konkreten Verwendungen ableiten kann " (85). Ich nehme Anstoß nur an dem Terminus Grundbedeutung (signification fondamentale), welcher leicht fehlerhaft mit der Bezeichnung Hauptbedeutung (signification principale) identifiziert werden kann, während der Verfasser richtig denjenigen Begriff im Auge hat, den der Terminus Gesamtbedeutung (signification générale) genauer wiedergibt.

Man kann gegen die Forderung eines empirischen, d. h. eines immanenten, innersprachlichen Verfahrens nichts einwenden, vielmehr wäre seine noch konsequentere Anwendung zu befürworten. Es ist nicht nur unzulässig, dasjenige, was vom sprachlichen Standpunkt zusammengehört, loszutrennen, sondern man darf auch nicht das, was vom sprachlichen Standpunkt getrennt ist, künstlich vereinigen. Nicht nur zwei grammatische Formen, sondern auch zwei Formenklassen bedeuten einen Wertunterschied. Das Wort ist in der Sprache eine funktionelle Einheit, die sich vom Wortgefüge grundsätzlich unterscheidet. Die Form des Wortes und die Form der Wortfügung sind zwei verschiedene Pläne der sprachlichen Werte. Man kann also nicht nur vom Unterschiede der Gesamtbedeutungen zweier kasuellen Kategorien sprechen, sondern auch vom Unterschiede zwischen den Gesamtbedeutungen der Kategorien Wort und Wortgefüge. Daher bezweifle ich die Richtigkeit der Behauptung Hjelmslevs, wonach les distinctions faites par un ordre fixe des éléments agissent sur le même plan de relation que les distinctions faites par les formants casuels. Fürs Russische gilt als normal die Wortfolge — Subjekt, Prädikat, direktes Objekt : *otec l'ubit syna* " der Vater liebt den Sohn " ; *syn l'ubit otca* " der Sohn liebt den Vater ". Die Inversion ist zulässig : *syna l'ubit otec* " den Sohn liebt der Vater " ; " *žida nadujet grek, a greka arm'anin* " " den Juden wird der Grieche betrügen, und den Griechen der Armenier ". Eine derartige Inversion besagt, daß das Objekt der Ausgangspunkt der Aussage ist und das Subjekt ihr Richtungspunkt. Das Objekt kann Ausgangspunkt sein entweder als Glied einer Antithese oder als Bezeichnung eines Gegenstandes, der aus dem vorangehenden Kontext oder aus der Situation bekannt ist, oder es handelt sich von Anfang an darum, die Aufmerksamkeit auf den Gegenstand zu lenken. Wie dem auch sei, es wird dabei das übliche Zusammenfallen des Mittelpunktes der Aussage, d. h. des Subjekts, mit ihrem Ausgangspunkt verletzt. Wenn aber in einem derartigen Wortgefüge die Endungen der beiden Nomina ihre Kasus nicht anzeigen, darf die normale Wortfolge nicht verletzt werden. Z. B.: *mat' l'ubit doč'* " die Mutter liebt die Tochter "; *doč' l'ubit mat'* " die Tochter liebt die Mutter " oder im Gedichte " *strach gonit styd, styd gonit strach* " " die Angst jagt die Schande, die Schande jagt die Angst ". Auf Grund der Wortfolge wissen wir, daß im ersten Falle die Angst, im zweiten die Schande als Subjekt fungiert. In den Sätzen wie *otec l'ubit syna, syna l'ubit otec* wird die syntaktische Funktion der Nomina durch ihre Kasusform nahegelegt, dort aber, wo die Kasusform unklar ist (*mat' l'ubit doč'*), wird die Funktion der Nomina im Satze durch die Wortfolge bestimmt.[2] Sie ist es, die in den wortbeugungslosen Sprachen diese Funktion völlig übernimmt. Doch wir haben nicht das Recht zu behaupten, daß die Wortfolge Kasus ausdrücken kann, sie kann bloß die syntaktischen Funktionen der Worte ausdrücken, was keinesfalls dasselbe ist. Brøndal hat richtig erkannt, daß die Kasus morphologischer, nicht syntaktischer Natur sind: " jeder Kasus hat seine Definition oder ' Funktion '; aber es gibt kein notwendiges Verhältnis zwischen einer Kasusfunktion und Satzfunktion; Kasuslehre und Morphologie sind nicht Syntax " (Atti 146). Die Übertragung der Frage der kasuellen Gesamtbedeutungen aus der Morphologie in die Syntax konnte nur unter dem Drucke eines sprachlichen Denkens entstehen, welchem die Kasus als morphologische Kategorie fremd sind.

Auch das System der präpositionalen Fügungen ist nicht mit der flektierenden Deklination zu verwechseln, da die Sprachen, die beide erwähnten Kategorien besitzen, erstens die syntaktischen Verwendungen eines Kasus mit Präposition und ohne solche (mittelbare — unmittelbare Verbindung) einander entgegensetzen, und zweitens die Bedeutung der Kasus und der Präpositionen als zwei besondere Bedeutungsgattungen deutlich voneinander unterscheiden: ein und derselbe Kasus umfaßt mehrere Präpositionen, und dieselbe Präposition kann verschiedene Kasus fordern. Der sogenannte Übergang einer Sprache vom flektierenden Bau zum analytischen ist in der Tat ein Übergang vom gleichzeitigen Bestand eines flektierenden und eines analytischen Systems zur Monopolstellung des letzteren. In einer Sprache, welche ein System der präpositionalen Fügungen mit einem unabhängigen Kasussystem vereinigt, unterscheiden sich die Bedeutungen der beiden Systeme in dem Sinne, daß in der präpositionalen Fügung die Beziehung an sich in den Blick genommen wird, während sie im präpositionslosen Gefüge etwa zu einer Eigenschaft des Gegenstandes wird.

" Dem atomistischen Verfahren muß man einen ganzheitlichen Standpunkt entgegenstellen, der das System zugleich zum Ausgangspunkt und zum Endziel

[2] Es ist bemerskenswert, daβ in den Fällen, wo die Kasusform der Nomina unklar ist, die Wortfolge meistenteils starr bleibt, auch dann, wenn das syntaktische Verhältnis aus den reellen Wortbedeutungen sichtbar ist, z. B. kann man sagen *syna rodila mat' prošlym letom* " den Sohn hat die Mutter vorigen Sommer geboren ", aber keinesfalls *doč' rodila mat'* — — " die Tochter hat die Mutter — — geboren ", sondern bloβ *mat' rodila doč'* — — " die Mutter hat die Tochter — — geboren ".

der Forschung macht", schreibt zutreffend Hjelmslev, "aber ein solches Verfahren ist noch bei weitem nicht erfüllt und deshalb wurde die Kasustheorie bisher noch nicht verwirklicht" (86 f.). Die Erfahrung, daß die Versuche, die einzelnen Kasus isoliert zu bestimmen vergeblich sind, und daß es unumgänglich ist, vom Gesamtsystem der Kasusgegensätze auszugehen, ist eine naturgemäße Schlußfolgerung eines immanenten Verfahrens gegenüber der sprachlichen Empirie, welcher der Begriff einer isolierten und unabhängig vom System der sprachlichen Gegensätze bestimmbaren Form vollkommen fremd ist. Die Abhandlung über die allgemeine Struktur des Kasussystems, die das lehrreiche Buch Hjelmslevs schließt und die ich nach dem Erscheinen des angekündigten zweiten Bandes eingehender zu besprechen hoffe, versucht die Gesamtbedeutungen des Kasus im Lichte des Kasussystems als einer Ganzheit zu erörtern. Auch in diesem Falle könnte man gegen die programmatischen Äußerungen des Sprachtheoretikers nicht das Geringste einwenden, sondern es wäre eher zu beanstanden, daß der Verfasser in der konkreten Erforschung der Kasussysteme seinen eigenen Grundsätzen nicht mit genügender Strenge folgt.

Die Grundfrage, die sich dem Forscher erhebt, lautet: welches ist das objektive Verhältnis zweier grammatischer Kategorien, namentlich zweier Kasus in der Sprache, und vor allem: worin unterscheiden sich ihre Gesamtbedeutungen? — In den "Charisteria" schrieb ich: "Indem der Forscher zwei einander entgegengesetze morphologische Kategorien betrachtet, geht er oft von der Voraussetzung aus, diese beiden Kategorien seien gleichberechtigt, und jede besitze ihre eigene positive Bedeutung: die Kategorie I. bezeichne α, die Kategorie II. bezeichne β, oder mindestens: I. bezeichne α, II. bezeichne das Nichtvorhandensein, die Negation von α. In Wirklichkeit verteilen sich die allgemeinen Bedeutungen der korrelativen Kategorien anders: falls die Kategorie I. das Vorhandensein von α ankündigt, so kündigt die Kategorie II. das Vorhandensein von α nicht an, d. h. sie besagt nicht, ob α anwesend ist oder nicht. Die allgemeine Bedeutung der Kategorie II. im Vergleich zu der Kategorie I. beschränkt sich auf den Mangel der "α-Signalisierung" (74).

Dieser Grundsatz wird von Hjelmslev anerkannt: "La structure du système linguistique n'est pas telle qu'il soit possible de maintenir la distinction entre un terme positif et un terme négatif... L'opposition réelle et universelle est entre un terme défini et un terme indéfini" (101). Doch in den Beschreibungen der einzelnen Kasussysteme, z. B. derjenigen der gotischen Substantive, weicht der Verfasser der "Catégorie des cas" von den erwähnten Leitfäden ab. So gibt er z. B. eine derartige Definition des gotischen Nominativs und Akkusativs: "Le nominatif désigne à la fois éloignement et rapprochement, puis-qu'il est à la fois cas 'sujet' et cas 'prédicat'; mais il insiste sur la face négative de la dimension parce que la valeur de 'sujet' prédomine. En outre le nominatif peut être neutre à l'égard de l'opposition; ainsi s'il est mis hors contexte ou s'il prend le rôle du vocatif. L'accusatif désigne à la fois éloignement et rapprochement puis-qu'il est à la fois 'sujet' et 'objet' dans la construction dite accusatif avec infinitif; mais l'accusatif insiste sur la face positive de l'opposition parce que la valeur d''objet' prévaut et est souvent la seule envisagée. En outre l'accusatif peut être neutre à l'égard de l'opposition, comme c'est le cas lorsqu'il indique le temps, l'espace temporelle à l'intérieur de laquelle un fait est situé" (116 f.).

Das Problem der Gesamtbedeutungen ist hier offenkundig einerseits durch die traditionelle Liste der Einzelbedeutungen verdrängt bzw. durch die Liste der syntaktischen Funktionen eines jeden der beiden Kasus (z. B. Nominativ als Subjekts- und Prädikatskasus, als prädikatslose Form und als Anredeform), und anderseits durch die Feststellung der Hauptbedeutung jedes Kasus (beim Nominativ " herrscht der Wert des ' Subjekts ' vor ", beim Akkusativ hingegen " überwiegt der Wert des ' Objekts ' und ist oft der einzig berücksichtigte "), obgleich der Forscher im Prinzip ein solches Verfahren verurteilt (6 u. a.).

Die folgenden Skizzen versuchen die morphologischen Korrelationen, aus denen das System der modernen russischen Deklination besteht, aufzudecken, die Gesamtbedeutungen der russischen Kasus auf diesem Wege zu erläutern und somit Material zur künftigen vergleichenden Kasuslehre beizusteuern.

III.

Beim Vergleich des russischen Nominativs und Akkusativs definiert man häufig den ersten als Kasus, der das Subjekt einer Tätigkeit und den zweiten als Kasus, der ihr Objekt bezeichnet. Eine derartige Bestimmung des A-s ist im großen und ganzen richtig. Der A besagt stets, daß irgend eine Handlung auf den bezeichneten Gegenstand gewissermaßen gerichtet ist, an ihm sich äußert, ihn ergreift. Es handelt sich also um einen " Bezugsgegenstand " nach der Terminologie Bühlers (250).

Diese Gesamtbedeutung kennzeichnet die beiden syntaktischen Abarten des A-s : 1. Der A, welchen Peškovskij als den " starkregierten " definiert, bezeichnet entweder ein inneres Objekt der Handlung, welches als ihr Ergebnis entsteht (*pisat' pis'mo* " einen Brief schreiben "), oder ein äußeres, das einer Wirkung von außen unterworfen ist, aber auch unabhängig von ihr bestanden hat (*čitat' knigu* " ein Buch lesen ") ; 2. Ein " schwachregierter " A bezeichnet einen Zeit- oder Raumabschnitt, der von der Handlung restlos umfaßt ist (*žit' god* " ein Jahr leben ", *itti verstu* " eine Werst gehen ") oder den objektivierten Inhalt einer Äußerung (*gore gorevat'* " ' Leid leiden ' ", *šutki šutit'* " ' Scherze scherzen ' ", *stoit' den'gi* " Geld kosten "). Der schwachregierte A unterscheidet sich vom starkregierten dadurch, daß sein Inhalt ungenügend vergegenständlicht und nicht genug gegenüber der Handlung verselbständigt ist, sodaß er zwischen der Funktion eines Objektes und eines Umstandes der Handlung (Adverbiale) schwankt, auch mit den sonst intransitiven Zeitwörtern verbunden werden kann, einer Umwandlung in das Subjekt einer passiven Konstruktion unfähig ist und innerhalb eines einfachen Satzes sich mit einem starkregierten A vereinigen läßt (*vs'u dorogu men'a mučila žažda* " den ganzen Weg quälte mich der Durst "), während zwei starkregierte A-e nicht vereinbar sind.

Die Bedeutung des A-s ist so eng und unmittelbar mit der Handlung verbunden, daß er ausschließlich von einem Zeitwort regiert werden kann und sein selbständiger Gebrauch immer ein ausgelassenes und hinzugedachtes Zeitwort empfinden läßt : *karetu!* " den Wagen ! ", *nagradu chrabrym!* " eine Auszeichnung den Tapfern ! " In solchen akkusativischen Anreden wie *Van'ku! Lizu!* (ein Fernruf oder ein nachdrücklicher Anruf, welcher in den Volksmundarten verbreitet ist) oder in solchen Ausrufsätzen wie *nu jego* [A] *k lešemu!* " zum Teufel mit ihm ! " ; *pust' jego* [A] *kutit!* " soll er bummeln ! " ; " *ek jego* [A] *zalivvajets'a*! " (Gogol') " wie er trillert ! ", ist der Akkusativgegenstand als

Objekt einer tätigen Stellungnahme des Sprechenden, und zwar von Appell, von Ablehnung, von Gewährenlassen, von Bewunderung vorgestellt. Die Bedeutung der Gerichtetheit ist auch mit dem präpositionalen A verbunden. Vgl. solche Fügungen wie *na stol* " auf den Tisch " — *na stole* " auf dem Tische ", *pod stol* " unter den Tisch " — *pod stolom* " unter dem Tische " u. ä.

Ist die geläufige Bestimmung des A-s im allgemeinen richtig, so bleibt bei der traditionellen Charakteristik des N-s als eines Kasus, der das handelnde Subjekt bezeichnet, eine Reihe von Anwendungen des N-s nicht einbegriffen. Im Satze *vrem'a — den'gi* " Zeit ist Geld " ist weder der N des Subjekts, noch der des Prädikats als tätig gekennzeichnet. Im Satze *syn nakazan otcom* " der Sohn ist vom Vater bestraft worden " erweist sich der Nominativgehalt als ein Objekt der Handlung. Der tatsächliche Gegensatz des A-s und N-s besteht bloß darin, daß der A ankündigt, auf den Gegenstand sei eine Handlung gerichtet, wogegen der N an sich weder das Vorhandensein noch das Nichtvorhandensein eines Bezugs zu einer Handlung angibt.[3] Die Angabe des Vorhandenseins eines Bezugs ist also das Merkmal des A im Gegensatz zum N; es ist mithin angebracht, den A als das merkmalhaltige, bzw. den N als das merkmallose Glied einer Bezugskorrelation zu betrachten. Die Aufstellungen der indischen Grammatiker, der N enthalte nichts als die Bedeutung des Nominalstammes, des Geschlechtes und des Numerus, eine treffende Lehre, an der Delbrück mit Unrecht aussetzt, daß der N nicht als Subjektkasus aufgefaßt wird (181), gilt also, wie wir sehen, auch für das Russische.

Die Signalisierung der abhängigen Stellung des durch den A bezeichneten Gegenstandes verurteilt die Kasusform selbst zur abhängigen Rolle im Satze im Gegensatz zum N, der an sich keine syntagmatischen Beziehungen kennzeichnet. Der russische N wurde mehrmals richtig definiert als ein einfacher nackter Gegenstandsname ohne die Verwicklungen, die durch die Formen der übrigen Kasus hineingetragen werden (Peškovskij 118), als cas zéro (Karcevskij, Système 18), kurz gesagt als merkmallose Kasusform. Die Tatsache, daß der N im Gegensatz zu allen übrigen Kasus die Selbstentfaltung des bezeichneten Gegenstandes keineswegs einschränkt (d. h. weder seine Abhängigkeit von einer Handlung kennzeichnet, noch das unvollständige Vorhandensein im Sachverhalt der Aussage usw.), sondert diesen Kasus von allen übrigen wesentlich ab und macht ihn zum einzig möglichen Träger der reinen Nennfunktion. Der N nennt unmittelbar den Gegenstand, die übrigen Formen sind nach der treffenden Bestimmung des Aristoteles " keine Namen, sondern Kasus des Namens ". Die Nennfunktion kann als einzige Funktion des ersten Kasus vorhanden sein: die Benennung wird einfach mit dem gegebenen oder vorgestellten Gegenstand

[3] Ich glaube, daß im Gotischen die erwähnten Kasus in ähnlichem Sinne einander entgegengesetzt sind. Die Vereinbarung der entgegengesetzten Funktionen, von der Hjelmslev spricht, ist in beiden Fällen grundsätzlich verschieden: der N kann entweder die eine oder die andere Funktion erfüllen, d. h. mit anderen Worten, keine dieser Funktionen ist für seine Gesamtbedeutung spezifisch; dagegen kann der A die Funktionen des Objekts einer Handlung und des Subjekts einer Handlung vereinigen, z. B. in der Verbindung mit dem Infinitiv (hausideduþ ina siukan = ἠκούϲατε αὐτὸν ἠϲθενηκέναι — der Akkusativgegenstand ist hier zugleich Objekt des Erfahrens und Subjekt des Erkrankens), aber die Objektsbedeutung bleibt dabei stets ein unentbehrliches Merkmal des A-s, während seine Nebenrolle als Subjekt bloß eine der syntaktischen Verwendungen dieses Kasus ist. Deshalb umfaßt die Definition des A als eines Kasus, der ein Handlungsobjekt bezeichnet, alle Sonderbedeutungen des A-s, und nötigt nicht zur unberechtigten Erklärung einzelner dieser Bedeutungen als metonymischer Kasusverwendungen.

verknüpft. Ein Inhalt wird angesagt: *buločnaja* " Bäckerei ", " *Revizor* " " Revisor " — es ist die Sprache der Schilder und Überschriften. Der Sprechende erkennt und nennt die wahrgenommenen Gegenstände (ein Besucher des Tiergartens: *medved'*, *verbl'ud*, *lev* " Bär, Kamel, Löwe ") und die eigenen Erlebnisse (*cholod*, *toska* " Kälte, Schwermut ") oder er ruft durch Namen imaginäre Gegenstände hervor (der Dichter Bal'mont: " *Večer, Vzmorje, Vzdochi vetra* " " Abend, Strand, Seufzen des Windes "). Der Nominativ fungiert in allen diesen Fällen als eine Art von Prädikat im Verhältnis zur Gegebenheit, welche ob empirisch oder fiktiv der Aussage gegenüber außenliegend ist.

Der N ist die merkmallose Form für die Nennfunktion der Rede. Er fungiert aber auch als Bestandteil einer Aussage, welche den Gegenstand nicht nur nennt, sondern über ihn auch etwas mitteilt. Doch auch in der darstellenden Rede bleibt die Nennfunktion des N-s stets mitbestimmend, ja maßgebend: der durch den N bezeichnete Gegenstand wird als der Gegenstand der Aussage hingestellt. Die unvollkommene Verschmelzung der Nennfunktion mit der darstellenden äußert sich besonders in solchen Fällen wie *osel* [Nominalsatz], *tot* [Subjekt eines darstellenden Satzes] *ne trebujet bol'šogo uchoda* " der Esel, der fordert keine große Pflege " (diese Konstruktion ist auf čechischem Sprachmaterial am eingehendsten von Trávníček untersucht, Věty 137 ff.).

Der N kann zwar in ein und derselben darstellenden Aussage verschiedene syntaktische Aufgaben erfüllen und die Bedeutungen dieser verschiedenen nominativen Satzglieder können ihrem Umfange nach ungleich sein, doch beziehen sich diese verschiedenen Satzglieder notwendig auf einen und denselben Gegenstand, und zwar auf denjenigen Gegenstand welcher durch das Satzsubjekt bezeichnet ist. Bloß mit dieser Einschränkung ist die These, der N sei der Kasus des grammatischen Subjekts (so z. B. für das Russische schon Puchmayer 259), zutreffend, denn sonst ist weder der N der einzige Ausdruck des Subjekts (das Subjekt kann auch durch den Genitiv ausgedrückt werden), noch das Subjekt die einzige syntaktische Funktion des N-s (vgl. den prädikativen N). 1. *Onegin — dobryj moj prijatel'* " Onegin ist mein guter Freund ", 2. " *Onegin, dobryj moj prijatel', rodils'a na bregach Nevy* " (Puškin) " Onegin, mein guter Freund, ist an der Küste der Neva geboren ". Der Subjektnominativ und der des Prädikats im ersten Satz meinen einen und denselben Gegenstand, ebenso im zweiten Falle das Subjekt und die Apposition. Durch die Prädikation wird angezeigt das Beziehen der Prädikatsbedeutung auf den Subjektgegenstand, hingegen durch die Apposition (bzw. durch die Attribution überhaupt) das Bezogensein der Bedeutung. Formell ist im " doppelten N " bloß die Aufeinanderbeziehung zweier Bedeutungen gegen, und erst die reellen Bedeutungen der Nomina oder die ganze Umgebung legen nahe, welche von den zwei Bedeutungen die determinierende und welche die determinierte ist, und vielfach, besonders in der dichterischen Sprache, bleibt der Unterschied zwischen dem Subjekt und dem nominalen Prädikat (bzw. Apposition) mehr oder weniger verwischt. So z. B. im Marsch von Majakovskij: " *Naš bog* [P] *beg* [S]. *Serdce* [S] *naš baraban* [P] " " Unser Gott — das Rennen. Das Herz — unsere Trommel ".

Durch die Sonderstellung des N-s entsteht eine eigenartige syntaktische Perspektive: der Nominativgegenstand nimmt die führende Rolle in der

Aussage ein, er wird vom Sprechenden in Blick genommen. Vergleichen wir zwei Aussagen : *Latvija sosedit s Estonijej* " Lettland ist mit Estland benachbart " — *Estonija sosedit s Latvijej* " Estland ist mit Lettland benachbart ". Der Sachverhalt der beiden Aussagen ist identisch, aber im ersten Falle ist Lettland, im zweiten Estland der Held der Darstellung, von dem ausgesagt wird. Husserl analysiert im zweiten Bande der Logischen Untersuchungen, deren Tragweite für die Sprachtheorie man nie genug betonen kann, derartige Satzpaare wie " a ist größer als b " und " b ist kleiner als a " und stellt fest, daß die beiden Sätze zwar dieselbe Sachlage ausdrücken, aber nach ihrem Bedeutungsgehalt verschieden sind (48). Sie unterscheiden sich durch die Hierarchie der Bedeutungen.

Die Unterordnung der Akkusativbedeutung in der Abstufung der Bedeutungen einer Aussage bleibt auch in den subjektlosen Sätzen in Kraft. Die Besonderheit dieser Sätze liegt darin, daß die Stelle des führenden Gegenstandes, ohne aufgehoben zu sein, vakant bleibt. Man könnte, syntaktisch gesehen, von einem " Nullsubjekt " sprechen. *Soldata* [A] *ranilo v bok* " der Soldat wurde an der Seite verwundet " ; *lodku* [A] *daleko otneslo* " das Boot wurde weit abgetrieben ". In den nach ihrem Tatbestand identischen Sätzen *soldat* [N] *ranen v bok* ; *lodka* [N] *daleko otnesena* erhalten die durch den N bezeichneten Gegenstände die erste führende Stelle in der Abstufung der Bedeutungen. Der A an sich kennzeichnet, daß ihm in der Hierarchie der Bedeutungen der Aussage etwas übergeordnet ist, d. h. er besagt im Gegensatz zum N das Vorhandensein einer Hierarchie der Bedeutungen. Metaphorisch gesprochen, der A signalisiert die Unterordnung eines Punktes, setzt also irgendeinen anderen gegebenen oder bloß vermeintlichen Punkt, der mit dem ersten verbunden ist, über ihm voraus ; der A kennzeichnet mithin die " senkrechte " Wesensart der Aussage, während der N nichts als einen einzigen Punkt angibt. Wenn Andrej Belyj in einem Gedichte anstatt des Satzes *ty vidiš' men'a* [A] " du siehst mich " — die Wendung *ty vidiš' — ja* [N] gebraucht, so zeigt er, syntaktisch gesehen, bloß zwei unabhängige Punkte an und hebt somit die Hierarchie der Bedeutungen auf.

Die Frage der kasuellen Gesamtbedeutungen gehört der Wortlehre und die ihrer Sonderbedeutungen der Wortverbindungslehre an, da die Gesamtbedeutung des Kasus von seiner Umgebung unabhängig ist, während seine einzelnen Sonderbedeutungen durch verschiedenartige Wortgefüge, bzw. durch verschiedenartige, formelle und reelle Bedeutungen der umgebenden Worte bestimmt werden — es sind also sozusagen die kombinatorischen Varianten der Gesamtbedeutung. Es wäre eine unberechtigte Vereinfachung des Problems, die Untersuchung der Kasusbedeutungen auf die Feststellung einer Reihe von Sonderbedeutungen eines Kasus und seiner Gesamtbedeutung als ihres gemeinsamen Nenners zu beschränken. Die Sonderbedeutungen, die syntaktisch oder phraseologisch bedingt sind, bilden keine mechanische Anhäufung, sondern es gibt eine gesetzmäßige Hierarchie der Sonderbedeutungen. Man darf allerdings nicht die Frage der Gesamtbedeutung eines Kasus durch die Frage seiner spezifischen Bedeutung oder seiner Hauptbedeutung ersetzen und überhaupt, wie es oft der Fall ist, diese Fragen verwechseln, anderseits aber sind wir nicht berechtigt, das Problem selbst der Hierarchie der Sonderbedeutungen, die durch

Gesamtbedeutung umfaßt sind, wegzuleugnen. Die Hauptbedeutung und ebenso die spezifische Kasusbedeutung ist keine gelehrte Fiktion, sondern eine wesentliche sprachliche Gegebenheit.

Wir stellen fest, daß zwei Kasus korrelativ sind, d. h. die Gesamtbedeutung des einen nimmt ein gewisses Merkmal (*α*) der gegenständlichen Gegebenheit in den Blick, wogegen die Gesamtbedeutung des anderen Kasus das Vorhanden- oder Nichtvorhandensein dieses Merkmals unerwähnt läßt. Im ersten Falle sprechen wir von einer merkmalhaltigen, im letzteren von einer merkmallosen Kategorie. Aus der Tatsache, daß die beiden Kategorien einander entgegengesetzt sind, ergibt sich, daß zur spezifischen Bedeutung eines merkmallosen Kasus die Bezeichnung des Nichtvorhandenseins des Merkmals wird. Wenn die Gesamtbedeutung des N-s im Gegensatz zum A nicht angibt, ob der bezeichnete Gegenstand irgendeiner Handlung unterworfen ist (Nicht-Signalisierung von *α*), so gibt die spezifische Bedeutung dieses Kasus an, daß die Aussage von einer solchen Handlung nichts weiß (Signalisierung von Nicht-*α* ; vgl. Charisteria 84). Diese Bedeutung hat auch der N im selbständigen Gebrauch. Dagegen in den Fällen, wo die Wortumgebung ankündigt, daß der Nominativgegenstand einer Handlung unterworfen ist (die Signalisierung von *α*), wird diese kombinatorische Bedeutung des N, die mit der Akkusativsbedeutung zusammenfällt, als eine " uneigentliche " Bedeutung gewertet. Diejenige spezifische Bedeutung des N-s, die der des korrelativen Kasus direkt entgegengesetzt ist, also die Bedeutung des handelnden Subjekts, oder, noch zugespitzter, die Bedeutung des Subjekts einer transitiven Handlung, gilt als die nominativische Hauptbedeutung. In dieser Bedeutung wäre ein anderer Kasus als der N unanwendbar — man sagt *detej* [G] *prišlo!* " was für eine Anzahl von Kindern gekommen ist ! " ; *nikogo* [G] *ne bylo* " es war niemand da ", aber man kann bloß sagen *deti* [N] *sobirali jagody* " die Kinder suchten Beeren ", *nikto* [N] *ne pel* " niemand sang " — und keineswegs *detej sobiralo jagody, nikogo ne pelo.* Der syntaktische Gebrauch des N-s, der diese Bedeutung zur Äußerung bringt, wird im Gegensatze zu demjenigen, der den Bedeutungsunterschied des N-s vom A aufhebt, naturgemäß als merkmallos empfunden. Darum sind solche aktive Fügungen wie *pisateli pišut knigi* " die Schriftsteller schreiben Bücher " ; *Puškin napisal Poltavu* " Puškin schrieb ' Poltava ' " merkmallos im Vergleich mit solchen Fügungen wie *knigi pišuts'a pisatel'ami* " die Bücher werden von Schriftstellern geschrieben " ; *Poltava napisana Puškinym* " ' Poltava ' ist von Puškin geschrieben ".

Die geeigneteste Vorstellung des handelnden Subjekts und insbesondere des Subjekts der transitiven Handlung ist das belebte Wesen und die des Objekts der unbelebte Gegenstand (vgl. Atti 144). Eine Rollenvertauschung — ein unbelebter Gegenstand fungiert als Subjektnominativ, ein belebtes Wesen ev. als Objektakkusativ — erhält entsprechend einen gewissen Beigeschmack der Personifizierung : *gruzovik razdavil rebenka* " der Lastwagen tötete ein Kind " ; *fabrika kalečit l'udej* " die Fabrik verkrüppelt die Menschen ", *peč' požirajet mnogo ugl'a* " der Ofen verschlingt viel Kohlen ". Thomson, der die Verteilung der beiden semantischen Abarten (belebt — unbelebt) zwischen dem Subjekt und Objekt statistisch untersuchte, kam zum folgenden Ergebnis : bei den transitiven Verben ist der Mensch Subjekt κατ' ἐξοχήν, die Sache ist Objekt und die Tiernamen nehmen eine mittlere Stellung ein (XXIV, 305). Ein A, der einen unbelebten Gegenstand bezeichnet, entbehrt leicht, meist ohne die Verständlichkeit zu hemmen, eine formelle Charakteristik, die ihn vom N unterscheidet. Vgl. das Zusammenfallen des A-s der unbelebten Gegenstände mit dem N in den meisten russischen Paradigmen. Bezeichnenderweise beziehen wir die Frage *čto delajet* " was macht " im Gegensatz zu *kto delajet* " wer macht " auf das Objekt, keinesfalls auf das Subjekt.

Es gibt Sprachen (z. B. die baskische und die nordkaukasischen), wo die erwähnte ausgeprägteste Funktion des N-s, nämlich die des Subjekts einer transitiven Handlung, zur einzigen Funktion des Kasus wird. Das Verhältnis des merkmallosen und merkmalhaltigen Kasus ist hier im Vergleich mit dem Russischen (und mit den übrigen Nominativ-Akkusativsprachen) ein umgekehrtes: hier besagt nicht der merkmalhaltige Kasus, daß der Gegenstand einer Handlung unterworfen wird, sondern im Gegenteil, daß er etwas einer Handlung unterwirft, wogegen der merkmallose Kasus das Vorhandensein einer derartigen Handlung nicht kennzeichnet. Uhlenbeck bezeichnet den ersten als Transitivus, den zweiten als Intransitivus (eine interessante Übersicht der Frage bei Kacnel'son 56 ff.). Der erste fungiert als Subjekt bei transitiven Zeitwörtern, wogegen der merkmallose Intransitiv naturgemäß verschiedene syntaktische Funktionen ausüben kann, nämlich die des Objekts bei den transitiven Zeitwörtern und die des Subjekts bei den intransitiven. Die Vergleichung der Gegensätze Nominativ — Akkusativ und Transitiv — Intransitiv mit den Gegensätzen der genera verbi deckt die enge Verwandtschaft dieser nominalen und verbalen Korrelationen auf. Das Paar Transitiv — Intransitiv wird richtig als ein Gegensatz des aktiven und neutro-passiven Genus gedeutet; es wäre angebracht, das Verhältnis des N und A entsprechend als einen Gegensatz des neutro-aktiven und passiven Genus zu betrachten.

IV.

An der Analyse des angeblich " so vieldeutigen " Genitivs erwies sich besonders deutlich die Unfruchtbarkeit der atomistischen Betrachtungsweise, die den Kasus in eine Anzahl verschiedenartiger, ja sogar sich widersprechender Sonderbedeutungen zerstückelt. So z. B. nennt der Forscher unter den " einzelnen Genitiven " der russischen Sprache einen G der Trennung, der " den Gegenstand, von dem sich die im verbalen Stamm ausgedrückte Bewegung fortbewegt ", und einen des Ziels, dessen Bedeutung " derjenigen des G. der Trennung direkt entgegengesetzt ist, da der erste einen Gegenstand bezeichnet, auf welchen oder zu welchem die Handlung gerichtet ist " (Pěskovskij 264 ff.). Vgl. solche Antithesen wie die polemische Auslegung der alten rechtgläubigen und der neuen Lehre in einer Schrift der Altgläubigen: einerseits *begaj bluda* [G] " weiche der Unzucht aus ", anderseits *želaj bluda* [G] " wünsche Unzucht ". In der Wirklichkeit sind derartige Bedeutungen wie " die Richtung von " oder " die Richtung zu " in die Aussage durch die reelle Bedeutung des Zeitworts hineingetragen, in solchen Wortgefügen wie *ot zari* [G] *do zari* [G] " von (Abend-)röte bis (Morgen-)röte " durch die Bedeutung der Präpositionen. Schon die Möglichkeit einer Verknüpfung mit dem G zweier entgegengesetzter Richtungsbedeutungen bezeugt, daß der Bedeutung des G-s an sich der Begriff der einen oder der anderen Richtung fremd bleibt.

Aus dem Vergleiche des G-s mit dem N und dem A ergibt es sich, daß der G stets die Grenze der Teilnahme des bezeichneten Gegenstandes am Sachverhalte der Aussage ankündigt. Es wird auf diese Weise der Umfang des Gegenstandes in den Blick genommen und wir können dementsprechend den Gegensatz des G-s, der die Umfangsverhältnisse anzeigt, und derjenigen Kasus, die keine Umfangsverhältnisse anzeigen (N, A), als eine Umfangskorrelation bezeichnen. Auch diesen nominalen Gegensatz könnte man mit der verbalen Aspektskorrelation vergleichen, deren Merkmal in der Ankündigung der Handlungsgrenze besteht und entsprechend von einer nominalen Aspektskorrelation reden.

Was den Gegensatz der Signalisierung und Nichtsignalisierung einer auf den bezeichneten Gegenstand gerichteten Handlung betrifft, ist dieser Bedeutungsunterschied im G aufgehoben, und der fragliche Kasus kann ebensogut einen von einer Handlung betroffenen oder einen unabhängigen Gegenstand bezeichnen.

Der G an sich besagt nur, daß der Umfang der Teilnahme des Gegenstandes am Sachverhalte der Aussage geringer als sein gesamter Umfang ist. In welchem Maße der Umfang des Gegenstandes beschränkt wird, das bestimmt der sprachliche oder der außersprachliche Kontext. Der Genitivgegenstand kann im Sachverhalt der Aussage 1. teilweise oder 2. negativ vertreten sein. Im ersten Falle besagt der Gebrauch des Kasus ein bestimmtes oder unbestimmtes Maß der Teilnahme des Gegenstandes (Genitivus partitivus) und stellt somit eine räumliche oder zeitliche Grenze fest. Im zweiten Falle bleibt der Gegenstand außerhalb des Sachverhaltes der Aussage, wobei der Kontext entweder nichts anderes angibt, als daß der Sachverhalt der Aussage an der Grenze des Gegenstandes Halt macht (" G des Randes oder der Grenze "), oder es wird nebenbei angegeben, ob dieser Sachverhalt sich zum bezeichneten Gegenstand neigt (G des Zieles) oder im Gegenteil sich von ihm entfernt (G der Trennung), ihn ausschaltet, verdrängt (G der Negation).[4] Betrachten wir die einzelnen syntaktischen Varianten der beiden erwähnten Genitivarten.

G in Nominalsätzen: 1. *novostej, novostej!* ungefähr " welche Anzahl von Neuigkeiten! "; volkstümliche Redensarten *takich-to delov!* ungefähr " solch ein Ausmaß haben die Angelegenheiten "; *kakogo dela!* ungefähr " ein derartiges Ausmaß hat die Angelegenheit! "[5] Ein Ausruf des Grünzeugkrämers: *kapusty! ogurcov!* " (etwas von) Kohl! (etwas von) Gurken! "; 2. " *vody, vody!* [G] ... *no ja naprasno stradal'cu vodu* [A] *podaval* " (Puškin) " ' Wasser, Wasser ' ... aber vergebens reichte ich dem Leidenden Wasser "; " *spokojnoj noči! vsem vam spokojnoj noči!* " (Jesenin) " gute Nacht! euch allen gute Nacht! "; " *limončika by!* " (A. Belyj) " wenn ein Zitronchen! "; " *ni golosa* " (Majakovskij) " keine Stimme ". In allen Beispielen dieser Rubrik bleibt der Genitivgegenstand außerhalb des Sachverhaltes der Aussage, in welchem Verhältnis er auch zu ihm stehen mag. Der selbständig gebrauchte G besagt, wie wir aus den Beispielen ersehen, daß der Gegenstand in einem unbestimmten, aber in Blick genommenen Ausmaß sich entfaltet (1.) oder zu entfalten ist (2.). Welche von den beiden Möglichkeiten im gegebenen Falle gemeint wird, entscheidet die Situation.

[4] Den häufigen Mangel an einer deutlichen Grenze zwischen den einzelnen syntaktischen Bedeutungen des G-s hat treffend F. Trávníček berücksichtigt (Studie § 70).

[5] Šachmatov (§ 47) hegt Zweifel über den Ursprung der letzten Wendung, doch hat Trávníček im entsprechenden čechischen " *jakého to zvuku!* " den partitiven G richtig erkannt (Věty 16).

Subjektgenitiv: 1. *ľudej* [G] *sobralos'* " es haben sich Leute angesammelt " — *ľudi* [N] *sobralis'* (dasselbe ohne Einstellung auf die Menge); " *šutok* [G] *bylo* " (Lermontov) " es waren (viele) Scherze " — *šutki* [N] *byli* (die Menge ist nicht angedeutet); 2. *nužno spiček* [G] " es sind Streichhölzer nötig " — *nužny spički* [N] (ohne Einstellung auf ihren tatsächlichen Mangel); *strašno smerti* [G] " es ist unheimlich vor dem Tode " — *strašna smert'* [N] " unheimlich ist der Tod " (im ersten Falle ist der Tod ein negativer " Held " der Aussage und bleibt also außerhalb ihres Sachverhaltes — ihre positiven " Helden " sind diejenigen, die vor dem Tod zurückschrecken, während im zweiten Falle der Tod der positive und einzige Held ist); *otveta* [G] *ne prišlo* " es kam keine Antwort " — *otvet* [N] *ne prišel* " die Antwort kam nicht " (im ersten Falle ist der Gegenstand selbst wie aus dem Sachverhalt der Aussage gestrichen, im zweiten wird bloß die Handlung verneint).

Adverbaler G:

1. der partitive Objektgenitiv kommt vor in Verbindung a) mit den Zeitwörtern, die unmittelbar eine Qualitätsänderung (d. h. das Anwachsen oder Abnehmen) bezeichnen, z. B. *uspechi pridajut jemu sil* " die Erfolge steigern seine Kräfte "; *pripuskajet ogn'a v lampe* " er macht die Flamme in der Lampe größer "; *nabirajet deneg* " er sammelt Geld "; *s každym dnem ubavľajut chleba* " mit jedem Tage gibt man weniger Brot "; b) mit perfektiven Zeitwörtern, da ihr Aspekt die absolute Grenze der Handlung kennzeichnet (s. Charisteria 76, Buslajev 283 f.); z. B. *pojel* [pf.] *chleba* [G] — *jel* [impf.] *chleb* [A] " aß Brot ", *vz'al* [pf.] *deneg* [G] — *bral* [impf.] *den'gi* [A] " nahm Geld ", *nadelal* [pf.] *dolgov* [G] — *delal* [impf.] *dolgi* [A] " machte Schulden ", *kupit'* [pf.] *baranok* [G] — *pokupat'* [impf.] *baranki* [A] " Kringel kaufen ", *daj* [pf.] *mne tvojego noža* [G] " gib mir (ein wenig) dein Messer ".[6] Die umgekehrte Hypothese von Peškovskij (266 f.), nach der manche Präfixe der Perfektiva sich ausschließlich mit dem G verbinden, ist unrichtig. Sofern es sich um Aktiva handelt, die sich mit dem partitiven G verbinden lassen, kommt, wenn nicht die Einschränkung des Gegenstandes ausgesagt wird, eine Fügung mit dem A zustande (*nakupil ujmu* " kaufte eine Unmenge ein "; *nagovoril kuču komplimentov* " sagte einen Haufen Komplimente "). Auch dem schwachregierten A entspricht ein G des geteilten oder eingeschränkten Ganzen: *eto proizošlo p'atogo janvar'a* " es geschah am fünften Januar "; *šutoček našutili* " man hat Scherze gescherzt "; *pojezdka stoit boľšich deneg* " die Reise kostet viel Geld ".

2. G der Grenze: *Odnoj nogoj kasajas' pola* (Puškin) " mit einem Fuße den Boden berührend ", " *dostig ja vysšej vlasti* " (Puškin) " ich habe die höchste Macht erreicht "; G des Zieles: " *a on, bezumnyj, iščet buri* " (Lermontov) " und er, der Unvernünftige, sucht nach Sturm ", " *svobod choteli vy* " (Puškin) " Freiheiten wolltet ihr "; G der Trennung: *izbežal vernoj gibeli* " entging dem sicheren Verderben ", *bojs'a kary* " fürchte dich vor der Strafe "; G der Negation: " *ne poj, krasavica, pri mne ty pesen Gruzii pečaľnoj* " (Puškin)

[6] Übrigens ist der partitive Genitiv, der die Teilnahme des Gegenstandes am Sachverhalt der Aussage zeitlich einschränkt, ein im Verschwinden begriffener Archaismus. Z. B. das Krylov'sche " *dostali not, basa, al'ta* [G] " " verschafften sich (zeitweilig) Noten, einen Kontrabaß, eine Altgeige " wird heutzutage meistens mißverstanden. So nach Šachmatov bedeutet hier der G " eine Gesamtheit oder eine unbestimmte Menge von gleichartigen Gegenständen " (§ 425). Thomson behauptet, ein solcher G der Zeiteinschränkung sei " in der häuslichen Sprache vieler Gebildeten noch heute vollkommen lebendig " (XXIX 250); für die Umgangssprache der Kulturzentren gilt dies allerdings nicht.

" singe nicht du, Schöne, in meiner Gegenwart die Lieder des traurigen Georgiens ", *ne čitaju gazet* " ich lese keine Zeitungen ", *ne našel kvartiry* " fand keine Wohnung ". Der G kennzeichnet in diesen Fällen das Nichtvorhandensein des Gegenstandes im Sachverhalte der Aussage, aber soweit auf diese Abwesenheit kein Nachdruck gelegt wird und im Gegenteil das Vorhandensein des Gegenstandes in der Wortumgebung oder in der außersprachlichen Situation, die der Aussage vorangeht, angezeigt ist, wird der G nach Aktiva vom A verdrängt: *prosit' deneg* [G] " um Geld bitten ", *prosit' den'gi* [A] " um das Geld bitten " (um welches es sich schon gehandelt hat — Beispiel von Peškovskij); " *ja cel' svoju dostig* " (Lermontov) " ich habe mein Ziel erreicht ". Der externe Charakter des Gegenstandes ist hier nicht angegeben und infolgedessen wird das Ziel in den Bereich der Aussage hineingezogen, es wird als von vornherein bekannt geschildert. Deshalb sagen wir *čelovek vpervyje dostig pol'usa* [G] " der Mensch hat zum ersten Mal den Pol erreicht " und nicht . . . *pol'us* [A]; *ja ne slychal etoj sonaty* [G] " ich habe diese Sonate nicht gehört " — der Nachdruck liegt auf Unbekanntsein der Sonate für den Sprechenden; *ja ne slychal etu sonatu* [A] — der Nachdruck fehlt und der Umstand, daß ich sie nicht gehört habe, wird infolgedessen zu einer Akzidenz, die die fragliche Sonate aus dem Sachverhalte der Aussage nicht imstande ist auszuschalten — die Gegebenheit der Sonate überwiegt: diese Bedeutungschattierung bringt hier der A im Gegensatz zum G.

G bei Adjektiven: 1. *polnyj myslej* [G] " voll von Gedanken " (eine Abart des partitiven G-s, vgl. *polnyj mysl'ami* [I], wo die quantitative, partitive Schattierung fehlt; 2. *dostojnyj priznanija* " würdig der Anerkennung " (eine Abart des G-s der Grenze), *slašče jada* " süßer als Gift ", *ugovor dorože deneg* " das Abkommen ist teuerer als Geld " (eine Abart des G-s der Trennung: die höhere Stufe drängt die niedrigere zurück).

G bei Fürwörtern: *čto novogo* " was Neues " (die Bedeutung ist partitiv).

Adnominaler G: wie schon oben festgestellt wurde, besagt der G, daß der bezeichnete Gegenstand aus dem Sachverhalte der Aussage ausgeschaltet oder hier nur teilweise vertreten ist. Diese Einstellung nicht auf den Gegenstand, sondern auf den angrenzenden Inhalt oder auf einen Teil des Gegenstandes zeugt vom metonymischen Wesen des G-s oder im Falle des partitiven G-s von einer besonderen Spielart der Metonymität und zwar von einer synekdochischen Wesensart (" geringere Objektivisierung " nach der glücklichen Grimmschen Bestimmung). Dies erweist sich besonders deutlich gerade beim adnominalen G, was meistens aber in der Fachliteratur sonderbarerweise übersehen wird, wodurch zwischen dem adverbalen und adnominalen Genitivgebrauch eine künstliche Kluft entsteht (s. z. B. Delbrück 307 f.). Entweder schränkt das Nomen, von dem der G abhängt, den Umfang des Genitivgegenstandes direkt ein (*stakan vody* " ein Glas Wasser ", *čast' doma* " ein Teil des Hauses ") oder es abstrahiert vom Gegenstande etwas von seinen Eigenschaften (*krasota devuški* " die Schönheit des Mädchens "), Äußerungen (*slovo čeloveka* " das Wort des Menschen ") leidenden Zuständen (*razgrom armii* " die Zerstörung der Armee "), seiner Angehörigkeit (*imuščestvo remeslennika* " das Vermögen des Handwerkers "), Umgebung (*sosed kuzneca* " der Nachbar des Schmiedes ") oder es wird im Gegenteil von der Eigenschaft ihr Träger oder von der Äußerung ihr Agens oder Patiens durch das Nomen abstrahiert (*deva krasoty*

" die Jungrau der Schönheit ", *čelovek slova* " der Mensch des Wortes ", *žertvy razgroma* " die Opfer der Zerstörung ").

Der adnominale Gebrauch entfaltet am vollkommensten und deutlichsten die semantische Besonderheit des G-s und es ist kennzeichnend, daß er der einzige Kasus ist, welcher sich auf ein reines, d. h. von einer verbalen Bedeutungsnuance freies Dingwort beziehen kann. Wir können den adnominalen Gebrauch des G-s als die typische Äußerung dieses Kasus bezeichnen.

Diesem rein adnominalen Monopolgebrauch des G-s ist sein adverbaler Gebrauch als der Punkt der maximalen Kasusunterscheidung entgegengestellt. Dem A ist lediglich der G bei Verba aktiva direkt entgegengesetzt, da der starkregierte A stets ein Aktivum voraussetzt. Die Zeitwörter, die die Entfernung des Agens vom Genitivgegenstande bezeichnen (*izbegať* " vermeiden ", *trusiť* " Angst haben " u. ä.), können sich (wenigstens im Schriftrussischen) mit dem A nicht verbinden, weil der Gegenstand, der die Abstossung hervorruft, als ein tätiger Faktor und nicht als ein Handlungsobjekt gewertet wird. Das Zeitwort *lišať* " berauben " setzt den Patiens, der beraubt wird, dem Gegenstand, um welchen der erstere beraubt wird, oder mit anderen Worten, dem Gegenstand, der aus dem Sachverhalt der Aussage ausgeschloßen ist, gegenüber: der erste fungiert naturgemäß als Akkusativobjekt, der zweite als Genitivobjekt, die Anwesenheit der beiden ist unentbehrlich und die Stellung des ersten Objekts vor dem zweiten differenziert notwendigerweise die beiden, so daß auch in diesem Falle der Gegensatz der Kasus eigentlich keine notwendige Voraussetzug der Unterscheidung ist, vgl. *lišil otca* [A] *syna* [G], *a mať* [A] *dočeri* [G] " beraubte den Vater um den Sohn und die Mutter um die Tochter ". Wie Peškovskij richtig vermerkt (265 f.), neigen die G-e der Negation, des Zieles (und auch der Grenzen) zur Verwechselung mit dem A, und die Deutlichkeit des Gegensatzes wird nicht selten verwischt. Den allergrößten unterscheidenden Wert hat der Gegensatz des partitiven G-s gegenüber dem A (*vypil vina* [G] " trank etwas Wein aus " — *vypil vino* [A] " trank den Wein aus "). Die belebten Wesen können bloß in Ausnahmsfällen als partitiver G Sg. fungieren (z. B. *otvedal kuricy* " kostete vom Huhn "), deshalb ist der Gegensatz des A-s und G-s bei den Nomina, die belebte Wesen bezeichnen, wenig belangvoll und ist in den meisten Paradigmen aufgelöst: bei den Namen der belebten Wesen erhält der A die Form des G-s. Die Verallgemeinerung dieses Kasussynkretismus auch auf den Plur. führt zur Aufhebung einer Bedeutungsunterscheidung: den Aussagen *kupil kartiny* [A] " kaufte Bilder " und *kupil kartin* [G] " kaufte (eine Anzahl) Bilder " entspricht, falls das Objekt ein belebtes Wesen ist, eine einzige Aussage *kupil lošadej* [A-G] " kaufte Pferde ".[7]

Das Zusammenfallen des A-s mit dem G kündigt die Belebtheit des bezeichneten Gegenstandes an, während das Zusammenfallen des A-s mit dem N meistens den Bezeichnungen der unbelebten Gegenstände zwar eigen, doch für sie nicht eindeutig kennzeichnend ist (vgl. *mať* [N-A] " Mutter " *myš* [N-A] " Maus "). Im russischen Deklinationssystem ist es stets der Fall, daß, wenn ein Kennzeichen die Belebtheit oder Unbelebtheit angibt, so das Gegenteil durch das entgegengesetzte Kennzeichen nicht eindeutig angekündigt wird:

[7] Im Polnischen fiel der A Plur. mit dem G bloβ bei den Personenbezeichnungen zusammen, sodaβ die Bedeutungsunterscheidung beinahe intakt bleibt, da der Gegensatz des A-s und des partitiven G-s bei dieser Namengattung nur in geringem Maβe vorkommen könnte.

im N kennzeichnen die Endungen des sog. Neutrums die Unbelebtheit des Gegenstandes (die einzigen Ausnahmen *suščestvo* " lebendes Geschöpf " und *životnoje* " Tierwesen " kündigen ihre Belebtheit unmittelbar durch den Stamm an), während die übrigen Nominativendungen gleicherweise in den Bezeichnungen belebter Wesen und unbelebter Gegenstände vorkommen ; das Vorhandensein zweier Genitiv- oder zweier Lokalformen kennzeichnet die Unbelebtheit des Gegenstandes, wogegen das Nichtvorhandensein einer derartigen Spaltung nichts besagt (s. Kap. VII.). Ähnlich steht es mit dem Gegensatz der Genera bei den Hauptwörtern : die meisten Kasus besitzen je eine Endung, die die Angehörigkeit des Wortes zu den Mask, ankündigt (z. B. G Sg. *-a*, D *-u*, I *-om*, N Pl. *-a*, G *-ov*), während die übrigen Endungen dieser Kasus die Zugehörigkeit zu den Fem. nicht bezeugen (z. B. G Sg. *-i*, D *-e* oder *-i*, I *-oju*, N Plur. *-i*, G *-ej* oder Null-Endung). Eindeutig sind die Hauptwörter der beiden Genera durch die Genusform der Eigenschaftswörter im Sg. voneinander geschieden. Die beiden Genera ihrerseits verhalten sich zueinander als eine merkmalhaltige Kategorie, welche besagt, das Wort könne nicht einen Mann bezeichnen (Fem.), gegenüber einer merkmallosen, die nicht eigentlich ankündigt, ob es sich um einen Mann oder um eine Frau handelt (sog. Mask.) ; vgl. *tovarišč* [Mask.] *Ivanova* [Fem.], *zubnoj vrač* [Mask.] " Genossin I. — Zahnärztin ".

Der präpositionale G unterscheidet sich nicht seinem Bedeutungswesen nach von dem übrigen Genitivgebrauch. Auch hier werden durch die Ausschaltung eines Teiles oder des ganzen Gegenstandes die Grenzen dieses Gegenstandes und seiner Teilnahme an der Aussage, in kurzen Worten, die Umfangsverhältnisse angegeben, z. B. 1. *nekotoryje iz nas* " einige von uns " (partitiver G) ; 2. *u, okolo, vozle reki* " neben dem Flusse " (G der Grenze) ; *do reki* " bis zum Flusse ", *dľa slavy* " zwecks des Ruhmes " (G des Zieles) ; *iz ružja* (aus der Flinte), *ot reki* " vom Flusse " (G der Trennung), *bez zaboť* " ohne Sorgen ", *krome zimy* " außer dem Winter " (G. der Negation).[8]

[8] Wir ließen die Frage des G-s bei den Numeralien beiseite, da die Verbindungen mit den Numeralien überhaupt durch eine Reihe auffallender Besonderheiten ausgezeichnet sind, und ich hoffe diese Verbindungen bald speziell besprechen zu können. Falls das Gefüge Numerale + Nomen keines der kasuellen Merkmale ankündigt, wird das Zahlwort syntaktisch als substantivierte Quantitätsbezeichnung gewertet, während das mit ihm verbundene Nomen als partitiver G fungiert, der die quantitative Einschränkung des Gegenstandes gibt (*p'at'* [N], *sorok*, ebenfalls *skol'ko, neskol'ko veder* [G] " 5, 40, wieviel, einige Eimer ") ; falls aber das Gefüge irgendein kasuelles Merkmal enthält, wird das Nomen zum Träger dieses Merkmals und das Zahlwort zu einem im Kasus übereinstimmenden Attribut (*trech* [G], *p'ati, soroka*, ebenfalls *skol'kich, neskol'kich veder* [G] ; *trem* [D], *p'ati* usw. *vedram* [D] ; *trem'a* [I], *p'atju* usw. *vedrami* [I] usw.). Für die Numeralia von tausend ab und höher gilt das letztere nicht (*tys'ača* [N], *tys'ači* [G], *tys'ače* [D] — — *veder* [G] " Tausend Eimer " usw.). In Verbindung mit dem N der Numeralia 2–4 steht das Nomen nicht im G Plur., sondern im G Sg. (*dva* [N], *tri, četyre vedra* [G] " 2, 3, 4 Eimer "), als wäre hier durch die Kasusform nicht die Pluralität markiert, sondern nur der Umstand, daß der Umfang des bezeichneten Gegenstandes als einer Einheit (Sg.) mit dem Umfange seiner Teilnahme am Sachverhalte der Aussage nicht zusammenfällt. In diesem Sinne wäre die Bestimmung der allgemeinen Bedeutung des G-s zu erweitern, falls wir die Verbindungen mit den Numeralien einbeziehen wollten und von ihrer ganz besonderen Stellung in der Sprache absehen. Dann könnte man feststellen : das Zahlwort gibt an, daß der letztere Umfang den ersten übertrifft, aber der Kasus selbst besagt nur die Ungleichheit der beiden Umfänge ; vgl. allmähliche Stufenfolge der Sonderbedeutungen des G-s : *ni vedra* " kein Eimer ", *pol vedra* " ein halber Eimer ", *poltora vedra* " anderthalb Eimer ". Es ist kennzeichnend, daß bei derartigen Numeralien, die durch ihre grammatische Form die Angehörigkeit der aufgezählten Gegenstände zu den belebten Wesen, genauer zu den Menschen ankündigen, stets durch die Form des Nomens die Mehrzahl besagt wird : *dvoje, p'atero druzej* " zwei, fünf Freunde " ; *dvoich, p'aterych druzej* [G] ; *dvoim, p'aterym druzjam* [D] usw.

V.

Weder der Instrumental noch der Dativ kennzeichnen Umfangsverhältnisse. Diese Kasus sind nicht mit dem G, sondern mit dem N und dem A in Korrelationsbeziehung. Wie der A so auch der D geben die Betroffenheit des bezeichneten Gegenstandes von einer Handlung an, wogegen der I gleich dem N nichts darüber besagt, ob der Gegenstand von einer Handlung betroffen ist oder nicht, noch ob er selbst eine Tätigkeit ausübt, bzw. an einer Tätigkeit beteiligt ist oder nicht. Vgl. *strana upravľajets'a ministrami* [I] " das Land wird von Ministern regiert " — *ministry upravľajut stranoj* [I] " die Minister regieren das Land " ; *oni byli vstrečeny rebenkom* [I] " sie wurden vom Kinde begegnet " — *oni vstrečali jego rebenkom* [I] " sie hatten ihn als Kind begegnet ". Wie der A so auch der D fungieren folglich als die merkmalhaltigen Kasus der Bezugskorrelation (die Bezugskasus) im Gegensatz zu den merkmallosen N und I. Das Vorhandensein der Gerichtetheit zum Gegenstand wird auch durch den präpositionalen Gebrauch der beiden Bezugskasus besagt, z. B. *v, na, za, pod, čerez, skvoz', po pojas* " in, auf, hinter, unter, über, durch den Gürtel, bis zum Gürtel " ; *k, navstreču, po potoku* " zum, entgegen dem, längs dem Strom ". Die Bedeutung der Gerichtetheit bleibt auch in den Fällen aufrecht, wo ein derartiges präpositionales Gefüge sich nicht auf ein Zeitwort, sondern auf ein Substantiv bezieht : *vchod v dom* " Eingang ins Haus ", *doroga v Rim* " Weg nach Rom ", *kľuč k dveri* " Schlüssel zur Tür ". Es wurde schon oben erwähnt : wenn die allgemeine Bedeutung des N im Gegensatz zu derjenigen des A-s nicht angibt, ob der bezeichnete Gegenstand von einer Handlung betroffen wird, so deutet die spezifische Bedeutung des N-s an, daß die Aussage von einer solchen Tätigkeit nichts weiß, und besonders deutlich äußert sich das Nominativwesen, wenn der Gegenstand als an einer Handlung Betätigter dargestellt wird. Dasselbe gilt auch für den Gegensatz I—D, und namentlich die Hauptbedeutung des I hat Šachmatov im Auge, wenn er den wesentlichen Unterschied des I-s vom D darin sieht, daß der erstere " eine vom Zeitwort unabhängige Vorstellung bezeichnet und nicht ein Objekt, welches der Wirkung des verbalen Merkmales ausgesetzt ist, sondern im Gegenteil eine Vorstellung, die zur Entfaltung dieses Merkmals verhilft und seine Äußerung ändert oder bestimmt (§ 444).

Worin liegt denn der Unterschied des I und D vom N und A ? Zwei Termini von Pongs paraphrasierend (245), bezeichne ich den I und D als Randkasus und den N und A als Vollkasus, und für den Gegensatz der beiden Gattungen verwende ich im folgenden die Benennung Stellungskorrelation. Der Randkasus gibt an, daß das bezügliche Nomen im gesamten Bedeutungsgehalte der Aussage eine periphere Stellung einnimmt, wogegen ein Vollkasus nicht angibt, um welche Stellung es sich handelt. Eine Peripherie setzt ein Zentrum voraus, ein Randkasus setzt das Vorhandensein eines zentralen Inhaltes in der Aussage voraus, welchen der Randkasus mitbestimmt. Dabei muß dieser Zentralinhalt nicht unbedingt sprachlich ausgedrückt sein. Z. B. die Romantitel *Ognem* [I] *i mečom* [I] " Mit Feuer und Schwert ", *I zolotom* [I] *i molotom* [I] " Mit Gold und Hammer " setzen eine Handlung voraus, mit Hinblick auf welche die Instrumentalgegenstände eine Werkzeugsrolle spielen ; die Überschrift *Ivanu Ivanoviču Ivanovu* [D] setzt etwas voraus, was für die durch den D bezeichnete Person bestimmt ist und dieses Etwas, obwohl es nicht ausgedrückt ist, gilt als der zentrale und der Adressat als der periphere Inhalt der Aussage.

Ich betone, das für die Randkasus Spezifische liegt nicht darin, daß sie das Vorhandensein zweier Punkte in der Aussage angeben, sondern nur darin, daß sie den einen im Hinblick auf den anderen als peripher werten: auch der A kennzeichnet das Vorhandensein zweier Punkte und der eine ist dem anderen untergeordnet, aber der A besagt nicht, daß dieser untergeordnete Punkt lediglich ein Nebeninhalt der Aussage ist, den sie ohne Beeinträchtigung des Kerninhaltes entbehren könnte, so wie es bei den Randkasus der Fall ist. Das Zeitwort *delajet* " macht " fordert verbindlich Antworten auf die Fragen *kto* " wer " und *čto* " was ", bzw. *ne delajet* " macht nicht " Antworten auf die Fragen *kto* und *čego* [G]. Das Fehlen des N und des A (bzw. des G) verleiht hier der Aussage einen elliptischen Charakter. Doch die Fragen *čem* [I] *delajet*, *komu* [D] *delajet* entspringen nicht dem Wesen der Aussage selbst, und sind mit ihrem Kerne nicht unmittelbar verknüpft. Es sind sozusagen Nebenfragen. Vgl. auch *delo delajets'a, sdelano* " die Arbeit wird, ist gemacht ". — Die Frage nach dem Agens (*kem* [I]) ist fakultativ; *on dal vse, čto mog dat'* " er gab alles, was er geben konnte "; *každyj den' on posylajet pis'ma* " jeden Tag sendet er Briefe " — das Fehlen des D-s wird nicht als Lücke empfunden.

Der Sachverhalt solcher Aussagen wie *tečenije* [N] *otneslo lodku* " die Strömung trieb das Boot ab "; *olen'a ranila strela* [N] " den Hirsch verwundete ein Pfeil "; *pachnet seno* [N] " es riecht das Heu " auf der einen Seite und *tečenijem* [I] *otneslo lodku*; *olen'a ranilo streloj* [I]; *pachnet senom* [I] auf der anderen Seite, ist derselbe, doch der Bedeutungsgehalt ist verschieden; in beiden Fällen ist der Träger der Handlung identisch, nur wird er in der Hierarchie der Bedeutungen im ersten Falle als das Subjekt, im letzteren als ein Bestimmungswort des Prädikats gewertet, die Instrumentalform schreibt dem Gegenstande eine Nebenstellung zu, wobei die Fügung des Zeitwortes mit dem I an sich nicht besagt, ob diese Nebenstellung dem Gegenstande bloß von der sprechenden Person verliehen ist, oder er auch wirklich nur eine Hilfsrolle spielt.[9] Vgl. *risunok nabrosan perom* [I] " die Zeichnung ist mit der Feder skizziert " — *risunok nabrosan chudožnikom* [I] " die Zeichnung ist vom Maler skizziert ": im ersten Falle bedeutet der I ein bloßes Hilfsmittel, nämlich ein Werkzeug, im zweiten Falle den Urheber des Werkes, der aber im Vergleich mit dem Werke in die Peripherie der Aussage verdrängt ist und sozusagen als eine Voraussetzung der Gegebenheit gewertet wird. In den aktiven Wendungen genügt es, dem I einen N zur Seite zu setzen und der Instrumentalgegenstand erhält einen objektiven Hilfscharakter. Die Randstellung des Gegenstandes äußert sich hier als Gegensatz von Mittel und Urheber: *ochotnik* [N] *ranil olen'a streloj* [I] " der Jäger verwundete den Hirsch mit einem Pfeil "; *saraj* [N] *pachnet senom* [I] " die Scheune riecht nach Heu ".

Im Rahmen der allgemeinen Bedeutung des I-s sind drei semantische Typen zu unterscheiden.

1. Der I gibt irgend eine Bedingung der Handlung an. Dieser I der Bedingung, den schon die angeführten Beispiele erläutern, besagt die Handlungsquelle (*ubit vragami* " von den Feinden erschlagen "), die Triebkraft (*uvleč's'a sportom* " sich vom Sport hinreissen lassen ", *tomit's'a bezdeljem* " vor Müssiggang vergehen "), das Werkzeug (*žat' serpom* " mit der Sichel ernten ", *raspor'ažat's'a*

[9] Interessante Beispiele eines derartigen russischen I-s liefert Pedersen (134 ff.).

den'gami " über Geld verfügen ", *upravl'at' mašinoj* " eine Maschine lenken ", *vladet' rabami* " Sklaven beherrschen "), den Modus (*iti vojnoj* " in den Krieg ziehen ", wörtlich " mit Krieg gehen "), den Bewegungsraum (*itti lesom* " durch den Wald gehen "), die Zeit der Handlung (*putešestvovat' nočju* " in der Nacht reisen "). Solche Dubletten wie *švyr'at' kamn'ami* [I] — *švyr'at' kamni* [A] " Steine werfen " hält Peškovskij fehlerhaft für " stilistische Synonyme " (269). In Wirklichkeit kennzeichnet auch hier der I eine Hilfs- oder Nebenrolle des Gegenstandes, und der A die Gerichtetheit der Handlung auf den Gegenstand. Hier macht sich also der Gegensatz des Mittels und des Zwecks, des Werkzeugs und des selbstgenügsamen Objektes geltend. Darum sagen wir : *čtoby probit' stenu, oni švyr'ali v neje kamn'ami* [I] " um die Mauer zu durchbrechen, warfen sie Steine auf sie ", aber *on bescel'no švyr'al kamni* [A] *v vodu* " zwecklos warf er Steine in's Wasser ". Noch deutlicher ist der Gegensatz der Fügungen *govorit' rezkimi slovami* " in scharfen Worten sprechen " — *govorit' rezkije sloca* " scharfe Worte sprechen " : im ersten Falle wird vom Sprechenden der Redeinhalt, in letzterem die Rede an sich berücksichtigt. Der tautologische " I der Verstärkung " nach der üblichen Terminologie ist eine Art der Reduplikation, die die Intensität der Handlung betont (*krikom kričat'* " mit Geschrei schreien "), während der tautologische A das Objekt der Handlung aus ihrer Benennung sozusagen herausschält (*klič klikat'* " ' einen Ruf rufen ' "). Der I der Bedingung bezieht sich auf ein ausgedrücktes oder hinzugedachtes Zeitwort (*knutom jego!* " mit der Peitsche auf ihn ! ") oder auf ein Nomen mit Tätigkeitsbedeutung (*uvlečenije sportom* " Begeisterung für den Sport ", *udar nožom* " ein Hieb mit dem Messer ", *oskorblenije dejstvijem* " tätliche Beleidigung ", *doroga lesom* " Weg durch den Wald "). Die Ersetzung dieses I-s durch einen N bedeutet eine Auflösung der syntaktischen Perspektive und eine Zergliederung des Satzes in gleichberechtigte Abschnitte : *on udaril jego šaška* [N] *naotmaš'* " er schlug ihn, den Säbel mit der Hand von der Schulter ausholend " ; " *komsomolec — k noge noga* [N]*! plečo* [N] *k pleču! marš!* " (Majakovskij) " — — Fuß an Fuß ! Schulter an Schulter ! Marsch ! "

2. I der Einschränkung begrenzt " das Gebiet der Anwendung des Merkmals ", welches im Prädikat bzw. im Attribut, auf welches sich dieser Kasus bezieht, ausgedrückt ist : *pomolodet' dušoj, jun dušoj, junyj dušoj* " geistig jung werden, g. jung, g. jünger " ; *junoša dušoj, on ne mog primirit's'a s nespravedlivostju* " im Geist ein Jüngling, konnte er sich nicht mit der Ungerechtigkeit versöhnen ". Die Randstellung äußert sich hier als Gegenüberstellung des Teilgebietes zum relevanteren Allgemeinen.

3. Der I der Betätigung meint denselben Gegenstand wie der bezügliche (ausgedrückte oder hinzugedachte) Vollkasus derselben Aussage und besagt, daß es sich um eine Sonderfunktion des Gegenstandes, um eine vorübergehende, gelegentliche (erworbene bzw. veräußerliche) Eigenschaft handelt. Der I wird dem Prädikat an- oder eingefügt. *On zdes' sudjej* " er fungiert hier als Richter ", *budet sudjej* " wird Richter sein ", *stal sudjej* " wurde Richter ",[10] *on izbran sudjej* " er ist zum Richter erwählt ", *jego naznačili sudjej* " man hat ihn zum Richter ernannt ", *my znavali jego sudjej* " wir haben ihn als Richter gekannt ", *sudjej on posetil nas* " als Richter hat er uns besucht ", *ja ne vidal jeje lica* [G]

[10] In solchen Fügungen wie *stal sudjej* ist die Randstellung bloß semantisch, nicht aber syntaktisch fundiert : bei der Aussage *on stal* ist die Frage *kem, čem* [I] unentbehrlich.

takim ozabočennym [I] " ich sah nie ihr Gesicht so besorgt ". Falls aber eine ständige, urtümliche, unabschaffbare Eigenschaft des Gegenstandes gemeint wird, oder mindestens die Absicht nicht besteht, den episodischen Charakter dieser Eigenschaft zu kennzeichnen, paßt nicht der I. *Vse oni byli greki* [N] " sie alle waren Griechen " ; *mladšij syn byl durak* [N] " der jüngste Sohn war ein Narr ". Den Satz *bud' tatarinom* [I] " sei Tatare " empfinden wir als Ruf zur tatarischen nationalen Selbstbekennung, während " *bud' tatarin* [N] " im Puškinschen Epigramm bedeutet : falls du ein geborener Tatare bist, bleibt dir deine nationale Zugehörigkeit und es ist daran nicht zu rütteln. In den Scherzversen " *on byl titul'arnyj sovetnik* [N], *ona general'skaja doč'*, *on robko v l'ubvi jej priznals'a, ona prognala jego proč'* " er war Titularrat, sie Generalstochter, er erklärte ihr schüchtern seine Liebe, sie jagte ihn fort " wird der Rang des Titularrates als eine Umrahmung der Handlung aufgefaßt, er wird als etwas Ständiges empfunden und das, was ihm voranging, und das, was folgte, wird absichtlich im Dunkeln gelassen. Aber *on byl titul'arnym, potom nadvornym sovetnikom* [I] " er war Titular-, später Hofrat ". Falls die Aufmerksamkeit des Sprechenden auf einen Zeitabschnitt konzentriert ist und dementsprechend die Aussage statisch eingestellt ist, weicht der I der Betätigung vor dem N. In ihrer stoffreichen Übersicht des prädikativen I und N in der Sprache Turgenevs vermerkt E. Haertel, " es gebe eine große Anzahl derartiger Sätze, in denen an Stelle des zu erwartenden I der N steht, z. B. solche mit *togda, v svoje vrem'a*, also mit einer zeitlichen Bestimmung, oder mit sonstigen Zusätzen, die die gegebene Aussage in das Gebiet des Akzidentellen verweisen " (106). Aber auch diese Belege zeugen von einer feinen, bedeutungsvollen Unterscheidung der beiden Kasus bei dem großen Stilisten. Ja, wofern nicht die Bestimmungen *togda* " damals ", *v svoje vrem'a* " seiner Zeit " als Antithesebezeichnungen gegeben sind, dann enthalten sie eben die Forderung eines statisch anmutenden N-s : " *vy byli togda rebenok* [N] " " Sie waren damals ein Kind ", " *v svoje vrem'a sil'nyj byl latinist* ", " war seiner Zeit ein tüchtiger Lateiner ". Noch einige erläuternde Beispiele : *on vernuls'a bol'noj* [N] " er kehrte krank zurück " (was er möglicherweise schon früher war) — *on vernuls'a bol'nym* [I] " er kehrte krank (erkrankt) zurück " ; *ja uvidel dom, zapuščennyj i opustelyj* [N] " ich sah ein Haus, vernachlässigt und verwüstet " — *ja uvidel dom zapuščennym i opustelym* [I] : hier wird die Vernachlässigung und die Verwüstung deutlich einem anderen, früheren Zustande entgegengestellt. " *Jeje sestra zvalas' Tatjana* [N] " (Puškin) " ihre Schwester hieß Tatjana " — . . . *Tatjanoj* [I] : im zweiten Fall kommt in der Kasusform die Namengebung zum Ausdruck, im ersten nur die Namengegebenheit ; wir würden sagen : *sestra zvalas' Tanej* [I], *a kogda podrosla, Tatjanoj* [I] " die Schwester wurde Tan'ja, und als sie herangewachsen war, Tatjana genannt ". Vgl. *sestru* [A] *zvali Tatjanoj* [I] " man nannte die Schwester Tatjana " oder mit Zerstörung der syntaktischen Perspektive : — — *zvali* (:) *Tatjana* [N]. Dasselbe in einem Satz bei Herzen : *Odin Parfenon* [A] *nazvali* (:) *cerkov'* [N] *sv. Magdaliny* " Ein Parthenon nannte man die Kirche der hlg. Magdalene ". Šachmatov sieht hier mit Unrecht einen " doppelten A " (§ 430).

Nicht weniger deutlich als die periphere Stellung einer zeitlich begrenzten, also synekdochischen Bedeutung des Gegenstandes im Gegensatz zu seiner breiteren Bedeutung, ist in der Werthierarchie der Aussage die Randstellung einer metaphorischen Bedeutung des Gegenstandes gegenüber seiner eigentlichen Bedeutung bei der Konstruktion mit dem I des Vergleichs, dessen innere Verwandtschaft mit dem I der Betätigung schon Miklosich richtig eingesehen hat (735) : *u nego grud' kolesom* " seine Brust ist wie ein Rad " (ist muskelig), *kazak bujnym sokolom rinuls'a na vraga* " der Kosak stürzte sich wie ein ungestümer Falke auf den Feind ". Sobald die bildliche Bedeutung als mit dem Gegenstande untrennbar verknüpft angesehen wird und der Vergleich sich in eine Identifizierung verwandelt, verliert der I seine Berechtigung : *kazak, bujnyj sokol* [N], *rinuls'a na vraga* " der Kosak, ungestümer Falke, stürzte sich auf den Feind ".

Die tautologischen Konstruktionen enthüllen deutlich die semantischen Eigenheiten des I der Betätigung oder des Vergleichs (der Unterschied der beiden ist hier aufgehoben). Eine Konfrontation solcher Fügungen wie *sidnem sidel* " ' saß als (wie) ein Sitzender ' (Stubenhocker) " oder *dožd' lil livnem* " der Regen goß wie (als) ein Regenguß " (in Strömen) mit *krikom kričat'* u. ä. zeigt, daß in den beiden Fällen der I das Prädikat verstärkt, indem er seinen Inhalt loslöst, aber im letzteren Falle wird dieser losgelöste Inhalt als Modus des Prädikats, im ersten aber als eine eng mit dem Prädikat verknüpfte Eigenschaft des Subjekts geschildert (die sog. Nebenprädikation). In solchen Wendungen wie *on ostals'a durak durakom* " er blieb Narr wie (als) Narr " (ein vollkommener Narr), " *rož' les lesom* " (Šachmatov, Sint. § 212[2]) " ' das Korn ist ein Wald wie ein Wald ' " (ist ein wirklicher Wald) steigert das tautologische Gefüge von N und I die besagte Eigenschaft, indem es sie gleichzeitig als Substanz (N) und als Akzidenz (I) oder als Identifizierung (N) und als Vergleich (I) darbietet. Peškovskij (244) findet sich nicht imstande, die tautologischen Konstruktionen in solchen adversativen Sätzen wie *razgovory* [N] *razgovorami* [I], *no pora i za delo* " Gespräche sind Gespräche, doch ist es Zeit an die Arbeit zu gehen " aus der Instrumentalbedeutung zu erklären. Aber gerade in diesen produktiven Fügungen äußert sich anschaulich die Gesamtbedeutung des I-s : der Gegenstand, der soeben durch den N genannt wurde, wird mittels des I-s sozusagen zur Seite geschoben und es wird ihm lediglich eine Randstellung im Sachverhalte der Aussage eingeräumt. Im Sprichworte " *družba* [N] *družboj* [I], *a služba* [N] *služboj* [I] " " Freundschaft bleibt Freundschaft, doch Dienst bleibt Dienst " verdrängen einander die beiden Gegenstände in die Peripherie des Sachverhaltes der Aussage.

Wie wir uns aus den besprochenen Gebrauchsarten des I-s überzeugen konnten, kennzeichnet der I an sich nichts mehr als die bloße Randstellung ; er nimmt zwischen den Randkasus dieselbe Stelle der merkmallosen Kategorie ein, die dem N zwischen den Vollkasus zukommt. Dementsprechend neigt der I ähnlich wie der N zur Rolle einer reinen " Lexikonform ". Sofern sich diese Tendenz verwirklicht, wird der die Randstellung ankündigende I naturgemäß zu einem Adverbium. S. bei Šachmatov (478) die zahlreichen Belege eines Instrumentalis tantum, der sich als Adverbum behauptet : *oprometju* " hastig ", *ukradkoj* " heimlich ", *tajkom* " insgeheim ", *dybom* " zu Berge ", *blagim matom* " aus voller Kehle " usw.

Alles außer der Randstellung wird bei den Einzelverwendungen des I-s durch die reelle Bedeutung des Instrumentalgegenstandes und den Kontext, nicht aber durch die Kasusform gegeben. Lediglich die reelle Bedeutung der

Instrumentalgegenstände legt nahe, daß in den Versen von Majakovskij " *morem bukv, čisl plavaj ryboj v vode* " " durch das Meer von Buchstaben und Zahlen schwimme wie ein Fisch im Wasser " *morem* ein I der Bedingung (namentlich des Weges) und *ryboj* ein I des Vergleiches ist. Der Anschluß dieses Randkasus an den Aussagekern ist ein derartig loser, daß ohne die reellen und formellen Bedeutungen der umgebenden Worte wir nicht imstande wären, festzustellen, worauf und auf welche Weise sich der I *žandarmom* in den folgenden Sätzen bezieht: *ona znavala jego žandarmom* " sie kannte ihn als Gendarm ", *on znaval jeje žandarmom* " er, als Gendarm, kannte sie ", *on naletel žandarmom na detvoru* " er stürzte wie ein Gendarm auf die Kinder ", *on prigrozil žandarmom brod'age* " er drohte dem Landstreicher mit Eingreifen eines Gendarms ", *on byl naznačen žandarmom* " er wurde zum Gendarm ernannt ", *on byl ubit žandarmom* " er wurde von einem Gendarm getötet ". Bezeichnende Beispiele führt Potebn'a an (506): einerseits *ona pletet kosy v troje, devkoju* " sie flicht die Zöpfe dreifach, wie ein Mädel ", andererseits *ženščina devkoju inače pletet kosy čem žonkoju* " das Weib flicht die Zöpfe als Mädel anders als als Frau " oder *devkoju* [I] *krasujets'a kosoju* [I], *a baboju* [I] *nesvetit volosom* [I] " als Mädel prangt sie mit dem Zopf, aber als Frau glänzt sie nicht mit dem Haar ".

Diese lose Art des Anschlusses äußert sich ausdrücklich auch beim präpositionalen Gebrauch des I-s. Hier zeigt sich dasjenige Verhältnis, welches Hjelmslev (129) als relation sans contact bezeichnet, also der präpositionale I bedeutet keine Berührung mit dem Gegenstande: (*s, nad, pod, pered, za, meždu šarami* " mit, über, unter, vor, hinter, zwischen den Kugeln ").

Die Gesamtbedeutung des D-s ist sehr deutlich, er kennzeichnet eine Randstellung wie der I und die Betroffenheit durch eine Handlung wie der A. Deshalb wird der Dativ als der Kasus des indirekten Objekts oder des Nebenobjekts definiert. Nach Šachmatov " drückt der adverbale D solch eine vom Zeitwort abhängige Vorstellung aus, auf welche die Handlung des Zeitwortes gerichtet ist, ohne diese Vorstellung zu umfassen . . . und ohne sie unmittelbar zu berühren " (§ 435). Peškovskij lehrt, der Dativ gebe nur den Adressaten an, er besage die bloße Gerichtetheit der Handlung ohne Berührung des Gegenstandes (267 f.).

Die geringere Innigkeit der Verbindung des Dativobjekts mit der ihm geltenden Handlung, im Vergleich mit dem Akkusativobjekt äußert sich vor allem darin, daß der D die von der Handlung unabhängige Existenz des Gegenstandes ankündigt, während der A darüber nichts besagt und ebenso gut ein äußeres wie ein inneres Objekt bezeichnen kann. Skalička schreibt in seinem Buche, welches viele interessante Anregungen für die allgemeine Grammatik enthält: " man kann nicht annehmen, daß z. B. zwischen den Verhältnissen der Zeitwörter zu den Substantiven in den Fällen wie čech. *učiti se něčemu* und *studovati něco* ein gründlicher Unterschied bestehe. Hier fühlt man schon eine gewisse Sinnlosigkeit des Dativs und Akkusativs. Und wenn man promiscue *učiti se něčemu* oder *učiti se něco* gebraucht, so fühlt man den Unterschied vielleicht nur im Stil: die Konstruktion mit dem Dativ ist pedantischer, " besser ", als die mit dem Akkusativ. Eine gewisse Sinnlosigkeit des Dativs oder Akkusativs ist hier klar " (21). Eine derartige Verwischung der Bedeutungen ist für das čechische mit seinem der Zerrüttung nahen System der Kasusgegensätze kennzeichnend, aber im Russischen mit seinem stabilen Kasussystem ist das entsprechende Wortpaar *učiťs'a* " lernen " mit D und *učiť* " lernen " mit A der Bedeutung nach sichtlich unterschieden. Man kann sagen *ja učus' francuzskomu jazyku* [D] " ich lerne die französische Sprache ", da die französische Sprache unabhängig von meinem Lernen existiert, aber es wäre unmöglich zu sagen *ja učus' svojemu uroku* [D], sondern nur *ja uču svoj urok* [A] " ich lerne meine Aufgabe ", da meine Aufgabe ohne Verhältnis zu meinem Lernen überhaupt nicht vorhanden ist. Auch in solch einem präpositionalen D wie *eto vedet jego k gibeli* [D] " dies führt ihn dem Verderben nah " anstatt *vyzyvajet jego gibeľ* [A] " ruft sein Verderben hervor ", wird das Dativobjekt als eine leise Metapher empfunden, ähnlich wie dasselbe Wort in der Wendung *jego ždet gibeľ* " auf ihn wartet das Verderben " : das Verderben wird hier als etwas Zweifelloses, im vorhinein Bekanntes und demzufolge als etwas ideell Existierendes vorgestellt.

Gewöhnlich schreibt das gegebene Zeitwort selbst vor, ob das Objekt semantisch als direktes oder indirektes gewertet werden soll, und falls sich mit dem Zeitwort zwei Objekte verbinden lassen, schreibt es im allgemeinen vor, welchem von den beiden eine Randstellung beizumessen ist und welches als das unmittelbar von der Handlung Gemeinte gelten soll. Im Satze *ja prepodaju reb'atam* [D] *istoriju* [A] " ich lehre den Kindern Geschichte " fungiert die Geschichte als direktes Objekt, die Kinder als Empfänger ; umgekehrt im Satze *ja uču reb'at* [A] *istorii* [D] " ich lehre die Kinder Geschichte " werden die Kinder als direktes Objekt meiner Tätigkeit gewertet, während die Geschichte als bloßes Richtziel dieser Tätigkeit aufgefaßt ist. Manchmal sind das direkte und indirekte Objekt umkehrbar, sodaß der Gegensatz des D u. A hier semantisch unzweideutig klar ist : *poet upodobil devušku* [A] *roze* [D] " der Dichter hat das Mädchen mit der Rose verglichen " — . . . *rozu* [A] *devuške* [D] " . . . die Rose mit dem Mädchen " ; *on predpočitajet brata* [A] *sestre* [D] " er zieht den Bruder der Schwester vor " — . . . *sestru* [A] *bratu* [D] " . . . die Schwester dem Bruder " : die Handlung (Vorziehen) meint den Akkusativgegenstand, aber auch der Dativgegenstand ist von ihr betroffen, da sie im Hinblick auf ihn geschieht. In seltenen Fällen wird ein Zeitwort wie mit einem A, so auch mit einem D zur Bezeichnung eines und desselben Sachverhaltes verbunden : solcher Art sind die Dubletten *(po)dariť* kogo [A] *čem* [I] — *(po)dariť komu* [D] *čto* [A] ; als direktes Objekt der Handlung wird im ersten Falle der Beschenkte, im zweiten das Geschenk geschildert : derjenige, dem es bestimmt ist, wird dabei zum bloßen Adressaten, während das Geschenk aus einem Werkzeug zu einem selbstgenügenden Gegenstand wird. Ein Bruchstück eines Liedes, bei Greč zitiert, illustriert treffend diesen Gegensatz : " *ne dari men'a ty zlatom, podari liš' mne seb'a* " (155) " beschenke mich nicht mit Gold, sondern schenke mir dich selbst ". Hier wird das Gold entwertet und das ihm entgegengesetzte Geschenk als ein Vollbild hervorgehoben.

" Der D der unmittelbaren reflexiven Bestimmung " (s. Nilov 143) ist dadurch gekennzeichnet, daß der eigentliche Agens hier als ein Empfänger des Geschehens empfunden wird : eine Handlung, genauer ein Zustand, wird als unabhängig von der Aktivität des Erlebenden erlebt (vgl. *boľnomu* [D] *polegčalo* " dem Kranken wurde leichter " — *boľnoj počuvstvoval seb'a lučše* " der Kranke fühlte sich besser " ; *mne* [D] *ne spits'a* — *ja ne spľu* " ich schlafe nicht ", *ja ne mogu spat'* " ich kann nicht schlafen " ; *čego mne* [D] *chočets'a* — *čego ja choču* " was will ich ") oder wird eine Handlung, durch den Infinitiv ausgedrückt, als vorherbestimmt, von vornherein vorgeschrieben oder abgelehnt geschildert, und der Dativgegenstand wird entsprechend als der Empfänger des Befehls oder des Verbots, oder der Warnung des Schicksals aufgefaßt (ein Sprichwort : " *byt' byčku* [D] *na verevočke* " " das Öchslein wird mal am Strickchen sein " ; aus einem Volksmärchen : " *nosit' vam* [D], *ne perenosit'* " " tragen sollt ihr, nie genug tragen " ; Lermontov : " *ne vidat' tebe* [D] *Tamary, kak ne vidat' svoich ušej* " " es ist dir nicht gegönnt, Tamara zu sehen, wie es dir nicht gegönnt ist deine Ohren zu sehen ") ; die Schicksalsgabe kann dabei als Wunsch oder Befürchtung des Sprechenden geschildert werden : *vernut's'a by jemu* [D] *zdorovym* " es sei ihm gegönnt, gesund zurückzukehren ", *deneg by nam* [D] *pobol'še* " es sei uns womöglich mehr Geld beschieden " (die Handlung bleibt hier unausgedrückt) ; *ne popast' by jemu* [D] *v zapadn'u* " daß er nur nicht in die Falle kommt ".

Der sogenannte Dativus ethicus bestimmt ausdrücklich dem Empfänger der Aussage deren Inhalt — der Hörer wird so aufgefaßt, als ob er von ihrer Handlung betroffen wäre, als ob sie sogar mit Rücksicht auf ihn stattgefunden hätte : *prišel on tebe* [D] *domoj, vse dveri nastež'* " kam er dir nach Haus, alle Türen auf " ; *tut vam takoj kavardak načals'a* " es fing euch hier so ein Wirrwarr an ").

Der D ebenso wie der I können im präpositionslosen Gebrauch nur ein solches Wort bestimmen, welches die Bedeutung des Geschehens einbegreift, deshalb können sie ein Substantiv nur dann bestimmen, 1. wenn es ein Tätigkeitswort ist (*otvet kritiku* " Antwort einem Kritiker ", *podarok synu* " Geschenk dem Sohn ", *ugroza miru* " Drohung dem Frieden " ; *torgovl'a lesom* " Handel mit Holz " u. ä. — s. oben), 2. wenn es als Prädikat verwendet wird, welches notwendig die Bedeutung des Fungierens enthält (*russkaja pesn'a* — *vsem pesn'am* [D] *pesn'a* " das russische Lied ist ein Lied, das alle Lieder übertrifft ", wörtlich : ist allen Liedern — Lied, *ja vsem vam* [D] *otec* " ich bin euch allen Vater ", *on nam* [D] *ne sudja* " er ist uns kein Richter " ; *on rostom bogatyr'* " er ist Recke von Wuchs "), 3. seltener als Apposition, die latent die Bedeutung des Geschehens (Seins, Dauerns, Fungierens) mitenthält (*russkaja pesn'a, vsem pesn'am* [D] *pesn'a, neslas' nad rekoj* " das russische Lied, ein Lied, das alle Lieder übertrifft, schwebte über dem Fluß ", *mat' dvuch devic, vnuček Michailu Makarovičų* [D] [11] " die Mutter zweier Mädchen, die dem Michail Makarovič Enkelinnen waren " (das Verwandtsein wird im russischen sprachlichen Denken als eine Art Fungierens gedeutet, vgl. *obe prichod'ats'a jemu* [D] *vnučkami* [I] ; *ochotnik, rostom bogatyr', vyšel na medved'a* " der Jäger, ein Recke von Wuchs, ging auf den Bären los "), endlich 4. wenn es als eingliedriger Nominalsatz fungiert, sozusagen ein Prädikat zur außersprachlichen Situation : *vsem pesn'am pesn'a* " (das ist) ein Lied, das alle Lieder übertrifft ", *kuma mne* " (das ist) meine Gevatterin ", dasselbe völlig in Worten ausgedrückt — *eta ženščina prichodits'a mne kumoj* ; *bogatyr' rostom* " (das ist) ein Recke von Wuchs ", " *Čaplin požarnym* " " Chaplin als Feuerwehrmann ". Aber der D oder der I kann nicht in derartigen Fällen ein Subjekt bzw. ein Objekt bestimmen.

[11] Dieses Beispiel aus Dostojevskij wird von Peškovskij zitiert (290).

Man kann z. B. nicht sagen *vsem pesn'am pesn'a neslas' nad rekoj* oder — — *prodolžajet voschiščat' nas* " — — entzückt uns fortwährend " (auch nicht *bogatyr' rostom pošel na medved'a, vstretil bogatyr'a* [A] *rostom* " traf einen — — "), aber wir sagen z. B. *pesn' pesnej* [G] *prodolžajet voschiščat' nas* " das Lied der Lieder entzückt uns fortwährend ". — Der Genitivgegenstand bezeichnet hier jene Ganzheit (die Gesamtheit der Lieder), aus denen das Lied erkoren ist.

Die dativische Bedeutung des " entfernteren Objekts " macht sich in den Fügungen mit der Präposition *k* geltend. Vgl. solche Gegensätze wie *k lesu* " zum Wald " — *v les* " in den Wald " mit dem, was oben über den präpositionalen Instrumentalgebrauch gesagt wurde. Ähnlich *strel'ba po utkam* [D] " das Schießen auf Enten " zeugt vom Treffen weniger als *strel'ba v utok* [A]. Man kann sagen *oplakivat' pokojnika* [A] " den Verstorbenen beweinen " und *oplakivat' poter'u* [A] " den Verlust beweinen " oder *plakat' po pokojniku* [D] " dem Verstorbenen nachweinen ", keineswegs aber *plakat' po potere* [D].[12] Die Fügungen der vieldeutigen Präposition *po* mit dem D enthalten verschiedenartige Schattierungen der Bedeutung " Nebenobjekt ". Markant ist der Gegensatz des Akkusativobjekts, auf welches die Handlung gerichtet ist, und des Dativobjekts, welches sie bloß gleitend streift: *chlopnul jego pr'amo v lob* " schlug ihn direkt auf die Stirn " — *chlopnul jego družeski po pleču* " er klopfte ihm freundschaftlich auf die Schulter "; *vychožu na pole* " ich gehe aufs Feld " — *idu po pol'u* " ich gehe längs des Feldes ". Die letztere Aussage ist anderseits entgegengesetzt einer solchen wie *idu polem* " ich gehe durch das Feld ", wo der I kein Handlungsobjekt, sondern beinahe ein Hilfsmittel, ein Medium des Ganges, seine Einzeletappe auf dem Wege zu etwas anderem ist. Vgl. *idu polem v derevn'u* " ich gehe durch das Feld nach dem Dorfe " oder *idu polem, potom lesom i lugom* " ich gehe durch das Feld, dann durch Wald und Wiese ". Man kann nicht sagen *vozduchom* [I] *letit ptica*, sondern nur *po vozduchu* [D] — — " in der Luft fliegt ein Vogel ", da er außerhalb der Luft nicht fliegt. *Pogorel'cy postroili novyj poselok* [A], *každyj po izbe* [D] " die Abgebrannten haben eine neue Siedlung aufgebaut, jeder je eine Hütte ". Das Verhältnis des Randobjekts zum Vollobjekt äußert sich hier als ein Verhältnis des Teilinhaltes zu einer Ganzheit, an der es hauptsächlich gelegen ist. *Ja uznal jego* [A] *po neukl'užej pochodke* [D] " ich erkannte ihn nach dem plumpen Gang " — hier sind zwei Objekte meiner Tätigkeit zu unterscheiden: ich bemerkte den plumpen Gang und infolgedessen erkannte ich den Menschen, was auch das Wichtigste war. *Ja po rassejannosti* [D] *zaper dver'* [A] " aus Zerstreutheit schloß ich die Tür " — auch hier zerlegt sich meine Tätigkeit in zwei Äußerungen: ich bekundete eine Zerstreutheit und infolgedessen, hier kommen wir zum Kern der Aussage, schloß ich die Tür. Es können dabei auch die Urheber der beiden Äußerungen verschieden sein: *po jego prikazaniju* [D] *ja pokinul komnatu* [A] " auf seinen Befehl verliess ich das Zimmer ". Dem oben besprochenen Gegensatz *učus' francuzskomu jazyku* — *uču urok* entspricht der Unterschied zwischen *otmetka po francuzskomu jazyku* [D] " Zensurnummer für Französisch " — *otmetka za urok* [A] " Zensurnummer für die Aufgabe ".

Bei der Besprechung des N und A stellen wir fest, daß die beiden Kasus

[12] Der Lokal nach *po* bei den Verben des Trauerns, den die Schulgrammatiken empfehlen, ist ein lebloser Archaismus.

einander maximal entgegengestellt sind, wenn sie als Subjekt und Objekt einer transitiven Handlung fungieren; als der angemessenste Träger der ersten Funktion erwies sich dabei das belebte Wesen und als der der zweiten der unbelebte Gegenstand. Der I ist den übrigen Kasus in der Bedeutung des Werkzeugs am schärfsten entgegengestellt. Das Werkzeug unterscheidet sich wesentlich einerseits von den Tätigkeitsobjekten (bzw. der I des Werkzeugs von den Bezugskasus), anderseits vom Subjekt der Tätigkeit (bzw. der I des Werkzeuges vom N). Die übrigen Spielarten des I können alle verhältnismässig leicht in andere Kasus transponiert werden (z. B. *medveď ubit ochotnikom* [I] " der Bär ist vom Jäger getötet worden " → *ochotnik* [N] *ubil medveďa* " der Jäger tötete den Bären "; *sosedi šli drug na druga vojnoj* [I] " die Nachbarn zogen in den Krieg gegeneinander " → — — *veli drug s drugom vojnu* [A] " — — führten Krieg miteinander "; *služil soldatom* [I] " diente als Soldat " → *služil v soldatach* [L Pl.]; *letit sokolom* [I] → *letit kak sokol* [N] " fliegt wie ein Falke "), wogegen der I des Werkzeugs durch einen anderen Kasus bloß mittels einer scharf fühlbaren Metonymie, die dabei den Urheber der Handlung um seine tätige Rolle bringt, ersetzt werden kann: *ja pišu pis'mo perom* [I] " ich schreibe den Brief mit einer Feder " → *moje pero* [N] *pišet pis'mo* " meine Feder schreibt den Brief ". Der I des Werkzeugs bei transitiven Zeitwörtern bezeichnet in der Regel einen unbelebten Gegenstand.

Aus allen Gebrauchsarten des D-s ist der D des Adressaten bei transitiven Zeitwörtern am deutlichsten den übrigen Kasus bedeutungsmäßig entgegengesetzt, und bis auf wenige Ausnahmen kann seine Bedeutung durch andere Kasus nicht wiedergegeben werden (*dat' knigu bratu* " das Buch dem Bruder geben ", *pisat' pis'mo drugu* " einen Brief dem Freunde schreiben ", *govorit' derzosti sosedu* " Frechheiten dem Nachbarn sagen "); vgl. *vernul otca* [A] *synu* [D] " gab den Vater dem Sohne zurück " oder *synu* [D] *otca* [A] und *otcu* [D] *syna* [A] " dem Vater den Sohn " oder *syna* [A] *otcu* [D]), während die anderen Spielarten des D-s ohne allzu wesentliche Sinnesänderungen durch andere Kasus ersetzt werden können (z. B. *ja udivils'a tvojemu pis'mu* [D] " ich staunte über deinen Brief " → *ja byl udivlen tvoim pis'mom* [I] " ich war über deinen Brief erstaunt "; *predpočitaju rozu rezede* [D] " ich ziehe die Rose der Reseda vor " → *okazyvaju predpočtenije roze pered rezedoj* [I] " ich gebe der Rose vor der Reseda den Vorzug "; *ja radujus' tvojej radosti* [D] " ich freue mich an deiner Freude " → *ja radujus' tvojej radostju* [I] " ich freue mich über deine Freude " u. ä.). Als Träger des D-s des Adressaten fungiert meistens ein belebtes Wesen (vgl. Delbrück 185, Atti 144) und als derjenige des A-s ein unbelebter Gegenstand, besonders wenn es sich um den A des inneren Objekts handelt, und gerade dieser A ist dem D am schärfsten entgegengesetzt, weil der D nur ein äußeres Objekt zu bezeichnen imstande ist (ein belebtes Wesen als A des inneren Objekts ist eine seltene Ausnahme: *bog sozdal čeloveka* " Gott schuf den Menschen "; *ona začala, rodila mladenca* " sie empfing, gebar ein Kind ").[13] Wenn wir also das System der Kasusgegensätze in seiner Zuspitzung betrachten, so zeigt sich eine Tendenz zu einer geradezu

[13] Die Bezeichnung des inneren Objekts ist die Hauptbedeutung des A-s; aus dem parallelen Gegensatze N–I erweist sich die Hauptbedeutung des N-s als die Bedeutung des Mittelpunktes der Aussage. Sie wird im Satzsubjekte verwirklicht, wogegen in der Prädikatrolle der N mit dem I konkurriert.

entgegengesetzten Verteilung des Belebten und Unbelebten zwischen den einzelnen Vollkasus einerseits und den Randkasus anderseits :

N belebt	A unbelebt
I unbelebt	D belebt

Bezeichnend für die Verankerung dieser Verteilung im sprachlichen Denken ist das System der enthüllenden "schulgrammatischen Fragen": *kto* [N] *delajet, čto* [A] *delajet, čem* [I] *delajet, komu* [D] *delajet* "wer, was, womit, wem macht".

VI.

Im Lokal gleich wie im G ist im Unterschied zum D und A der Bezugsgegensatz aufgehoben. Gleich dem G kann der L einen Gegenstand, der von einer Handlung betroffen ist, bezeichnen (vgl. *priznajus' v ošibke* [L] "ich bekenne mich zum Fehler" — *priznaju ošibku* [A] "ich erkenne den Fehler an"; *sužu o sobytijach* [L] "ich urteile über die Ereignisse" — *obsuždaju sobytija* [A] "ich beurteile die Ereignisse"), gleicherweise aber einen Gegenstand, über dessen Betroffenheit von einer Handlung nichts besagt wird (vgl. *ploščad' Majakovskogo v Moskve* [L] "Majakovskij-Platz in Moskau" — *ploščad' Majakovskogo, Moskva* [N] "Majakovskij-Platz, Moskau"; *čudovišče o trech golovach* [L] "das dreiköpfige Ungeheuer" — *čudovišče s trem'a golovami* [I] "das Ungeheuer mit drei Köpfen").

Ich sage oder schreibe *luna* "der Mond" und bezeichne damit bloß einen einzigen Gegenstand; aber sage ich oder schreibe ich *o lune* [L] "über den Mond", so ist der Hörer bzw. der Leser vorher benachrichtigt, daß zwei Gegenstände im Spiele sind, und zwar der Mond und eine Aussage über ihn, wobei in erster Linie und unmittelbar diese Aussage, und erst indirekt als Randgehalt der Mond gemeint wird. Dasselbe findet statt, wenn man hört oder liest — *na lune* [L] "auf dem Mond": es werden zwei Gegenstände gemeint — der Mond und etwas, was sich auf dem Monde befindet oder vorgeht, wobei das zweite sozusagen den Kern der Aussage ausmacht, und der Mond an sich sich wieder als ihr Randgehalt behauptet.

Es kann die Frage entstehen, ob dieser Unterschied nicht eher mit dem Gegensatz des präpositionalen und präpositionslosen Kasusgebrauches als mit der Verschiedenheit der Kasus verknüpft ist.[14] Es ist richtig, daß die russische Präposition einen Zusammenhang zweier Gegenstände, und zwar die indirekten nach der alten Bestimmung Grečs "allerschwächsten, entfernten Verhältnisse" bezeichnet, welche die beiden Glieder deutlich unterschieden lassen. Doch ist die Fügung mit einer Präposition für den L im Gegensatz zum A, G, I und D nicht eine der syntaktischen Möglichkeiten, sondern die einzige und unentbehrliche Möglichkeit, ähnlich wie die präpositionslose Konstruktion für den N oder wie die Fügung mit dem Zeitworte (ausgedrückt oder hinzugedacht) für

[14] Die Fürwörter, die im Gegensatz zu den anderen Redeteilen durch ihre Wurzelmorpheme keine reellen, sondern formelle Bedeutungen ausdrücken, besagen öfters mittels verschiedener Wurzelmorpheme solche Bedeutungsunterschiede, die sonst durch Gegensätze der morphologischen oder syntaktischen Form wiedergegeben werden : das sind einerseits die Kategorien der Belebtheit und Unbelebtheit (Gegensatz der Wurzelmorpheme *k* — *č* : *kto* "wer" — *čto* "was", *kogo* — *čego* usw.), der Person (*ja* "ich", *ty* "du", *on* "er") und anderseits absonderlicherweise der Gegensatz der Angehörigkeit und Nichtangehörigkeit zu einer präpositionalen Fügung, die bei den Fürwörtern der dritten Person durch den Unterschied der Wurzelmorpheme *n'* und *j* folgerichtig ausgedrückt wird (*nego* — *jego, nemu* — *jemu, neje* — *jeje* usw.).

den A. Die Bedeutung des präpositionalen Gebrauchs fungiert mithin nicht als eine der Sonderbedeutungen des L-s, sondern als seine Gesamtbedeutung. Außerdem hebt der L den Regens in der Hierarchie der Bedeutungen der Aussage eindeutig hervor, was bei dem präpositionalen Gebrauch der Vollkasus (A, G) nicht der Fall ist (was den I und D betrifft, so kennzeichnen sie die Randstellung gegenüber dem Regens unabhängig davon, ob sie mit oder ohne Präposition verwendet werden). Der L kündigt seine eigene Randstellung gegenüber dem ausgedrückten oder hinzugedachten Regens an, indem er gleichzeitig die " geringere Objektivisierung " des Lokalgegenstandes in der Aussage und die vollkommene " Objektivisierung " des durch den Regens bezeichneten und durch den Lokalgegenstand umgrenzten Gehaltes anzeigt. Der Lokalgegenstand ist in der Aussage nicht in seinem vollen Umfange vertreten, der L ist also gleich dem G ein Umfangskasus. Er unterscheidet sich allerdings vom G dadurch, daß er auch den Umfang und zwar den vollen Umfang des Regensgehaltes angibt und sich somit als Randkasus auswirkt.

Rasskazy o vojne [L] " die Erzählungen über den Krieg, vom Krieg, aus dem Krieg ", *rasskazyvajut o vojne* " man erzählt über den Krieg, vom Krieg " : ist angegeben der Rahmen der Erzählungen bzw. des Erzählens, der Krieg dagegen ist bloß partitiv in der Aussage vertreten. *Ostrov na reke* " die Insel auf dem Flusse " : der Umfang der Insel ist durch die Aussage umspannt, aber nicht der Umfang des Flusses. *Poduška ležit na divane* " das Kissen liegt auf dem Sofa " : es ist das ganze Kissen, aber bloß die Oberfläche des Sofas ist in der Aussage beteiligt. *Bumagi zaperty v jaščike* [L] " die Papiere sind (liegen) in der Schublade eingeschlossen " — *bumagi zaperty v jaščik* [A] " die Papiere sind in die Schublade eingeschlossen worden " : sie waren früher nicht dort, der Gegenstand ist hier also zeitlich nicht völlig umgrenzt. *Grešnik raskajals'a v svojej žižni* [L] " der Sünder bereute sein Leben " : das Leben des Sünders erschöpft den Inhalt der Reue, nicht aber die Reue das Leben.

Die Präposition *pri* mit dem L bedeutet eine zeitliche Beschränkung (*pri Petre* " zur Zeit Peters "), die Zugehörigkeits-, die Einfluss- oder die Wahrnehmungszone, innerhalb deren etwas stattfindet : *služil pri dvore* " diente am Hofe ", *on pri fabrike* " er ist der Fabrik zugehörig ", *pri gorode sloboda* " die Stadt hat einen Vorort ", *skazal pri žene* " sagte in Gegenwart (in Hörweite) der Frau ".

Der L " der aufzuzählenden Merkmale " mit der Präposition *o* (vgl. Nilov 193, 195) enthält eine quantitative Beschränkung des Lokalgegenstandes ; die Gesamtheit der aufgezählten Merkmale ist für den Regens bezeichnend und umfaßt erschöpfend seine Wesensart : *stol o trech nožkach* " der dreifüssige Tisch ", *ruka o šesti pal'cach* " die sechsfingrige Hand ", allerdings *stol s trem'a treščinami* [I] " der Tisch mit drei Ritzen ", *dom s dvum'a trubami* " das Haus mit zwei Schornsteinen ".

Der L ist also gegenüber dem N, I, A und D als Umfangskasus und gegenüber dem N, A und G als Randkasus merkmalhaltig. Er ist sozusagen der Antipode des absolut merkmallosen N : der stets präpositionale und der stets präpositionslose Kasus erweisen sich als diametral entgegengesetzt. Es ist bemerkenswert, daß die russische grammatische Tradition von jeher (schon Meletij Smotrickij im XVII. Jhd.) die Deklinations-Paradigmata, die naturgemäß mit dem N anfangen, mit dem L schloss. Die übliche Entgegenstellung des N, A, G (unsere Vollkasus) den übrigen Kasus (unsere Randkasus) war, abgesehen von den unhaltbaren Begründungen dieser Einteilung, im Grunde richtig (vgl. Wundt II 62, 74 f.).

VII.

In der Deklination mancher Namen von unbelebten Gegenständen gliedern sich G und L in je zwei getrennte Kasus, und zwar unterscheidet ein Teil der Substantiva Sg. masc. mit einer Null-Endung des N-s zwei Genitive — den G I, der auf ein betontes oder unbetontes *-a* endet, und den G II, der auf ein betontes oder unbetontes *-u* endet; eine Anzahl teils derselben, teils verschiedener Namen der gleichen Deklination unterscheidet zweierlei Lokale — den L I, der auf *-e* oder seinen unbetonten Wechsellaut endet, und den L II, der auf ein betontes *-u* endet. Auch ein Teil der Substantiva Sg. fem. mit einer Null-Endung des N-s unterscheidet den L I, der auf ein unbetontes *-i*, und den L II, der auf ein betontes *-i* endet.

Es wurde oftmals versucht, die Funktionen der beiden Abarten des G und des L zu bestimmen, doch umfassen diese Bestimmungen meistens nur einen Teil ihrer Bedeutungsbereiche. So setzt Bogorodickij (115) dem G einen besonderen " Ausgangskasus " (z. B. *iz lesu* " aus dem Walde ") entgegen, und " im Bereiche des sog. Präpositionals " unterscheidet er einen " lokalen " (*na domu* " zu Hause ") und einen " erläuternden " Kasus (*o domě* " über das Haus "); doch es bleibt unklar, weshalb der " Ausgangskasus " in der Fügung *iz temnogo lesa* " aus dem dunklen Walde " verschwindet, wo die Schattierung des Ausganges in den Fügungen *čaška čaju* " eine Tasse Tee ", *prošu čaju* " ich bitte um Tee " ist, und warum in den Fügungen *pri dome* " am Hause ", *v vašem dome* " in ihrem Hause " anstatt des " lokalen " Kasus der " erläuternde " erscheint. Auch Durnovo führt keine genaue Grenze zwischen den beiden Abarten des G und des L an, indem er vermerkt, daß die Genitivform auf *-u* nach den Worten, die eine Quantität bezeichnen, am häufigsten ist, und indem er vom Präpositional einen Lokal (*na vozu* " auf dem Wagen ", *na melí* " auf der Sandbank ") unterscheidet, der " nach *v* und *na* in rein lokaler und zeitlicher Bedeutung " (247 ff.) verwendet wird.

Eine größere Aufmerksamkeit schenkte der Frage des doppelartigen G-s bei den " Stoffnamen " Thomson (XXVIII 108 ff.): " wenn die Masse räumlich begrenzt erscheint und selbst gewöhnlich eine bestimmte Form hat, so betrachten wir doch diese Merkmale als zufällig, weil sie vom subjektiven Standpunkt aus unwesentlich sind ... Bei vielen maskulinen Stoffnamen wird die Genitivendung *-u* statt *-a* gebraucht, wenn sie den rein stofflichen Begriff bezeichnen ". Der Forscher vergleicht in diesem Zusammenhange solche Fügungen wie *kupi syru* [G II] " kaufe Käse " — *vmesto syra* [G I] " statt Käse ", *butylka medu* [G II] " eine Flasche Met " — *prigotovlenije meda* [G I] " die Bereitung des Mets ", *on kupil lesu* [G II] " er kaufte Wald " — *granica lesa* [G I] " die Grenze des Waldes ". Am eingehendsten bestimmt die Verwendungsgrenzen der fraglichen Formen Šachmatov (Očerk 100 ff., 122 f.). Er stellt fest, daß die G-e auf *u* von nicht zählbaren Worten mit einer Stoff-, Kollektiv- und Abstraktbedeutung gebildet werden und daß " die Individualisierung oder Konkretisierung der Stoffbegriffe " die Endung *-a* mit sich bringt; der Forscher führt Listen der Worte vor, die im L nach den Präpositionen *v* und *na* ein betontes *-u* oder *-i* erhalten, die übrigens meistens vermieden werden, wenn das Nomen von einem Attribute begleitet wird und seine Bedeutung sich dadurch individualisiert; dasselbe finde auch beim G der Abstrakta statt.[15]

Welche ist also die Gesamtbedeutung der sichtlich gleichlaufenden Gegensätze G I — G II und L I — L II? Die Nomina, welche den G II bzw. den L II besitzen, besitzen notwendigerweise auch den G I bzw. den L I. Der G II und der L II sind im Verhältnisse zu G I und zu L I merkmalhaltige Kategorien. Sie besagen im Gegensatze zu den merkmallosen G I und L I, daß der bezeichnete Gegenstand nicht als Gestalt, sondern als etwas Gestaltendes oder zu Gestaltendes im Sachverhalte der Aussage fungiert. Man kann dementsprechend den G II und den L II als Gestaltungskasus und ihr Verhältnis zum G I und L I als Gestaltungskorrelation bezeichnen.

Ein Massenobjekt oder das ihm grundsätzlich verwandte Abstraktum,[16] von dem eine bestimmte (*ložka percu* " ein Löffel Pfeffer ", *funt gorochu* " ein Pfund Erbsen ", *mnogo smechu* " viel Lachen ") oder unbestimmte Dosis (*čaju!* " (etwas) Tee! ", *smechu bylo* " es gab Lachen ") oder eine Nulldosis (*net čaju* " es ist kein Tee da ", *bez percu* " ohne Pfeffer ", *bez smechu* " ohne Lachen ") im Sachverhalte der Aussage beteiligt ist, wird erst durch die grenzverleihende Funktion der Aussage positiv oder negativ gestaltet.

In den Fällen, in denen ein Massenobjekt oder ein Abstraktum nicht als Stoff figuriert, sondern als eine dingliche Einheit, die als solche bestimmt, gewertet, gefühlsmässig behandelt wird, verliert der G II, der seinem Wesen nach von der Dinglichkeit des Bezeichneten absieht, seine Berechtigung. Dadurch sind Gegensätze wie die folgenden fundiert: *r'umka konjaku* [G II] " ein Gläschen Cognac ", *skol'ko konjaku* " wieviel C. ", *napils'a konjaku* " trank sich mit C. an ", *ne ostalos' konjaku* " es blieb kein C. nach ", *bez konjaku* " ohne C. " — *zapach konjaka* [G I] " der Geruch von C. ", *kačestvo konjaka* " die Qualität von C. ", *krepče konjaka* " stärker als C. ", *razgovor kosnuls'a konjaka* " man berührte C. im Gespräch ", *opasajus' konjaka* " ich fürchte mich vor C. ", *ne l'ubl'u konjaka* " ich habe C. nicht gern ", *ot konjaka* " von C. ". Freilich gibt es an der Grenze der beiden Kasusformen Schwankungsfälle, doch öfters werden auch diese Grenzvariationen semasiologisiert, z. B. *ne pil konjaka* [G I] " trank keinen C. " d. h. hatte nicht gern, erkannte dieses Getränk nicht an — *ne pil konjaku* [G II] ist eher eine bloße Feststellung, die den Gegenstand nicht werten will; *količestvo konjaka* [G I] " die Quantität von C. ": die Quantität erhält hier die semantische Schattierung einer Eigenschaft des Gegenstandes — *količestvo konjaku* [G II] besagt nur das Mass, eine reine Dosierung.

Wenn ein Massenobjekt oder ein Abstraktum durch die Aussage in einen der gleichartigen und hiermit zählbaren Gegenstände verwandelt wird, ist das Nomen kein Singulare tantum mehr, der Gegensatz Einzahl — Mehrzahl tritt in seine Rechte (*različnyje čai* " verschiedenartige Tees ", *vs'ačeskije zapachi* " allerlei Gerüche ") und der G II verliert seine Berechtigung: *net čaju* [G II], aber *v prodaže net ni kitajskogo, ni cejlonskogo čaja* [G I] " es ist im Verkauf

[15] Die Frage wird auch im jüngsterschienenen stoffreichen Buche von Unbegaun zur Geschichte der russischen Deklination berührt; der Verfasser folgt dabei im Wesentlichen den Schlüssen Šachmatovs und erklärt durch die Tendenz " vers l'adverbialisation " diejenigen Anwendungen des G II und L II, die Šachmatov semantisch als Fehlen einer individualisierenden Bedeutung betrachtete (123).

[16] Über diese Gattungen, die als Abarten der Singularia tantum fungieren, s. Braun.

weder China-, noch Ceylontee"; *cvety bez zapachu* [G II] " Blumen ohne Geruch" — *v bukete ne bylo cvetov bez sladkogo ili gor'kogo zpacha* [G I] " im Strausse gab es keine Blumen ohne süßlichen oder bitteren Geruch". Es gehört nicht zu unserer Aufgabe, die Einzelheiten des Gebrauches zu beschreiben, sondern nur die Gesamttendenzen festzustellen.

Ein Gegenstand in der Eigenschaft eines Behälters, einer Anbringungsfläche oder eines Maßes umgrenzt und gestaltet hiermit den Sachverhalt der Aussage. Im präpositionalen Gebrauch besagen der G II und der L II, daß diese Funktion des Behälters oder Maßes die maßgebende, oder sogar die einzig in Frage kommende Eigenschaft des Gegenstandes ist. Mit den Präpositionen *o*, *pri* ist der L II nicht vereinbar (*govorit' o berege* [L I], *o króvi* " über Küste, über Blut sprechen", *izbuška pri lese* [L I] " ein Häuschen am Walde"), dementsprechend auch nicht der G II mit den Präpositionen *u*, *vozle* u. ä. (*u lesa* [G I] " beim Walde", *vozle doma* " neben dem Hause"), da diese Präpositionen nicht zur Bezeichnung einer gestaltenden Funktion des Gegenstandes dienen. Im Gegenteil kann sich der L II mit den Präpositionen *v*, *na* vereinigen (*v lesu* " im Walde", *v kroví* " im Blute", *na beregu* " auf der Küste", *na vozu* " auf dem Wagen") und ebenfalls der G II mit den Präpositionen *iz*, *s*, u. ä., so weit diese Präpositionen sich auf das Verhältnis der Gestaltung (des Enthaltens, des Maßes) beziehen. Der G II in der Bedeutung eines Behälters, Befindungsortes, Maßes ist eine unfruchtbare grammatische Bildung und sein Gebrauch beschränkt sich auf einige erstarrte Gefüge wie z. B. *íz lesu* " aus dem Walde", *íz domu* " aus dem Hause", *s polu* " vom Boden", *s vozu* " vom Wagen", besonders in den Maßbezeichnungen: *s času* " von ein Uhr", *bez godu* " um ein Jahr weniger"; im Gegenteil ist der L II in der entsprechenden Bedeutung eine geläufige Form.

Falls der L mit der Präposition *v* nicht einen Behälter irgendwelcher Dinge in Betracht zieht, sondern ein Ding, das gewisse Eigenschaften enthält, so ist der L II naturgemäß nicht am Platze. Vgl. *skol'ko krasoty v lesu* [L II] " wieviel Schönes es im Walde gibt", *skol'ko krasoty v lese* [L I] " welche Schönheit dem Walde eigen ist"; *v stepí* [L II] *men'a razdražajet moškara* " in der Steppe ärgern mich die Mücken" — *v stépi* [L I] *men'a razdražajet odnoobrazije* " die Steppe ärgert mich mit ihrer Einförmigkeit"; *no i v tení* [L II] *putnik ne našel spasenija* " aber auch im Schatten fand der Wanderer keine Erlösung (hier fungiert der Schatten als Behälter des Wanderers — *no i v téni* [L I] *putnik ne našel spasenija* " aber auch der Schatten brachte dem Wanderer keine Erlösung" (der Schatten als evt. Träger der Erlösung); *i v gr'azí* [L II] *možno najti almaz* " auch im Schmutz kann man einen Diamant finden" (der Schmutz umhüllt den Diamant) — *i v gr'ázi* [L I] *možno najti svojeobraznuju prelest'* " auch am Schmutz kann man einen eigentümlichen Reiz finden" (das heißt der eigentümliche Reiz könne die Eigenschaft des Schmutzes sein).

Wird das Enthaltene als eine Akzidenz des Enthaltenden gewertet und wird gerade das letztere in Blick genommen, so wird der L II nicht zugelassen. Vgl. *na prudu* [L II] *baby belje pološčut* " auf dem Teiche spülen die Weiber Wäsche", *na prudu lodki* " auf dem Teiche sind Boote" — *sad zapuščen, na prude* [L I] *r'aska* " der Garten ist verödet, auf dem Teiche ist Wassermoos"; *ona pojavilas' v šelku* [L II] " sie erschien in Seide" — *v šelke* [L I] *pojavilas' mol'* " in der Seide zeigten sich Motten ", *v šelke jest' bumašnyje volokna* " in der Seide sind Baumwollfäden vorhanden " ; *lepeški ispečeny na medu* [L II] " die Fladen sind auf Honig gebacken " — *na mede* [L I] *pokazalus' plesen'* " auf dem Honig zeigte sich Schimmel ".

Ist die Art des Enthaltens, die vom Kontext angegeben ist, für den fraglichen Gegenstand ungewohnt, sodaß seine Teilnahme am Sachverhalte der Aussage sich für uns kaum auf eine Rolle des einfachen Behälters oder Befindungsortes einschränken läßt und wir einen gewissen Eigenwert des Gegenstandes empfinden, dann ist der L II nicht angebracht. Vgl. *v lesu* [L II] *ležit tuman* " im Walde liegt ein Nebel " — *na lese* [L I] *ležit tuman* " auf dem Walde liegt ein Nebel " ; *v grobu* [L II] *mertvec* " im Sarg ist eine Leiche " — *na grobe* [L I] *venok* " auf dem Sarg ist ein Kranz ", *v čanu* [L II] " im Kübel " — *na čane* [L I] " auf dem Kübel ", *v gr'azí* [L II] " im Schmutz " — *na gr'ázi* [L I] *tonkij sloj snegu* " auf dem Schmutz liegt eine dünne Schichte von Schnee " ; *sidit voron na dubu* [L II] " ein Rabe sitzt auf der Eiche " — *otverstije v dube* [L I] " eine Höhlung in der Eiche " ; *na valu* [L II] *našli ostaki ukreplenij* " auf dem Erdwall fand man Reste von Befestigungen " — *v vale* [L I] *našli ostatki ukreplenij* " innerhalb des Erdwalles fand man — — ".

Bei manchen Nomina genügt es, daß ein Attribut erscheint, damit der entsprechende Gegenstand außerhalb seiner Rolle des Behälters berücksichtigt werde. Auch in diesen Fällen tritt anstelle des L II der L I (bzw. anstatt des G II der G I). *V grobu* [L II] " im Sarge ", aber eher *v derev'annom grobe* [L I], *v razukrašennom grobe* " im hölzernen, im verzierten Sarge " ; *v pesku* [L II] " im Sande " — *v zolotom peske* [L I] " im Goldsande " ; *na vozu* [L II] " auf dem Wagen " — *na čudoviščnom voze* [L I] " auf einem ungeheuren Wagen " ; *ruki v krovi* [L II] " die Hände in Blut " — *ruki v čelovečeskoj króvi* [L I] " die Hände in Menschenblut " ; *svinji kupajuts'a v gr'azí* [L II] " die Schweine baden im Schmutz " — *boľnoj kupajets'a v celebnoj gr'ázi* [L I] " der Kranke badet im " heilsamen Schmutz " (Schlamm) " ; *iz lesu* [G II] " aus dem Walde " — *iz temnogo lesa* [G I] " aus dem dunkeln Walde ". Je ungewohnter das Attribut ist, desto mehr hebt es den Gegenstand hervor und desto eher tritt der L II dem L I seine Stelle ab. Vgl. *v rodnom kraju* [L II] " im Heimatland " — *v ekzotičeskom kraje* [L I] " im exotischen Land ".

VIII.

Die folgende Tabelle faßt das Gesamtsystem der russischen Kasusgegensätze zusammen, wobei innerhalb jedes Gegensatzes der merkmalhaltige Kasus entweder rechts oder unten Platz findet :

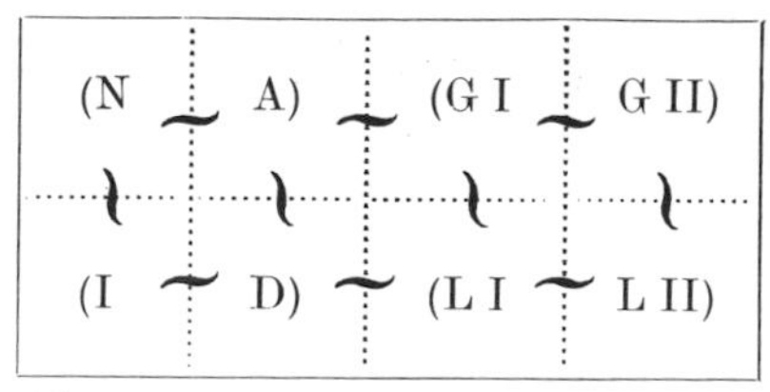

Es ist für alle diese Gegensätze charakteristisch, daß das Gekennzeichnete eigentlich stets negativer Art ist : es setzt hierarchisch den Gegenstand herab, schränkt auf irgend welche Weise die Fülle seiner Selbstentfaltung ein. So wird durch die Bezugskasus (A, D) die Unselbständigkeit des Gegenstandes angezeigt, durch die Umfangskasus (die G-e und die L-e) die Einschränkung seines Umfangs, durch die Randkasus (I, D und die L-e) seine periphere Stellung und durch die Gestaltungskasus (G II, L II) die Beschränkung seiner Funktion auf die des Enthaltens oder des Enthaltenseins. Je mehr Korrelationsmerkmale der Kasus in sich trägt, desto vielfältiger wird die Geltung des bezeichneten Gegenstandes in der Aussage beschränkt und herabgedrückt, und eine desto erheblichere Verwickeltheit des übrigen Sachverhaltes wird durch diesen Kasus angezeigt.

Versuchen wir also das russische Kasussystem schematisch darzustellen. Wie schon oben vermerkt wurde, kennzeichnet der A einen " senkrechten " Stand, während der N nichts mehr als einen einzigen Punkt (und zwar den Punkt der Projektion des Gegenstandes in die Aussage) angibt. Gleichartig ist das Verhältnis zwischen dem D und dem I, aber beide unterscheiden sich vom ersteren Paar durch Festlegung der Randstellung des bezeichneten Gegenstandes im Hinblick auf die Aussage. Diese periphere Stellung kann schematisch als die Lage des Punktes auf einem Segment dargestellt werden, wobei beim I die Stellung des Segmentpunktes gegenüber dem vermeintlichen Mittelpunkt (oben, unten oder in gleicher Höhe) eigentlich nicht angegeben wird. Der G setzt das Vorhandensein zweier Punkte voraus : es ist einerseits der Punkt der Projektion des gemeinten Gegenstandes auf den Plan der Aussage, anderseits die Grenze des Gegenstandes, die außerhalb des Sachverhaltes der Aussage bleibt ; im Gegensatze zu den beiden Punkten, die der A angibt, sind die des G-s einander nicht übergeordnet, folglich können wir den G als einen Ausgangspunkt eines wagerechten Abschnittes schematisch darstellen. Das Schema des L-s unterscheidet sich nur dadurch, daß der Punkt auf ein Segment eingetragen wird, damit die periphere Stellung des Gegenstandes zum Ausdruck kommt. Der G II und der L II unterscheiden sich vom G I und L I dadurch, daß nicht der Gegenstand als solcher gekennzeichnet wird, sondern nur seine Berührung mit dem Sachverhalte der Aussage. Einer von beiden wird erst durch den anderen begrenzt. Unter dem Gesichtswinkel des bezeichneten Gegenstandes ist der Berührungspunkt bloß einer seiner Punkte, und wir geben ihn als Punkt auf einem wagerechten Abschnitte wieder und nicht als objektiven Grenzpunkt eines Abschnittes, wie es beim G I und L I der Fall war. Welche von den beiden Einheiten — der bezeichnete Gegenstand oder der Sachverhalt der Aussage — als gestaltend und welche als gestaltet fungiert, ist beim G II nicht besagt ; beim L II gehört notwendig die gestaltende Rolle dem bezeichneten Gegenstande an, denn das Innensein des Sachverhaltes der Aussage ist hier durch die Randlage des Berührungspunktes gegeben.

Das Gesamtschema des Kasussystems :

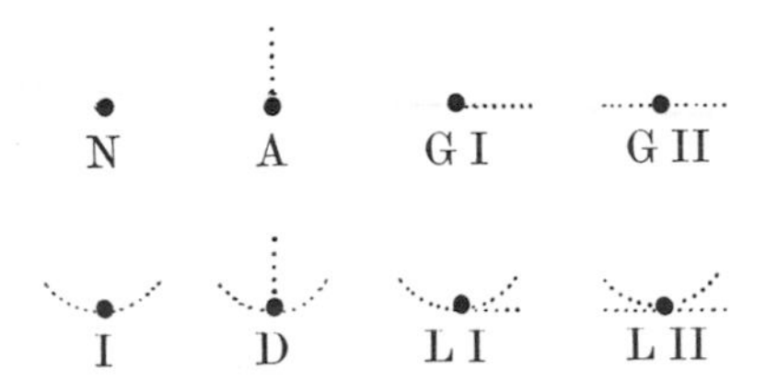

IX.

Kein einziges der deklinierbaren Worte verwertet durch seine Kasusendungen das ganze System der russischen Kasusgegensätze. Bezeichnend sind die verschiedenartigen Äußerungen des Kasussynkretismus (vgl. Durnovo 247 ff.). Eine gewisse Asymmetrie, die überhaupt als konstitutiver Faktor des Sprachsystems angesehen werden darf (vgl. Karcevskij, Travaux), ist schon dem Gesamtsystem der russischen Kasus einverleibt: die merkmalhaltige Reihe der Umfangskorrelation wird auf einer anderen Grundlage gegliedert als die merkmallose — hier fungiert die Gestaltungs-, dort die Bezugskorrelation. Der Gestaltungsgegensatz ist meistens vermieden (oder historisch gesehen — hat nur ein geringer Teil der Substantiva die Spaltung des G, bzw. des L in zwei Kasus durchgeführt). Nichts destoweniger bleibt die Asymmetrie vorhanden, denn in den Umfangskasus (G, L) ist der Bezugsgegensatz aufgehoben, sodaß beispielweise der G ebensogut dem A wie dem N entsprechen kann (*jesť kniga* [N] " das Buch ist da " — *net knigi* [G] " das Buch ist nicht da " ; *vižu knigu* [A] " ich sehe das Buch " — *ne vižu knigi* [G] " ich sehe das Buch nicht "). Diese Asymmetrie im Systembau wird durch den asymmetrischen Bau der Einzelparadigmata ergänzt und auf die ganze Deklination verallgemeinert (der russische Konjugationsbau bietet eine ähnliche Erscheinung). Das wird — ich betrachte die Frage im synchronischen Durchschnitt — mittels verschiedenartiger Formen des Kasussynkretismus erreicht.

Sind in einem Paradigma die Gestaltungsgegensätze oder mindestens einer von ihnen (G I — G II oder L I — L II) vorhanden, so ist einer der Bezugsgegensätze und zwar der des N und A aufgehoben.

<table>
<tr><td colspan="2">sneg</td><td>snega</td><td>snégu</td></tr>
<tr><td>snegom</td><td>snégu</td><td>snege</td><td>snegú</td></tr>
</table>

<table>
<tr><td colspan="2">smech</td><td>smecha</td><td>smechu</td></tr>
<tr><td>smechom</td><td>smechu</td><td colspan="2">smeche</td></tr>
</table>

<table>
<tr><td colspan="2">raj</td><td colspan="2">raja</td></tr>
<tr><td>rajem</td><td>ráju</td><td>raje</td><td>rajú</td></tr>
</table>

Unterscheiden sich der N und der A, so ist entweder der Unterschied A–G oder der entsprechende Unterschied D–L aufgehoben.

<table>
<tr><td>syn</td><td colspan="2">syna</td></tr>
<tr><td>synom</td><td>synu</td><td>syne</td></tr>
</table>

<table>
<tr><td>žena</td><td>ženu</td><td>ženy</td></tr>
<tr><td>ženoju</td><td colspan="2">žene</td></tr>
</table>

Werden die beiden Unterschiede zugleich aufgehoben, so verschmelzen die merkmalhaltigen Glieder der Bezugs- und der Umfangskorrelation, und die

Asymmetrie des Systems wird hier — ein einziger Fall in der russischen Schriftsprache — einigermassen überwunden.[17]

ty	teb'a
toboju	tebe

Schmelzen die Umfangskasus (G und L) in eine einzige synkretistische Form zusammen, so wird mindestens eine von den beiden Reihen der Stellungskorrelation, d. h. entweder die der Vollkasus oder die der Randkasus, zu einer einzigen Sonderform reduziert. Die Asymmetrie bleibt auch dann vorhanden, wenn dieser Vorgang in den beiden Reihen stattfindet.

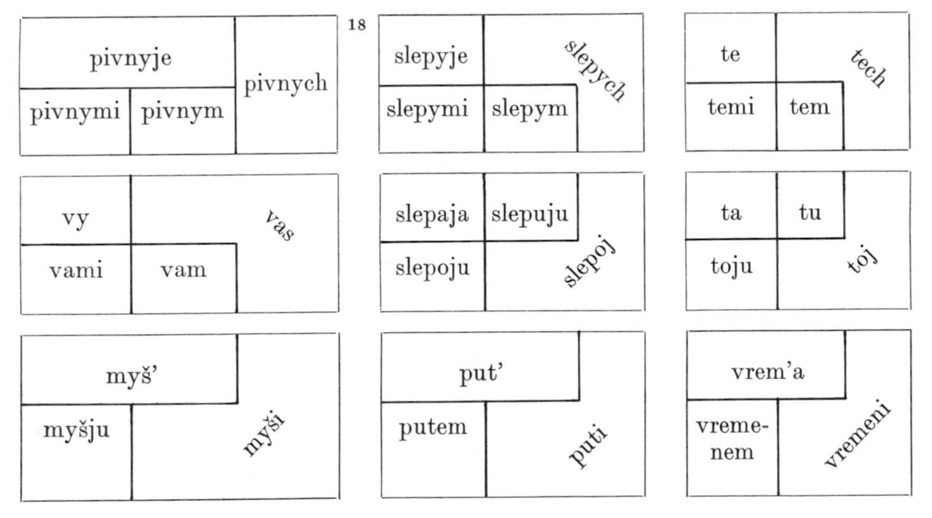

[17] In den nordgroßrussischen Mundarten kommt noch eine andersartige partielle Ausgleichung der Asymmetrie vor: die Bezugskorrelation wird im Plural-Paradigma aufgehoben.

ruki	ruk
rukam	rukach

[18] In den erwähnten nordgroßrussischen Mundarten wird in den entsprechenden Fällen eine symmetrische Lösung erreicht: kein Kasus kennzeichnet mehr als ein Korrelationsmerkmal.

Vollkasus	bol'šije	bol'šich	Umfangskasus
Randkasus	bol'šim		

Ebenso verteilten sich die Kasusformen des altrussischen Duals.

N-A	druga	drugu	G-L
I-D	drugoma		

Als Gegensätze, die in der russischen Deklination nicht auflösbar sind, behaupten sich die Gegensätze N–G, N–I, A–D. Die Verschmelzung der merkmalhaltigen Glieder aller drei Gegensätze findet in der volkstümlichen Deklination der Adjektiva und der meisten fem. Fürwörter statt, da in der Volksprache die Instrumentalendung *-oju* vollkommen durch *-oj* ersetzt ist. Alle Randkasus sind hier zusammengefallen und Stellungskorrelation sowie Umfangskorrelation sind ineinander aufgegangen.[19]

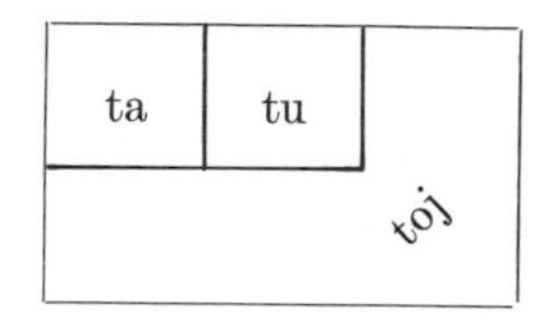

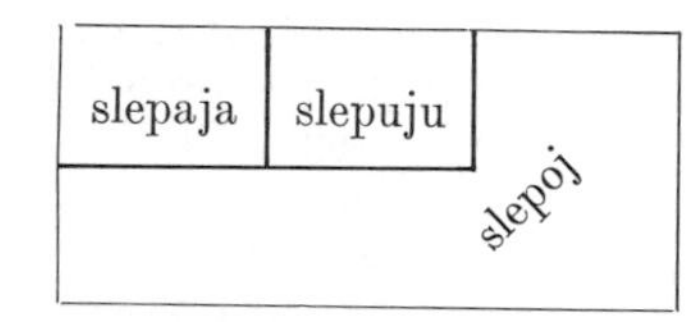

Die Verschmelzung der merkmalhaltigen Glieder einerseits und der merkmallosen Glieder aller drei erwähnten Gegensätze anderseits, bildet das einfachste von den russischen Paradigmen.

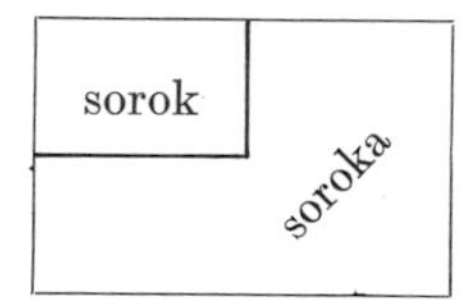

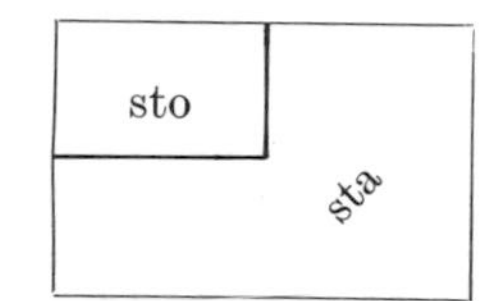

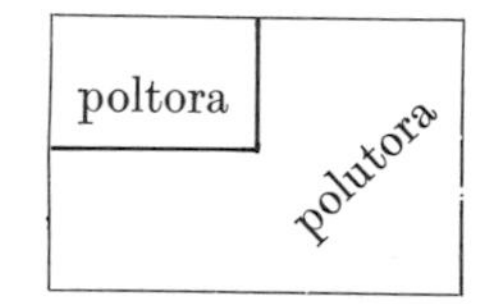

[19] Im Serbischen haben alle Randkasus des Plurals eine gemeinsame Form, während alle Unterschiede der Vollkasus beibehalten bleiben.

udari	udare	udara
udarima		

Im Čechischen gibt es im Gegenteil Plural-Paradigmata, die alle Unterschiede der Vollkasus abbauen, aber alle Unterschiede der Randkasus bestehen lassen.

znamení		
zname- ními	zname- ním	zname- ních

Diese Besonderheit eines čechischen Einzelparadigmas wiederholt sich beispielweise im Giljakischen als Eigenschaft des gesamten Kasussystems :

1. təf [Haus]		
2. təfkir	3. təftox	4. təvux

(1. " Absoluter Kasus ", der dem N, dem A und dem präpositionslosen G des Russischen entspricht ; 2. I ; 3. " aditiver Kasus ", der im Wesentlichen dem russischen D entspricht ; 4. " lokativisch-elativer Kasus, der dem L und dem präpositionalen G des Russischen entspricht.) Im Plural ist dasselbe Verhältnis, doch besteht hier die Tendenz, anstatt der Randkasus den absoluten Kasus zu gebrauchen (s. Jazyki i pis'mennost' narodov severa III, 197). Ein umgekehrtes Verhältnis zwischen den Deklinationen der beiden Numeri ist im čechischen Paradigma *paní* " Frau " zu beobachten : im Plural herrscht die oben angeführte Verteilung, während im Singular die Kasusunterschiede volkommen aufgehoben sind.

Für die scharfe Gegensätzlichkeit des N-s (bzw. des A-s, soweit er mit dem ersten zusammenfällt) gegenüber den Rand- und Umfangskasus zeugen neben den angeführten Paradigmen folgende Erscheinungen:

1. defektive Fürwörter und zwar einerseits isolierte Nominativformen *nekto* " jemand ", *nečto* " etwas ", anderseits nominativlose Fürwörter — die verneinenden *nekogo* [G], *nečego* [G] (*nekomu* [D], *nečemu* [D] usw.) und das reflexive *seb'a* [G–A], *sebe* [D], *soboju* [I], welches die Identität des unselbständigen Gegenstandes mit dem Hauptgegenstande kennzeichnet und hiermit keinen N besitzen kann (vgl. Polivanov 87);

2. suppletive Fürwörter, deren N ein anderes Wurzelmorphem hat als die übrigen Kasus: *ja* [N] " ich " — *men'a* [G–A], *my* [N] " wir " — *nas* [G–A], *on* [N] " er ", *jego* [G–A] usw.;

3. Substantiva, deren Nominalstamm sich vom Stamme der übrigen Kasusformen durch das Fehlen des " Verbindungmorphems " (s. Trubetzkoy 14) unterscheidet: *vrem'a* [N–A] " Zeit " — *vremeni* [G–D–L] usw.;

4. Substantiva, deren Betonung im N auf den Stamm, in den übrigen Kasus stets auf die Endung fällt: *gvózdi* [N–A] " Nägel " — *gvozdéj* [G], *gvozďóm* [D] usw.

In der vorliegenden Untersuchung habe ich mich absichtlich in den Grenzen einer rein synchronischen Beschreibung gehalten, obwohl die Fragen der Umwandlungen des russischen Kasussystems sich unwillkürlich aufdrängen: die Sprache lässt einzelne Kasusformen mit Hilfe der grammatischen Analogie zusammenfallen und leistet den durch verschiedene Triebkräfte entstandenen Homonymien der Kasusformen keinen Widerstand; oder sie verwendet im Gegenteil wirksam die Analogie, um alte Gegensätze aufrecht zu erhalten oder neue zu schaffen; am vollständigsten können die Grundtendenzen der russischen morphologischen Entwickelung durch folgerichtige Vergleichung einiger verwandten Systeme in Bewegung, ihrer Konvergenzen und Divergenzen, erläutert werden.

Steigen wir von der sprachlichen Synchronie zur vergleichend-historischen Kasuslehre empor oder versuchen wir das skizzierte Schema des modernen russischen Kasussystems und dasjenige des verbalen Baues in die zeitgemässe Untersuchung der Gesamtheit der russischen Redeteile und ihrer Wechselbeziehungen einzugliedern, oder suchen wir endlich nach den Grundsätzen einer Typologie der Kasussysteme, die trotz ihrer Vielheit so auffallende Übereinstimmungen in ihren Baugesetzen aufweisen, so bedarf auch alle diese Arbeit, um fruchtbar zu sein, einer sorgfältigen Unterscheidung der verschiedenen Grade der sprachlichen Teilganzen, insbesondere zweier Stufen, nämlich des Wortes und Wortgefüges. Es ist ein unbestreitbares und dauerndes Verdienst Brøndals, diesen grundsätzlichen Unterschied nachdrücklich hervorgehoben zu haben. Die simplistische Vorstellung, eine selbständige Bedeutung gehöre lediglich einer Einheit an, die eines selbständigen Gebrauches fähig ist, und beispielsweise die meisten Kasus, von der Wortumgebung abstrahiert, seien nichts als " toter Stoff ", hat mehrere morphologische Probleme entwertet und entstellt. Einige Fragen der Kasuslehre von dieser irreführenden Voraussetzung zu befreien wurde in dieser Studie versucht. Dem Problem des Bedeutens, welches schon auch in die Lautlehre rechtmässig eingedrungen ist, muß in der Formlehre ein gebührender Platz eingeräumt werden.

VERZEICHNIS DER ANGEFÜHRTEN LITERATUR

Atti del III Congresso internazionale dei linguisti, 1935. (M. Deutschbein, Bedeutung der Kasus im Indogermanischen 141 ff., Diskussion 145 f.) — V. Bogorodickij, Obščij kurs russkoj grammatiki (1935_5) M. Braun, Das Kollektivum und das Plurale tantum im Russischen (1930) — V. Brøndal, Morfologi og Syntax (1932) — V. Brøndal, Structure et variabilité des systèmes morphologiques (Scientia 1935, 109 ff.) — K. Bühler, Sprachtheorie (1934) — F. Buslajev, Opyt istoričeskoj grammatiki russkago jazyka, II : Sintaksis (1858) — B. Delbrück, Vergleichende Syntax der indogermanischen Sprachen, I (1893) — N. Durnovo, De la déclinaison en grand-russe littéraire moderne (RÉS II 235 ff.) — O. Funke, Innere Sprachform (1924) — N. Greč, Čtenija o russkom jazykě, II (1840) — E. Haertel, Untersuchungen über Kasusanwendungen in der Sprache Turgenevs (AfslPh XXXIV, 61 ff.) — L. Hjelmslev, La catégorie des cas, I (1935) — E. Husserl, Logische Untersuchungen, II (1913_2) — Charisteria G. Mathesio quinquagenario..., 1932 (R. Jakobson, Zur Struktur des russischen Verbums 74 ff.) — S. Kacnel'-son, K genezisu nominativnogo predloženija (1936) — S. Karcevskij, Système du verbe russe (1927) — S. Karcevskij, Du dualisme asymétrique du signe linguistique (Travaux du Cercle ling. I, 88 ff.) — A. Marty, Zur Sprachphilosophie. Die " logische ", " lokalistische " und andere Kasustheorien (1910) — F. Miklosich, Vergleichende Grammatik der slavischen Sprachen, IV (1883) — I. Nilov, Russkij padež (1930) — H. Pedersen, Neues und nachträgliches (KZ XL 129 ff.) — A. Peškovskij, Russkij sintaksis v naučnom osveščenii (1934^4) — E. Polivanov, Russkaja grammatika v sopostavlenii s uzbekskim jazykom (1934) — H. Pongs, Das Bild in der Dichtung (1927) — A. Potebn'a, Iz zapisok po russkoj grammatikě, I–II (1888_2) — A. Puchmayer, Lehrgebäude der Russischen Sprache (1820) — V. Skalička, Zur ungarischen Grammatik (1935) — M. Smotrickij, Grammatiki slavenskija pravilnoje sintagma (1618) — A. Šachmatov, Sintaksis russkogo jazyka, I (1925) — A. Šachmatov, Očerk sovremennogo russkogo literaturnogo jazyka (1925) — A. Thomson. Beiträge zur Kasuslehre (IF XXIV 293 ff., XXVIII 107 ff., XXIX 249 ff., XXX 65 ff.) — F. Trávníček, Studie o českém vidu slovesném (1923) — F. Trávníček, Neslovesné věty v češtině, II : Věty nominální (1931) — N. Trubetzkoy, Das morphonologische System der russischen Sprache (Travaux V/2) — C. Uhlenbeck, Zur casuslehre (CZ XXXIX, 600 ff.) — B. Unbegaun, La langue russe au XVIe siècle, I : La flexion des noms (1935) — F. Wüllner, Die Bedeutung der sprachlichen Casus und Modi (1827) — W. Wundt, Völkerpsychologie, II : Die Sprache (1922_4).

10 UBER DIE ERFORSCHUNG DES MENSCHENKUNDLICHEN WORTSCHATZES

Jost Trier

Der Wortschatz einer Sprache ist wie ein Haus. Es gibt Hausteile von großer Beharrsamkeit. Durch die Jahrtausende bleiben Stellen wie "fünf" oder "Vater" merkwürdig fest. Andere erregen Erstaunen durch ihre Wandlungen in der Zeit, durch ihre Verschiedenheiten im Raum. Das Begriffspaar "groß/klein" oder das Paar "rechts/links" gehören zu diesen wandelbaren Teilen des Wortschatzhauses. Sie sind unersättliche Verbraucher immer neuen Wortstoffes. Aber auch ein Bereich wie derjenige, der im Neuhochdeutschen mit den Worten *Kunst/Wissenschaft/Bildung* umrissen und aufgeschlossen wird, gehört zu den Hausteilen stärkster geschichtlicher Veränderung und damit zwischenvölkischer Verschiedenheit. Die zeitlichen Veränderungen und völkischen Verschiedenheiten sind jedoch von zweierlei streng zu trennenden, sehr verschiedengewichtigen Gattungen. Veränderungen wie sie sich in den Gegensatzgefügen "groß/klein" oder "rechts/links" abgespielt haben, ersetzen an einer Stelle des Hauses einen Stein durch einen anderen, einen Balken durch einen anderen, die Stellen selbst aber, ihre gegenseitige Lagerung und ihre Bedeutsamkeit für das Haus bleiben sich trotz aller stofflichen Neuerung gleich. Wenn der Übergang von *michel* zu *groß*, von *zese* zu *rechts* einmal vollzogen ist, dann ist alles wieder beim alten, die Sprache sagt nichts neues an diesen Stellen. Es ist für den Inhalt, den die Sprachen hier ihren Sprachgenossen bereitstellen, gleichgültig, ob es *dexter* und *sinister*, *droit* und *gauche* oder *rechts* und *links* heißt. Wäre es überall so, dann gäbe es längst eine künstliche Weltsprache. Betrachtet der Sprachforscher solche Art von Veränderungen, dann gilt seine Aufmerksamkeit dem Vorgang der Veränderung selbst; er fragt sich, wie es zu Wandlungen kommen kann, deren Ergebnis geistig alles beim alten läßt.

Solchen äußerlichen, nur die Steine und Balken ersetzenden, aber nicht die Lage der Stellen und damit die Gestalt des Baus verändernden Ereignissen stehn andere gegenüber, in denen nicht Steine an unangetastet bleibenden Stellen ersetzt, sondern in denen Teile des Gebäudes umgebaut werden. Solche Art von Ereignissen ist es, die sich im Bereich "Kunst/Wissenschaft/Bildung" abgespielt haben oder in dem Bereich, welcher neuhochdeutsch durch *weise*,

Reprinted from *Actes du IVème Congrès International des Linguistes*, pp. 92–97 (Copenhagen: Munksgaard, 1938), with the permission of the author.

klug, gescheit, begabt, intelligent, schlau, gerissen, listig, mittelhochdeutsch durch *wîse, witzec, sinnec, bescheiden, listec, kundec, karc* aufgeschlossen wird. Hier gibt es keinen Ersatz eines Steines durch einen anderen, hier gibt es keine Vorgänger und Nachfolger in dem Sinne, in dem *zese* der Vorgänger von *rechts, groß* der Nachfolger von *michel* ist. Hier wäre die Stelle nicht wiederzufinden, an der das neue Wort eingesetzt wurde, weil die Stelle im allgemeinen Umbau gar nicht das geblieben ist was sie war. Die Aufmerksamkeit des Sprachforschers gipfelt hier nicht in der Frage : warum sind alte Steine durch neue ersetzt, sondern in der Frage : wie unterscheidet sich das neue Baugefüge als Gefüge, d. h. geistig, von dem alten, welche neuen Sprachinhalte schließt die Sprache ihren Genossen auf ? In einem tiefer dringenden Sinne werden wir nur solche Bereiche als Bereiche der Veränderlichkeit ansprechen, in denen bauliche, d. h. geistige Veränderungen vor sich gehen, und " rechts/links " und " groß/klein " werden wir trotz ihres unersättlichen Verbrauchs von Wortstoff den — wenn auch nicht stofflich, so doch geistig — beharrsamen Bereichen zurechnen. Daß es ein Stück höheren menschenkundlichen Wortschatzes ist, an dem wir uns die Gattung der in einem bautümlichen und geistigen Sinne veränderlichen Wortschatzbereiche verdeutlichen, das ist kein Zufall. Daß alles Menschenkundliche in einem besonderen Sinne dem Bereich der Umbauten angehört, liegt in dem innigen Verhältnis begründet, das zwischen dem Menschenkundlichen und der Geschichte waltet. Überall da, wo wahrhaft Geschichte ist und nicht nur ein Ablauf von Geschehnissen in der Zeit, überall da handelt es sich um Änderungen im Selbstverständnis des Menschen.

Wie aber das Bild des Menschen aussieht, darüber kann das einzelne Wort nichts aussagen, sondern nur das gefügehafte Miteinandersein all der Worte, die den Bereich der Menschenkunde sprachlich aufbauen. Dieses Ganze ist nicht aus den Teilen zusammengesetzt, sondern die Teile ergliedern sich aus dem Ganzen und seinem gefügehaften Aufbau. Es war Saussures große Leistung, diesen Humboldtischen Gedanken von der durchgehenden Gegliedertheit alles Sprachlichen zu erneuen, ihn aus der Ebene des halb Dichterisch-Ahnungsvollen, auf der er bei Humboldt lebt, in die clarté und harte Begrifflichkeit seiner Sprache zu heben und unsre Aufmerksamkeit auf das inhaltschaffende Miteinandersein der Worte im Wortschatz zu lenken. Aber in einem, dem wichtigsten, dem eigentlich geschichtlichen Punkt können wir Saussure nicht folgen. Gepackt vom Kernrätsel der Sprache, daß sie nämlich in jedem Augenblick ein seiendes und Weltaufschluß leistendes Gefüge und dabei dennoch ständigem Wechsel unterworfen ist, hatte Saussure einen Ausweg gesucht, der ein Ausweg der Verzweiflung war. Ich meine jene harte Trennung des Seins vom Werden, die so weit geht, daß er zwei Arten von Sprachbetrachtung forderte. Am Wortschatz der Menschenkunde muß sich zeigen lassen, daß das gefügehafte Miteinandersein nicht nur zum ruhenden und leistenden Sein der sprachlichen Wagerechten gehört, während in der Senkrechten des Werdens alles nur an den Einzelworten sich vollziehe, sondern daß auch im Werden stets das Ganze als Ganzes, das Gefüge als solches im Flusse ist, und daß alles Geschehen am Einzelwort in der Senkrechten des Werdens nur einzelwortliche Erscheinungsweise eines auf das Gefüge als solches gerichteten umfassenden Umbaus ist.

Ich wähle den Wortschatz im Bereich der dem Menschen wesensmäßig mitgegebenen Geisteskräfte. Zu Beginn treffen wir unsre Sprache an, wie sie grade in mächtigen Umbildungsvorgängen ringt. Drei altererbte Worte finden wir, das indogermanische *witzi*, das urgermanische *list*, das deutsche *sin*, die unter sich und mit einigen gelehrten Neubildungen um eine innere Erneuerung des begriffsetzenden Gefüges im Sinnbereich der wesensmäßig dem Menschen zukommenden Geisteskräfte ringen. *list* steht außerhalb; wir brauchen es aber, weil wir sonst *witzi* nicht verstehen. *list* ist etwas, was man sich angeeignet hat, was man gelernt hat. Man ist einer Spur gefolgt und nun kennt man sich aus. *list* ist ein Haben und Gehabtes und zugleich das Tun, das aus dem Haben folgt. Es ist nicht selbst die Kraft, welche da hat. Es ist ein erworbenes Sichauskennen in drei bevorzugten Lebensgebieten: in Kampf und Krieg, im Umgang mit den übermenschlichen Gewalten und im Handwerk des Erzarbeiters. Wissen, wie man dem Feind begegnet, Wissen, wie man den Gott anspricht, Wissen, wie man das Erz zum Schwerte zwingt, das ist *list*.

Daß der Inhalt dieses urgermanischen *list* seit jener Zeit für die Schicksale von *witzi* mitbestimmend ist, das liegt daran, daß überhaupt erst in urgermanischer Zeit aus noch älteren Vorzuständen heraus die habende und wirkende Kraft sich begrifflich loslöst von dem Gehalt des Gehabten und Gewußten. Das Wort, welches kennzeichnend ist für das Noch-in-einanderhängen der habenden und wirkenden Kraft und der gehabten und gewußten Gehalte ist das aus indogermanischer Zeit ererbte *witzi*. *witzi* hat das mit *list* gemein, daß es auch Hinweise auf Gehabtes, auf Gehaltliches in sich enthält. *witzi*, besonders wenn es in der Mehrzahl gebraucht wird, heißt oft Einfall, Einfälle, Gedanken, auch solche, die von einem Menschen auf den andern übergehen können, also Lehren, Wissensinhalte, und steht dann *list* sehr nahe. Andrerseits aber ist *witzi* die innere Anlage, die dem Menschen mitgegebene natürliche Möglichkeit, daß er Einfälle und Gedanken haben kann. *witzi* ist ein Urwort des Verstandesbereiches und empfängt seinen Sinn aus einer Schicht des Denkens, in welcher die geistige Kraft sich vorzugsweise im Erlebnis des Einfällehabens sieht. *witzi* ist etwas wesentlich Mengenhaftes, etwas, in dem viel und vielerlei drin ist, in dem viel Nützliches griffbereit zur Hand liegt, wenn man es braucht. Wer so ausgestattet ist, kann von sich sagen, daß er *witzi* habe, und zwar sowohl in der Einzahl wie in der Mehrzahl. *witzi* meint den Verstand als einen Ort, in dem eine Menge von Einfällen und Gedanken und Wissensinhalten sich bisher verwirklicht hat und möglicherweise weiterhin verwirklichen wird, so zwar, daß dieser Ort von der versammelten Menge der geschehenen und möglichen Einfälle begrifflich nicht getrennt ist. Wenn nun in urgermanischer Zeit *list* heraufkommt mit seinem Hinzielen auf das Gehaltliche, auf das Gehabte, Gekonnte, Gewußte, mit seinem Absehen von dem Ort, an dem alles dies Gehaltliche sich vollzieht und versammelt, wie müssen sich dann *list* und *witzi* auseinandersetzen? Das ist die Frage.

Aber schon wenn ich die Frage so forme, wie ich das eben getan habe, mache ich grade jenen Fehler mit, den ich vermeiden wollte, nämlich den, den Raum der Auseinandersetzungen in der Wagerechten abzutrennen vom Raum des Werdens in der Senkrechten. Es ist nicht so, daß im Urgermanischen das Wort *list* aufkommt und sich nun, nachdem es einmal da ist, mit dem älteren *witzi* auf diese oder jene Art zu einem beruhigten Miteinander vergleicht, sondern es ist so, daß schon das Werden, schon die Bildung dieses urgermanischen *list* ganz unter dem Schatten des älteren *witzi* vor sich geht. Jeder Schritt dieses Werdens wird von dem schon vorhandenen Inhalt von *witzi* auf das Nachhaltigste beeinflußt, das Neue wird schon unter Einfluß des Alten. Aber auch das Alte bleibt nicht das was es war, es ändert sich gleichzeitig mit dem Aufstreben des Neuen. Nur darf das eine nicht als Folge des andern verstanden werden. Wir dürfen hier nicht in der Weise der Bedeutungsgeschichte vom einzelnen Wort ausgehen, dürfen uns auch nicht begnügen, den sogenannten Wirkungen nachzugehen, die das Geschehen am Einzelwort auf die Umgebung dieses einzelnen Wortes angeblich ausübt, sondern wir müssen uns klar machen, daß es sich hier um einen Gesamtvorgang im ganzen Felde handelt, und daß das, was am einzelnen Wort zu beobachten ist (gleichgültig ob es das alte oder das neue Wort ist), nur einzelwortliche Erscheinungsweise eines umfassenden Umgliederungsvorganges ist. Was ich vom einzelnen Worte her, insbesondere von der Bedeutungsgeschichte des einzelnen Wortes her zu sehen bekomme, ist nur ein Spiegelbild und Schattenspiel der sprachgeschichtlichen Wirklichkeit. Diese Wirklichkeit besteht darin, daß die Gehaltsbestandteile von *witzi* sich nach *list* hin verschieben, daß *witzi* sich künftig mehr und mehr auf den Ort des Habens und auf die Kraft, die dort wirkt, einschränkt, und daß diese Kraft und dieser Ort damit zuerst als etwas besonderes und eigenes bemerkt werden. Dieser wirklich geschichtliche, weil inhaltliche Umbau am Haus des Wortschatzes folgt aus dem rein geistigen in urgermanischer Zeit sich herausbildenden Bedürfnis, zwischen dem Ort und der Kraft auf der einen, den Gehalten auf der anderen Seite zu scheiden. *witzi* spaltet sich gleichsam auf und entläßt in der Neubildung *list* einen Teil seiner bisherigen Inhaltsbestände aus sich. Nach vollzogener Änderung stellt die Sprache ihren Genossen neue Inhalte bereit. Das ist etwas ganz anderes als der Ersatz von *michel* durch *groß* oder dergleichen. Die Aufmerksamkeit des Sprachforschers ist auf den neuen Zustand in seiner geistigen Unterschiedlichkeit gegenüber dem alten Zustand gerichtet, nicht nur auf die Änderung als Vorgang. Solche Ereignisse müssen wir aus dem nicht wägenden und nicht wertenden Sammelbegriff der "Sprachgeschichte" als etwas besonderes, nämlich als das eigentlich Geschichtliche sondernd herausnehmen und eigenen Betrachtungswegen zuführen.

Vom urgermanischen unterscheidet sich das deutsche Gefüge dadurch, daß außer *witzi* und *list* nun auch *sin* da ist. Im Schwerpunkt von *sin* ruht der Gedanke der gerichteten Aufmerksamkeit. In *sin* ist stets ein Wollen und Zielen lebendig. Es lebt eine Kraft der Hervorbringung in ihm, die weder bei *list* noch bei *witzi* anzutreffen war. In *sin* steckt nichts von dem Mengenmäßigen, das in *witzi* so vordringlich war, *sin* ist auch kein behälterartiger Ort, in welchem sich die Mengen der Einfälle und Gedanken verwirklichen, es meint auch nicht die Ansammlung der Gehalte, sondern es ist die Kraft selbst, die in ihrer aus der Tiefe kommenden Spannung alles Gehaltliche erst ermöglicht. Und auch hier steht schon der Akt der Schöpfung des neuen Wortes ganz im Schatten der beiden alten Worte *list* und *witzi*, wie umgekehrt *witzi* schon bei der Entstehung von *sin* sich inhaltlich ändert, nicht als Folge und Wirkung, sondern als Teil des Gesamtvorgangs, von dem die Entstehung von *sin* ihrerseits nur ein Stück ist. Daß das neue Wort entsteht, folgt einem geistigen Bedürfnis zum Um- und Neubau des ganzen Gefüges, und was sich in der Entstehung von *sin* und in der Inhaltsänderung von *witzi* vollzieht, sind wiederum einzelwortliche

Erscheinungsweisen des umfassenden Umgliederungsvorgangs. Wie im Mitdasein von *list* das Orthafte, das Behälterhafte von *witzi* sich verselbständigte gegenüber dem Gehaltlichen der Einfälle, Gedanken und Wissensbestände, die sich an diesem Orte abspielen und vorfinden, so wird nun in der Entstehung von *sin* die Kraft begrifflich verselbständigt, die an jenem *witzi*- Orte wirksam war. *witzi* ist künftig der Ort des Habens, und *sin* ist die Spannkraft, die an diesem Orte wirkt.

So überlappen sich die drei und streben doch zu andern Teilen auseinander. In der Überlappungsstelle von *sin* und *witzi* liegt das, was für die ganze zukünftige Geschichte dieses sprachlichen Feldes das wichtigste ist, nämlich jenes etwas, das, wenn man es mit *sin* zu fassen suchte, sich als strebend gespannte Kraft, wenn man es mit *witzi* benannte, als Stätte mengenhaft gehabter Gedanken und erst insofern als Möglichkeit, solche zu haben, darbot. Es ist dies die Stelle, auf welche nun in frühdeutscher Zeit die erste Berührung mit den hochentwickelten lateinischen Wörtern *ratio* und *intellectus* einwirkt. Freilich, mit keinem der beiden einzelnen Wörter *witzi* oder *sin* war das ganz zu fassen, was im *ratio*-Begriff des Lateinischen lebendig war. Aber wegen der beschriebenen gegenseitigen Lagerung mußte das gefügehafte Bestehen einer *ratio*-verwandten Stelle im Wortschatz den Sprachgenossen deutlich sein. Und man hatte auch ein Mittel, diese Stelle in ihrer eingegrenzten Besonderheit zu benennen, nämlich die Kopplung *sin enti witzi*. Diese Kopplung ist zwar erst später bezeugt, in ihrer tiefen Volkstümlichkeit aber dürfen wir sie als alt voraussetzen. Sie meint nicht eine Häufung der beiderseitigen Gesamtinhalte von *sin* und *witzi* auch außerhalb der Überlappungsstelle, sondern sie zielt auf jene den beiden Wörtern gemeinsame Stelle. *sin enti witzi* — das bezeichnete die schaffende Mitte der geistigen Kräfte, den Ausstrahlungsherd alles Vernünftigen und Geistigen. Wenn man die Kopplung brauchte, dann konnte und wollte man absehen von der richtungshaften Besonderheit und von den sinnlichen Beständen in *sin* und von der behälterartigen Besonderheit und dem orthaften Wesen von *witzi* und eben das nennen, was diesseits des Auseinandergehens beiden gemeinsam ist. So ist die Einwirkung der lateinischen *ratio* vorbereitet, die seit karlingischer Klosterzeit die Überlappungsstelle von *sin* und *witzi* mit ihren Inhalten auffüllt. Es geschicht nun zum ersten Mal, daß Nachbildungen fremder Wörter und ein ganz unter dem Einfluß von *ratio* stehendes Wort in unserm Bereich Eingang finden, *firstantnissi*, *fernumest*, *reda*. Sie zielen scharf auf die Überlappungsstelle von *witzi* und *sin*, meinen diese aber schon mit den neuen Füllungen, die sie von der lateinischen *ratio* her empfangen hat, und sie bringen gegenüber dem bisherigen Zustand den Vorteil, daß man jene Stelle nicht mehr mit einer Kopplung benennen muß, sondern nun eigene einheitliche Wörter zur Verfügung hat; freilich in den verschiedenen Klöstern und Übersetzungswerkstätten verschiedene Wörter. Daß es drei sind, bedeutet keinen inneren Reichtum, sondern auf lange hinaus mehr eine Verwirrung. Sie dringen auch nicht durch alle Schichten der Sprache. Jahrhundertelang sind sie auf das gelehrte Schrifttum beschränkt, derart, daß man etwa im 12. Jahrhundert *vernunst*-Texte und *witze*-Texte zu unterscheiden hat. Alle weltliche Dichtung kommt bis in das späte Mittelalter ohne die neuen Wörter aus, bis dann im Übergang zur Neuzeit geistliche und weltliche Ströme ineinanderfließen und ganz neue Gefügegliederungen entstehen. Dem kann ich hier nicht mehr nachgehen, insbesondere muß ich die sehr fesselnde Frage, wann zuerst *Verstand* und *Vernunft* wirklich gefügebildend zueinandertreten, an dieser Stelle unbeantwortet lassen.

Auch in allen anderen Stücken habe ich nur Andeutungen geben können. Was ich habe zeigen wollen, ist kurz dies: Es gibt eine Rangordnung der Ereignisse am Wortschatz. Nur diejenigen Veränderungen haben Anspruch auf den Rang des wahrhaft Geschichtlichen, in denen den Sprachgenossen neue Wirklichkeitsbestände, andere Gliederungen des Seins sichtbar gemacht werden, mit denen und unter deren bestimmender Macht sie leben dürfen und leben müssen, bis neue Geschehnisse gleichen Ranges ihnen neue Bilder des Seins eröffnen. Solche Ereignisse haben ihr Wesen in der Umgliederung des begriffschaffenden Wortschatzgefüges. Die Geschehnisse im Wortschatz der Menschenkunde gehören in diesen Rang. Was hier geschieht ist einmalig und nicht in jedem Zeitpunkt möglich, d. h. es ist geschichtlich, und zwar deshalb, weil es geistigen und nicht allzeit möglichen seelischen Antrieben entstammt. Solche Geschehnisse sind nicht von der Bezeichnungsgeschichte und nicht von der Bedeutungsgeschichte her zu fassen. Von der Bezeichnungsgeschichte nicht, weil das, was hier bezeichnet wird, selbst gar nicht gleich bleibt; und von der Bedeutungsgeschichte nicht, weil diese nicht die Wirklichkeit des sprachlichen Geschehens am Gefüge zu Gesicht bekommt, sondern nur sein Schattenspiel am einzelnen Wort abzulesen versucht. So muß auch eine geschichtliche Betrachtung sich auf das Feld als ganzes richten (s. Neue Jahrbücher für Wissenschaft und Jugendbildung 10, 1934, 428–449).

11 GEDANKEN ÜBER DIE SLOVAKISCHE DEKLINATION

N. S. Trubetzkoy

Der bahnbrechende Aufsatz R. Jakobsons " Beitrag zur allgemeinen Kasuslehre " (Travaux du Cercle linguistique de Prague VI, 240–288) eröffnet eine neue Ära in der Erforschung der Deklinationssysteme. Es ist das erste Beispiel einer wirklich ganzheitlichen Betrachtung eines konkreten Kasussystems. Jeder Sprachforscher, der die Unzulänglichkeit der atomistischen Grammatik einsieht und sich zu einer strukturellen Formenlehre aufschwingen will, muss bei der Erforschung der Deklination R. Jakobsons Problemstellung und die von ihm verwendete Methode annehmen. Nur auf diesem Wege wird eine Klärung nicht nur der synchronischen, sondern auch der diachronischen Verhältnisse auf dem Gebiet der Deklination möglich.

Ausser seiner Bedeutung für die allgemeine Sprachwissenschaft bietet R. Jakobsons Aufsatz auch für die Slavisten ein bedeutendes Interesse. Er bedeutet die Befreiung der Slavistik von gewissen Vorurteilen, deren Ursprung nicht im slavischen Sprachmaterial, sondern im grammatischen Denken nichtslavischer Völker Europas und in den Traditionen des Klassizismus liegt. In R. Jakobsons Aufsatz ist zum ersten Male der Versuch unternommen worden, das Kasussystem einer slavischen Sprache (namentlich des Russischen) unvoreingenommen von innen heraus zu betrachten, ohne sich an die auf dem Gebiete nichtslavischer Sprachen geschaffenen grammatischen Kategorien zu halten. Nur wenn dieses Beispiel auf dem Gebiete aller anderen slavischen Sprachen und Dialekte nachgeahmt wird, kann eine vergleichende Deklinationslehre der slavischen Sprachen geschaffen werden.

Eine solche auf strukturalistischem Prinzip begründete vergleichende Deklinationslehre der slavischen Sprachen würde sich von der alten atomistischen Deklinationslehre — wie sie etwa von F. Miklosich oder von V. Vondrák in ihren Handbüchern der vergleichenden Grammatik geboten wurde — sehr stark unterscheiden. An ihrer Daseinsberechtigung wird aber kaum jemand zweifeln können, der die moderne Entwicklung der Sprachwissenschaft verfolgt.

Nun gehört es zum Wesen der strukturalistischen Sprachbetrachtung, dass sie sich nicht mit der Einschränkung auf genetische Sprachgruppen begnügen kann. Gerade R. Jakobson war es, der in einer Reihe von Arbeiten diesen

Reprinted from *Sbornik Matice slovenské* 15 (1937) : 39–47, with the permission, granted on behalf of Matica slovenská of Martin, Czechoslovakia, of the Czech Theatrical and Literary Agency.

Gedanken besonders betonte und erfolgreich entwickelte (vgl. R. Jakobson, "Über die phonologischen Sprachbünde", Travaux CLP. IV, 234 ff.; P. Якобсон, К характеристике евразийского языкового союза, Paris, 1931, und besonders seinen Vortrag auf dem IV-ten Internationalen Sprachforscherkongress in Kopenhagen, 1936). Freilich sprach R. Jakobson in diesen Arbeiten nur über die phonologischen Erscheinungen. Dass aber die morphologischen Erscheinungen die Tendenz aufweisen, sich auf weite geographische Gebiete zu verbreiten und mehrere räumlich benachbarte Sprachen oder Dialekte ohne Rücksicht auf ihre genetische Verwandtschaft zu umfassen, ist eine wohlbekannte Tatsache, die bereits für viele Sprachforscher zum Ausgangspunkt fruchtbarer Untersuchung wurde. Die typologische Sprachvergleichung ist ja bisher gerade auf dem Gebiete der Morphologie betrieben worden, und bei der Besprechung des Buches von R. Jakobson К характеристике евразийского языкового союза bemerkte A. Meillet: "le type de faits que décrit M. Jakobson mérite d'être examiné de près. Il sera intéressant notamment de voir en quelle mesure des concordances d'ordre *morphologique* confirmeront la théorie" (Bull. d. la S. L. d. P. XXXII, No. 97, p. 7).

Das Problem der slavischen Deklination gehört gerade zu jenen, wo die genetische und die typologische Sprachvergleichung miteinander verbunden werden müssen und wo die diachronische Betrachtung mit der geographischen parallel gehen muss. Von allen lebenden indogermanischen Sprachen besitzen die baltisch-slavischen Sprachen die reichhaltigsten Deklinationssysteme.[1] Erwägt man dabei die geographische Lage dieser Sprachen, so bemerkt man, dass die Reichhaltigkeit ihrer Deklinationssysteme nicht isoliert dasteht. Reichhaltige Deklinationssysteme weisen ja auch die finnischen Sprachen auf, die sich mit den baltisch-slavischen geographisch berühren. Etwas ärmer als in den finnisch-ugrischen, aber immerhin ziemlich reichhaltig sind die Deklinationssysteme der samojedischen, tungusisch-mandschurischen, mongolischen und türkischen Sprachen, deren Gebiete sich an die der finnisch-ugrischen und slavischen Sprachen anschliessen. Im nordöstlichen Teil des Kaukasus berühren sich die türkischen Sprachen mit den ostkaukasischen, die sich durch ganz ausserordentlich reiche Deklinationssysteme auszeichnen. Es ist bezeichnend, dass auch das Ossetische, das im zentralen Kaukasus gesprochen wird, genetisch aber nicht zu den autochtonen kaukasischen Sprachen, sondern zu den iranischen gehört, sich von den übrigen neuiranischen Sprachen durch ein reich ausgebildetes Deklinationssystem auszeichnet. Der westliche, dem Schwarzen Meere zugewandte Teil des Kaukasus ist jedoch an Deklinationsformen arm: die drei sogenannten westkaukasischen Sprachen besitzen eigentlich keine Deklination im wahren Sinne des Wortes. Auch in Transkaukasien sind die Deklinationssysteme nicht reichhaltig. Das Armenische steht in dieser Hinsicht ungefähr auf derselben Stufe wie das Schriftdeutsche. Die neugeorgische Umgangssprache ist in dieser Hinsicht etwas reicher, jedoch ist auch da die Zahl der Kasusunterschiede bei weitem nicht so gross, wie in den ostkaukasischen Sprachen, und die Kasussyntax weist einige deutliche Verfallserscheinungen auf. Weiter südlich von den türkischen und kaukasischen Sprachen liegen die semitischen und iranischen Sprachen ohne Deklination oder nur mit

[1] Gemeint ist dabei (ebenso wie in allen folgenden Ausführungen) nur die flexivische, nicht die analytische Deklination.

spärlichen Ansätzen einer Deklination, und nur auf dem Boden Indiens tauchen wieder etwas reichere Deklinationssysteme auf, die aber an Reichhaltigkeit nicht einmal das Niveau der slavischen Sprachen erreichen. Im östlichen Teile Asiens sind die von Süden unmittelbar an mongolische und mandschurische Sprachen angrenzenden tibetobirmanischen Sprachen und vor allem das Chinesische deklinationslos. Dagegen stellt sich das Japanische mit seinen 10 Kasus typologisch zu den deklinationsreichen uralaltaischen Sprachen. Das selbe darf auch von den " paläoasiatischen " Sprachen gesagt werden, — vom Tschuktschischen (7 Kasus), Koriakischen (7 Kasus), Kamtschadalischen (6 Kasus), Jukagirischen (9 Kasus) und Kettischen oder Jenissej-Ostjakischen (6 Kasus), — die sich geographisch mit den uralaltaischen Sprachen berühren. Und nur das Giljakische weist mit seinen 4 (bzw. 5) Kasus ein etwas ärmlicheres Deklinationssystem auf. Was die Sprachen betrifft, die westlich von den slavisch-baltischen liegen, so weisen sie alle entweder gar keine Deklination (wie die romanischen) oder nur spärliche Reste einer Deklination (wie die germanischen, keltischen, das Albanische und das Neugriechische) auf.

Es gibt also in der Alten Welt ein bestimmtes " Kernland der Deklination ", das — schematisch ausgedrückt — die " Randstaaten " (Finnland, Estland, Lettland, Litauen), Polen, Tschechoslovakei, Ungarn, Jugoslavien, die Türkei, die ganze Sovjetunion die Mongolei und Japan umfasst. Westlich und südlich von diesem Kernlande ist die Deklination entweder ganz unbekannt oder im Schwinden begriffen.

Vom Standpunkte dieses allgemeinen geographischen Schemas betrachtet, werden die Schicksale der Deklination in den einzelnen slavischen Sprachen begreiflich.

An der südlichen Peripherie der slavischen Welt hat das Bulgarische die Deklination der Nomina ganz verloren und bei den Personalpronomina nur spärliche Reste davon bewahrt.

Im Serbokroatischen (namentlich in der Schriftsprache) ist die Zahl der Kasus vermindert worden : im Singular ist der Gegensatz zwischen Dativ und Lokativ ganz aufgehoben (die Betonungsunterschiede, die bei einigen Substantiven mit einsilbigem Stamme auftreten, werden wohl nicht mehr als Ausdrücke von Kasusunterschieden gewertet) ; [2] im Plural sind alle " Randkasus " (Dativ, Lokativ und Instrumental) zusammengefallen. Freilich, gibt es noch archaische Dialekte, wo die Kasusunterschiede etwas besser bewahrt sind. Andererseits gibt es auch andere Dialekte (und darunter so wichtige, wie die Mundart der Stadt Belgrad ; vgl. M. M. Московљевић im Зборник... А. Белићу, 1921, S. 136 f.), wo die Deklination sich im starken Zerfallszustand befindet. Der Gebrauch der Verbindungen der Kasus mit Präpositionen wird auf Kosten des Gebrauchs selbstständiger Kasusformen erweitert, und dies trägt zur Verblassung der Gesammtbedeutung der einzelnen Kasusformen bei.

Das Slovenische bietet auch ein Bild des Verfalls der Deklination, trotz dem archaischen Gepräge der Schriftsprache. In der *a*-Deklination ist der A. Sg. mit dem I. Sg., bei den Maskulina der *o*-Deklination ist der N. Pl. mit dem

[2] Praktisch kommt ja der Lokativ nur in Verbindung mit Präpositionen vor. Der Akzentwechsel in Fällen wie *rògu — na rògu* oder *vȍdi — u vȍdi* wird daher dem Einflusse der Präposition zugeschrieben (ebenso wie etwa in *vȍdu — ù vodu*).

I. Pl. zusammengefallen ; der D. Sg. ist in allen Deklinationen mit dem L. Sg. indentisch. Allerdings werden in gevissen Dialekten alle diese Kasus noch durch verschiedene Betonungsarten unterschieden. Dies ist aber nirgends konsequent durchgeführt. In den Dialekten (besonders in jenen, welche die Betonung der offenen Endsilben nicht zulassen) hat die Reduzierung und qualitative Veränderung der unbetonten Endungssilben noch stärkere Verwechselungen einzelner Kasusformen bewirkt. Die Präpositionalverbindungen greifen immer stärker um sich. Hinzu kommen noch verschiedene syntaktische oder idiomatische Germanismen, bzw. Italianismen mit ganz " unslavischer " Kasusverwendung.

Ebenso, und vielleicht sogar noch mehr vorgeschritten ist der Verfall der Deklination im Tschechischen. Bald fallen alle Vollkasus des Sg. zusammen (*pole*), bald der G. Sg. mit dem N. Sg. (*duše*) ; der A. Sg. fällt im Typus *duše* mit dem D. Sg. zusammen, so dass der Gegensatz zwischen Vollkasus und entsprechendem Randkasus aufgehoben ist ; der Zusammenfall des A. Sg. mit dem I. Sg. im Typus *dobrá* zeugt ebenfalls von einer Schwächung der " Stellungskorrelation ". Der Zusammenfall der Kasus des Sg. geht so weit, dass einige Deklinationsklassen (*paní, znamení, peší* Fem.) nur eine Form für alle Kasus im Sg. besitzen. Die Individualität der einzelnen Endungen ist stark beeinträchtigt. So kann die Endung *-e* je nach der Deklinationsklasse alle Kasus des Sg. mit Ausnahme des I. bezeichnen (N. *duše, moře*, G. *meče, moře, duše*, D. *kose*, A. *oráče, moře*, L. *hradě, městě, kose*, V. *bratře, moře, duše*), die Endung *-i* — alle ausser dem I. und dem N. (G. *kosy*, D. und L. *meči, moři, duši*, A. *duši*). Alle diese Verhältnisse sind durch die Wirkung der tschechischen Lautgesetze hervorgerufen. Es ist aber kennzeichnend, dass die Sprache dies ohne weiteres hingenommen hat, ohne die Störungen des Systems durch irgend welche Analogiebildungen zu verhindern. So entstand die paradoxale Lage, dass die Kasus im Pl. besser als im Sg. unterschieden werden, was wohl nur bei einem sehr geschwächten " Kasussinn " möglich ist. Dieselbe Schwächung des Kasussinnes ergibt sich auch aus der Betrachtung des Kasusgebrauches, besonders wenn man das Tschechische in dieser Hinsicht mit dem Russischen vergleicht : der Gebrauch der Kasus (besonders in den böhmischen Volksmundarten) ist viel weniger nuanciert, und die funktionelle Belastung der selbständigen Kasusgegensätze viel schwächer.

Endlich darf der Verfall des Kasussinnes auch im Sorbischen festgestellt werden, — was aber beim starken deutschen Einflusse auf die sorbische Syntax nicht weiter auffällt.

Gut bewahrt ist das slavische Deklinationssystem im Polnischen, trotz einiger auffallender Kasusverwechselungen,[3] im Weissrussischen und im Ukrainischen. Jedoch haben sich diese Sprachen nur mit der Bewahrung der alten Kasusunterschiede begnügt. Und nur das Russische (Grossrussische) weist nicht nur die Bewahrung, sondern noch eine Bereicherung des alten Systems der Kasusunterschiede durch zwei neue Kasus (G. II. und L. II. — die " Gestaltungskorrelation ") auf. Vom Standpunkte des obenerwähnten geographischen Schemas ist dies vollkommen eindeutig. Von allen slavischen

[3] Den Regeln, die R. Jakobson (Travaux CLP. VI, S. 286) für das Russische angibt, widersprechen im Polnischen der Zusammenfall des I. Sg. mit dem A. Sg. in Fällen wie *dobrą, panią* und der Zusammenfall des G. Pl. mit dem N. Pl. in Fällen wie *rzeczy, pieśni*.

Sprachen weist das Russische, das gerade für das Zentrum des " Deklinationskernlandes der Alten Welt " die vorherrschende Sprache ist, das reichhaltigste Deklinationssystem auf.[4] Die sich unmittelbar daran anschliessenden slavischen Sprachen (Ukrainisch, Weissrussisch und z. T. Polnisch) bieten etwas ärmere, aber dennoch ganz lebensfähige Deklinationssysteme, während in den weiter, an der westlichen und südwestlichen Peripherie des " Deklinationskernlandes " liegenden Slavinen (Sorbisch, Tschechisch, Slovenisch, Serbokroatisch) ein beginnender Verfall der Deklination sich geltend macht, und das zum balkanischen Sprachbund gehörende Bulgarische die Deklination bereits vollkommen verloren hat.

Von diesem Standpunkte aus muss auch das Deklinationssystem des Slovakischen beleuchtet werden. Im Gegensatz zum Tschechischen, liegt das Slovakische nicht an der Peripherie des Deklinationskernlandes. Geographisch grenzt es einerseits an das Polnische und das Ukrainische, welche die alten slavischen Kasusunterschiede treu bewahren, andererseits an das Ungarische, das ein besonders reichhaltiges Deklinationssystem aufweist. Allerdings geht das Ungarische in dieser Hinsicht so weit, dass, nach einem treffenden Ausdruck B. Collinders (Nyelvtudományi Közlemények L, 1936, S. 58), es nicht leicht ist genau anzugeben, wie viele Kasus es im Ungarischen gibt, wobei die meisten Kasus ungarische Neubildungen sind. Diese Übertreibung des Deklinationsprinzips darf wohl als eine Ausartung betrachtet werden und durch die periphere Stellung des Ungarischen erklärt werden (ebenso wie etwa in den Sprachen des Daghestans). Immerhin ist es wichtig, dass sich diese Ausartung nicht in der Verminderung, sondern in der Vermehrung der Kasusunterschiede äussert. Somit befindet sich das Slovakische zwischen drei Sprachen mit ganz lebendigem Kasussinn. Und dadurch erklärt sich wohl die Tatsache, dass sich die Deklination im Slovakischen viel besser als im Tschechischen erhalten hat.

Es wäre jedenfalls unrichtig die bessere Erhaltung der Deklination im Slovakischen nur dadurch erklären zu wollen, dass jene Lautveränderungen, die im Tschechischen die alten Kasusverhältnisse getrübt haben, keinen Zugang zu den Slovaken gefunden haben. Denn bei einer solchen mechanistischen Erklärung erheben sich die Fragen, *warum* die genannten Lautveränderungen nicht zu den Slovaken einzudringen vermochten, warum das Tschechische sich gegen diese Lautveränderungen nicht gewehrt hat und ihre Auswirkung in der Deklination nicht auf dem Wege der Analogie beseitigt hat, und endlich, warum die ziemlich zahlreichen spezifisch slovakischen Lautveränderungen alle so beschaffen waren, dass die Kasusunterscheidung dadurch nicht gefährdet worden ist. Alle Veränderungen, die eine Sprache erlebt, sind der Ausdruck bestimmter Entwicklungstendenzen. Die Sprache ist in jedem Moment ihrer Entwicklung ein zusammenhängendes organisches System, wo die lautliche Seite mit der begrifflichen aufs engste verbunden ist. Wenn eine Lautveränderung einen Teil des Formsystems zerstört oder trübt, so ist es ein Beweis dafür, dass die Sprache keinen grossen Wert auf die Erhaltung dieses Teiles ihres

[4] Dass das Russische den Vokativ verloren hat, widerspricht unserer Auffassung nicht. Der Vokativ ist ja kein eigentlicher Kasus. Man ersieht es schon daraus, dass er in einer Sprache, wie das Bulgarische, wo die Nominaldeklination zugrunde gegangen ist, weiter bestehen bleibt, und andererseits den besonders kasusreichen finnischugrischen und ostkaukasischen Sprachen unbekannt ist. Übrigens, haben sich die meisten grossrussischen Mundarten einen neuen Vokativ geschaffen (vgl. S. Obnorskij, Z. f. sl. Ph. I, 102 ff.).

Formsystems legt. Und, andererseits, wenn im Laufe einer langen Sprachentwicklung kein einziges Lautgesetz auftaucht, welches einen bestimmten Teil des Formsystems gefährdet — so beweist dies, dass die Sprache an der ungetrübten Erhaltung des betreffenden Teils ihres Formsystems besonders stark interessiert ist. Vereinigt man diese Grundsätze der ganzheitlich-funktionellen Auffassung der Sprachentwicklung mit der Feststellung, dass die Entwicklungstendenzen der Sprachen nicht nur mit der genetischen Verwandtschaft, sondern auch mit der geographischen Sprachnachbarschaft verbunden sind, — so gelangt man notwendig zu der obenerwähnten Auffassung des Unterschieds zwischen Tschechisch und Slovakisch auf dem Gebiete der Deklination.[5]

Das Verhältnis zwischen der tschechischen und der slovakischen Behandlung der Deklinationsformen kann gut am Beispiel des I. Sg. Fem. illustriert werden. Während im Tschechischen die heutigen Endungen dieses Kasus in allen Dialekten auf ein älteres *-ú* zurückgehen, das tatsächlich im Alttschechischen als die alleinherrschende Endung belegt ist, bieten die zentralslovakischen Dialekte die Endung *-ou* (bezw. daraus entstandene *-ó* und *-uof*), die nicht aus *-ú* erklärt werden kann.

Fr. Trávníček (Hist. mluv. čsl. 66 f.) meint, dass die Lautverbindung **-oję* zur Zeit der allgemeinen Kontraktion der durch *j* getrennten Vokale unkontrahiert geblieben war. In Fällen wie alttsch. *poju, stoju, boju sě,* A. Sg. *moju* usw. soll die unkontrahierte Form bis in die historische Zeit bewahrt geblieben sein. Das neben *moju* auftretende *mú* und die I. wie *tebú, rybú* usw. (woraus neutsch. *mou, tebou, rybou* usw.) seien die Ergebnisse einer späteren, sekundären Kontraktion, und das zentralslovakische *-ou* im I. Sg. sei aus älterem **-oju* durch Schwund des *j* entstanden. Fr. Trávníček beruft sich auf die im Alttschech. mehrfach belegte Verbindung *mezi toju,* wo *toju* nur lautgesetzlich sein kann, da es durch keine Analogiebildung erklärt werden kann (sonst heisst ja der I. Sg. von *ta* im Alttschech. immer nur *tú*). Diese Form berechtigt aber eigentlich nur zur Annahme, dass das alte **-oju* (bzw. **-oję*) unter dem Akzente (d. i. da, wo das *o* dieser Verbindung zur ersten Wortsilbe gehörte) unkontrahiert bleiben durfte, und dasselbe wird auch durch *poju, stoju, moju* usw. bezeugt (obgleich diese Formen bei weitem nicht so beweiskräftig wie *mezi toju* sind). Für unkontrahiertes **oju* in unakzentuierter Stellung fehlen dagegen einwandfreie Belege, und es ist möglich, dass in dieser Stellung die Kontraktion von Anfang an regelmässig eintrat : alttschech. *tú, mú* usw. wären dann ursprünglich nur in unbetonter Stellung (d. i. im proklitischen Gebrauch) entstanden.

Was das Slovakische betrifft, so ist das heutige zentralslovakische *ou* selbstverständlich aus **oju* durch Schwund des *j* entstanden, es ist aber fraglich, ob dies die einzige lautgesetzliche Behandlung der Verbindung **oju* ist. Die in einigen zentralslovakischen Dialekten auftretende Form G. — L. *dvúch, obúch* kann nur durch die Annahme eines lautgesetzlichen Wandels von **oju* zu *ú* erklärt werden (dass es sich in diesem Falle um ein urslav. **u* und nicht um urslv. **ǫ* handelt ist unwesentlich, da beide urslav. Vokale im Slovakischen sonst ganz gleich behandelt werden). Somit muss im Slovakischen ebenso wie

[5] Dabei muss aber betont werden, dass ein schroffer Gegensatz in dieser Hinsicht nur zwischen dem Böhmischen einerseits und dem Zentralslovakischen andererseits besteht. Die mährischen Mundarten des Tschechischen haben durch Analogiebildungen die wichtigsten Kasusunterschiede gerettet (namentlich die Gegensätze N. — G. und A. — D.).

im Tschechischen von altersher die kontrahierte Gestalt des alten **oju* neben der unkontrahierten bestanden haben. Der Grundsatz, nach welchem sich beide Dubletten ursprünglich verteilten, lässt sich heute nicht mehr mit Sicherheit ermitteln, da in den einzelnen Kategorien Ausgleiche und Verallgemeinerungen stattgefunden haben. Es ist aber interessant, die Richtungen, in denen diese Ausgleiche vorgenommen worden sind, speziell im Fale des I. Sg. Fem. in Evidenz zu bringen.

Das Tschechische hat im I. Sg. Fem. das kontrahierte *-ú* verallgemeinert. Wie bereits gesagt, war diese Endung vielleicht ursprünglich in den mehrsilbigen Formen lautgesetzlich, und die nominalen Formen des I. Sg. waren ja alle mehrsilbig. Wie dem auch sei, ist es bezeichnend, dass das lange *-ú* des I. Sg. nirgends durch das unkontrahierte *-oju* verdrängt wurde. Das Ergebnis war der Zusammenfall des I. Sg. mit dem. A. Sg. bei allen Adjektiven und bei den Substantivischen *ija-* Stämmen: neutschech. *dobrou, první, paní* sind zugleich I. Sg. und A. Sg.

An diesem Zusammenfall hat das Tschechische keinen Anstoss genommen. Es genügt aber alle die von R. Jakobson in seinem obenerwähnten Aufsatze (Travaux CLP. VI, S. 284–6) aufgezählten Arten des russischen Kasussynkretismus zu überblicken, um sich davon zu überzeugen, wie schwer ein solcher Zusammenfall den ungetrübten slavischen Kasussinn, der im Russischen noch fortlebt, verletzen musste. Eine der wichtigsten Regeln der Russischen Deklination besteht nämlich darin, dass die " Stellungskorrelation " bei jenen Kasus, welche keine Einschränkung des Umfanges des Gegenstandes bezeichnen, nicht aufgehoben werden darf: mit anderen Worten, dürfen N. und A. weder mit dem I. noch mit dem D. zusammenfallen. Diese Regel, die für eine bestimmte Entwicklungsstufe des slavischen Kasussystems (nämlich für die durch die ostslavischen Sprachen vertretene Stufe des noch nicht entarteten, vollkommen lebensfrischen Kasussinnes) charakteristisch ist,[6] darf auch als die Ursache der Verallgemeinerung der Endung *-ou* für den I. Sig. Fem. im Zentralslovakischen betrachtet werden. Von den zwei zu Gebote stehenden möglichen Endungen, **-ú* und **-o(j)u* — von denen die letztere ursprünglich wohl nur in orthotonierten Pronominalformen (vgl. alttschech. *mezi toju*) vorkam — verallgemeinerte das Zentralslovakische die Endung *ou* und vermied damit den Zusammenfall des I. Sg. Fem. mit dem A. Sg. bei den Adjektiven, bei den substativischen *ija-* Stämmen und auch bei den *a-* und *ja-* Stämmen mit langer letzten Stammsilbe (bei denen nach dem " rhytmischen Gesetz " die Endung **-ú* zu *-u* gekürzt werden müsste). Der Umstand, dass das Tschechische den entgegengesetzten Weg wählte, zeigt deutlich, dass die Bewahrung des ursprünglichen Kasusunterschiedes für das Tschechische unwesentlich, für das Slovakische dagegen wichtig war.

Dasselbe Bedürfnis, den Zusammenfall des I. mit dem A. zu vermeiden, führte dazu, dass in einigen westslovakischen Mundarten, die zuerst nach tschechischem Muster die Endung *-ú* für den I. Sg. Fem. verallgemeinert hatten, dieses *-ú* durch *-um* ersetzt wurde, — wohl unter dem Einflusse der

[6] Natürlich, handelt es sich hier nur um die *slavische* Kasuswertung. Andere entwickelte Kasussysteme des " Deklinationskernlandes der Alten Welt " stimmen in dieser Hinsicht mit dem Russischen überein, — jedoch nicht alle: das Tschuwaschische z.B. kennt den Gegensatz zwischen A. und D. nicht, so dass dort die " Stellungskorrelation " beim " Bezugskasus " aufgehoben erscheint.

" Nichtfeminina ". Hier wurde *-m* zu einem Merkmal des I. Sg. überhaupt, der Gegensatz zwischen " Femininum " und " Nichtfemininum " blieb aber dennoch an der Form des I. Sg. erkenntlich, — nämlich an der Qualität des vor *-m* stehenden Vokals. Dadurch wurde der für das ursprüngliche slavische Deklinationssystem charakteristischen Forderung nach dem Unterscheiden vom Femininum und Nichtfemininum im I. Sg. entsprochen.[7] Zugleich aber wurde der Zusammenfall des I. mit dem A. beseitigt.

Durch das Bedürfnis, den Instrumental vom Nominativ zu unterscheiden, darf wohl auch die Längung des *-y* im I. Pl. in den zentralslovakischen Mundarten (*z chlapý, s korení* usw.) erklärt werden. Allerdings wird dieses *-ý* nach einer langen Stammsilbe gemäss dem " rhytmischen Gesetze " gekürzt, so dass in solchen Fällen der I. Pl. mit dem N. Pl. zusammenfallen kann (*z muráry, s kaplány, pre‿dvomá týžny* usw., s. Stanislav, Lipt, nár. 281). Der alte I. Pl. der Nichtfeminina scheint aber im Slovakischen überhaupt schon im Aussterben begriffen zu sein, wenn auch dieses allmähliche Aussterben noch nicht so weit wie im Tschechischen vorgeschritten ist.

[7] Vor dem Erscheinen des obenerwähnten Aufsatzes R. Jakobsons im VI. Bande der Travaux CLP. musste diese Forderung als eine ganz sinnlose Tatsache betrachtet werden. Erst nachdem R. Jakobson das Wesen des Instrumentals als des dem Nominativ entsprechenden Randkasus feststellte, wurde der Sinn dieser Forderung klar.

12 NATURE DU SIGNE LINGUISTIQUE

Émile Benveniste

C'est de F. de Saussure que procède la théorie du signe linguistique actuellement affirmée ou impliquée dans la plupart des travaux de linguistique générale. Et c'est comme une vérité évidente, non encore explicite, mais cependant incontestée en fait, que Saussure a enseigné que la nature du signe est *arbitraire*. La formule s'est immédiatement imposée. Tout propos sur l'essence du langage ou sur les modalités du discours commence par énoncer le caractère arbitraire du signe linguistique. Le principe est d'une telle portée qu'une réflexion portant sur une partie quelconque de la linguistique le rencontre nécessairement. Qu'il soit partout invoqué et toujours donné pour évident, cela fait deux raisons pour que l'on cherche au moins à comprendre en quel sens Saussure l'a pris et la nature des preuves qui le manifestent.

Cette définition est, dans le *Cours de linguistique générale*,[1] motivée par des énoncés très simples. On appelle *signe* " le total résultant de l'association d'un signifiant [= image acoustique] et d'un signifié [= concept] " . . . " Ainsi l'idée de " sœur " n'est liée par aucun rapport intérieur avec la suite de sons *s-ö-r* qui lui sert de signifiant ; il pourrait être aussi bien représenté par n'importe quelle autre : à preuve les différences entre les langues et l'existence même de langues différentes : le signifié " bœuf " a pour signifiant *b-ö-f* d'un côté de la frontière et *o-k-s* (Ochs) de l'autre " (p. 102). Ceci doit établir que " le lien unissant le signifiant au signifié est arbitraire ", ou plus simplement que " le signe linguistique est arbitraire ". Par " arbitraire ", l'auteur entend " qu'il est *immotivé*, c'est-à-dire arbitraire par rapport au signifié, avec lequel il n'a aucune attache naturelle dans la réalité " (p. 103). Ce caractère doit donc expliquer le fait même par où il se vérifie : savoir que, pour une notion, les expressions varient dans le temps et dans l'espace, et par suite n'ont avec elle aucune relation nécessaire.

Nous ne songeons pas à discuter cette conclusion au nom d'autres principes ou en partant de définitions différentes. Il s'agit de savoir si elle est cohérente, et si, la bipartition du signe étant admise (et nous l'admettons), il s'ensuit qu'on doive caractériser le signe comme arbitraire. On vient de voir que Saussure prend le signe linguistique comme constitué par un signifiant et un signifié. Or — ceci est essentiel — il entend par " signifié " le *concept*. Il

Reprinted from *Acta Linguistica* 1 (1939) : 23–29, with the permission of the author and of the editorial board of *Acta Linguistica*.

[1] Cité ici d'après la 1ère éd., Lausanne–Paris, 1916.

déclare en propres termes (p. 100) que " le signe linguistique unit non une chose et un nom, mais un concept et une image acoustique ". Mais il assure, aussitôt après, que la nature du signe est arbitraire parce que il n'a avec le signifié " aucune attache naturelle dans la réalité ". Il est clair que le raisonnement est faussé par le recours inconscient et subreptice à un troisième terme, qui n'était pas compris dans la définition initiale. Ce troisième terme est la chose même, la réalité. Saussure a beau dire que l'idée de " sœur " n'est pas liée au signifiant *s-ö-r* ; il n'en pense pas moins à la *réalité* de la notion. Quand il parle de la différence entre *b-ö-f* et *o-k-s*, il se réfère malgré lui au fait que ces deux termes s'appliquent à la même *réalité*. Voilà donc la *chose*, expressément exclue d'abord de la définition du signe, qui s'y introduit par un détour et qui y installe en permanence la contradiction. Car si l'on pose en principe — et avec raison — que la langue est *forme*, non *substance* (p. 163), il faut admettre — et Saussure l'a affirmé nettement — que la linguistique est science des formes exclusivement. D'autant plus impérieuse est alors la nécessité de laisser la " substance " *sœur* ou *bœuf* hors de la compréhension du signe. Or c'est seulement si l'on pense à l'animal " bœuf " dans sa particularité concrète et " substantielle " que l'on est fondé à juger " arbitraire " la relation entre *böf* d'une part, *oks* de l'autre, à une même réalité. Il y a donc contradiction entre la manière dont Saussure définit le signe linguistique et la nature fondamentale qu'il lui attribue.

Une pareille anomalie dans le raisonnement si serré de Saussure ne me paraît pas imputable à un relâchement de son attention critique. J'y verrai plutôt un trait distinctif de la pensée historique et relativiste de la fin du XIXe siècle, une démarche habituelle à cette forme de la réflexion philosophique qu'est l'intelligence comparative. On observe chez les différents peuples les réactions que suscite un même phénomène : l'infinie diversité des attitudes et des jugements amène à considérer que rien apparemment n'est nécessaire. De l'universelle dissemblance, on conclut à l'universelle contingence. La conception saussurienne est encore solidaire en quelque mesure de ce système de pensée. Décider que le signe linguistique est arbitraire parce que le même animal s'appelle *bœuf* en un pays, *Ochs* ailleurs, équivaut à dire que la notion du deuil est " arbitraire ", parce qu'elle a pour symbole le noir en Europe, le blanc en Chine. Arbitraire, oui, mais seulement sous le regard impassible de Sirius ou pour celui qui se borne à constater du dehors la liaison établie entre une réalité objective et un comportement humain et se condamne ainsi à n'y voir que contingence. Certes, par rapport à une même réalité, toutes les dénominations ont égale valeur ; qu'elles existent est donc la preuve qu'aucune d'elles ne peut prétendre à l'absolu de la dénomination en soi. Cela est vrai. Cela n'est même que trop vrai — et donc peu instructif. Le vrai problème est autrement profond. Il consiste à retrouver la structure intime du phénomène dont on ne perçoit que l'apparence extérieure et à décrire sa relation avec l'ensemble des manifestations dont il dépend.

Ainsi du signe linguistique. Une des composantes du signe, l'image acoustique, en constitue le signifiant ; l'autre, le concept, en est le signifié. Entre le signifiant et le signifié, le lien n'est pas arbitraire ; au contraire, il est *nécessaire*. Le concept (" signifié ") " bœuf " est forcément identique dans ma conscience à l'ensemble phonique (" signifiant ") *böf*. Comment en serait-il autrement ? Ensemble les deux ont été imprimés dans mon esprit ; ensemble ils s'évoquent en toute circonstance. Il ya a entre eux symbiose si étroite que le concept " bœuf " est comme l'âme de l'image acoustique *böf*. L'esprit ne contient pas de formes vides, de concepts innommés. Saussure dit lui-même : " Psychologiquement, abstraction faite de son expression par les mots, notre pensée n'est qu'une masse amorphe et indistincte. Philosophes et linguistes se sont toujours accordés à reconnaître que, sans le secours des signes, nous serions incapables de distinguer deux idées d'une façon claire et constante. Prise en elle-même, la pensée est comme une nébuleuse où rien n'est nécessairement délimité. Il n'y a pas d'idées préétablies, et rien n'est distinct avant l'apparition de la langue " (p. 161). Inversement l'esprit n'accueille de forme sonore que celle qui sert de support à une représentation identifiable pour lui ; sinon, il la rejette comme inconnue ou étrangère. Le signifiant et le signifié, la représentation mentale et l'image acoustique, sont donc en réalité les deux faces d'une même notion et se composent ensemble comme l'incorporant et l'incorporé. Le signifiant est la traduction phonique d'un concept ; le signifié est la contrepartie mentale du signifiant. Cette consubstantialité du signifiant et du signifié assure l'unité structurale du signe linguistique. Ici encore c'est à Saussure même que nous en appelons quand il dit de la langue : " La langue est encore comparable à une feuille de papier : la pensée est le recto et le son le verso ; on ne peut découper le recto sans découper en même temps le verso ; de même dans la langue, on ne saurait isoler ni le son de la pensée, ni la pensée du son ; on n'y arriverait que par une abstraction dont le résultat serait de faire ou de la psychologie pure ou de la phonologie pure " (p. 163). Ce que Saussure dit ici de la langue vaut d'abord pour le signe linguistique en lequel s'affirment incontestablement les caractères premiers de la langue.

On voit maintenant et l'on peut délimiter la zone de l'" arbitraire ". Ce qui est arbitraire, c'est que tel signe, et non tel autre, soit appliqué à tel élément de la réalité, et non à tel autre. En ce sens, et en ce sens seulement il est permis de parler de contingence, et encore sera-ce moins pour donner au problème une solution que pour le signaler et en prendre provisoirement congé. Car ce problème n'est autre que le fameux : *φύσει* ou *θέσει* ? et ne peut être tranché que par décret. C'est en effet, transposé en termes linguistiques, le problème métaphysique de l'accord entre l'esprit et le monde, problème que le linguiste sera peut-être un jour en mesure d'aborder avec fruit, mais qu'il fera mieux pour l'instant de délaisser. Poser la relation comme arbitraire est pour le linguiste une manière de se défendre contre cette question et aussi contre la solution que le sujet parlant y apporte instinctivement. Pour le sujet parlant, il y a entre la langue et la réalité adéquation complète : le signe recouvre et commande la réalité ; mieux, il *est* cette réalité (*nomen omen*, tabous de parole, pouvoir magique du verbe, etc.). A vrai dire le point de vue du sujet et celui du linguiste sont si différents à cet égard que l'affirmation du linguiste quant à l'arbitraire des désignations ne réfute pas le sentiment contraire du sujet parlant. Mais, quoi qu'il en soit, la nature du signe linguistique n'y est en rien intéressée, si on le définit comme Saussure l'a fait, puisque le propre de cette définition est précisément de n'envisager que la relation du signifiant au signifié. Le domaine de l'arbitraire est ainsi relégué hors de la compréhension du signe linguistique.

Il est alors assez vain de défendre le principe de l'" arbitraire du signe " contre l'objection qui pourrait être tirée des onomatopées et mots expressifs (Saussure, p. 103–4), non seulement parce que la sphère d'emploi en est relativement limitée et parce que l'expressivité est un effet essentiellement transitoire, subjectif et souvent secondaire, mais surtout parce que, ici encore, quelle que soit la réalité dépeinte par l'onomatopée ou le mot expressif, l'allusion à cette réalité dans la plupart des cas n'est pas immédiate et n'est admise que par une convention symbolique analogue à celle qui accrédite les signes ordinaires du système. Nous retrouvons donc la définition et les caractères valables pour tout signe. L'arbitraire n'existe ici aussi que par rapport au phénomène ou à l'objet *matériel* et n'intervient pas dans la constitution propre du signe.

Il faut maintenant considérer brièvement quelques unes des conséquences que Saussure a tirées du principe ici discuté et qui retentissent loin. Par exemple il montre admirablement qu'on peut parler à la fois de l'immutabilité et de la mutabilité du signe : immutabilité, parce qu'étant arbitraire, il ne peut être mis en question au nom d'une norme raisonnable ; mutabilité, parce qu'étant arbitraire, il est toujours susceptible de s'altérer. " Une langue est radicalement impuissante à se défendre contre les facteurs qui déplacent d'instant en instant le rapport du signifié et du signifiant. C'est une des conséquences de l'arbitraire du signe " (p. 112). Le mérite de cette analyse n'est en rien diminué, mais bien renforcé au contraire si l'on spécifie mieux la relation à laquelle en fait elle s'applique. Ce n'est pas entre le signifiant et le signifié que la relation en même temps se modifie et reste immuable, c'est entre le signe et l'objet ; c'est, en d'autres termes, la *motivation objective* de la désignation, soumise, comme telle, à l'action de divers facteurs historiques. Ce que Saussure démontre reste vrai, mais de la *signification*, non du signe.

Un autre problème, non moins important, que la définition du signe intéresse directement, est celui de la *valeur*, où Saussure pense trouver une confirmation de ses vues : " ...le choix qui appelle telle tranche acoustique pour telle idée est parfaitement arbitraire. Si ce n'était pas le cas, la notion de valeur perdrait quelque chose de son caractère, puisqu'elle contiendrait un élément imposé du dehors. Mais en fait les valeurs restent entièrement relatives, et voilà pourquoi le lien de l'idée et du son est radicalement arbitraire " (p. 163). Il vaut la peine de reprendre successivement les parties de ce raisonnement. Le choix qui appelle telle tranche acoustique pour telle idée n'est nullement arbitraire ; cette tranche acoustique n'existerait pas sans l'idée correspondante et vice versa. En réalité Saussure pense toujours, quoiqu'il parle d'" idée ", à la représentation de l'*objet réel* et au caractère évidemment non-nécessaire, immotivé, du lien qui unit le signe à la *chose* signifiée. La preuve de cette confusion gît dans la phrase suivante dont je souligne le membre caractéristique : " Si ce n'était pas le cas, la notion de valeur perdrait quelque chose de son caractère, puisqu'*elle contiendrait un élément imposé du dehors* ". C'est bien " un élément imposé du dehors ", donc la réalité *objective* que ce raisonnement prend comme axe de référence. Mais si l'on considère le signe en lui-même et en tant que porteur d'une valeur, l'arbitraire se trouve nécessairement éliminé. Car — la dernière proposition est celle qui enferme le plus clairement sa propre réfutation — il est bien vrai que les valeurs restent entièrement " relatives ", mais il s'agit de savoir comment et par rapport à quoi. Posons tout de suite ceci : la valeur est un élément du signe ; si le signe pris en soi n'est pas arbitraire, comme on pense l'avoir montré, il s'ensuit que le caractère " relatif " de la valeur ne peut dépendre de la nature " arbitraire " du signe. Puisqu'il faut faire abstraction de la convenance du signe à la réalité, à plus forte raison doit-on ne considérer la valeur que comme un attribut de la *forme,* non de la substance. Dès lors dire que les valeurs sont " relatives " signifie qu'elles sont relatives *les unes aux autres.* Or n'est-ce pas là justement la preuve de leur *nécessité* ? Il s'agit ici, non plus du signe isolé, mais de la langue comme système de signes et nul n'a aussi fortement que Saussure conçu et décrit l'économie systématique de la langue. Qui dit système dit agencement et convenance des parties en une structure qui transcende et explique ses éléments. Tout y est si *nécessaire* que les modifications de l'ensemble et du détail s'y conditionnent réciproquement. La relativité des valeurs est la meilleure preuve qu'elles dépendent étroitement l'une de l'autre dans la synchronie d'un système toujours menacé, toujours restauré. C'est que toutes les valeurs sont d'opposition et ne se définissent que par leur différence. Opposées, elles se maintiennent en mutuelle relation de nécessité. Une opposition est, par la force des choses, sous-tendue de nécessité, comme la nécessité donne corps à l'opposition. Si la langue est autre chose qu'un conglomérat fortuit de notions erratiques et de sons émis au hasard, c'est bien qu'une nécessité est immanente à sa structure comme à toute structure.

Il apparaît donc que la part de contingence inhérente à la langue affecte la dénomination en tant que symbole phonique de la réalité et dans son rapport avec elle. Mais le signe, élément primordial du système linguistique, enferme un signifiant et un signifié dont la liaison doit être reconnue comme *nécessaire,* ces deux composantes étant consubstantielles l'une à l'autre. *Le caractère absolu du signe linguistique* ainsi entendu commande à son tour la *nécessité* dialectique des valeurs en constante opposition, et forme le principe structural de la langue. C'est peut-être le meilleur témoignage de la fécondité d'une doctrine que d'engendrer la contradiction qui la promeut. En restaurant la véritable nature du signe dans le conditionnement interne du système, on affermit, par delà Saussure, la rigueur de la pensée saussurienne.

13 SIGNE ZÉRO

Roman Jakobson

1. En concevant la langue comme un système cohérent d'oppositions synchroniques et en accentuant son dualisme asymétrique, l'école génevoise a dû nécessairement élucider l'importance de la notion " zéro " pour l'analyse du langage. Selon la formule fondamentale de F. de Saussure, le langage peut se contenter de l'opposition de quelque chose avec rien,[1] et, justement, ce " rien " opposé à " quelque chose " ou, en d'autres termes, le signe zéro a suggéré des vues personnelles et fécondes à Charles Bally. Ce sont surtout ses études denses " Copule zéro et faits connexes " [2] et " Signe zéro " [3] qui ont attiré l'attention sur le rôle que joue ce phénomène non seulement en morphologie, mais encore en syntaxe, non seulement en grammaire, mais aussi en stylistique. Cet examen instructif demande à être poursuivi.

La désinence zéro dans la déclinaison des langues slaves modernes est un exemple généralement connu. Ainsi, en russe NSg *suprug* /l'époux/ s'oppose à toutes les autres formes du même mot /GA *suprúga*, D *suprúgu*, I *suprúgom* [4] etc.

A peu près dans tous les paradigmes des substantifs, on rencontre en russe, parmi les formes casuelles, une seule forme à désinence zéro par paradigme. Là où le génitif du pluriel et le nominatif du singulier ont en une forme à désinence zéro, le génitif du pluriel, pour éviter l'homonymie, s'est approprié par analogie une désinence positive *-ov /suprugov/* ou *-ej /konej/*. La désinence zéro du GPl n'a survécu que chez les noms qui distinguaient, de telle ou telle autre manière, GPl du NSg — fut-ce par la désinence /NSg *žena, selo* — GPl *žen, sel/* — par la place de l'accent NSg *vólos* — GPl *volós/* par un suffixe de dérivation /NSg *bojarin* — GPl *bojar* ou par la composition des syntagmes où ces formes casuelles sont usitées /NSg *aršin* nom de mesure — GPl *aršin* qui apparaît presque toujours accompagné des noms de nombre/.

La désinence zéro, et de même le " degré zéro " opposé à un phonème dans les alternances grammaticales /par exemple, en russe G. *rta* — N. *rot* bouche/ répond strictement à la définition de M. Bally : le signe revêtu d'une valeur

Reprinted from *Mélanges de linguistique, offerts à Charles Bally*, pp. 143–52 (Geneva : Georg, 1939), with the permission of Bernard Gagnebin, dean, faculty of letters, University of Geneva.

[1] *Cours de linguistique générale*, 1922, p. 124. Cf. la notion de la " forme négative " dans la doctrine linguistique de F. Fortunatov.

[2] *Bulletin de la Société Linguistique de Paris* XXIII, p. 1 sqq.

[3] *Linguistique générale et linguistique française*, p. 129 sqq.

[4] Vu que les faits analysés demandent à être considérés par rapport au système total de la langue donnée, j'emprunte les exemples de cette étude à ma langue maternelle.

déterminée, mais sans aucun support matériel dans les sons.[5] Mais la langue " peut se contenter de l'opposition de quelque chose avec rien " non seulement sur le plan des signifiants, mais aussi sur le plan des signifiés.[6]

2. Au singulier, le paradigme *bog* /dieu/, *suprug* /époux/, est systématiquement opposé au paradigme *noga* /pied/, *supruga* /épouse/. Tandis que le premier de ces deux paradigmes énonce, sans équivoque, la catégorie grammaticale et notamment celle du genre non-féminin, le second peut indistinctement se rapporter au féminin et au masculin : le masc. *sluga* /serviteur/ et l'ambigu *nedotroga* /sensitive/ se déclinent de la même façon que les fém. *noga, supruga.* Aucune désinence des cas obliques du paradigme *bog, suprug* ne peut appartenir aux noms féminins et, en ce qui concerne le nominatif de ce paradigme, sa désinence zéro ne signale strictement le masculin que chez les thèmes terminés par une consonne dure, tandis que, chez les thèmes terminés par une consonne mouillée ou chuintante, la désinence zéro peut appartenir également au masculin /*den'* jour, *muž* mari/ et au féminin /*dan'* tribut *myš* souris/.

Le paradigme *bog, suprug* énonce, avons-nous dit, le non-féminin ou, en d'autres termes, le masculin ou bien le neutre. Ces deux genres ne diffèrent qu'au nominatif, et à l'accusatif tant qu'il coïncide avec le nominatif. Au nominatif, la désinence zéro signale strictement le non-neutre, tandis que la désinence *-o* ou bien son correspondant atone peut appartenir autant au neutre qu'au masculin /neutre *toporíšče* manche de la hache, masc. *topórišče* augmentatif de *topor* hache/.

Ainsi, pour l'opposition des genres, le paradigme *noga, supruga* est dépourvu de faculté différentielle. Ce sont donc, du point de vue du genre, des signes revêtus d'une forme déterminée, mais sans aucune valeur fonctionnelle, bref des formes à fonction morphologique zéro. La confrontation des deux formations nominatives — *suprug* /époux/ et *supruga* /épouse/ nous démontre que, dans ce cas-ci, la forme à désinence zéro porte une fonction morphologique positive, tandis que la désinence positive ne possède, relativement à la distinction des genres qu'une fonction morphologique zéro.

Quelles sont en russe les significations générales du genre grammatical masculin et féminin ? Le féminin indique que, si le désigné est une personne ou se prête à la personnification, c'est à coup sûr au sexe féminin que cette personne appartient /*supruga* désigne toujours la femme/. Au contraire, la signification générale du masculin ne spécifie pas nécessairement le sexe : *suprug* désigne ou bien, d'une manière restrictive, le mari /*suprug i supruga,* époux et épouse/ ou bien, d'une manière généralisante, l'un des époux /*oba supruga* les deux époux, *odin iz suprugov* l'un des deux époux/. Cf. " *tovarišč* /genre masc., ici sexe fém./ *Nina* /genre fém., sexe fém./, *zubnoj vrač* " /genre masc., ici sexe fém./ = camarade Nina, dentiste. Ainsi, dans l'opposition de significations générales des deux genres, le masculin est le genre à signification zéro. Ici, de nouveau, nous nous trouvons en face d'un chiasme net : les formes à fonction morphologique zéro /type *supruga*/ dénotent le genre à signification

[5] *Bulletin...* 3 ; cf. R. Gauthiot, *Note sur le degré zéro* (Mélanges linguistiques offerts à M. Antoine Meillet, Paris 1902, p. 51 sqq.).

[6] Le problème de la signification zéro a été posé dans notre plaquette *Novejšaja russkaja poezija,* Prague 1921, p. 67.

positive (féminin) et au contraire les formes à fonction morphologique positive /type *suprug*/ marquent le genre à signification zéro /masculin/.

C'est justement sur l'" opposition de quelque chose avec rien ", c'est-à-dire sur l'opposition contradictoire selon la terminologie de la logique formelle, qu'est basé l'agencement du système grammatical, comme j'ai essayé de le démontrer ailleurs.[7] Ainsi, le système nominal et le système verbal se laissent décomposer en oppositions binaires, dont l'un des termes désigne la présence d'une certaine qualité et, l'autre /terme non caractérisé ou non marqué, bref terme zéro/ n'annonce ni la présence ni son absence. Ainsi, en russe, l'aspect perfectif énonce la fin absolue d'un procès, par opposition à l'imperfectif /aspect zéro/ qui laisse la question de terme hors cause. Impf. *plavat'*, *plyt'*, nager, Pf. *priplyt'*, *doplyt'* aboutir en nageant, *poplyt'* s'être mis à nager /c'est le début qui est présenté comme un procès accompli/, *poplavat'* avoir nagé, *naplavat's'a* avoir nagé suffisamment, jusqu'au but, *ponaplavat'*, avoir nagé à maintes reprises et, somme toute, assez /fin absolue/. L'aspect déterminé /selon la terminologie de M. Karcevski/ énonce l'action conçue comme unité — *plyt'* être en train de nager, tandis que l'aspect indéterminé /aspect zéro/ n'en sait rien : *plavat'* peut, selon le contexte, signifier une action une /*poka ja plavaju, on sidit na beregu* — tandis que je nage, il reste assis au bord/, une action répétée /*ja často plavaju* je nage souvent,[8] une action non réalisée /*ja ne plaval* — je n'ai pas nagé/, une capacité d'action non réalisée /*ja plavaju, no ne prichodists'a* je sais nager, mais je n'ai pas l'occasion/, enfin une action, dont on ne sait si elle a eu lieu une ou plusieurs fois ou jamais /*ty plaval* ? as-tu nagé ?/. *Plavat'* est un verbe imperfectif et déterminé. Il appartient donc à deux aspects zéro. Mais un verbe russe ne peut pas réunir deux valeurs d'aspect positives. L'opposition des verbes déterminés et indéterminés n'a donc lieu que dans les limites de l'aspect imperfectif. M. Brøndal a relevé le fait qu'on tend à éviter une complexité excessive dans l'ensemble d'une formation morphologique et que, fréquemment, les formes complexes, par rapport à certaine catégorie, sont relativement simples par rapport à d'autres.[9] De même, en russe, le présent /temps zéro/ distingue les personnes, contrairement au passé qui n'a qu'une seule forme pour toutes les personnes ; le singulier /nombre grammatical zéro/ distingue les genres grammaticaux, au contraire du pluriel qui les a complètement abolis. Mais, tout en bornant le " cumul des signifiés " /terme et notion, introduits par M. Bally/ [10] le système grammatical ne l'exclut nullement. Le datif ainsi que l'instrumental s'opposent à l'accusatif et au nominatif, en indiquant la position périphérique du désigné dans le contenu de l'énoncé et, sous le point de vue de cette opposition, les deux derniers cas sont des cas zéro. Mais, en même temps, le datif ainsi que l'accusatif signalent que l'objet est affecté par une action et ils se trouvent ainsi opposés à l'instrumental et au nominatif qui, du point de vue de cette opposition, sont des cas zéro. De cette façon, le datif cumule deux valeurs grammaticales, dont l'accusatif en possède une et l'instrumental l'autre. Le nominatif fonctionne

[7] *Zur Struktur des russ. Verbums* /Charisteria G. Mathesio quinquagenario 1932, p. 74 sqq./ ; *Beitrag zur allgemeinen Kasuslehre* /Travaux du Cercle Ling. de Prague VI, p. 240 sqq.

[8] Mais *ja často plyvu i dumaju...* — souvent, quand je suis en train de nager, je pense...

[9] V. *Slovo a Slovesnost* III, p. 256.

[10] *Linguistique générale...*, p. 115 sqq.

comme cas zéro absolu et distingue, conformément au " principe de compensation " de Brøndal, le masculin et le neutre, distinction qui reste étrangère aux cas obliques (" caractérisés ").

La distinction entre le nominatif et l'accusatif démontre avec évidence le caractère purement arbitraire du rapport entre " l'opposition de quelque chose avec rien ", sur le plan des signifiés, et l'opposition du même ordre sur le plan des signifiants. Toutes les trois variétés possibles de ce rapport sont présentes. 1. Au cas zéro correspond une désinence zéro : N *suprug* — A *supruga* ; 2. Le rapport est inverse /cf. les " chiasmes " précités/ : NPl *gospoda* — APl *gospod* ; 3. Aucun des cas n'a de désinence zéro : N *sluga* — A *slugu*.

Les signifiés peuvent être opposés l'un à l'autre, comme quelque chose et rien, non seulement en grammaire, mais aussi dans le domaine du vocabulaire ; l'un de deux synonymes peut se distinguer par une détermination supplémentaire inconnue à l'autre. Ainsi, les mots russes *devuška* et *devica* désignent tous les deux une jeune fille, mais le premier de ces synonymes étant opposé à l'autre ajoute la signification " vierge " : on ne pourrait permuter les deux mots dans la proposition *ona — devica, no uže ne devuška* /elle est jeune fille sans plus être vierge/. De même, dans le couple des synonymes tchèques *mám rád /ich habe gern/* et *miluji /ich liebe/* c'est *mám rád* qui est " synonyme zéro ", et on peut également dire *mám rád šunku* /j'aime le jambon/ et *mám rád rodiče* /j'aime les parents/, mais *miluji* ajoute la signification d'une haute passion et, dans la proposition *miluji šunku,* ce verbe serait senti comme employé au figuré.

Un tel emploi correspond par exemple au cas du féminin appliqué à un homme : *on — nastojaščaja masterica* /il est une véritable femme de métier/. C'est un réel échange entre signes, une métaphore, tandis que l'empoi inverse *ona — nastojaščij master* /elle est un véritable homme de métier/ n'est qu'une application du terme plus généralisé, générique, au lieu de *masterica* plus précisant. Néanmoins, là aussi, c'est un fait hypostatique, quand même à un degré beaucoup moins sensible, ainsi que le présent historique ou le singulier générique sont, proprement dits, des procédés d'hypostase. Un signe déterminé énonce A /*masterica*/ ; le signe zéro qui lui est opposé /*master*/ n'énonce ni la présence ni l'absence de cet A /ni A ni non-A/. Ce signe est donc employé au propre là où A et non-A ne sont pas distingués /*tut bylo sem' masterov, v tom čisle dve mastericy* ici il y a eu sept hommes de métier, parmi eux deux femmes de métier/ et là où il s'agit de désigner le non-A /*tut bylo p'at' masterov* [non-A] *i dve mastericy* [A] ici, il y a eu cinq hommes de métier et deux femmes de métier/, mais l'hypostase est présente, là où le signe zéro sert à désigner précisément A : *ona — nastojaščij master*.

L'aperçu judicieux de M. Bally fait ressortir le jeu varié de l'hypostase comme un fait essentiel de l'agencement de la langue.[11] M. Kuryłowicz a mis en valeur le rôle important qu'assume dans la syntaxe l'hypostase (ou " emploi motivé et caractérisé " des mots) opposée à leur fonction-base ou fonction primaire.[12] " La fonction d'épithète est la fonction primaire de l'adjectif ". L'adjectif épithète dénote donc zéro d'hypostase par opposition aux diverses transpositions hypostatiques — telles qu'adjectif-sujet /*dalekoje plen'ajet nas* le lointain

[11] *Linguistique générale...*, p. 132 sqq.

[12] *Dérivation lexicale et dérivation syntaxique* (*Bull. de la Soc. de Ling.* XXXVII, p. 79 sqq.). Cf. mon étude précitée /*Travaux* VI, p. 252 sq., 274/.

nous charme/ ou adjectif-complément /*sejte razumnoje, dobroje, věčnoje* semez le sage, le bon, l'éternel/. L'adjectif prédicat a un signe externe de transposition *est* dans le type *deus est bonus*, tandis que le type *deus bonus* présente l'hypostase sous sa forme pure.[13]

3. Dans les langues, où le type sans copule est l'unique possible comme c'est le cas du russe, l'absence de copule dans les constructions comme *izba derev'annaja* /la cabane (est) en bois/ est conçue par opposition à *izba byla derev'annaja* /la cabane a été en bois/ et *izba budet derev'annaja* /la cabane sera en bois/ comme copule zéro d'après sa forme, et comme présent du verbe copule d'après sa fonction. Mais, en latin et dans toutes les langues qui admettent à titre de variantes stylistiques le type avec copule et celui sans copule, le manque de celle-ci dans des constructions comme *deus bonus* est ressenti par opposition à *deus est bonus* comme copule zéro d'après sa forme, et comme signal de la langue expressive d'après sa fonction ; par contre, la présence de la copule, forme positive, est éprouvée d'après sa fonction comme zéro d'expressivité. Le signe zéro en question a donc en latin une valeur stylistique. Dans ce dernier cas, M. Bally parle de sous-entente qui repose sur l'existence de deux types parallèles et qui suppose un certain choix chez le sujet parlant.[14] A côté du signe zéro à valeur grammaticale et de la sous-entente, le maître de Genève place l'ellipse qu'il définit comme " la reprise ou l'anticipation d'un élément qui figure nécessairement dans le contexte ou est suggéré par la situation ". Nous sommes tentés d'interpréter l'ellipse plutôt comme une sous-entente des termes anaphoriques qui " représentent " le contexte ou bien des termes déictiques qui " présentent " la situation.[15] Ainsi, à la question *Čto dělal d'ad'a v klube ?* /Qu'a fait l'oncle au club ?/ on peut répondre en choisissant l'un des deux modes parallèles : avec " représentant explicite " *On tam obedal* /Il y a dîné/ ou bien " implicite " — *Obedal* /dîné/. L'ellipse est donc signe anaphorique /ou déictique/ zéro.

Quand il y a à choisir entre deux formes d'énonciation, égales par leur contenu conceptuel, ces deux formes ne sont jamais véritablement équipollentes et, d'ordinaire, elles forment l'opposition suivante : d'un côté, le type expressif faisant un tout avec la situation donnée ou bien évoquant une situation imaginée dans le langage d'art et, de l'autre, le type à valeur expressive et déictique zéro. Il existe, par exemple, en russe, un ordre des mots primaire opposé à ses inversions. Ainsi, le prédicat précédé du sujet et suivi du complément direct, ou le terme nominal précédé de l'épithète, mais suivi du complément nominal, sont des spécimens de l'ordre des mots à valeur zéro. *L'udi umirajut* /les hommes meurent/ est une énonciation intégrale. Au contraire, l'énonciation *umirajut l'udi* se présente comme appendice au contexte ou à la situation, ou comme réaction affective. La langue explicite des formules ne souffre que l'ordre zéro — *zeml'a vraščajets'a vokrug solnca* /la terre tourne autour du soleil/ ; par contre, la langage quotidien, implicite par excellence, forge des combinaisons comme *vert'ats'a deti vokrug jelki, vokrug jelki vert'ats'a deti, vokrug jelki deti vert'ats'a, deti vokrug jelki vert'ats'a*. Par opposition à l'ordre zéro *deti vert'ats'a vokrug jelki*

[13] Cf. *Linguistique générale...*, p. 135 et *Bulletin...*, p. 2.
[14] *Bulletin...*, p. 4 sqq.
[15] Cf. *Linguistique générale...*, p. 65 sqq.

/les enfants tournent autour de l'arbre de Noël/ ces constructions signalent le point de départ motivé par le contexte ou la situation /contexte extra-linguistique/, tandis que l'ordre zéro n'en fait pas mention. Cependant, là où la fonction syntaxique des mots n'est pas nettement indiquée par des moyens morphologiques, l'ordre zéro se trouve être le seul possible et s'approprie une valeur purement grammaticale. Tel est par exemple le cas lorsque l'accusatif coïncide avec le nominatif. /*mat' l'ubit doč* la mère aime la fille, *doč l'ubit' mat'* la fille aime la mère/, la forme du nominatif avec celle du génitif /*dočeri prijatel'nicy* les filles de l'amie, *prijatel'nicy dočeri* les amies de la fille/, ou quand l'adjectif prend la fonction d'un substantif /*slepoj sumasšedšij* le fou qui est aveugle, *sumasšedšij slepoj* l'aveugle qui est fou/ etc.

Le russe présente deux variantes stylistiques pour dire " je vais /en voiture/ " : *ja jedu* /avec pronom personnel/ *et jedu* /sans pronom/. De même, en tchèque : *já jedu* et *jedu*. Cependant, il y a là une grande différence entre les deux langues : le russe ayant aboli le présent du verbe auxiliaire et du verbe copule a dû transmettre le rôle de leurs désinences personnelles au pronom personnel et il a fini par généraliser son emploi : par conséquent, en russe, c'est la construction à deux termes qui est le type " normal ", tandis que la variante à sujet-zéro est un procédé expressif.[16] En tchèque, au contraire, le zéro d'expressivité se rapporte au sujet-zéro, et la valeur expressive s'attache au type *já jedu*. La première personne est mise en relief par la présence du pronom, qui est un pléonasme du point de vue grammatical. L'abus de ce pronom fait en tchèque l'impression d'un style vantard. Au contraire, en russe, c'est justement l'omission excessive du pronom de la première personne que Dostojevskij éprouve comme une morgue irritante /" Krokodil "/.

4. Le système phonologique, enseigne M. Bally, court parallèlement au système général de la langue. Les corrélations des phonèmes opposent la présence d'une qualité phonique à son absence ou qualité zéro.[17] Ainsi *t*, *s*, *p* etc., se distinguent des consonnes correspondantes mouillées *t'*, *s'*, *p'* etc. par le manque de mouillure, et les mêmes phonèmes se distinguent de *d*, *z*, *b* etc. par le manque de sonorité. Ce qui relie un tel manque aux diverses espèces du signe zéro que nous avons observées dans le domaine de la grammaire, c'est le fait qu'il ne s'agit pas d'un simple rien, mais d'un rien opposé, à l'intérieur du système phonologique, à quelque chose de positif. Déjà F. de Saussure a fait ressortir le rôle des oppositions contradictoires dans la phonologie, en rappelant, à titre d'exemple, l'opposition des voyelles nasales et orales, où " l'absence de résonance nasale, facteur négatif, servira, aussi bien que sa présence, à caractériser des phonèmes ".[18]

En analysant un phonème comme *s* dans ses rapports avec les autres phonèmes du russe, nous constatons que les qualités positives de ce phonème ne participent à aucune opposition contradictoire, c'est-à-dire que la présence de ces qualités ne se trouve jamais opposée à leur absence. En dehors de ces qualités, le phonème *s* n'a que des qualités zéro. Au contraire, le phonème *z'*

[16] V. S. Karcevski, *Système du verbe russe*, Prague, 1927, p. 133 et R. Jakobson, *Les enclitiques slaves* /Atti del III. Congr. Internaz. dei Linguisti, 1935, p. 388 sqq./.
[17] *Linguistique générale...*, p. 13 sq., p. 120 ; *Travaux*, 314–321.
[18] *Cours...* IV, p. 69.

renferme plusieurs valeurs phonologiques, nettement analysables, par opposition au manque des mêmes valeurs dans les phonèmes corrélatifs /aux qualités de *s* vient s'ajouter la sonorité et la mouillure/. C'est donc un cas de cumul phonologique correspondant au cumul des signifiés, tel que l'analyse M. Bally. De même, le " principe de compensation ", établi par M. Brøndal pour la morphologie et limitant le cumul, trouve des analogies marquantes dans la structure des systèmes phonologiques.

Une corrélation est formée par une série de couples, dont chacun comprend, d'un côté, l'opposition d'une même qualité à son absence et, de l'autre, un substrat commun /par exemple le couple *z'-z* consiste en une opposition de la mouillure et de son manque et en un substrat commun : sifflante constrictive sonore/. Mais ce substrat commun peut manquer à l'un des couples : dans ce cas, un phonème est réduit à la qualité en question et opposé tout simplement à l'absence de phonème /ou phonème zéro/. Ainsi, M. Martinet insiste avec raison, en vertu d'une analyse structurale, sur le fait que, dans la corrélation d'aspiration qui caractérise le consonantisme du danois, il faut introduire l'opposition : initiale aspirée /*h*/ — initiale vocalique.[19]

De même, en russe, la corrélation de mouillure oppose le phonème *j* au zéro /initiale yodisée — initiale vocalique/. Dans les mots russes, la voyelle *e* peut être précédée d'une consonne mouillée, mais non pas de la consonne dure correspondante ; la voyelle *e* peut être précédée d'un *j*, mais non pas commencer un mot. /Les interjections, et spécialement l'interjection déictique *e* dans divers composés, ne sont pas soumises à cette règle/.

Ainsi, l'opposition des mouillées et des dures est supprimée devant la voyelle *e* : la présence d'une opposition se trouve par conséquent opposée à son absence. Cette absence /opposition zéro/, confrontée avec l'opposition réalisée, met en valeur ce qui unit et ce qui distingue les deux termes de l'opposition supprimable. Comme l'avait saisi M. Durnovo, et comme l'ont démontré le Prince Trubetzkoy et M. Martinet, une opposition phonologique qui se neutralise en des positions déterminées forme, par rapport aux oppositions constantes, un type profondément distinct.[20] De même, le syncrétisme des formes morphologiques intervenant en certains paradigmes ou en certaines catégories grammaticales [21] ou, au contraire, l'opposition des significations qu'on voit supprimée sous la contrainte d'un contexte donné, tout cela laisse prévoir la portée du problème " opposition zéro " pour la linguistique et pour la sémiologie générale, qui est appelée à suivre les rapports complexes et bizarres entre les notions entrelacées *signe* et *zéro*.

[19] *La phonologie du mot en danois*, Paris 1937, p. 32.
[20] V. *Travaux* VI, p. 29 sqq., p. 46 sqq.
[21] Cf. *Travaux* VI, p. 283 sqq.

14 UN OU DEUX PHONÈMES?

André Martinet

Les *Grundzüge der Phonologie* du regretté N. S. Troubetzkoy représentent sans contredit le couronnement d'une décade d'activité consacrée à l'élaboration progressive d'une phonétique fonctionelle et structurale. C'est l'aboutissement d'un effort collectif pour éliminer partout l'affirmation subjective et la remplacer par le critère objectif.

On a beaucoup reproché aux phonologues le caractère subjectif de certaines de leurs affirmations, et il est vrai que le phonème, la correlation ou la marque ont été " sentis " avant d'être définis scientifiquement ; mais il fallait marcher de l'avant, même sur un terrain encore peu sûr, l'expérience acquise en cours de route devant contribuer à l'établissement définitif des notions de base. Où en serions-nous si, avant de poursuivre nos recherches, il nous avait fallu attendre que tout le monde se fût mis d'accord sur la définition du phonème ? Cependant, profitant de suggestions, de discussions et de critiques diverses, la phonologie éliminait peu à peu les affirmations un peu hasardées et les généralisations hâtives qu'on lui avait reprochées souvent à juste titre. Troubetzkoy sentait que le moment était venu de faire le point et, par un dernier effort, d'établir solidement les bases de la nouvelle discipline. Et effectivement, les *Grundzüge* nous apportent plus qu'une synthèse des travaux phonologiques antérieurs : on y trouve le souci constant de justifier et de fonder scientifiquement toutes les démarches des phonologues, et d'apporter pour chaque question une mise au point définitive.

Il est, de ce fait, d'autant plus frappant de retrouver dans ce livre si original un chapitre intitulé *Einzelphonem und Phonemverbindung*, emprunté presque sans changements au petit manuel provisoire, la *Anleitung*, publié quatre ans plus tôt. Devons-nous croire que ces pages représentent l'opinion définitive de Troubetzkoy sur la question, ou ne devons-nous pas plutôt penser que c'est là une des parties de l'ouvrage que l'auteur avait l'intention formelle de réviser avant d'envoyer son livre à l'impression ?

Les six règles que donne Troubetzkoy pour servir à décider de l'interprétation phonématique des groupes de sons, n'étaient pas déplacées dans le manuel pratique qu'était la *Anleitung* ; dans les *Grundzüge* elles nous présentent le problème sous un jour que ne laissait pas attendre le traitement des notions de

Reprinted from *Acta Linguistica* 1 (1939) : 94–103, with the permission of the author and of the editorial board of *Acta Linguistica*.

base (Grundbegriffe) qui précède. Nous trouvons, p. 32 ss., un exposé très clair de la méthode qui doit nous servir à dégager l'unité phonologique de base nommée phonème. Cette méthode, qu'après MM. Hjelmslev et Uldall,[1] nous pouvons désigner du terme simple de commutation, on pourrait s'attendre à la voir appliquée à la résolution du problème central : un ou deux phonèmes ? Or, nous trouvons, au contraire, le problème envisagé sous un angle nouveau, et résolu, à notre sens, de façon peu satisfaisante, à l'aide de critères dont la valeur, en matière de phonologie, n'a pas été éprouvée précédemment.

C'est à l'aide de la commutation que Troubetzkoy décompose le groupe phonique allemand [by:] en deux phonèmes ; si les groupes [ts] ou [au] de la même langue sont réellement des phonèmes uniques, ne peut-on penser que leurs éléments refuseront de se prêter à la commutation ? Et s'il se montrait que [t] et [s], [a] et [u] sont dans ces deux cas commutables, ne serait-on pas conduit ou bien à admettre que [ts] et [au] représentent des groupes de phonèmes, ou bien à rejeter la commutation comme base de la recherche phonologique ? Troubetzkoy qui, après avoir dégagé le phonème allemand *b*, insiste sur le caractère successif des diverses articulations qui contribuent à sa réalisation, montre lui-même qu'il s'agit, dans le cas du phonème, non d'une concomitance des articulations, mais bien d'une impossibilité de commuter ses différents éléments. La solution du problème de l'interprétation biphonématique des groupes de sons consiste donc en un examen des différents cas où il apparaît impossible de procéder à la commutation des sons ou des articulations qui les conditionnent.

I. — Quelques mots d'abord sur la commutation elle-même. Pour dégager les deux phonèmes allemands *b* et *ȳ*, Troubetzkoy se sert des deux oppositions *Bühne/Bohne* et *Bühne/Sühne*. L'opposition *Bühne/Bohne* ne serait pas suffisante pour dégager un phonème *b* dans le mot *Bühne*, le [b] n'ayant dans ce cas aucune valeur distinctive et pouvant de ce fait être considéré comme une caractéristique permanente de *ȳ*. C'est l'opposition *Bühne/Sühne* qui prouve le caractère distinctif de *b* et son indépendance phonologique vis-à-vis de *ȳ*.

Nous dirons donc que deux sons successifs ne représentent avec certitude deux phonèmes distincts que s'ils sont tous deux commutables, c'est-à-dire si l'on peut, en les remplaçant par un autre son, obtenir un mot différent. Il est important de noter que la commutation est parfaitement valable si elle se fait avec zéro : en français, l'opposition *tiers/tuèrent* ne suffit pas à montrer que [t] représente un phonème distinct de *i̯*, mais *tiers/hier*, aussi bien que *tiers/pierre*, montre l'indépendance phonologique mutuelle de *t* et de *i̯*.

Une fois ces points éclaircis, nous pouvons chercher à voir comment on doit appliquer la commutation à la solution de la question : un ou deux phonèmes ?

II. — Supposons tout d'abord deux sons A et B qui, dans une langue donnée, n'apparaissent que dans la combinaison AB où il est impossible de les interpréter comme les variantes combinatoires d'autre chose. Toute tentative de commutation de A ou de B aboutirait à une forme impossible. La combinaison AB est donc la réalisation d'un phonème unique. Il est vrai qu'aucun phonème de ce

[1] Cf., par ex., *Proceedings of the Second International Congress of Phonetic Sciences*, p. 51.

type n'a jamais été signalé. Il existe au contraire, dans toutes les langues, des groupes AB où la suppression de A ou de B ne parvient pas à changer l'identité du mot, ce qui rend impossible toute commutation avec zéro. L'un des deux éléments a la même valeur d'indication que le groupe tout entier ; si donc on essaye de remplacer un de ces éléments par un son quelconque, on obtient, non pas une commutation, mais l'addition d'un nouvel élément à la chaîne parlée. Il s'agit, de toute évidence, d'une unité phonologique indissociable qui peut se réaliser aussi bien comme A ou B que comme AB. A, c'est par ex. l'implosion labiale, et B, l'explosion correspondante. A, B et AB sont phonologiquement identiques.

III. — Soit maintenant deux sons A et B qui, dans une langue donnée, se trouvent dans une combinaison AB. Hors de cette combinaison, on ne retrouve, par ex., jamais que A. Dans ce cas, dans la combinaison AB, B est commutable, mais A ne l'est pas, puisqu'il accompagne obligatoirement B. Le groupe AB devra être considéré comme la réalisation d'un phonème unique puisque, dans AB, A n'a, à lui seul, aucune valeur distinctive.

C'est le cas par ex. en castillan pour les sons [t] et [š] qu'on rencontre dans la combinaison [tš] ; [š] n'existe que dans ce cas, tandis que [t] se rencontre fréquemment dans bien d'autres positions ; dans un mot comme *chato* [tšato], [š] est commutable puisqu'en le remplaçant par [r] on obtient le mot *trato*, et en le commutant avec zéro on obtient le mot *tato*. Mais, tandis qu'on peut commuter le [a] qui suit [š] et obtenir le mot *choto*, on ne peut ni supprimer le [t] qui le précède, ni le remplacer par rien sans obtenir des formes [šato], [kšato], [lšato], etc. qui sont impossibles en castillan. Le [t] du groupe [tš] n'a, en lui-même, aucune valeur distinctive particulière, son apparition dans ce cas étant automatiquement déterminé par celle de [š] ; [tš] est donc en castillan la réalisation d'un phonème *č*.[2]

Le cas du groupe consonantique italien [dž] est analogue, bien que compliqué par la gémination et les variantes intervocaliqués toscanes.

Soit encore le groupe vocalique anglais [ou] ; [u] se retrouve fréquemment ailleurs, soit comme sommet syllabique, soit comme second élément de diphtongue ; quant à [o], on ne le retrouve, en dehors de cette combinaison, que dans les syllabes inaccentuées où il se présente comme une réalisation affaiblie de [ou]. Dans un mot comme *coke* [kouk], [o] est commutable avec zéro ou [r], d'où les mots *cook* [kuk] et *crook* [kruk] ; mais, tandis qu'on peut commuter le [k] qui précède, d'où par ex. *soak* [souk], le [u] qui suit n'est commutable ni avec zéro, ce qui donnerait l'impossible [kok], ni avec aucun phonème. En conséquence, on doit considérer [ou] en anglais comme la réalisation d'un phonème unique.

Il faut encore envisager ici le cas d'une langue qui présente les deux sons A et B aussi bien dans la succession AB que dans d'autres positions, et en outre une combinaison dont on pourrait être tenté de considérer les éléments comme des variantes affaiblies de A et de B, mais qui est phonologiquement distincte

[2] On pourrait être tenté de considérer le [š] du groupe [tš] comme une variante combinatoire de *s* dont l'articulation castillane est assez voisine. Mais il faudrait pour cela que le voisinage de [t] justifie le caractère proprement chuintant de [š], caractère qui le distingue de [s], ce qui n'est pas le cas.

de AB. On devra conclure qu'au moins un des deux éléments de cette combinaison ne peut être considéré comme la variante d'un des phonèmes de la langue, et que, par conséquent, on a dans ce cas affaire à la réalisation d'un phonème unique. C'est ainsi que le polonais connaît un phonème *t* et un phonème *š* qu'on retrouve en contact dans le mot *trzy* [tšï] par ex. Comme le mot *czy* que l'on pourrait être tenté de transcrire également [tsï] ne se confond pas avec *trzy*, et qu'une foule de faits concourent à montrer que c'est *trz* et non *cz* qui représente le groupe de phonèmes *t* + *š*, nous devons admettre qu'au moins un des éléments du groupe orthographié *cz* ne peut être interprété comme une variante de *t* ou de *š*, et, par conséquent, nous devons considérer ce groupe de sons comme la réalisation d'un phonème unique *č*.

IV. — Considérons maintenant le cas du groupe [dž] de l'anglais : soit le mot *jam* [džæm] ; le [ž] y est commutable avec [r], d'où le mot *dram*, ou avec zéro, d'où *damn* ; mais [d] n'y est commutable ni avec zéro, ni avec aucun son, des formes [žæm], [gžæm], [lžæm], etc., étant immédiatement reconnues comme non anglaises. Il en va toujours de même à l'initiale ou à la finale du mot dans les mots proprement anglais. A l'intérieur du mot, le cas est tout autre : dans *ledger* [ledžə], [d] est commutable avec zéro, ce qui donne *leisure* [ležə] ; la commutation de [ž] avec zéro, [l], [r], [n], est possible, bien qu'elle n'aboutisse ici à aucune forme existante.

Soit encore le groupe vocalique [au] de l'allemand : dans un mot comme *schlau* [šlau] [u] n'est pas commutable avec zéro ([a] bref final accentué n'est pas possible en allemand), mais il l'est avec [f] d'où *schlaff*, avec [p] d'où *schlapp*, etc. ; [a] toutefois, n'est commutable ni avec zéro, ni avec aucun autre son. De même, dans *Haus*, [u] est commutable (*Hals*, *Hans*, etc.), mais [a] ne l'est pas. Au contraire, dans *aus* ce n'est pas [u] seul qui est commutable (*As*, *als*, etc.), mais [a] également (*Guss*, *Schuss*, etc.).

Le cas du groupe [ts] de la même langue est un peu plus complexe : soit le mot *Zoll* [tsɔl] ; le [s] peut y commuter avec [r] ou avec zéro, d'où, dans ce dernier cas, *toll* [tɔl] ; mais [t] ne peut commuter avec aucun autre son ; avec zéro, on obtient la forme [sɔl] qui est impossible en Bühnendeutsch. Il est vrai qu'on pourrait peut être voir, dans le [s] de [tsɔl], une variante de [z], dans quel cas le résultat de la commutation de [t] avec zéro serait le mot *soll*. A l'intervocalique et à la finale, la commutation des deux éléments ne fait pas de difficulté ; ex. : *nütze/Nüsse*, *nutz/Nuss*, *nichts/nicht*, etc. Au contraire, à l'initiale devant [v], dans un mot comme *zwei* [tsvai], ni [t], ni [s] ne commutent avec aucun son ni avec zéro.

Il nous faut donc, aussi bien pour [au] et [ts] de l'allemand que pour [dž] de l'anglais, admettre une interprétation monophonématique, au moins dans tous les cas où l'application de la commutation s'oppose à un traitement biphonématique. Une fois acquise dans certaines positions, cette interprétation monophonématique semble pouvoir être étendue sans inconvénient à tous les cas où des conditions morphologiques particulières ne s'y opposent pas (par ex., all. *Gelds*, *Hunds*, *hat's*, etc.).

V. — Nous avons conclu que [dž] était en anglais la réalisation d'un phonème unique. Or, il existe dans cette langue un groupe de sons [tš] dont les composants semblent être parfaitement commutables dans toutes les positions, comme le montrent les oppositions *chip* [tšip]/*ship* [šip], *chip/tip, hutch/hush, hutch/hut*, etc. On devrait donc considérer [tš] comme la réalisation d'un groupe de phonèmes *t* + *š*. On remarque toutefois qu'en anglais un grand nombre de phonèmes qu'on peut dégager sans difficulté, s'opposent les uns aux autres, non pas au hasard, mais comme deux séries caractérisées aussi bien par la nature des éléments pertinents de leur articulation, que par certaines de leurs possibilités combinatoires : les phonèmes d'une série sont toujours caractérisés par des vibrations de la glotte, tandis que les autres ne connaissent jamais ces vibrations ; dans certaines conditions morphologiques (à la suture, lorsque le second morphème se compose d'un seul phonème), les phonèmes des deux séries s'excluent mutuellement, de telle sorte que la sourde *s* n'admet après elle que la sourde *t*, à l'exclusion de la sonore *d*, tandis que la sonore *z* n'admet que *d*, à l'exclusion de *t*, etc. Or, [tš] se distingue de la réalisation du phonème *dž* exactement comme *s* se distingue de *z*, ou *t* de *d*. *Dž*, dans les conditions mentionnées ci-dessus, n'admet après lui que la sonore *d* à l'exclusion de la sourde *t* (*judged* = [džʌdžd]), [tš] n'admettant évidemment que *t* (*patched* = [pætšt]). Dans ces conditions, [tš] apparaît comme la réalisation d'un partenaire sourd du phonème sonore *dž*, et vient se ranger parmi la liste des phonèmes de l'anglais.

Nous dirons donc, de façon générale, que lorsqu'un groupe de sons est de nature telle et se comporte de telle façon qu'on doit le considérer comme le partenaire corrélatif d'un phonème (phonétiquement homogène ou hétérogène) de la langue, il faut voir dans ce groupe de sons la réalisation d'un phonème unique.

Nous pouvons, dès maintenant, dégager les points essentiels sur lesquels les méthodes proposées ici diffèrent de celles exposées dans les *Grundzüge*.

Dans ses trois premières règles, que l'on peut qualifier de négatives, Troubetzkoy édicte, à l'interprétation monophonématique, des restrictions purement phonétiques : seuls sont susceptibles d'être interprétés comme des réalisations de phonèmes uniques les groupes dont la durée n'excède pas certaines limites, qui se comportent d'une certaine façon vis-à-vis de la frontière syllabique, ou dont les éléments sont dans un rapport phonétique d'un type particulier. Ces restrictions n'existent pas pour nous : le groupe castillan [tš] se réaliserait-il généralement avec une durée double de celle des autres consonnes de la même langue, que cela ne pourrait nous empêcher de le considérer comme un phonème unique ; la localisation de la frontière syllabique ne peut nous intéresser que si elle est phonologiquement pertinente, c'est-à-dire si, en cette position, on doit distinguer entre A + B et AB ; quant à la nature phonique des éléments du groupe, elle ne nous intéresse qu'autant qu'elle nous permet de déterminer si, oui ou non, ces éléments sont à interpréter comme des variantes de phonèmes déjà dégagés.

Des trois règles positives, la dernière ne fait qu'exprimer sans le justifier ce que nous avons dégagé ci-dessus, § III, en nous fondant sur la commutation. La règle V [3] invoque de façon assez vague le parallélisme dans l'inventaire des phonèmes. Nous croyons avoir ci-dessus, § V, dégagé de façon précise les cas

[3] Le texte de la règle V ne figure pas dans les *Grundzüge* : un feuillet a dû s'égarer, ou le typographe a eu un moment d'inattention ; on le retrouve par bonheur dans la *Anleitung*, p. 14, § 12.

où l'on peut invoquer le parallélisme. L'exemple que donne Troubetzkoy à ce sujet, s'explique fort bien par la commutation : dans les langues qu'il cite, *ts* et *tš* sont des phonèmes uniques parce que, dans des groupes [ts'a], [tš'a], [t] n'est pas commutable dans un parler où les groupes [s'a], [š'a], et probablement [ps'a], [pš'a], etc., sont impossibles, au moins dans certaines positions où figurent [ts'a], [tš'a].

La règle IV impose une interprétation monophonématique pour les groupes de sons qui se rencontrent en des positions où la langue n'admet que des phonèmes uniques, ceci lorsque la nature phonétique des éléments du groupe ne s'oppose pas à cette interprétation. La simple application de la commutation ne nous permet pas de suivre ici Troubetzkoy : un groupe [ts] qui ne figure que dans des positions où *t* et *s* ne sont pas inconnus, peut toujours voir ses éléments commutés avec zéro et, de ce fait, être interprété comme $t + s$. Pour que, dans les cas prévus par la règle IV, nous puissions nous prononcer pour une interprétation monophonématique, il faut que le groupe [ts], par ex., se retrouve en des positions d'où est exclu au moins un des deux phonèmes simples *t* et *s* (cas d'all. [ts] dans *zwei*), ou encore que *ts* soit, de toute évidence, le partenaire corrélatif de *s*, ce qui suppose l'existence incontestable d'une corrélation de plosion/friction qui s'étende à des couples dont les composants sont tous deux, indiscutablement, des phonèmes uniques (par ex. : *t/þ*, *k/χ*, etc.).

Il y aurait donc, au moins en théorie, des cas où Troubetzkoy, par l'application des trois premières règles, se refuse à l'interprétation monophonématique là où nous l'admettons, tandis que l'application de la règle IV permet l'extension de cette interprétation à des cas où nous ne pouvons l'accepter. En pratique il existe peut-être des cas du premier type, mais nous n'en connaissons pas personnellement. Quant à ceux du second type, s'ils paraissent au premier abord assez fréquents, on voit leur nombre se réduire rapidement dès que l'on mène de façon scientifique les opérations préalables à la commutation.

On a trop tendance, en ces matières, à se fonder sur une analyse phonétique un peu naïve, dont le degré de finesse varie d'ailleurs d'un linguiste à un autre, et qui est sous l'étroite dépendance des traditions que les nécessités de la pratique, aussi bien à l'imprimerie qu'à l'école ont imposées aux transcripteurs : c'est ainsi qu'après une occlusive, un [l] dévoisé sera transcrit au moyen de la lettre *l* accompagnée d'un signe diacritique, tandis qu'un [a], un [e], ou un [o] dévoisé seront transcrits uniformément [h]. Si deux articulations, dont une glottale, ne sont pas strictement synchrones, la frange glottale sera, dans la transcription qui servira à la commutation, presque certainement notée, et pourra se voir retenue comme unité phonologique ; au contraire, des " bavures " nasales sur une voyelle orale passeront inaperçues, ou seront négligées. Si ces bavures étaient retenues comme tranche spéciale, elles pourraient, dans certains cas, parfaitement être commutées : soit, par ex., en anglo-américain, le mot *don* réalisé comme (d*aãn*] ; rien n'empêche une commutation de [*ã*] avec [r], d'où *darn* [darn] ; de même *bomb* [ba*ã*m] peut, par commutation de [*ã*], aboutir à *barm* [barm] ; dans le groupe [*ã*n], [*ã*] est commutable avec [r], et [n] commutable avec [m] ; les conditions d'une interprétation biphonématique semblent donc réunies. Or il est évident que ce qui vient d'être pompeusement désigné au moyen d'une voyelle nasalisée n'est qu'une zone de chevauchement de deux phonèmes.

Si le cas de ce qu'on transcrit très imparfaitement comme [tha] diffère de celui de [*aã*n], c'est que la position glottale caractéristique qui existe pendant toute l'articulation du [t] ne parvient, du fait de l'occlusion apicale, à se manifester acoustiquement qu'au moment où le [t] proprement dit n'existe plus, tandis que dans [*ã*n] le caractère nasal de [n] est perceptible pendant toute l'articulation du phonème. De ce fait, le caractère d'interdépendance de [*ã*] et de [n] apparaîtra beaucoup plus nettement que celui de [t] et de [h], bien que, dans ce dernier cas, l'ouverture glottale caractérise musculairement les deux éléments du groupe, tout comme l'abaissement du voile caractérise [*ã*] et [n]. Sur des tracés où ne se manifestent que les modifications correspondant aux vibrations aériennes, [*ã*] apparaîtra comme une transition de [*ã*] à [n], tandis que [h] semblera présenter un caractère particulier, l'ouverture de la glotte. Mais ce caractère, des moyens d'investigation plus précis permettraient de le retrouver dans le [t] qui précède. Ce n'est pas parce que les faits d'articulation sont moins aisément accessibles à l'observation scientifique qu'on doit les négliger complètement en faveur des faits acoustiques.

L'interprétation phonologique du groupe transcrit [tha] dépend essentiellement du rôle de la glotte au cours de l'occlusion apicale dans le groupe [ta] du même parler : s'il apparaît que le comportement de la glotte est identique au cours des deux occlusions, il ne saurait plus être question d'éliminer [h] comme une bavure, puisqu'il n'est pas sous la dépendance de l'articulation précédente : après une articulation identique [t], on peut distinguer entre [ha] et [a] et, par conséquent, [h] a un rôle distinctif. Si, au contraire, l'élément transcrit [h] ne peut disparaître sans que l'articulation du [t] précédent en soit affectée, on devra considérer [h] simplement comme la réalisation acoustique d'une caractéristique permanente d'un complexe articulatoire [t] qu'il faudra, en transcription, distinguer par un signe diacritique de l'autre [t], celui qui se réalise avec la glotte moins largement ouverte.

Nous pouvons rapprocher de ce cas ce qui se passe dans une langue où le groupe [-mr-] tend à se prononcer [-mbr-], c'est-à-dire là où le synchronisme des deux articulations labiale et nasale est affecté ; dans ce cas, le [b] n'a, en cette position, aucune valeur distinctive ; mais si, dans une langue, la présence ou l'absence de [b] en cette position peut permettre de distinguer entre les mots et les formes, là où, par ex., [amra] et [ambra] ne sont pas phonologiquement équivalents, il se trouvera qu'après une articulation identique [m], on pourra distinguer entre [br] et [r], et que par conséquent [b] aura un rôle distinctif.

De tout ceci, il résulte que la première tâche du phonologue est une analyse phonétique approfondie du parler à étudier, analyse au cours de laquelle il faudra surtout prendre garde de ne pas se laisser induire en erreur par les imperfections des transcriptions phonétiques traditionnelles. En outre, on ne procèdera à la commutation qu'après avoir éliminé tous les éléments de la chaîne phonique qui ne résultent pas d'une innovation articulatoire, sauf, bien entendu, là où leur suppression — lorsqu'elle peut se produire sans affecter en rien les articulations voisines — peut aboutir à changer la signification d'un complexe phonique.

La solution du problème de l'interprétation phonématique que nous proposons ici, paraîtra sans doute passablement compliquée. Mais le problème lui-même n'est pas simple. C'est qu'il ne suffit pas de donner une définition du phonème pour que, dans tous les cas concrets, nous nous trouvions à même de le dégager immédiatement sans difficulté. L'essentiel nous a semblé de ne jamais perdre de vue cette définition, et de chercher à appliquer dans tous les cas les méthodes qui en découlent immédiatement.

15 PHONOLOGIE ET MÉLANGE DE LANGUES

Lucien Tesnière

Je ne sache pas que les phonologues aient jamais pris nettement position dans la question si controversée du mélange des langues. A l'heure où, en France, la phonologie est en train de triompher des dernières résistances — car on ne triomphe jamais des premières —, il n'est peut-être pas sans intérêt de poser ce problème, dont la solution apparaît, à la réflexion, comme contenue en puissance dans les principes mêmes de la doctrine phonologique.

Des critères tout extérieurs invitent déjà à conjecturer que la phonologie ne saurait adopter, sur la question du mélange des langues, l'attitude parfaitement intransigeante qui fut celle des néo-grammairiens. Tout d'abord, sur bien des points, la phonologie a été amenée, par une réaction naturelle et salutaire, à prendre le contre-pied de la doctrine traditionelle, dont les cadres étroits, suffisants à la rigueur pour intégrer une expérience linguistique livresque essentiellement alimentée par des textes écrits, devaient fatalement faire étouffer une génération de linguistes élevés dans la pratique directe, active et parlée des langues sur lesquelles ils opèrent. Aussi bien, les plus illustres non-conformistes de l'âge néo-grammairien étaient-ils parfois des partisans convaincus de la possibilité du mélange des langues. Tandis que Meillet proscrivait catégoriquement et le terme, et la notion de mélange,[1] Baudouin de Courtenay y voyait au contraire un procédé normal et courant dans l'histoire des langues.[2] Et Schuchardt exprimait la même thèse en termes explicites : " *Mischung* durchsetzt überhaupt alle Sprachentwickelung, sie tritt ein zwischen Einzelsprachen, zwischen nahen Mundarten, zwischen verwandten und selbst zwischen unverwandten Sprachen ".[3] Dans quelle mesure ces vues sont-elles en harmonie avec les théories phonologiques ? C'est ce que nous voudrions examiner ici.

Un des axiomes essentiels de la phonologie est que tout, dans le mécanisme du langage, repose sur des oppositions. La phonologie procède par là directement, bien qu'on l'ait contesté, de la doctrine saussurienne, dont c'est une des idées maîtresses : " Deux signes comportant chacun un signifié et un signifiant ne sont pas différents, ils sont seulement distincts. Entre eux il n'y a qu'*opposition.* Tout le mécanisme du langage...repose sur des oppositions de ce genre et sur les différences phoniques et conceptuelles qu'elles impliquent ".[4]

Mais ces oppositions elles-mêmes ne sont pas isolées. Elles s'opposent entre elles et en arrivent à former de véritables systèmes organiques. De ce point de vue une langue apparaît comme un système d'oppositions. A y regarder de près, on constate même qu'il y a dans une langue plusieurs systèmes, le système

Reprinted from *Travaux du Cercle Linguistique de Prague* 8 (1939) : 83–93, with the permission of Bohumil Trnka, secretary of Cercle Linguistique de Prague.

[1] V. en particulier l'article intitulé " Le problème de la parenté des langues ", paru d'abord dans *Scientia,* XV, 1914, p. 403, et reproduit dans *Linguistique historique et linguistique générale,* 1921, p. 76.

[2] V. *Opyt fonetiky rezjanskich govorov,* pp. 120, 124 et 125, et l'article " sur le caractère mixte de toutes les langues " : " O měšannom charakterě vsěch jazykov ", *Žurnal Ministerstva Narodnago Prosvěščenija,* 1901.

[3] Leo Spitzer, *Hugo Schuchardt-Brevier,* p. 171.

[4] V. F. de Saussure, *Cours de linguistique générale,* p. 174.

phonétique, le système morphologique, le système syntaxique, etc. Ce qui autorise à poser qu'une langue est un système de systèmes. La phonologie se trouve donc logiquement amenée à étudier ces systèmes. Et c'est bien effectivement ce qu'elle fait, puisque l'objet qu'elle se propose est en dernière analyse la recherche empirique du schème psychologique selon lequel chaque langue ordonne ses phonèmes aux fins d'utilisation.

Si la phonologie a le mérite d'avoir intégré le caractère systématique des éléments du langage dans une théorie d'ensemble qui le fait ressortir en pleine lumière, elle n'est cependant pas la première à l'avoir reconnu. Il s'agit là d'un fait élémentaire d'observation courante, que l'on admet en général sans discussion. On sait que les linguistes allemands vont même parfois jusqu'à exprimer la notion d'analogie morphologique par le terme parfaitement adéquat de " Systemszwang ". En France, A. Meillet a toujours insisté avec force sur ce qu'il y a de systématique dans les langues : " Au point de vue de l'individu ", écrit-il,[5] " la langue est un système complexe d'associations inconscientes de mouvements et de sensations au moyen desquelles il peut parler et comprendre les paroles émises par d'autres individus. Ce système est propre à chaque homme...". Et ailleurs : " Chaque langue constitue un système " [6] ou encore : " La prononciation et la grammaire forment des systèmes fermés ; toutes les parties de chacun de ces systèmes sont liées les unes aux autres ".[7]

Mais un système est un organisme, un tout architecturé, dans lequel chaque partie s'harmonise avec l'ensemble. Vienne une de ces parties à disparaître, on ne saurait la remplacer indifféremment par une partie d'un autre ensemble. La pièce ainsi rapportée resterait hétérogène et ne ferait pas corps avec le système auquel on voudrait l'affecter. En d'autres termes on ne saurait refaire un système un et homogène avec deux moitiés de systèmes hétérogènes.

De là découlent les principes qui semblent devoir présider au mélange des langues. Une langue est d'autant plus rebelle aux mélanges qu'elle comporte des systèmes plus cohérents et mieux développés. Inversement une langue est d'autant plus sujette aux mélanges, que les systèmes qui la constituent sont plus relâchés. En d'autres termes : **La miscibilité d'une langue est fonction inverse de sa systématisation.**

Et c'est bien en effet ce que l'on constate. Là où l'on observe mélange, ce n'est jamais qu'entre des systèmes dissimilaires : système grammatical d'une langue avec système lexicographique d'une autre ; système phonétique d'une langue avec système morphologique d'une autre, etc. Par contre le mélange est impossible entre systèmes similaires de deux langues différentes : deux morphologies ne se mélangent pas ; elles ne peuvent que s'exclure.

Quelques exemples suffiront à illustrer ces données.

Le cas de beaucoup le plus fréquent est celui du mélange d'une grammaire avec un vocabulaire d'autre origine. Les faits auxquels on peut se référer ici sont innombrables et bien connus.

Le grec présente une grammaire dont le caractère indo-européen est évident.

[5] *Introduction...*, pp. 17–18.
[6] *Scientia*, XV, cité ici d'après *Linguistique historique et linguistique générale*, p. 83.
[7] Ibid., p. 84.

Mais le vocabulaire est en grande partie " égéen " : " Il n'y a ", dit Meillet " qu'un petit nombre de mots grecs dont l'indo-européen fournisse une étymologie certaine ".[8] " C'est sans doute qu'ils sont en grande partie empruntés à des langues non indo-européennes ".[9] L'arménien allie à un système morphologique dont l'origine indo-européenne directe ne fait de doute pour personne aujourd'hui un vocabulaire si chargé d'éléments parthes et perses, qu'on a pu, pendant longtemps, y voir une langue iranienne. A son tour, " le tsigane arménien est purement de l'arménien pour la prononciation et la grammaire ; mais le vocabulaire n'a rien d'arménien ; ...les Tsiganes d'Arménie...ont gardé leur vocabulaire traditionnel ".[10] De même l'albanais constitue par son système grammatical un rameau propre de l'indo-européen, mais le vocabulaire en est, pour la plus grande partie, composé de mots latins, italiens, grecs, slaves et turcs. On sait que le vocabulaire arabe de l'Islam s'est allié à une grammaire indo-européenne dans le persan et à une grammaire turco-tatare dans le turc. Schuchardt donne d'innombrables faits de ce type dans son livre intitulé *Slawo-Deutsches und Slawo-Italienisches.* Le slovène du nord est rempli de mots allemands, qui font bon ménage avec une grammaire foncièrement slave. On lira par exemple comme sous-titre du *Colemone-Shegen* la mention suivante : *v* **latinshzhei shprachi** *vnkei dan.*

Certaines phrases allemandes peuvent avoir un vocabulaire entièrement français, telle celle que cite J. Marouzeau : " *Die Dame kokketierte mit dem Militär-Attaché auf der Terrasse des Hotels* ".[11] La chose est normale en alsacien, où l'on donne en exemple la phrase strasbourgeoise suivante : " *Geh mir aweck mit dere, sie isch wolasch in d'r Amitié, mer kann re kaan segré komfidiere* ". De même on trouve dans l'œuvre des frères Matthis, qui est en pur dialecte alsacien, une multitude de passages comme les suivants :

Vor em Bumbiéscummedant.[12]
Dort an d'r Mür glaenzt wie Cryschtall
E' Gasque vun d'r Gard Nationnall.[13]

J. Vendryes cite,[14] pour le portugais de Mangalore, aux Indes, l'expression *governador's casa,* qui allie un morphème anglais à un vocabulaire purement portugais. On objectera qu'il s'agit ici, non pas d'anglais à vocabulaire portugais, mais de portugais à grammaire anglaise. La chose est d'importance au point de vue diachronique, mais elle ne change rien à la théorie. Que l'on verse à petites gouttes du vin dans de l'eau ou de l'eau dans du vin, le résultat finit toujours par être de l'eau rougie.

Ce qui importe bien davantage, c'est de noter que dans aucun des exemples précédents le mélange n'intéresse un vocabulaire dans sa totalité. Le grec est certes plein de mots égéens, mais il conserve quand même un certain fonds de mots indo-européens. De même les mots français de l'alsacien n'excluent pas,

[8] Meillet, *Aperçu d'une histoire de la langue grecque,* Chapitre III.
[9] Ibid.
[10] Meillet, *Linguistique historique et linguistique générale,* p. 95.
[11] Marouzeau, *La linguistique,* p. 141.
[12] Albert et Adolphe Matthis, *Fülefüte* ; Strasbourg, 1937, p. 68.
[13] Ibid., p. 140.
[14] Dans *Le Langage,* 1921, p. 343 ; v. aussi Meillet, *Linguistique historique et linguistique générale,* p. 87.

loin de là, le contingent germanique. Il y a donc ici, à proprement parler, mélange de deux vocabulaires différents.

Loin d'infirmer le principe posé ci-dessus, cette observation en apporte au contraire une précieuse confirmation. C'est que le vocabulaire est loin de former un système aussi cohérent et aussi homogène que ceux de la phonétique et de la morphologie. Aussi, tandis que les systèmes proprement grammaticaux ne peuvent intervenir dans un mélange qu'en bloc et intégralement, les vocabulaires peuvent s'infiltrer lentement et progressivement. C'est aussi pourquoi l'origine du vocabulaire peut être multiple, comme nous l'avons vu par exemple ci-dessus pour l'albanais.

Il faut d'ailleurs se garder de penser que le vocabulaire, pour n'avoir pas l'armature solide d'un système grammatical, soit complètement inorganique. Il est en général beaucoup plus organisé qu'on ne l'imagine. Et l'on observe précisément que, dans la mesure même où il comporte des groupes compacts et cohérents, il est rebelle au mélange.

C'est le cas bien connu des noms d'animaux domestiques anglais, où le contingent des bêtes sur pied forme un groupe d'origine saxonne : *ox, calf, sheep, swine,* tandis que les mêmes servies sur table relèvent d'un bloc d'origine franco-normande : *beef, veal, mutton, pork.* " Tant que la bête est vivante et confiée à la garde d'un esclave saxon ", dit Wamba dans *Ivanhoe,* " elle garde son nom saxon ; mais elle devient normande...quand on la porte à la salle à manger du château, pour y servir aux festins des nobles ".[15] Il n'y a pas mélange, mais juxtaposition de deux groupes sémantiques avec des valeurs différentes.

L'impénétrabilité réciproque des systèmes apparaît en pleine lumière dès qu'il s'agit de phonétique et de morphologie. Deux phonétiques ou deux morphologies ne se mêlent pas. Mais la symbiose d'une phonétique et d'une morphologie d'origines différentes est parfaitement viable.

L'arménien présente un système morphologique dont l'indo-européanisme est indéniable. Mais il a une phonétique qui ressemble étrangement à celle des langues caucasiques voisines, et que l'on suppose pour cette raison être celle de la langue autochtone des inscriptions vanniques. " Ce n'est pas un hasard ", écrit Meillet,[16] " que le système des occlusives de l'arménien soit identique à celui du géorgien, langue non indo-européenne ". De même le germanique allie à une morphologie nettement indo-européenne un système phonétique d'origine différente, et qu'il est logique d'attribuer, toujours avec Meillet,[17] au type articulatoire d'une population dont la langue n'était pas l'indo-européen.

En vertu du même principe, un système morphologique donné peut s'allier à un système syntaxique tout différent. Schuchardt cite de bons exemples de ce type de mélange dans son *Slawo-Deutsches und Slawo-Italienisches,* ainsi : *nicht scheut er sich ihn zu verleumden,* dont le prototype syntaxique est le slovène *ne se sramuje ga obrekovati.*[18] Point n'est besoin, au demeurant, d'aller

[15] Voir tout le passage dans Walter Scott, *Ivanhoe,* chap. I.

[16] *Introduction* ..,[7] p. 24 ; v. aussi Meillet, *Caractères généraux des langues germaniques,* Chap. I., La mutation consonantique.

[17] *Caractères généraux des Langues Germaniques,* ibid.

[18] Cité par Vendryes, *Le Langage,* 1921, p. 342.

chercher ses exemples si loin. Il suffit d'observer l'allemand des élèves de nos lycées, dont la syntaxe est parfois terriblement française : *Der Schüler in Frage ist krank gefallen*, d'après : *L'élève en question est tombé malade.*[19]

Quant à l'association d'un système phonétique avec un système syntaxique d'origine différente, il semble qu'on ne l'observe guère. C'est peut-être tout simplement parce que ces deux systèmes proviennent généralement l'un et l'autre de l'influence du substrat, qui est par définition le même.

Les conclusions qu'impose la structure systématique des langues quant à l'impénétrabilité des systèmes ont été formulées depuis longtemps par A. Meillet : " Les systèmes, grammaticaux de deux langues sont... impénétrables l'un à l'autre ".[20] " Le système phonétique et le système morphologique se prêtent donc peu à recevoir des emprunts. ...Au contraire les mots ne constituent pas un système ; ...Aussi peut-on emprunter à des langues étrangères autant de mots que l'on veut ".[21]

Comment se fait-il, dès lors, qu'en présence de tous les faits évidents de mélange que nous avons rappelés ci-dessus, Meillet se soit refusé avec tant d'insistance à admettre le principe même du mélange des langues, alors que d'autres, comme par exemple J. Vendryes, lui font sa juste place dans leur conception du langage ? [22]

Car ne nous y trompons pas : il ne s'agit pas seulement, dans l'esprit de Meillet, de l'impénétrabilité des **systèmes,** sur laquelle l'accord semble évident, mais bien de l'impénétrabilité des **langues :** " Certains linguistes parlent... de langues mixtes. L'expression est impropre. Car elle éveille l'idée qu'une pareille langue résulte du mélange de deux langues placées dans des conditions *égales* ".[23] Ou encore : " Les sujets bilingues qui ont le choix entre deux langues ne mêlent pas ces deux langues ".[24]

A y bien réfléchir, cette antinomie n'est pas insoluble. Et peut-être n'y faut-il voir qu'une différence de terminologie. Pour Meillet, la langue est un système de signes. Or le signe est par définition morphologique. Un phonème n'est pas par lui-même un signe. Il ne devient tel que lorsqu'il est associé à un sens, c'est-à-dire lorsqu'il prend une valeur morphologique. D'autre part la syntaxe n'existe, pour Meillet, qu'en tant que science des emplois des formes, c'est-à-dire seulement lorsqu'elle se réalise en morphologie. Quant au vocabulaire, s'il est bien composé de signes, par contre, il ne forme pas, à ses yeux, un système.

Il est facile de comprendre que, dans ces conditions, la langue se trouve en fait réduite à la morphologie, ou tout au moins que la morphologie y occupe une place privilégiée. C'est elle en tous cas qui est, dans l'esprit de Meillet, l'unique objet de la grammaire, d'où sont exclus par définition la phonétique et le vocabulaire : " Une langue est défini par trois choses : un système phonétique, un système morphologique et un vocabulaire, c'est-à-dire par une manière de prononcer, par une grammaire et par certaines manières de désigner

[19] Phrase entendue un jour d'examen.
[20] Meillet, *Linguistique historique et linguistique générale*, p. 82.
[21] Ibid., p. 84.
[22] J. Vendryes, *Le Langage*, 1921, pp. 345–347.
[23] *Linguistique historique et linguistique générale*, p. 83.
[24] Ibid., p. 83.

les notions ".[25] L'égalité " morphologie égale grammaire " ressort à l'évidence de cette définition.

Aussi bien Meillet ne pouvait-il avoir que la morphologie en vue, lorsqu'il fondait le principe de la continuité linguistique sur la volonté consciente d'un groupe d'individus de parler telle langue plutôt que telle autre : " Une langue sera dite issue d'une autre langue si, à tous les moments compris entre celui où se parlait la première et celui où se parle la seconde, les sujets parlants ont eu le sentiment et la volonté de parler une même langue. ...Ainsi la parenté des langues résulte uniquement de la continuité du sentiment de l'unité linguistique ".[26] Car la continuité morphologique se réalise toujours par transmission directe, tandis que la continuité phonétique (et peut-être aussi syntaxique) emprunte le canal du substrat et la continuité du vocabulaire celui de l'emprunt.[27]

Aussi bien Meillet n'était-il pas sans faire état des faits de mélange, en particulier dans les périodes de bilinguisme : " Les sujets qui disposent à la fois de deux moyens d'expression distincts introduisent souvent dans l'une des deux langues qu'ils parlent des procédés appartenant à l'autre ".[28] Seulement, centrant toujours sa conception sur la morphologie, il ne voyait dans les éléments ainsi introduits dans une langue que des " emprunts ". Une langue fût-elle essentiellement composée de mots latins, italiens, grecs, slaves et turcs, comme c'est le cas pour l'albanais, il n'y a point " mélange ", mais seulement " emprunt ". On voit la différence fondamentale avec Schuchardt, pour qui c'est tout un : " Ob von Mischung oder von Entlehnung. Nachahmung, fremdem Einfluss die Rede ist, immer haben wir wesengleiche Erscheinungen vor uns ".[29]

Si l'on écarte cette question de terminologie, le point de vue de Meillet n'est nullement en contradiction avec les principes énoncés ci-dessus. En effet, dès que l'on conçoit la langue comme étant essentiellement la morphologie, dire que deux langues ne peuvent se mélanger, c'est dire que deux morphologies ne peuvent se mélanger. Et cela se comprend aisément, puisqu'il s'agit de deux systèmes similaires et par conséquent, comme nous l'avons vu, impénétrables l'un à l'autre.

Il a été relativement facile de montrer que le mélange est possible entre systèmes dissimilaires d'origine différente. Les exemples positifs ne manquent

[25] *Linguistique historique et linguistique générale*, pp. 83–84. On notera dans cette énumération, volontairement incomplète, l'absence de la syntaxe, dans laquelle Meillet ne voyait qu'un appendice de la morphologie.

[26] Ibid., p. 81. Meillet écrit également au même endroit : " Entre la conquête de la Gaule par les Romains et l'époque actuelle, il n'y a eu aucun moment où les sujets parlants aient eu la volonté de parler une autre langue que le latin ". Ce point de vue, très fortement appuyé par Meillet, appelle d'ailleurs la discussion. Outre que, pour ma pour part, je n'ai jamais eu la volonté ou le sentiment de parler latin quand je parle français, l'affirmation ci-dessus présente, à mon sens, l'inconvénient de s'appliquer également à l'italien, à l'espagnol, etc. De ce qu'un Français et un Italien ont l'un et l'autre le " sentiment " ou la " volonté " de parler latin, il ne s'ensuit pas qu'ils parlent la même langue. Car le sentiment subjectif, évidemment erroné, des sujets parlants, ne saurait prévaloir contre la réalité objective, qui est que le français et l'italien sont bel et bien des langues différentes.

[27] " En somme, le vocabulaire est le domaine de l'' emprunt ' ". (*Linguistique historique et linguistique générale*, p. 84.)

[28] Meillet, *Introduction...*,[7] p. 26.

[29] Leo Spitzer, *Hugo Schuchardt-Brevier*, 1922, p. 171.

pas. Il sera moins aisé de démontrer la proposition contraire, à savoir que deux systèmes cohérents similaires sont rebelles au mélange, car les exemples ne pourront par définition être que négatifs. Tout ce que l'on peut dire, c'est qu'on ne voit nulle part deux moitiés de systèmes morphologiques se souder pour former un nouveau système mixte. On n'arrive même pas à concevoir ce que pourrait être une déclinaison ou une conjugaison qui serait pour moitié latine et pour moitié arabe par exemple.

On objectera que la déclinaison latine s'accommodait fort bien des désinences grecques : *poesin*, *Socraten*, etc. Mais, outre qu'il ne s'agit pas là à proprement parler de formes latines, mais bien de formes grecques transcrites en latin, et senties comme telles, il ne faut pas oublier que le système de la déclinaison latine est au fond le même que celui de la déclinaison grecque, puisque toutes deux continuent un même prototype indo-européen qui a relativement peu évolué.

Quand il s'agit de deux systèmes vraiment différents, la pénétration est impossible. C'est ainsi que, quand par exemple l'argot militaire français emprunte le pluriel brisé arabe *toubib*, il en sent si peu la valeur dans le système morphologique de l'arabe, qu'il en fait un singulier auquel il redonne un pluriel conforme au système français : *des toubibs*. Le mot ne passe qu'à l'état isolé, et délesté de tout son système morphologique originel. Car la morphologie de l'arabe est inconciliable avec celle du français.

Certains affectent bien de dire : *un Targui*, *des Touareg*. Mais on ne les suit guère, quand ils ne font pas sourire. Le *Nouveau Larousse Illustré* enseigne qu'il faut accorder : *le costume targui* et *les armes touareg*. Mais il préconise en même temps : *une tribu targuie*, avec une forme de féminin essentiellement française. Et surtout il donne le mot sous la rubrique et à l'ordre alphabétique *Touareg*, s'infligeant par là à lui-même le plus éclatant démenti, puisqu'il n'est pas d'usage d'enregistrer sous la forme du pluriel les mots qui ont un singulier. De même lorsque le turc emprunte son relatif *-ki* au persan,[30] ce n'est qu'en le sortant complètement du système de la grammaire iranienne pour en faire un suffixe conforme à sa propre typologie. On invoquera également en faveur du mélange des morphologies le cas du pluriel allemand en *-s*, dont l'origine est, on le sait, française : *die Genies*, *die Kerls*, *die Fräuleins*. Mais on notera qu'il ne s'agit là que d'une désinence isolée, non d'un système. En outre, elle ne pénètre en allemand, si l'on excepte les mots français qui l'ont colportée (*die Genies*), que dans les mots en liquides (*die Kerls*) ou nasales (*die Mädchens*, *die Fräuleins*), dont la flexion est réduite à l'extrême, c'est-à-dire précisément dans la mesure où elle ne se heurte à aucun système morphologique hétérogène. Il y a d'ailleurs lieu de remarquer qu'elle ne fait que reprendre une place qui avait été occupée, quelques siècles auparavant, par la désinence parente germanique en *-s* qu'attestent l'anglosaxon *earmas* et même le vieux-saxon *armos* (en face de l'ancien-haut-allemand *arma*).

Ainsi nulle part on n'assiste au mélange de deux systèmes morphologiques. Mais cela ne veut pas dire que l'existence de deux systèmes morphologiques différents et par conséquent incompatibles soit jamais un obstacle au mélange

[30] Meillet, *Linguistique historique et linguistique générale*, p. 87.

des langues elles-mêmes. Si le brassage des populations est tellement intime que leurs langues ne puissent pas ne pas se mélanger, elles en sont quittes pour éliminer chacune leur système morphologique. Et l'on observe en effet que les langues très mélangées présentent une morphologie réduite à sa plus simple expression. " Les langues mixtes ont cet intérêt d'être aussi en général des langues très usées ", constate l. Vendryes,[31] qui ajoute : " Déjà Grimm affirmait en 1819, que du conflit des langues résultait fatalement la perte de la grammaire. La conséquence n'est pas toujours fatale. Mais le fait est qu'on a souvent l'occasion de la constater ".[32]

Tel est le cas pour le Caucase, où A. Dirr, cité par Vendryes,[33] constate que, là où les langues sont très mêlées, comme par exemple au Daghestan, " le résultat le plus remarquable est dans la simplification de la morphologie ". Tel est également le cas de toutes les variétés de sabir, créole, petit nègre, pidgin-english, etc.

Ce serait une erreur de croire que ce qu'on appelle communément le petit nègre soit du français dont la morphologie et la syntaxe seraient ramenées au niveau élémentaire de la grammaire des noirs. La morphologie comme la syntaxe des langues des nègres, bantoues ou autres, est en effet loin d'être élémentaire. Et elle est au moins aussi difficile à acquérir pour un Européen que les nôtres pour un Africain. Ce qui est vrai, c'est que le petit nègre est le résultat d'un mélange où, chacun se révélant impuissant à assimiler le système de l'autre, les deux systèmes en présence disparaissent l'un et l'autre.

Quelques exemples montreront à quel point la grammaire est simplifiée dans ces langues mêlées :

Sabir : *Sbanioul chapar* (voler) *bourrico, andar labrizou* (prison). *Quand moi gagner drahem* (argent), *moi achetir moukère.*[34]

Créole de la Réunion : *Nous l'a çarrié aussi ein bouteille rhum pour çauffe ein pé nout l'estoumac.*[35]

Créole de l'île Maurice : *Bien sir ça éne ptit banc qui li fine comande so domestique amène dans bord bassin pour mo capabe assisé, lhere* (quand) *mo bisoin tire quilotte pour alle baingne mo lécorps dans son dileau.*[36]

Aussi bien le petit nègre ne naît-il pas seulement dans nos rapports avec les nègres. Il apparaît spontanément dès que se trouvent en contact des langues différentes présentant des systèmes morphologiques ou syntaxiques compliqués. C'est en particulier ce qui s'est produit en 1914–1918 dans les camps de prisonniers d'Allemagne, où un savoureux sabir franco-russo-allemand a connu une floraison éphémère : *Moi nix bouffer, nix rabot.*[37]

Ainsi donc une langue mêlée est normalement une langue sans morphologie. On est en droit de se demander si la réciproque n'est pas vraie également, et si toute langue sans morphologie n'est pas le résultat d'un mélange récent, depuis lequel une nouvelle morphologie n'aurait pas eu le temps de se reconstituer.

[31] Vendryes, *Le Langage*, p. 345.
[32] Ibid., p. 346.
[33] Ibid., p. 346.
[34] D'après Schuchardt, " De Lingua franca ", *Zeitschrift für romanische Philologie*, XXXIII, p. 458.
[35] Héry, *Fables créoles*, Paris, 1883, p. 60.
[36] C. Baissac, *Le folklore de l'Ile-Maurice*, Paris, 1888, pp. 9–11.
[37] Du russe *rabota* " travail ", *rabotat* " travailler ".

Ce qui paraît en tous cas certain, c'est qu'une langue à système morphologique riche a toutes chances de ne pas provenir d'un mélange récent. Et comme la démonstration de la " parenté " linguistique ne peut guère être administrée que grâce à la morphologie,[38] on peut entrevoir là une possibilité d'expliquer l'état linguistique du monde, où, pour le plus grand désespoir des amateurs d'uniformité, à côté de grandes familles de langues aux rameaux nombreux et fournis, il subsiste une poussière de langues isolées que l'on ne rattache à aucune famille.

Une étude, même superficielle, de la question du mélange des langues à la lumière de la phonologie apparaît ainsi comme singulièrement instructive. Elle permet de prendre position entre les partisans et les adversaires de la théorie des mélanges. Certes, si l'on veut bien donner au mot langue toute son extension et ne pas en faire un simple synonyme de morphologie, il semble difficile de nier qu'il y ait des mélanges de langues. Et toutes les langues sont plus ou moins, à des titres et à des degrés divers, des langues mixtes. Mais tous les mélanges ne sont pas possibles, et ceux qui sont possibles ne s'opèrent pas n'importe comment. Ils obéissent à certaines lois, qu'il y aurait lieu de préciser dans le détail avant de songer à établir la théorie générale des mélanges de langues, dont la nécessité finira bien par s'imposer un jour.

Tout ce qui semble résulter pour le moment des brèves considérations qui précèdent, c'est que, dans cette théorie, les divers degrés de cohésion des systèmes en présence sont appelés à jouer un rôle capital. Aussi, si l'on arrive un jour à tirer au clair cette question complexe et délicate, ce ne sera qu'en tenant largement compte des méthodes et des résultats de la phonologie pragoise.

Qu'il me soit donc permis, en souvenir d'une amitié et d'une admiration qui datent de vingt-cinq ans, de dédier ces quelques pages à la mémoire du linguiste de grande classe dont la bienfaisante activité, prématurément interrompue, est à la source des théories de l'école de Prague, qui ont déjà tant fait pour renouveler la linguistique, et qui se rélèvent d'autant plus fécondes qu'on les médite davantage.

[38] Meillet, *Linguistique historique et linguistique générale*, p. 97.

16 LE RAPPORT ENTRE LE DÉTERMINÉ, LE DÉTERMINANT ET LE DÉFINI

N. S. Trubetzkoy

Dans un recueil d'articles dédié à un des plus éminents représentants de l'école linguistique genèvoise il est sans doute inutile d'insister sur la possibilité et la légitimité d'une étude linguistique comparative indépendante du principe généalogique. Tandis que la grammaire comparée des langues d'un groupe généalogique quelconque se pose pour but de découvrir l'origine de tel ou de tel autre phénomène observé dans chacune de ces langues et occupe par conséquent un point de vue diachronique, — l'étude comparative des langues non-apparentées se propose d'éclaircir les rapports synchroniques entre les faits d'une langue en les confrontant avec des rapports analogues existants dans une autre langue dans un contexte tout différent. Une telle étude ne peut partir que du point de vue synchronique.

Dans ce qui suit nous voulons exposer quelques idées sur les rapports du déterminant, du déterminé et du défini.

Le rapport de déterminé à déterminant est sans doute le plus répandu de tous les rapports syntagmatiques, mais nous sommes bien loin de l'envisager comme le seul rapport syntagmatique possible. Notamment, nous doutons fort que le sujet et le prédicat puissent être considérés comme déterminé et déterminant. Il y a beaucoup de langues qui possèdent un moyen unique pour marquer le rapport de déterminé à déterminant, — et dans la plupart de ces langues ce moyen ne s'applique pas au rapport entre le sujet et le prédicat. Ainsi dans les langues turques, mongoles et dans beaucoup de langues finno-ougriennes le déterminant précède le déterminé : l'adjectif, le pronom démonstratif ou le nom de nombre précèdent le substantif ; un substantif au génitif précède le substantif auquel il se rapporte, l'adverbe précède l'adjectif ou le verbe auquel il se rapporte, enfin le complément direct ou indirect précède le verbe. Mais le prédicat (verbal ou nominal) suit son sujet, — ce qui prouve qu'il n'est pas considéré comme le déterminant du sujet. En gilyak (langue " palaeoasiatique " parlée dans le nord de l'île Sachalin et à l'embouchure de l'Amour) deux mots voisins se rapportant comme déterminant et déterminé subissent certaines altérations phonétiques (notamment la consonne initiale du second terme d'un tel syntagme devient une spirante). Ces altérations se

Reprinted from *Mélanges de linguistique, offerts à Charles Bally*, pp. 75–82 (Geneva : Georg, 1939), with the permission of Bernard Gagnebin, dean, faculty of letters, University of Geneva.

produisent dans les groupes adjectif + substantif, " génitif " + substantif correspondant, complément + verbe, etc. Mais elles ne se produisent pas dans le groupe sujet + prédicat.[1] En ibo (langue " soudanaise " parlée en Nigérie), où l'on distingue trois tons, les tons fondamentaux des deux termes d'un groupe " déterminant + déterminé " ou " déterminé + déterminant " subissent certaines altérations : la dernière syllabe du premier terme et la première syllabe du second terme d'un tel groupe reçoivent un ton haut si elles ont un ton moyen ou bas dans d'autres positions.[2] Ces altérations peuvent être observées dans les groupes " adjectif + substantif ", " nom (au génitif) + nom ", " nom + démonstratif, nom de nombre, pronom relatif ", " nom appartenant à la proposition principale + verbe de la proposition subordonnée se rapportant à ce nom ". Mais l'altération de ton ne se produit jamais dans le groupe " sujet + prédicat ". On aurait pu augmenter le nombre de ces exemples qui prouvent que dans les langues de structures les plus différentes le rapport entre sujet et prédicat n'est pas conçu comme un rapport entre déterminé et déterminant. Les exemples contraires sont rares et peu probants. Nous croyons donc distinguer les syntagmes déterminatifs (composés d'un déterminant et d'un déterminé) des syntagmes prédicatifs (composés d'un sujet et d'un prédicat).

Une troisième classe est représentée par les syntagmes sociatifs, dont les deux termes se trouvent toujours dans un rapport syntagmatique avec quelqu'autre membre du même énoncé. Nous entendons donc par syntagme sociatif deux sujets au même prédicat, deux prédicats au même sujet, deux déterminants se rapportant au même déterminé, etc.[3]

Les syntagmes déterminatifs présentent des types et des sous-types multiples dont le nombre dépend en partie de la structure grammaticale de la langue donnée. Certains de ces types se retrouvent dans un grand nombre de langues et ont reçu une dénomination commune traditionnelle : le déterminant d'un syntagme dont les deux termes sont des substantifs est d'ordinaire désigné du nom " génitif " ; dans un syntagme déterminatif dont l'un des termes est un substantif (ou un pronom) et l'autre une forme verbale, la forme verbale est appelée " participe " si c'est elle qui est le déterminant si, contraire, c'est le substantif ou le pronom qui est le déterminant, on les désigne comme " complément " et on distingue entre " complément direct " et " complément indirect ". Toutes ces étiquettes ont une certaine raison d'être et sont parfois assez pratiques. Mais souvent elles donnent une idée fausse des rapports réels entre les différentes catégories grammaticales d'une langue donnée.

Tout verbe transitif employé comme prédicat suppose au moins deux substantifs (ou pronoms) dont l'un désigne l'auteur de l'action, l'autre, l'objet atteint par l'action. Des deux syntagmes formés par le verbe transitif et chacun

[1] Voir E. Krejnovič " Nivchskij (gil'ackij) jazyk ", *Jazyki i pis'mennost' narodov Severa III*.

[2] Pour les détails voir Ida C. Ward, *An Introduction to the Ibo Language*, Cambridge 1936, ainsi que notre compte-rendu sur cet ouvrage dans *Anthropos*, XXXI, pp. 978 et suiv.

[3] Notons qu'en russe toutes les trois classes de syntagmes peuvent être exprimés par un groupe de deux substantifs, et dans ce cas la différence de sens est exprimée par l'intonation : *čelovek-zvér'* " l'homme bestial " (syntagme déterminatif) — sans aucune pause entre les deux termes et sans aucun accent sur le premier terme, — *čelovék — zvèr'* " l'homme est une bête " (syntagme prédicatif) — avec une petite pause entre les deux termes, un accent ascendant sur le premier terme et un accent descendant sur le second, — *čelovèk, zvèr'* (... *ptìca*) " l'homme, la bête... l'oiseau " (syntagme sociatif) — avec une pause assez grande entre les deux termes et un accent " d'énumération " (descendant) sur chaque terme.

de ces substantifs (ou pronoms) l'un est nécessairement un syntagme prédicatif, l'autre — un syntagme déterminatif. De là deux types de langues : les langues où le déterminant du verbe transitif est le nom de l'auteur de l'action, et les langues où le déterminant de ce verbe est le nom de l'objet de l'action. Dans les langues du premier type le nominatif (cas sujet) s'oppose à l'ergatif, dan celles du second type le nominatif s'oppose à l'accusatif. Le premier type est représenté par l'eskimo, le tibétain, les langues caucasiques du Nord, etc. ; le second type — par les langues soudanaises, sémitiques, indo-européennes, finno-ougriennes, turques, mongoles, etc. Certes, du point de vue de chacune de ces langues, les termes " nominatif et ergatif " ou " nominatif et accusatif " sont pratiques et commodes. Mais du point de vue de la grammaire générale il s'agit dans les deux types d'une opposition du " cas sujet " au " cas déterminant immédiat d'un verbe ". Car, bien que l'ergatif soit juste le contraire de l'accusatif, ces deux cas jouent le même rôle dans les systèmes syntagmatiques des langues respectives : ce rôle consiste à déterminer immédiatement un verbe transitif (tandis que tout autre " cas déterminant " d'un tel verbe présuppose l'existence d'un déterminant immédiat).[4]

Si l'accusatif ou l'ergatif (selon le type de langue) est le cas déterminant adverbal immédiat, le génitif peut être désigné comme le " cas déterminant adnominal ". Ainsi s'explique la coïncidence (partielle ou totale) de l'accusatif ou de l'ergatif (selon le type de langue) avec le génitif dans beaucoup de langues. En arabe classique le génitif coïncide avec l'accusatif au duel et au pluriel (" régulier ") de tous les substantifs et au singulier des noms propres ; dans les langues slaves (à l'exception du bulgare qui a perdu la déclinaison) les substantifs signifiant des êtres vivants masculins (aussi bien que les pronoms et les adjectifs se rapportant à de tels substantifs) emploient au singulier le génitif dans la valeur de l'accusatif ; dans certaines langues turques, p. ex. le balkar ou le karatchaï (au Caucase du Nord) le génitif coïncide toujours avec l'accusatif. D'autre part, dans certaines langues caucasiques orientales — notamment en lak (dans le Daghestan central) et dans la plupart des dialectes du kuri ou lesgi (au S.-E. du Daghestan) la forme du géntif coïncide avec celle de l'ergatif. Il est donc évident que du point de vue des langues telles que le balkar ou le lak il est faux de parler d'un cas génitif et d'un cas accusatif ou ergatif : il n'y a dans ces langues qu'un unique " cas déterminant immédiat " opposé d'une part à plusieurs cas déterminants non-immédiats et d'autre part à un cas non-déterminant (" nominatif "). De même l'arabe classique présente au duel et au pluriel non pas une opposition du " nominatif " au " génitif-accusatif " mais une opposition d'un " cas non-déterminant " à un " cas déterminant ".

Ces exemples suffisent pour montrer quelles nuances multiples acquiert la notion de " déterminant immédiat " selon le contexte grammatical d'une langue donnée. Et il ne s'agit là encore que du type le plus simple des syntagmes déterminatifs.

La notion d'" article défini " est bien connue au monde de civilisation européenne. Mais les linguistes avertis savent que la même nuance de sens qui en grec, en français, en allemand ou en anglais est exprimée par l'addition de l'" article défini " s'exprime dans d'autres langues par d'autres moyens. Il y a

[4] Cf. R. Jakobson, *Travaux du Cercle Linguistique de Prague* VI, p. 254.

donc lieu d'employer l'expression " forme définie " pour tout substantif qui, soit par l'addition d'un article, soit par quelqu'autre procédé morphologique, reçoit la nuance de sens que possèdent les substantifs munis d'un " article défini " en grec, en français, etc.

La notion du " défini " peut être exprimée par trois procédés : A) par un syntagme (déterminatif) composé du substantif en question et de l'" article défini ", conçu comme mot ; B) par une forme spéciale du substantif en question (c'est-à-dire par une combinaison du thème de ce substantif avec un affixe spécial) ; C) par une forme spéciale d'un autre mot (substantif, adjectif, verbe) se rapportant au substantif en question, c'est-à-dire formant avec lui un syntagme (déterminatif ou prédicatif).

Il est parfois difficile de distinguer entre les procédés A et B. Une combinaison de deux mots doit être envisagée comme telle si ses membres peuvent être séparés par l'intercalation d'autres mots, tandis qu'un affixe ne peut être séparé du " thème " que par d'autres affixes à valeur formelle. Dans celles des langues de l'Europe moderne où l'article défini existe comme un mot séparable, il est toujours préposé (ainsi en grec, en italien, en français, en espagnol, en portugais, en anglais, en allemand, en hongrois). Par contre, dans celles des langues européennes où la notion du défini est exprimée par des affixes, ces derniers sont suffixés (ainsi en norvégien, en suédois, en danois, en albanais, en roumain, en bulgare et dans certains dialectes grand-russes). En étudiant les langues non-européennes les linguistes européens ont la tendance d'interpréter toutes les marques extérieures du défini comme articles — si elles sont préposées, et comme affixes — si elles sont postposées. Il est évident que c'est une erreur dont il faut se garder. Ainsi l'" article défini " de l'arabe n'est en réalité qu'un préfixe, — puisqu'il se trouve toujours immédiatement devant le substantif et ne peut être séparé de ce dernier par aucun autre mot. Au contraire le soi-disant " suffixe du défini " *r* en tcherkesse et en kabardi est en réalité un article, puisqu'il peut être séparé du substantif par des adjectifs et des noms de nombre : cf. tcherkesse *unedexešir* " les (*r*) trois (*ši*) belles (*dexe*) maisons (*une*) ". — Quant au procédé C, il convient de mentionner que souvent il se combine avec l'un des deux autres. Ainsi en bulgare le défini est exprimé par un affixe qu'on ajoute au substantif, si ce dernier n'est pas déterminé par un adjectif (*čovekăt* l'homme) ou bien à l'adjectif qui détermine le substantif (*dobriăt čovek* l'homme bon). En mordve le défini est toujours indiqué par un affixe ajouté au substantif, mais, en plus, les verbes transitifs possèdent des désinences différentes, selon que leur complément direct est défini ou indéfini : *raman kudo*, " j'achèterai une maison " ~ *ramasa kudont'* " j'achèterai la maison ", *ramat kudo* " tu achèteras une maison " ~ *ramasak kudont'* " tu achèteras la maison " etc. Cf. les formes " fortes " et " faibles " de l'adjectif en allemand, etc.

Comme toutes les catégories grammaticales la notion du défini n'existe réellement qu'en tant qu'opposée à la notion contraire. Dans toutes les langues qui la possèdent, l'opposition entre défini et indéfini est neutralisée ou supprimée dans certaines positions ou sous certaines conditions, qui diffèrent d'une langue à une autre. Il ne sera peut-être pas trop exagéré d'affirmer que dans la plupart des cas la neutralisation de l'opposition entre le défini et l'indéfini est liée au fonctionnement du système des syntagmes — prédicatifs ou déterminatifs.

Les syntagmes prédicatifs présentent des rapports très simples. Dans la plupart des langues l'opposition entre défini et indéfini conserve sa pleine vigueur pour tous les termes des dits syntagmes. Mais dans plusieurs langues cette opposition est supprimée pour les substantifs en fonction prédicative ; le contraire, c'est-à-dire la suppression de l'opposition entre défini et indéfini chez les substantifs en fonction de sujet (et sa conservation chez les substantifs en fonction prédicative) ne semble avoir lieu dans aucune langue du monde.

A l'intérieur des syntagmes déterminatifs les rapports sont plus compliqués et varient d'une langue à l'autre. Très souvent l'opposition entre défini et indéfini se trouve supprimée chez le déterminé, notamment dans deux groupes de cas : quand le déterminant est un démonstratif ou quand il est un possessif. Les substantifs déterminés par des démonstratifs se trouvent en dehors de l'opposition entre défini et indéfini presque dans toutes les langues.[5] Dans beaucoup d'autres langues il en est de même pour les substantifs déterminés par des possessifs-pronominaux (par exemple en français), par toute sorte de possessifs (par exemple, en vieux-slave, en tcherkesse, en abkhaz) ou par certains types de possessifs (par exemple en anglais, en allemand, en danois — par les possessifs pronominaux et par les génitifs en *-s* précédant leurs déterminés). Mais dans beaucoup de langues l'opposition entre défini et indéfini existe même chez les substantifs déterminés par des possessifs pronominaux (par exemple en grec, en italien, en arabe, etc.).

Quand le déterminant est un adjectif qualificatif, le déterminé conserve l'opposition entre défini et indéfini dans toutes les langues que nous connaissons. Il y a plus : dans certaines langues les substantifs déterminés par un adjectif qualificatif sont les seuls qui connaissent l'opposition entre défini et indéfini. C'est le cas en serbo-croate et en vieux-slave, où l'opposition entre défini et indéfini est exprimée par des formes spéciales de l'adjectif (" procédé C "). En français la même restriction existe par rapport aux noms propres qui n'admettent l'article que quand ils sont déterminés par des adjectifs : " il y avait parmi vos élèves *un petit Jean*, qui ne voulait pas apprendre ; et bien, *le petit Jean* paresseux — c'est moi ! ".

En kabardi il n'y a à vrai dire que deux cas : le " cas déterminant " (= génitif, datif, locatif, et ergatif) et le cas " non-déterminant " (sujet des verbes intransitifs, complément direct des verbes transitifs et prédicat des phrases nominales), — les autres " cas " n'étant que des combinaisons avec des postpositions. Or dans cette langue l'opposition entre défini et indéfini

[5] Mais en vieux-slave, où la notion du défini était exprimée par des formes spéciales de l'adjectif (" procédé C "), le défini pouvait être distingué de l'indéfini même en combinaison avec un pronom démonstratif. En mordve les substantifs déterminés par des démonstratifs présentent tantôt la forme définie tantôt la forme indéfinie, — mais il, est difficile de dire si, dans ce cas-là, il y a vraiment une opposition de sens.

n'existe que dans le " cas non-déterminant " et est supprimée dans le cas déterminant.[6]

Enfin, il y a des langues qui présentent des rapports directement contraires à ceux du kabardi, — des langues où l'opposition entre les notions du défini et de l'indéfini n'existent que chez les déterminants. Dans les langues turques le complément direct d'un verbe transitif (c'est-à-dire le déterminant nominal de ce verbe) peut être exprimé de deux manières selon qu'il est indéfini ou défini : dans le premier cas il ne reçoit pas de suffixe casuel, dans le second cas il reçoit le suffixe de l'" accusatif ". Pour la plupart des langues turques modernes c'est la seule situation syntaxique où les notions de défini et d'indéfini soient distinguées extérieurement. En russe moderne et peut-être dans quelques autres langues slaves les adjectifs possessifs dérivés de noms de personnes indiquent toujours l'appartenance à une personne définie, tandis que la tournure avec le génitif du nom de personne ne comporte pas cette nuance : *mal'nikova doč* veut dire toujours " fille *du* meunier ", tandis que *doč mel'nika* peut dire aussi bien " fille du meunier " que " fille *d'un* meunier ". C'est là le seul cas où le russe (du moins le russe littéraire) présente un germe de l'opposition entre les notions du défini et de l'indéfini, — et il est curieux de noter, qu'il s'agit du déterminant d'un syntagme déterminatif.

Nous voyons donc que l'opposition entre défini et indéfini peut être supprimée chez le déterminé (par exemple en français après les possessifs et les démonstratifs) ou chez le déterminant (par exemple en kabardi), mais qu'elle peut être limitée aussi uniquement au déterminé (par exemple en vieux-slave) ou au déterminant (par exemple en turc). Il serait utile d'étudier ces possibilités dans le contexte de l'ensemble du système grammatical de chaque langue donné.

[6] Le tcherkesse (ou bas-tcherkesse) qui est le parent le plus proche du kabardi diffère de ce dernier par le fait qu'il présente l'opposition entre le défini et l'indéfini dans les deux cas ; toutefois il emploie pour chacun des deux cas un autre article défini : pour le " non-déterminant " *-r* (comme le kabardi) et pour le " cas déterminant " *-m* (qui en kabardi sert de désinence casuelle sans distinction de défini et d'indéfini).

17 STRUCTURE ET VARIABILITÉ DES SYSTÈMES MORPHOLOGIQUES

Viggo Brøndal

On est d'accord, entre linguistes, surtout depuis les remarques décisives de Ferdinand de Saussure, que dans un état de langue donné tout est systématique ; une langue quelconque est constituée par des ensembles où tout se tient : systèmes de sons (ou phonèmes), systèmes de formes et de mots (morphèmes et sémantèmes).

Qui dit système, dit ensemble cohérent : si tout se tient, chaque terme doit dépendre de tout autre. Or on voudrait connaître les modalités de cette cohérence, les degrés possibles et variables de cette dépendance mutuelle, en d'autres termes il faudrait étudier les conditions de la structure linguistique, distinguer dans les systèmes phonologiques et morphologiques ce qui est possible de ce qui est impossible, le contingent du nécessaire.

On essayera ici d'établir cette distinction, de formuler ces conditions en ce qui concerne les systèmes morphologiques les plus simples ou *élémentaires.* Par système élémentaire on comprendra un système dont les termes sont tous définis sous un même rapport, c'est-à-dire par l'application de différentes formes d'une seule et même relation fondamentale.

Les relations fondamentales dont l'analyse forme un chapitre important de la logique ou logistique, sont représentées dans la morphologie des langues par des catégories telles que mode, aspect et temps, nombre et personne. C'est donc la structure des systèmes formés par ces catégories qu'on étudiera ici. (Pour ne pas compliquer les choses outre mesure, on ne considérera que les cas les plus simples, et par conséquent on laissera de côté d'une part tout croisement de deux catégories [comme p. ex. d'aspect et de temps en latin et en roman], d'autre part des catégories de caractère plus compliqué telles que les genres, les cas, les diathèses).

Le fait fondamental qui domine toute espèce de structure, c'est la différence entre deux côtés opposés, le " gauche " et le " droit ", la différenciation de deux termes contraires, qui seront p. ex., le négatif et le positif. C'est ainsi qu'en morphologie linguistique on oppose le singulier au pluriel, le prétérit au présent, le perfectif à l'imperfectif.

Or il est évident que tout n'est pas limité à cette simple dualité ou polarité.

Reprinted from *Essais de linguistique générale*, pp. 15–24 (Copenhagen : Munksgaard, 1943), with the permission of Ejnar Munksgaard A.S.

La définition des faits linguistiques, beaucoup plus complexes, exige impérieusement des moyens logiques plus riches et plus souples.

Il faut d'abord admettre un terme *neutre* qui s'oppose à la fois au négatif et au positif (" négatif " et " positif " désignent ici des contraires quelconques),[1] et qui est défini par la non-application de la relation donnée. Ce terme-zéro de la morphologie est d'une importance non moindre que celle du degré-zéro en phonologie — et on peut ajouter : que celle du zéro numérique en arithmétique et en algèbre : parmi les modes, c'est l'indicatif, parmi les personnes, c'est la troisième.

L'indicatif, forme *amodale*, c'est-à-dire indéterminée au point de vue du mode, sera donc défini par le fait de n'être ni impératif ni subjonctif ; la troisième personne, forme *impersonnelle* ou indéfinie au point de vue de la catégorie de personne ou de " position ", sera définie, d'une manière analogue, par le fait de n'être ni la première ni la deuxième.

En plus de ces trois termes — négatif, positif et neutre —, il faut en admettre un quatrième : le *complexe*. Si le terme neutre est défini par le fait de n'être ni négatif ni positif, le terme complexe sera défini inversement par le fait d'être à la fois négatif et positif. Les caractères opposés ou contraires, nettement séparés par les termes polaires et exclus par le terme neutre, sont intimement réunis par le terme complexe. L'existence de cette espèce de termes ambigus ou synthétiques sera d'un intérêt capital pour la logique (je n'ai qu'à évoquer le grand nom de Hegel), elle sera avant tout importante pour la solution du problème à la fois sociologique et linguistique de la mentalité ou des mentalités, problème toujours actuel depuis les études de M. Lévy-Bruhl. Or il paraît que, dans certaines langues et surtout dans certains types de langues, les termes complexes ainsi définis sont loin d'être rares. Parmi les modes, c'est l'optatif ; parmi les aspects, c'est probablement l'itératif ; parmi les temps (au sens strict), c'est le prétérito-présent ; parmi les nombres, c'est le duel ; parmi les personnes, c'est l'inclusive qu'on pourrait appeler la *quatrième*.

Dans cette hypothèse, l'optatif ou mode complexe réunirait les caractères de l'impératif et du subjonctif ; l'itératif tiendrait à la fois du perfectif et de l'imperfectif ; le prétérito-présent serait ainsi nommé comme synthèse du prétérit et du présent ; le duel serait à proprement parler un collectif ou singulier-pluriel ; et la *quatrième* personne serait appelée inclusive parce qu'elle inclut la deuxième dans la première.

A ces quatres termes — dont deux polaires ou solidaires et deux isolés ou libres —, il faut encore en ajouter deux, tous les deux complexes et mutuellement solidaires. La possibilité en est donnée par le fait que, à l'intérieur d'un terme complexe qui par définition comprend deux éléments opposés, on peut porter l'attention sur le côté négatif ou sur le côté positif. On aura donc — comme une dernière possibilité —, à côté du terme complexe indivisé ou inaccentué, deux termes complexes accentués ou subdivisés : un complexe-négatif et un complexe-positif. Comme exemple de ces derniers termes ultra-complexes, qui dans nos langues semblent extrêmement rares, on pourrait alléguer les deux modes qui, en hongrois, s'ajoutent à l'optatif comme formes

[1] [J'ai précisé le sens de ces termes en définissant les formes (et espèces) de relations qui constituent le fond de toute synonymie ; voir " *Théorie des Prépositions* " (en danois), Copenhague, Munksgaard, 1940, § 32 et suiv.]

plus spéciales de celui-ci, et qui donne au système modal de cette langue un caractère d'originalité unique en Europe.

Comme on le voit facilement, les six termes ainsi définis — qui épuisent, semble-t-il, toutes les possibilités à l'intérieur d'une seule et même catégorie simple — forment quatre groupes — deux à un, deux à deux termes — groupes, qui sont par ordre de complexité croissante ou d'abstraction décroissante :

A — neutre ; C — complexe ;
B — négatif et positif ; D — complexe-négatif et complexe-positif.

Il est manifeste — par le principe même de la formation des systèmes — que les groupes à un terme unique (A et C) sont libres, c'est-à-dire indépendants tant entre eux que par rapport aux autres groupes, les termes des groupes binaires sont, au contraire, polaires, c'est-à-dire mutuellement solidaires. Un terme soit neutre soit complexe peut donc exister ou ne pas exister sans aucune conséquence pour aucun autre groupe ; mais un terme négatif — simple ou complexe — n'existera jamais sans le terme positif correspondant, et vice versa.

De ce principe très simple on peut tirer des conclusions d'une portée considérable en ce qui concerne les systèmes qu'il sera possible ou impossible de former à base de nos six termes.

Si toutes les combinaisons des six termes étaient possibles, on aurait, selon la règle de Leibniz, un nombre de systèmes différents égal à 2^6-1, ou 63. Si l'on tient compte de la restriction conditionnée par la solidarité ou polarité des termes accouplés ou conjoints, 48 de ces systèmes seront absolument exclus. Il n'en reste de réalisables que les 15 que voici : [2]

1) 1° A ; 2° C [autres systèmes, qui seraient constitués par un seul terme soit négatif, soit positif, sont exclus].
2) 1° AC ; 2° B ; 3° D [12 systèmes exclus].
3) 1° AB ; 2° AD ; 3° BC ; 4° CD [16 exclus].
4) 1° ABC ; 2° ACD ; 3° BD [12 exclus].
5) 1° ABD ; 2° BCD [4 exclus].
6) ABCD [système maximum, seul possible].

La théorie ainsi développée suppose :

1° que dans une langue quelconque un système morphologique de caractère élémentaire — système par exemple de mode, d'aspect ou de temps pur, système de nombre ou de personne — sera constitué par six termes au maximum ;

2° que par la solidarité des termes de groupes binaires, le système morphologique n'est pas constitué par des termes isolés, mais par des groupes indivisibles ; d'où il s'ensuit que tout système élémentaire doit être conforme à un des 15 systèmes définis par le total des combinaisons possibles des groupes A, B, C et D (à savoir — outre les systèmes à un seul groupe : A, B, C, D ; — AB, AC, etc. ; — ABC, ABD, etc. ; — ABCD).

Ici une vaste vérification ou confrontation avec les faits s'impose. Par ce travail certainement fécond la théorie qui est rigide, pourrait être ou bien réfutée, ou bien confirmée. Ce sera pour le grammairien d'une langue particulière l'occasion de réviser les définitions des formes grammaticales et notamment de poser la question si celles-ci correspondent vraiment à l'état de la langue actuelle,

[2] 1) 2) etc. = système à 1 2...termes.

analysée sans préjugé et surtout indépendamment de toute considération des concepts obtenus par l'analyse d'une langue traditionnelle ou " classique ".

On peut voir un commencement de cette vérification dans l'observation que dans toutes sortes de langues on trouve le perfectif associé à l'imperfectif, le singulier au pluriel, la première à la deuxième personne. De même on ne trouve pas de préterit sans présent, ni de véritable présent sans prétérit. Et on n'a pas de superlatif sans comparatif.

Certaines grammaires présentent pourtant ici des exceptions apparentes, en contradiction flagrante, paraît-il, avec la théorie ici préconisée. On parle souvent, p. ex. à l'infinitif, d'un présent auquel ne correspond aucun prétérit simple (il va sans dire — ou plutôt : il devrait aller sans dire — qu'une " forme " comme *avoir aimé*, calquée sur *amauisse*, n'est pas une forme verbale, c'est une circonlocution de caractère syntaxique). Dans la grammaire du germanique ancien, on oppose à l'impératif (et à l'indicatif) non pas un subjonctif, mais un optatif, continuation manifeste de l'optatif indo-européen ; ce qui est évidemment contraire à la théorie. Et à l'impératif la forme unique est régulièrement désignée comme 2e personne — sans qu'il y en ait de première.

Or il faut remarquer que ces définitions qui sont incompatibles avec la théorie sont très loin d'être satisfaisantes. Le prétendu présent de l'infinitif des langues modernes n'a rien d'un véritable présent (bien qu'il puisse fonctionner comme présent aussi bien que de toute autre manière) ; privé du support d'un prétérit en contraste, il n'est qu'une forme neutre, non temporelle ou *achronique* (précisément ce que M. Jespersen a désigné par le néologisme danois *U-tid*). Pour ce qui est de l'optatif de l'ancien germanique, il faut le considérer comme un subjonctif — le système étant le même (AB) comme en latin ou en roman. Il est vrai qu'au point de vue purement formel, c'est le subjonctif qui est perdu et l'optatif qui est conservé. Mais celui-ci n'a pas gardé le caractère complexe qu'avait l'optatif indo-européen et grec ; privé du contraste avec le subjonctif ancien, il a dû s'adapter au nouveau système plus simple, et forcément l'ancien optatif est devenu le subjonctif germanique. En ce qui concerne enfin la 2e personne de l'impératif dans les cas fréquents où il n'y correspond pas de 1re, il semble tout indiqué de la considérer ou bien comme neutre, ou bien comme complexe, c'est-à-dire comme une synthèse de la première personne qui commande et de la deuxième qui doit obéir. En définissant ainsi la prétendue 2e personne, on obtient un système parfaitement viable aussi dans des cas comme latin *estote*, *sunto* — formes dites 2e et 3e personnes : ici *estote* est complexe comme souvent la prétendue 2e personne —, *sunto* est neutre, comme toujours la 3e personne. Nous avons donc là un système du type AC — type remarquable par le contraste de caractère plutôt indirect ou oblique des deux éléments, par le style plus libre de la structure.

Ce type généralement méconnu semble d'ailleurs réalisé aussi par le système de comparaison des adjectifs et des adverbes romans. Tandis que le latin, comme l'indo-européen en général et le finno-ougrien p. ex., possédait un système de comparaison à trois termes : positif, comparatif, superlatif (*bonus*, *melior*, *optimus*), — où le positif, forme-base, est évidemment le terme neutre —, le roman a perdu le superlatif en tant que superlatif (car *ottimo* en italien ne veut pas dire " le meilleur " ; comme les formes en *-issimo*, c'est un intensif). Le néolatin ne conserve donc que deux formes : *bon*, *meilleur* (ital. *buono*, *migliore*) ; *bien, mieux* (ital. *bene, meglio*). Il est vrai que dans les grammaires usuelles on trouve toujours le système complet : *bon, meilleur, le meilleur ; bien, mieux, le mieux*. Mais ce n'est là qu'un simple calque sur le latin, condamné depuis longtemps par la bonne méthode linguistique. En réalité le système latin à trois termes (du type AB) a été remplacé par un système à deux termes (du type AC). Le positif est resté neutre (A), mais la dualité comparatif-superlatif (B) a cédé à une forme unique et synthétique (C), qui est à la fois comparatif et superlatif. *Melior, melius* n'étaient des comparatifs que par l'opposition à *optimus, optime* ; une fois ces dernières formes sorties du système, *melior, melius* restent seuls maîtres du terrain, en présence de la forme neutre exclusivement. Dans cette situation il ne reste qu'une seule possibilité : la transition à la complexité. C'est ainsi que *meilleur, mieux* sont venus à faire fonction tantôt de comparatifs, tantôt (et surtout avec l'article) de superlatifs.

Si ces exemples du système neutre-complexe sont justifiés, comme nous le supposons, par la réalité des faits, il s'ensuit — conséquence d'un certain intérêt peut-être pour la logique générale — que dans un système à deux termes (où l'on peut dire : *tertium non datur*), le contraste entre les deux termes n'est pas nécessairement de ce caractère direct et absolu qu'on désigne par le terme contradictoire ; l'opposition peut revêtir cette nature plus atténuée qui règne entre le non-déterminé ou neutre et l'ambigu ou complexe.

Jusqu'ici nous avons considéré le système de formes comme invariable, l'état de langue comme fixé pour l'éternité. C'est là une abstraction absolument nécessaire, mais — avouons-le franchement — une telle abstraction synchronique qui dirige l'attention vers le général et l'essentiel, laisse forcément de côté des nuances multiples, des séries de variations beaucoup plus accessibles à l'observation immédiate que les schémas de la théorie morphologique.

En considérant ces variations il faut distinguer trois séries de faits qu'il importe de ne pas confondre :

1° On trouve d'abord des variations de caractère individuel, sporadique et temporaire. Ces *fluctuations* qui forment partout la grande masse des variations de fait, ne comportent pas en général de direction précise ou tendance prononcée : elles se compensent donc mutuellement et n'affectent en rien les cadres à l'intérieur desquels elles jouent.

2° On constate en outre des variations plus profondes de caractère social et persistant, variations par lesquelles certains éléments d'un système sont atrophiés, d'autres, au contraire, hypertrophiès. Ces *cumulations* qu'on a mal interprétées bien qu'elles présentent un intérêt considérable au point de vue de la thèorie de l'histoire linguistique en général, ne constituent en réalité que des changements apparents. Le simple fait d'être peu usité ou même inusité ne signifie nullement la mort d'un élément linguistique, et l'usage arbitraire d'un système — et tout usage est nécessairement plus ou moins arbitraire — ne suffit pas pour le changer.

3° On a enfin des variations véritablement systématiques, *mutations* relativement très rares, définies par le changement, en qualité ou en quantité, des éléments d'un système. Par mutation quantitative un système perd ou gagne en nombre de termes ; par mutation qualitative un ou plusieurs termes changent de définition.

Les trois types de variations présentent, on le voit, des différences notables au point de vue de leur importance pour l'ensemble d'un système. Tandis que les fluctuations ne représentent que le va-et-vient continuel de la vie même, et que les cumulations ne font que préparer des événements (qui se produiront ou avorteront), ce sont les mutations seules qui constituent de véritables événements. On peut appeler historiques ces changements profonds ; les cumulations seraient alors pseudo-historiques et les fluctuations non-historiques.

Puisque parmi les diverses espèces de variations, ce ne sont ainsi que les mutations qui intéressent le système, elles sont seules à être soumises aux restrictions qui dépendent de la structure morphologique. Fluctuations et cumulations peuvent se produire irrégulièrement dans une ou plusieurs parties d'un système (elles peuvent se produire régulièrement aussi — ce qui pose alors des problèmes spéciaux, d'ordre plutôt psychologique). Les mutations sont au contraire liées à des règles qui se déduisent de la nature même des systèmes.

Une mutation ou changement systématique est défini, en effet, comme la transition d'un système initial ou de départ à un système final ou d'aboutissement. Or, puisque le nombre total des systèmes élémentaires se réduit à 15, et puisque la mutation doit se produire par le passage d'un de ces systèmes à un autre, il s'ensuit que le nombre de mutations élémentaires est exactement de $15 \times 14 = 210$. Un fait quelconque de morphologie historique — s'il relève des systèmes de caractère élémentaire exclusivement visés ici — doit donc être conforme à un de ces types. L'histoire des langues gagnerait beaucoup en précision, croyons-nous, s'il était possible dans chaque cas d'indiquer le type de mutation dont il s'agit.

Les mutations seront, on l'a vu, quantitatives ou qualitatives — modifiant tantôt le nombre, tantôt la définition des éléments d'un système. Une phase donnée de l'histoire d'une langue pourra donc être caractérisée par la prédominance de l'une ou de l'autre de ces espèces de mutations. Dans certains cas, c'est surtout le nombre des formes qui augmentent ou diminuent, de sorte que le système se complique ou se simplifie. Dans d'autres cas, c'est plutôt la nature logique des formes qui se modifie ; on préfère alors p. ex. les termes polaires aux termes isolés, ou inversement, c'est-à-dire que le système peut tendre tantôt vers une structure rigoureusement antithétique, tantôt vers une forme ou style plus libre.

Parmi les mutations qualitatives, les plus importantes sont sans aucun doute celles qui aboutissent à des différences de degré d'abstraction ou de niveau logique. Puisque les quatre groupes d'éléments forment une série (A, B, C, D) de complexité croissante ou d'abstraction décroissante, il s'ensuit que les 15 systèmes possibles forment la série analogue que voici :

A			
	AB		
B	AC	ABC	
		ABD	
	AD, BC		ABCD
		ACD	
C	BD	BCD	
	CD		
D			

On voit qu'entre les niveaux extrêmes — le type A ou neutre et le type D ou complexe antithétique — il y a trois niveaux principaux : un niveau moyen constitué par les types AD, BC et AD + BC (— ABCD) et deux niveaux intermédiaires : le niveau mi-complexe formé par les types C, BD et C + BD (= BCD), et enfin le niveau mi-abstrait formé par les types B, AC et B + AC (= ABC).

Pour ce qui est des transitions entre ces divers niveaux, il est évident qu'un degré supérieur d'abstraction est atteint si à D on ajoute ou substitue C, B ou A, si à CD on ajoute ou substitue B ou A, etc. Inversement, on arrive à un niveau inférieur si à A on ajoute B, C ou D, à AB : C ou D, etc.

Il s'ensuit que, étant donné un niveau inférieur ou moyen, la perte de D ou C constituera un mouvement vers l'abstraction, et, étant donné un niveau supérieur ou moyen, la perte de A ou de B constituera un mouvement vers la complexité.

Ici il faut remarquer que, parmi les groupes qui peuvent faire partie d'un système morphologique, tous ne sont pas également stables : à l'intérieur d'un groupe à deux termes — termes forcément polaires et par conséquent solidaires — il y aura toujours une force de cohérence inconnue aux groupes à un seul terme. Il s'ensuit que la tendance vers la complexité sera le plus souvent marquée par la perte de A ou par l'acquisition de C, et qu'inversement la tendance vers l'abstraction sera marquée par l'acquisition de A et par la perte de C.

Il faut donc s'attendre à voir le progrès de l'esprit humain — et l'on peut définir ce progrès par progrès en abstraction — s'exprimer dans la langue par l'acquisition de formes neutres et par la perte de formes complexes. Une langue qui reflète ce genre de progrès sera caractérisée par l'acquisition et le maintien de formes neutres telles que l'indicatif, l'infinitif achronique, la 3e personne ; elle rejettera et n'acceptera plus des formes complexes telles que l'optatif, le prétérito-présent, le duel, la personne inclusive. Si cela est, on a là un véritable baromètre linguistique de la civilisation.

Or il est facile de constater que dans les langues de type moderne les formes neutres jouent un rôle de plus en plus important. Des formes indéterminées au point de vue du mode, de l'aspect et du temps, des formes impersonnelles dominent des langues telles que l'anglais et le français ; elles ont éliminé toutes les autres formes dans la grande langue de civilisation ancienne qu'est le chinois. D'autre part les formes neutres étaient beaucoup moins répandues dans les anciennes langues indo-européennes, et il existe des langues primitives (négro-africaines p. ex.) où, pour certaines catégories comme le mode, elles ne sont pas encore dégagées.

Inversement on constate qu'en règle générale les formes ambiguës ou complexes sont inconnues ou en voie de disparition dans les langues de type moderne. Nous n'avons, ou n'avons plus, dans nos langues d'Occident ni optatif, ni itératif, ni prétérito-présent, ni duel, ni personne inclusive. Ce sont toutes des formes caractéristiques de langues de type nettement archaïque.

Je suis heureux de rejoindre ici la pensée de M. Antoine Meillet, chef de l'École française, qui — selon M. Tesnière, auteur d'une belle thèse sur le duel — " s'est toujours attaché à mettre en évidence, avec la finesse et la précision qui caractérisent sa méthode, l'étroite dépendance des faits linguistiques des faits sociaux : plus qu'aucun linguiste il a montré l'influence profonde exercée par le progrès de l'esprit humain et par sa marche vers l'abstraction sur le développement du langage et sur la disparition progressive des catégories concrètes ".

J'ai cru pouvoir corroborer ces idées lumineuses par l'analyse systématique de la structure morphologique, j'ai essayé d'expliquer ces grands faits de langue et de civilisation par des considérations de morphologie générale qui auront été en même temps des études de logique. Je me suis efforcé d'établir des règles valables pour la structure d'un système élémentaire quelconque d'une langue quelconque. Je suis arrivé par là au *structuralisme* préconisé de nos jours par le Prince Troubetzkoy ; d'autre part je me trouve d'accord avec *l'universalisme* exigé et pratiqué il y a cent ans par le grand maître de linguistique générale qu'était Guillaume de Humboldt.

Postscriptum 1942. — De nombreuses recherches et méditations postérieures m'ont conduit à maintenir l'ensemble des principes généraux exposés ici. Par analogie il semble même possible de les appliquer aux concepts génériques (base p. ex. de la classification des mots) aussi bien qu'aux concepts relationnels. Dans l'édition française de mes " Parties du Discours " (à paraître en 1943) je me propose donc de les appliquer à la doctrine des sous-classes de mots : à l'intérieur de chaque classe à deux dimensions (noms, verbes, etc.) on trouvera un maximum de six sous-classes.

18 SPEECH AND WRITING[1]

H. J. Uldall

In his *Cours de linguistique générale*, Saussure said: " language is form, not substance ". The meaning of this extraordinarily happy formulation is, of course, that the language, " la langue " as distinct from " la parole ", is something apart from the substance in which it is manifested, an abstract system which is not defined by the substance, but which, on the contrary, forms the substance and defines it as such. Saussure himself did not live to draw the full theoretical consequences of his discovery, and it is a curious fact that it is only now, over twenty years later, that anyone at all has even begun to do this. It is even more curious when we consider that the practical consequences have been widely drawn, indeed had been drawn thousands of years before Saussure, for it is only through the concept of a difference between form and substance that we can explain the possibility of speech and writing existing at the same time as expressions of one and the same language. If either of these two substances, the stream of air or the stream of ink, were an integral part of the language itself, it would not be possible to go from one to the other without changing the language.

It is this concept of form and substance which underlies, also, the phoneme theory. The phoneme, which was also generally recognised in practice long before its theoretical discovery, can be briefly explained as follows: the infinite variety of sounds used in actual speech are seen to belong together in groups in such a way that the members of one and the same group can be exchanged without any change of meaning, while the interchange of two sounds belonging to different groups may lead to a change of meaning. In other words, there is a something which remains constant when you exchange within the same group, but which changes when you go from one group to another, and which, consequently, must be supposed to be common to all the sounds belonging to one group. This something is evidently not meaning: the meaning of the word " cat " cannot be dissected in such a way that a segment is ascribed

Reprinted from *Acta Linguistica* 4 (1944): 11–16, with the permission of Mrs. H. J. Uldall and of the editorial board of *Acta Linguistica*.

[1] Paper read to the linguistic section of the Congrès international des Sciences anthropologiques et ethnologiques, Copenhagen, 1938 (a resume is printed in the *Compte rendu* of the congress, Copenhagen, 1939). Dr. Josef Vachek has recently published a very interesting treatment of the same subject: *Zum Problem der geschriebenen Sprache* (*Travaux du Cercle linguistique de Prague* VIII, 1939); a comparison of the two brings out very clearly the difference between the phonological and the glossematic points of view.

to the *k* which is recognisably the same in all words containing a *k*. Some people have tried to define the something in terms of phonic substance : all the different sounds belonging to a phoneme have some characteristic in common, which can be described physically or physiologically or both ; but as we have already seen that ink may be substituted for air without any change in the language, it is obvious that this explanation is not sufficient to establish our something as a fact belonging to *la langue*, although it is equally obvious that it is necessary in a description of *la parole*. Others have tried a psychological explanation—and then left it again rather hastily, because it was found that the " Sprachgefühl " is hard to get at, and too often vague and undependable when you do catch it.

In continuation of Saussure I would suggest that our something, that which is common to sounds and letters alike, is a form—a form which is independent of the particular substance in which it is manifested, and which is defined only by its functions to other forms of the same order. The form, then, will remain the same even if we change the substance, as long as we do not interfere with its function. When we write a phonetic or a phonemic transcription, we substitute ink for air, but the form remains the same, because the functions of each component form have not been changed : we have been careful that the number of graphemes should not be less than the number of phonemes, and that the order of forms should remain the same in the graphic manifestation as it was in the phonic one ; when these conditions are fulfilled, we have what is called an accurate transcription. We can distill from the phonic manifestation of a language an inventory of forms, which can be safely represented graphically or in any other way that may be found convenient, and of which we know that, in the combinations which we have registered, they are sufficient to express the language satisfactorily.

The substance of ink has not received the same attention on the part of linguists that they have so lavishly bestowed on the substance of air. We can see at a glance, however, that it behaves in much the same way : in writing we find a multiplicity of variants similar to the state of affairs in speech ; the shape of a letter varies according to the shapes of neighboring letters, according to position in the group (initial, final, or medial), according to individual taste and habit, and according to extrinsic factors such as the condition of the pen, in the same way that sound-quality varies for similar reasons. From a linguistic point of view, a bad pen is quite parallel to a sore throat or a cigar between the teeth of the speaker. In printing and typewriting we have standardised the shapes of letters to the exclusion of variants, so that there is only one shape per grapheme. To this there is nothing similar in speech, but, as shown by Menzerath's experiments with cutting a tonefilm to pieces and pasting it together again in a different order,[2] this is not due to any fundamental difference in the two substances : it would be quite feasible to produce standardised artificial speech of the same kind. If the technique of reproducing speech had happened to develop in another way, our broadcasting stations would have been sending out standardised one-variant-per-phoneme speech instead of employing live announcers.

[2] Cf. *Actes du quatrième Congrès international de Linguistes* (Copenhagen, 1938), pp. 72 ff.

From the graphic manifestation of a language we can distill, then, in the same way as from the phonic manifestation, an inventory of forms, defined by their mutual functions, which might equally well be represented phonically or in any other convenient way, and of which we know that in the combinations which we have registered, they are sufficient to express the language satisfactorily.

The extraordinary thing is that we shall often find that the forms derived from an analysis of the phonic manifestation differ from the forms derived from an analysis of the graphic manifestation of what is known as the same language. A moment's thought will show you that in almost any European language, English for choice, the number of phonemes does not tally with the number of graphemes. I shall take care not to give you my own count, because at the present stage of the game hardly two phoneticians agree as to the phonemic analysis of any language. But a striking fact which is enough to prove my contention, is that there are no graphemes in the orthography corresponding to the accents of the pronunciation, and that, conversely, the pronunciation has no phoneme corresponding to the spacing between words in the orthography.

The task which I have set myself in this paper is to find an explanation of the fact that two mutually incongruent systems can be used side by side to express the same language.

Before attempting this main problem, I should like to call your attention to two subsidiary problems, which might have a bearing on our inquiry : (1) can either of the two systems be said to be primary in relation to the other, and (2) what is the reason for the discrepancy between them ?

(1) In my opinion it is illegitimate to consider either of them primary. They simply coexist. There is no indication, either systematically or historically, of any such relation between them, for although it is true that in the history of mankind generally, as far as we know it, speech preceded writing, it is not true that the present sound pattern preceded the present orthography, and influence of one upon the other, in matters of detail, seems to be about equal on both sides : if there have been cases of spelling-pronunciation, there have also been cases of pronunciation-spelling.

(2) As to the second question, it follows from what has already been said, that the reason for the difference between pronunciation and orthography is not to be sought in the difference between air and ink, since we can and do make graphic manifestations congruent with the usual phonic one—phonetic and phonemic transcriptions—and since we can, and some people do, make phonic manifestations congruent with the usual graphic one—in Denmark at least, you can hear people of scanty education carefully enunciating a sound for each letter and pausing between the words as they read aloud. The reason must be simply the well-known historical development : our alphabet was originally designed to be used for the manifestation of a structurally quite different language, the orthography is often more conservative than the pronunciation, and has further been artificially tampered with by printers and grammarians and sometimes even by politicians.

Now, to get back to the main question, let us first examine what is meant by saying that pronunciation and orthography express the same language.

A language consists of two planes, the plane of content, or meaning, and the plane of expression. The relation between these two planes is such that a unit belonging to one may call forth a unit belonging to the other. If I hear *kat* spoken or see " cat " written, it may call to my mind the idea of *felis domestica*, and conversely the idea of *felis domestica* may induce me to say *kat* or to write " cat ". When we say that orthography and pronunciation are expressions of the same language, we mean simply that the orthographic units and the units of pronunciation correspond to, or, better, are functions of the same units of content: the fact that both *kat* and " cat " are functions of the idea *felis domestica*, as that idea is defined in relation to other English ideas, proves that they are expressions of the same language. It is this mutual function between two planes that constitutes a language: the units of content are defined as such by having an expression, and the units of expression are defined as such by having a content. If we keep the units of content constant, we shall have the same language whatever system is used to make up the corresponding units of expression, as we have seen. I don't want to take you too far away from the main inquiry into the details of this theory, but I should like to suggest in passing, that the same should logically hold true, if we keep the units of expression constant and change the corresponding units of content, or, in other words, if we took a dictionary and ascribed different meanings to all the words in it. As far as I know, this rather intricate experiment has never been carried out, but it has been done many times on a smaller scale, particularly with scientific terminology: we all know examples of familiar terms—units of expression—being used in an unfamiliar sense, i.e. with function to different units of content.[3] But this is merely a digression to show that the relation between content and expression is bilateral, not unilateral as has often been supposed.

The conclusion that is relevant to our inquiry, is that a system of any internal structure will do, provided that a sufficient number of units can be made up from it to express the units of content. Units of expression belonging to different systems unite into groups analogous to the groups of sounds which we call phonemes, and defined by all the members of one group being functions of the same unit of content. A group of this kind I shall call a *cenia*. Thus the speech-chain *kat* and the written chain " cat " belong to the same cenia, because they can be exchanged without a change of meaning, being functions of the same unit of content. But to the same cenia will belong also, it will be seen, any other unit from any other system of expression, if it is a function of the same unit of content. We can invent new pronunciations, or new orthographies, or new systems of expression manifested in any other way, such as flag-wagging or dancing,[4] and they will all be adequate, if they fulfil the single condition of providing a sufficient number of units to express the units of content.

The system of speech and the system of writing are thus only two realisations out of an infinite number of possible systems, of which no one can be said to

[3] Cf. e.g. " articulation " and " morphology ", the meanings of which differ according as the context is linguistic or biological.

[4] Cf. G. K. Chesterton's almost glossematic story *The Noticeable Conduct of Professor Chadd*, in *The Club of Queer Trades*.

be more fundamental than any other. From a theoretical point of view it is therefore nonsense to talk about, for instance, the English graphic system being inadequate: we might just as well turn it around and say that the English phonic system is inadequate; the truth must be that they are both equally adequate, and that any other system fulfilling the conditions would do just as well. Another thing is that for practical purposes it is probably more convenient to have one system than two, and as it is less difficult to change the orthography than the pronunciation, it might be an advantage to bring the graphic system into harmony with the phonic system.

The maximal system is the truly ideographic or ideophonic one, a system providing one element for each unit of content instead of a unit made up of elements which can be used over and over again in other combinations. The minimal system is the smallest one from which a sufficient number of units can be made up.

It is for the normative linguist—the standardiser of languages, and the inventor of artificial languages—to choose that system out of the infinite number of possible ones, which is best suited to his purpose.

19 SOME REMARKS ON WRITING AND PHONETIC TRANSCRIPTION

Josef Vachek

There is a more or less generally accepted belief among students of language that writing and phonetic transcription are to be regarded as two ways of recording speech utterances. The difference between the two is supposed to consist chiefly in the fact that transcription aims at the greatest possible accuracy in recording, whereas writing does not aspire to more than a rough-and-ready reproduction of the utterances. Transcription, it is usually asserted, can do far greater justice to the actual acoustic make-up of speech utterances because it does not shrink from using special symbols, one for each sound, instead of clinging to traditional letters used in the conventional way, as is done in writing. As traditional writing very often violates the " one-symbol-per-sound " principle, it cannot help lagging hopelessly behind transcription as far as both accuracy of record and adequacy of means are concerned.

However widespread the above views may be, they appear very doubtful if scrutinized from the functionalist and structuralist point-of-view. To prove this, let us look more closely at the facts under discussion.

As regards phonetic transcription, it is useful to point out, at the very start, that it is, and should be, regarded as a primarily technical device. Its principal *raison d'être* is the optical embodiment of acoustic phenomena constituting a spoken utterance ; a projection of sounds, so to speak, on paper. This very intimate connection with the phonic make-up of the utterance should be regarded as the basic feature of phonetic transcription. As is well known, Daniel Jones goes so far as to believe that utterances of a language can be transcribed phonetically even if the transcribing person is totally ignorant of the language in question. The present writer believes he has shown, in another of his papers,[1] that Prof. Jones's thesis does not hold good on this point. What remains certain, however, is that in deciphering a text written in phonetic script one first of all undertakes the acoustic interpretation of the visual signs constituting the transcribed text, and only then proceeds to the semantic interpretation of the acoustic facts thus obtained. That is to say, the transcribed

Reprinted from *Acta Linguistica* 5 (1945–49) : 86–93, with the permission of the author and of the editorial board of *Acta Linguistica*.

[1] J. Vachek : *Professor Daniel Jones and the Phoneme. Charisteria Gu. Mathesio quinquagenario . . . oblata*, Prague, 1932, pp. 25 f.

text does not constitute the sign of the outside world, but the sign of the sign of the outside world (in other words, it is a sign of the second order).

The exact definition of what is called writing has hardly ever been attempted. Phoneticians have usually contented themselves with branding it as a kind of a highly unsatisfactory pseudotranscription, and other linguists have often confused writing with orthography. As a matter of fact, orthography is a kind of bridge leading from spoken sentences to their written counterparts. (Inversely, pronunciation is a kind of bridge leading from spoken to written sentences.) To stress the non-identity of writing and orthography is not, of course, the same as to solve the problem. It is essential to find out a positive answer as to the exact place of writing within the scale of the facts of language.

Any sound linguistic theory must be based on concrete utterances of speech. It is often overlooked, however, that speech utterances are of two different kinds, i.e. spoken and written utterances. The latter cannot be simply regarded as optical projections of the former. To difference of material existing between the two is added another difference, more profound and more essential, that is to say, a difference of functions. The function of the spoken utterance is to respond to the given stimulus (which, as a rule, is urgent) in a dynamic way, i.e. quickly, readily, and with equal attention to both the intellectual and the emotional factors of the situation that gave rise to the stimulus. On the other hand, the function of the written utterance is to respond to the given stimulus (which, as a rule, is not urgent) in a static way, that is to say, the response should be permanent (i.e. preservable), affording full comprehension as well as clear survey of the situation concerned, and stressing the intellectual factors of the situation. In another of his papers, the present writer has pointed out that each of the two kinds of utterances has its own standard, a standard which can be denoted as spoken language or written language, respectively.[2] It has been generally admitted that spoken language is based on a system of phonic oppositions capable of differentiating meanings in the given community. As is well known, the system is called the phonemic system and its units are known as phonemes. Analogously, written language must be based on a system of graphic oppositions capable of differentiating meanings in the given community. And it is this system, forming the basis of written language, which we call writing. The units of this system may be called graphemes.

As has been shown in another paper,[3] the phoneme is a member of a complex phonemic opposition, a member which is indivisible into smaller successive phonemic units. Analogously, the grapheme may be defined as a member of a complex " graphemic " opposition, a member which is indivisible into smaller successive graphemic units. " Graphemic " opposition is, of course, taken here as an exact counterpart of the phonemic opposition in the domain of spoken language—that is to say, it denotes such an opposition of graphic facts as is

[2] For the theory of written language, see J. Vachek: *Zum Problem der geschriebenen Sprache, Travaux du Cercle linguistique de Prague* VIII (1939), pp. 94 f.—H. J. Uldall in his paper *Speech and Writing* (*Acta Linguistica* IV, pp. 11 ff.), full of interesting observations, does not seem to have stressed sufficiently the autonomous character of written language, as opposed to spoken language.—On the relations existing between written and printed language, see J. Vachek: *Written Language and Printed Language, Mélanges J. M. Kořínek*, Bratislava, 1949 (in print).

[3] J. Vachek: *Phonemes and Phonological Units. Travaux du Cercle Linguistique de Prague* VI (1936), pp. 235 f.

capable of differentiating meanings in the given language. It is hardly necessary to point out that the graphemes, being the smallest units of the written language, are characterized by some features analogous to those found in the phonemes, the smallest elements of the spoken language. The basic analogy lies in the fact that the graphemes of a given language—like its phonemes—remain differentiated from one another, i.e. that they do not get mixed up. The importance of this fact is promptly realized if a graphemic opposition comes to be neglected—thus, e.g. if a writing individual does not duly distinguish in written utterances his *a*'s from his *o*'s, his *h*'s from his *k*'s, his *s*'s from his *z*'s, etc.

To ascertain all consequences from the analogy existing between writing and the phonemic system, one must look down the scale of values as well as up the scale. Exactly as the phonemes of a given language are realized in concrete sounds and sound-attributes, so the graphemes become manifested in concrete letters and letter-attributes (diacritical marks, punctuation signs, etc.). These items make up what may be called the graphic inventory of the given language, which has, of course, its counterpart in the phonic inventory of the same language. It should be stressed, naturally, that these inventories are meant as materials only, without any regard to the functions of their component parts. On the other hand, these materials as wholes have their own peculiar distinctness of character. It is a well-known fact that even persons who do not speak a single word of English and French are able to tell the two languages from one another if they hear them spoken, and that they can perhaps give a kind of impressionist description of either of them. And it is equally true that even those who do not read English and French are able to tell English and French texts from one another by their looks, i.e. by the peculiar features typical of each of the two graphic inventories.

To turn again to the two ways of realizing utterances in the given language: they, again, differ not only in their respective materials but also in their immediate aims: the written realizations are intended for reading (i.e. for getting full, surveyable information, the wording of which can be easily controlled at any later time), whereas the spoken realizations are intended for listening (i.e. for getting quick, ready information, often coloured by emotional factors). It may sometimes happen that an utterance primarily intended for listening needs reading, and *vice versa*, an utterance intended for reading needs listening. In such cases, it must be pointed out, transposition from the one into the other material is not done with the intention of expressing the given content by means of other material; if it were so, the only possible accomplishment of the task would be to replace the spoken utterance by the written one, or *vice versa*. The actual task to be accomplished in such cases is a different one: to transpose, as accurately as possible, the component parts of the given utterance into the other material, i.e. (1) to express all phonic elements of a spoken utterance in writing, or (2) to express all graphic elements of a written utterance in speaking. A typical example of (1) is phonetic transcription, an every-day case of (2) is spelling (i.e. naming letters of which the words constituting the written utterance are composed).[4]

[4] Note that spelling keeps to the principle " one distinct phonic syllable for each letter ", which is an interesting counterpart to the principle " one symbol for each sound ", originally proclaimed by founders of phonetic transcriptions.

Thus an analysis of spoken and written utterances proves that the characterization of phonetic transcription as a primarily technical device is fully justified. It should be added that whereas a transcribed text is to be regarded as a sign of the second order (i.e. the sign of a sign of the outside world, see above), the text recorded in writing is to be taken, at least in advanced cultural communities, as a sign of the first order (i.e. the sign of an outside world). That is to say, in deciphering a text put down in writing no detour by way of spoken language is necessary to make out its content, as is the case in deciphering a phonetically transcribed text. A clear proof of this assertion is the well-known fact that there are many people who can, for instance, read English without having any idea of how the written text should be pronounced.

All that has been said here so far suffices to prove that writing is by no means the inferior pseudo transcription it has been taken for by the vast majority of scholars. The above developments amount to saying that writing occupies a higher place in the scale of the facts of language than phonetic transcription: the former is a system of elementary signs of language (or a system of the diacritica of language signs, to use Karl Bühler's terminology),[5] whereas the latter is a mere technical device for expressing, in graphic terms, the phonic materials manifesting such signs. Besides, of course, phonetic transcription undoubtedly belongs to the domain of spoken language, whereas writing pertains to the sphere of written language.

The above distinction is not to be interpreted as disparaging phonetic transcription. It simply aims at stressing the fact that writing and phonetic transcription cannot be efficiently compared unless the diversity of their respective functions is taken into account. As has been shown above, the function of phonetic transcription is to fix the phonic realizations of spoken utterances which respond to the given stimulus in a dynamic way; the function of writing, on the other hand, is to set up values which are at work in written utterances responding to a given stimulus in a static way. Thus writing should not be blamed for being inaccurate in recording the phonic make-up of spoken utterances—it lies outside the scope of its function to do this.[6] (Incidentally, if one tries to find out how writing and phonetic transcription fulfil their actual functions defined in the immediately preceding lines, it will be seen that writing cannot be branded as " lagging hopelessly behind " phonetic transcription, as its critics are often inclined to believe. On the contrary, writing is as well, or as badly, qualified to its task as phonetic transcription: the former can express, by primary or secondary means, the selected facts of the outside world which make up the content; the latter, faced with the overwhelming richness of phonic facts to be recorded, also has to make a selection of them by introducing the phonematic principle into its practice. In other words, phonetic transcription gives just as adequate—or just as inadequate—an idea of the phonic make-up of the utterance as that

[5] Cf. *Travaux du Cercle ling. de Prague* IV (1931), pp. 40 f.

[6] The diversity of functions mentioned above has been ignored by many students of language, from the pioneers of phonetic research (who, disgusted by the long decades of the " Buchstabengefängnis " endured by linguistic research, believed that the conventional ways of writing languages will sooner or later give way to phonetic transcription) to founders of modern linguistic thinking, such as F. de Saussure (*Cours de linguistique générale*, 2nd ed., Paris, 1922, p. 45 ff.) and L. Bloomfield (*Linguistic Aspects of Science*, Chicago, 1939, pp. 6 f.).

which writing is able to give of the outside world—there is selection in both cases.)

Some more remarks are necessary in order that the mutual relations existing between writing and phonetic transcription may stand out with greatest possible clearness.

Even if writing in the cultural languages of to-day undoubtedly represents a more or less autonomous system (constituting a sign of the first order, as explained above), it is a well-known fact that it developed historically from a kind of quasi-transcription and was thus, indeed, originally a sign of the second order. This was regularly the case in the earliest stages of cultural languages, when members of their linguistic communities were trying hard to preserve fleeting spoken utterances by putting them down in writing. Soon, however, such a secondary system of signs became a primary one, i.e. written signs began to be bound directly to the content. Nevertheless, the tie existing between spoken and written utterances only became loosened, and was not lost altogether. It must be borne in mind that members of a cultural linguistic community are, as a matter of fact, something like bilinguists because they command two standards of language, the spoken and the written one. The coexistence of these two standards, as well as the complementariness of their functions (one of them is used for the static, the other for the dynamic response), necessarily result in mutual interdependence being felt between them. For this reason there is also a kind of correspondence between the written and the spoken standard, though the degree of the correspondence varies considerably in different linguistic communities.

The correspondence is more easily found in complex units of language than in simple ones. There is hardly any linguistic community in which a written sentence does not correspond to a spoken sentence. Somewhat less often, but still almost regularly, one can find a correspondence between spoken and written words (Chinese seems to be one of the exceptions). Much less numerous are, of course, linguistic communities which maintain consistent correspondence between phonemes and graphemes. This kind of correspondence appears to be most consistently observed in Serbo-Croatian and Finnish ; in Czech, Polish and Russian it is valid in principle but subject to various limitations ; still less consistently is the correspondence " phoneme—grapheme " observed in French and especially in English.

It may be of some interest to point out that in the early years of phonemic research a demand was voiced here and there for consistent phonemization of writing in this or that language (for Slovak, for instance, see Ľ. Novák's paper *K problémům reformy československého pravopisu*).[7] This requirement can hardly surprise anyone ; it was shown above that phoneticians, in their time, raised analogous claims. Still there was a notable difference between the respective attitudes of the phoneticians and the followers of the phoneme theory to such proposals. Whereas the phoneticians backed the demand for phonetization of writing practically to a man, those who asked for phonemization remained isolated, unsupported even by those who held the same theory of language as themselves. The vast majority of the followers of the structuralist

[7] *Sborník Matice Slovenskej* IX, 1931.

theory realized that the phonemic system is only one of the aspects of language considered as a system and that, therefore, the phonemic system cannot claim the exclusive right to being reflected in writing. The elements of writing, that is to say, should be such as to allow written utterances to perform their basic function with maximum efficiency, i.e. to express the content in the static way. This can generally be done in other ways than by giving an accurate phonemic transcription (i.e. by clinging to the correspondence of the " phoneme-grapheme " type). The present writer believes he has proved, in two of his earlier papers,[8] that Czech writing is built up on a correspondence which combines phonemic and morphemic considerations, and the same appears to be more or less true also of English, Russian, German, etc. Lack of space precludes a detailed explanation of the principle—two or three examples must suffice to give an idea of what it implies. There is a marked tendency in English to leave the graphemic make-up of written morphemes unchanged, however different may be, in various cases, the phonemic make-up of corresponding spoken morphemes.[9] Cf. *vari*-ous, *vari*-ety : ['vɛəri-əs, və'rai-iti] ; *comfort*, *comfort*-able : [kʌmfət, kʌmft-əbl] ; want-*ed*, pass-*ed*, call-*ed* : [wɔnt-id, paːs-t, kɔːl-d] etc. etc. Similar cases could be cited from Russian, German, etc.

The study of concrete writings and concrete written languages, as well as research in the theory of writing and of the written language, is still in its infancy. Only a few definite conclusions can therefore be presented at the present stage of research. At least one of them, however, seems certain : Writing cannot be flatly dismissed as an imperfect, conservative quasi-transcription, as has often been done up to the present day. On the contrary, writing is a system in its own right, adapted to fulfil its own specific functions, which are quite different from the functions proper to a phonetic transcription.

[8] J. Vachek : *Český pravopis a structura češtiny. Listy filologické* 60 (1933), pp. 287 f.—J. Vachek : *Psaný jazyk a pravopis. Čtení o jazyce a poesii* I (1942), pp. 231 f.

[9] By the term " morpheme " is meant here the smallest element of the word, characterized by its own meaning (content), indivisible into smaller parts of the kind. Practically : morphemes include roots, all kinds of affixes, inflectional endings, etc.

20 LA NATURE DES PROCÈS DITS "ANALOGIQUES"

Jerzy Kuryłowicz

L'opposition *mot-base* : *dérivé* permet de dégager, chez ce dernier, le morphème de dérivation. P. e. *fille* : *fill-ette* (suffixe), *fait* : *re-fait* (préfixe). Le morphème n'est pas toujours simple, il consiste parfois en deux ou plusieurs parties. Ainsi le diminutif allemand *Bäum-chen* est caractérisé, par rapport à *Baum*, non seulement par le suffixe (diminutif) *-chen*, mais encore par l'inflexion (" umlaut ") du vocalisme radical. Le morphème de dérivation y est donc bipartite et il se pose la question du rapport mutuel du suffixe *-chen* et du changement vocalique. Notons entre parenthèses qu'au point de vue de la langue moderne l'umlaut n'a pas un caractère phonétique, mais purement morphologique. Or ce rapport découle de l'étendue de l'emploi des deux morphèmes partiels. L'umlaut n'est propre qu'à une partie seulement de dérivés en *-chen* puisqu'il ne saurait apparaître qu'en cas de vocalisme radical postérieur (*a*, *o*, *u*, *au*). Si le suffixe *-chen* implique l'umlaut radical, l'inverse n'est pas vrai : l'umlaut de *Bäum-* n'entraîne pas nécessairement le suffixe *-chen* puisqu'il est aussi propre à *Bäum-e* ou à *Bäum-lein*. On se trouve ici en présence d'un rapport appelé par M. Hjelmslev *détermination*. (*Les fondements de la théorie linguistique* compte rendu de M. Martinet dans *BSL* XLII, p. 25.) Au point de vue hiérarchique l'umlaut se trouve donc subordonné à la suffixation. Dans le procès morphologique en question c'est l'application du suffixe *-chen* laquelle est fondamentale, et le changement vocalique y est ajouté après coup. Voici le schéma illustrant ce rapport : *Baum* > **Baum-chen* > *Bäum-chen*.

Les imperfectifs (anciens itératifs) slaves en *-ajǫ* allongent la voyelle radicale en syllabe ouverte. On a *pekǫ* : *-pěkajǫ*, *bodǫ* : *badajǫ*, *mъrǫ* : *-mirajǫ*, *dъmǫ* : *-dymajǫ* etc. Par rapport à l'application de *-ajǫ* l'allongement radical se trouve restreint d'une double manière : il ne peut pas s'exercer auprès des racines à vocalisme long (p. e. *sypl'ǫ* : *-ṡypajǫ*) ; il n'est pas non plus possible en syllabe entravée (p. e. *tęgnǫ* : *-tęgajǫ* < **teng*). Cette restriction de l'allongement par rapport à l'emploi du suffixe en fait la partie secondaire, subordonnée, ou marginale du morphème itératif, tandis que le suffixe en est la partie fondamentale, constitutive ou centrale. Ici encore la formule sera *pekǫ* > -**pekajǫ* > *-pěkajǫ*.

Reprinted from *Acta Linguistica* 5 (1945–49) : 121–38, with the permission of the author and of the editorial board of *Acta Linguistica*.

Le même phénomène se rencontre dans la flexion. Cf. p. e. la désinence *-er* de pluriel en allemand, laquelle entraîne l'umlaut d'un vocalisme radical postérieur : *Wald* > *Wälder*, *Huhn* > *Hühner*.

Mais le morphème composé peut être tripartite. Prenons comme exemple les dérivés v. indiens en *-á-* ou *-yá-* avec la vr̥ddhi de la syllabe initiale : type *brāhmaṇá-*. Il y en a aussi qui sont barytons, mais ceux-là constituent une série à part, différant de l'autre par sa valeur (sémantique). Le morphème consiste en trois éléments : suffixe, accentuation, vr̥ddhi. Quel en est l'ordre hiérarchique ? Tandis que le suffixe et l'oxytonèse sont constants, la vr̥ddhi, bien qu'apparaissant dans la majorité écrasante des exemples, est tout de même limitée par le fait que l'allongement ne s'opère pas dans le cas d'un *ā* de la syllabe initiale. La vr̥ddhi est donc subordonnée au suffixe et à l'accentuation. La question du rapport mutuel entre les deux derniers est plus délicate. On ne rencontre pas le suffixe (*-ya-*, *-a-*) sans l'accentuation, qui l'accompagne toujours, ni l'accentuation suffixale seule, laquelle ne saurait exister sans le support phonique du suffixe. Or l'accentuation suffixale est une *relation* entre racine et suffixe, elle n'est donc point imaginable sans l'existence préalable de ses fondements, *racine* et *suffixe*. De sorte que les trois éléments morphologiques en question se succèdent dans l'ordre suivant : *brahman-* (mot-base) > 1. *brahmaṇ-a-* (suffixation) > 2. *brahmaṇ-á-* (accentuation suffixale) > 3. *brāhmaṇ-á-* (vr̥ddhi).

Le rapport de 2. à 1. est d'une autre nature que celui de 3. à 1. + 2. L'élément 2. est fondé sur 1. en tant que marque d'un complexe (*Gestaltqualität*) puisque la marque d'un complexe implique l'existence de ses éléments, tandis que 3. est fondé sur 1. + 2. par suite de la sphère de son emploi, plus restreinte que celle de 1. + 2.

On s'aperçoit dès lors que le fait tacitement mais généralement admis que les dérivés sont fondés sur les mots-bases repose aussi en dernière ligne sur le critère objectif de l'étendue de l'emploi. Un procédé de dérivation vivant, c'est-à-dire applicable à des cas nouveaux, prouve par là-même que l'aire des dérivés ne recouvre pas celle des mots-bases.

Autre est le rapport mutuel des formes flexionnelles formant un paradigme. En effet s'il est correct de dire que latin *lupulus* est fondé sur *lupus*, qu'il en est dérivé moyennant le suffixe diminutif *-olo-*, ce serait une grave erreur que d'analyser d'une manière analogue le gén. sing. *lupi* en le considérant comme tiré du thème (de la racine) *lup-* à l'aide de la désinence *-ī*. Car la notion du thème est postérieure aux formes concrètes composant le paradigme : on trouve le thème en dégageant les éléments communs à toutes les formes casuelles du paradigme (quand il s'agit de la déclinaison). P. e. *lup-us, -i, -o, -um, -orum, -is, -os* fondent le thème *lup-*. Le paradigme russe *trud, -'a, -'u, -'om* etc. permet de dégager un thème *trud'-* puisque l'oxytonèse est le trait commun de toutes les formes casuelles. Le rapport de fondement n'est donc pas *lup-* > *lup-i*, mais *lup-us, -i, -o* etc. > *lup-*. Il ne faut pas confondre le thème ainsi dégagé avec le thème apparaissant dans les premiers membres de composés. Là il revêt souvent une forme plus archaïque, qui peut rester longtemps à l'abri des changements ultérieurs du paradigme, cf. p. e. la voyelle *-a-* de got. *weina-basi*, la voyelle *-o-* du type slave *vodo-nosъ* etc. Il y a lieu de parler ici d'une voyelle de composition (*Fugenvokal*).

Le thème est donc une sorte d'abstraction destinée à résumer le paradigme. Quand on dit que *lupulus* est dérivé de *lupus* ou, d'une façon plus précise, que le thème *lup-ul-* est dérivé du thème *lup-*, cela signifie que le *paradigme* de *lupulus* est dérivé du *paradigme* de *lupus*. D'autant plus qu'en parlant du thème *lup-* ou *lupul-* nous sommes obligés d'ajouter que ces thèmes individuels régissent des désinences particulières (celles de la 2e déclinaison).

Le procès de dérivation de *lupulus* revêt un aspect concret que voici :

lupus, -i, -o, -um, -orum, -is, -os ou *lup-* (*-us, -i, -o* etc.)
↓ ↓
lupulus, -i, -o, -um, -orum, -is, -os *lupul-* (*-us, -i, -o* etc.)

Au point de vue de la dérivation le paradigme équivaut à un seul morphème, à savoir au thème. Les différentes formes casuelles constituent les éléments partiels qui contribuent à la structure de ce morphème. Dans une certaine mesure cet état des choses nous fait penser aux morphèmes composés dont on vient de parler. La question concrète est celle de savoir si certaines formes casuelles sont bâties sur d'autres de manière qu'une forme casuelle *A* nous fait prévoir la forme casuelle *B*, mais non pas inversement. Or il en est ainsi : Exemple : le nom. plur. grec du type τέχναι implique l'oxytonèse du gén. plur. en -ῶν (τεχνῶν), mais la règle inverse n'est pas valable, puisqu'il y a des gén. plur. en ῶν (τιμῶν) correspondant à des nom. plur. oxytons (τιμαί).

Une différence entre la structure du paradigme et celle d'un morphème composé consiste en ceci que ce dernier est *toujours* bâti sur le principe de hiérarchie, tandis qu'on ne peut pas affirmer la même chose pour le paradigme. Dans le cas où le principe trouve son application, par exemple dans τέχναι, τιμαί, on s'aperçoit que le fondement de *B* (gén. plur.) sur *A* (nom. plur.) repose sur l'étendue de l'emploi comme dans les exemples discutés plus haut. La forme du nom. plur. peut être barytone ou oxytone en face d'un gén. plur. restreint à la barytonèse. Le schéma τέχναι, τιμαί : -ῶν est ainsi tout à fait comparable à *Kind-chen, Bäum-chen*, où l'on rencontre *-chen* chez les mots à vocalisme antérieur et postérieur, tandis que l'umlaut ne se rencontre que chez les racines à vocalisme postérieur.

Le principe de hiérarchie fondé sur l'étendue de l'emploi des formes est d'ordre purement logique et non pas spécialement sémantique. Il concerne le rapport entre la forme et la fonction, le sens (sémantique) n'étant qu'un cas de fonction spéciale. Il y a en outre des fonctions syntaxiques, et la même bipartition existe pour les phonèmes : fonctions par rapport aux autres phonèmes d'une même classe et fonctions par rapport aux autres phonèmes de la même structure. Le principe s'applique donc aussi au domaine phonologique, cf. notre article sur *Le sens des mutations consonantiques*, publié dans la *Lingua* I, pp. 77–85.

Ici nous avons vu qu'il en existe au moins une triple application :

1o pour le rapport mutuel des parties d'un morphème de dérivation (ou de flexion) composé ;
2o pour le rapport entre mot-base et dérivé ;
3o pour les rapports entre les formes d'un paradigme.

Dans le premier cas il s'agit des *morphèmes non-autonomes* et de leurs parties (éléments). Le deuxième cas concerne la relation entre des *mots* entiers. Le troisième, le plus intéressant, n'est qu'en apparence seulement un rapport entre mots : il s'agit de mots en tant qu'éléments d'un paradigme lequel, à son tour, est une unité appelée thème. Par là-même le cas 3° est, dans une certaine mesure, comparable à 1°.

La différence entre 1° et 3° d'une part et 2° de l'autre présente encore un autre aspect. Les rapports sous 1° et 3° sont uniquement d'ordre formel. Il serait absurde de vouloir décomposer la diminution en éléments sémantiques plus petits correspondant aux éléments morphologiques *-chen* d'une part, et umlaut, de l'autre. Mais ce qui n'est pas aussi évident c'est que le rapport de fondation entre τέχναι et τεχνῶν n'a rien à faire avec les fonctions syntaxiques du nominatif et du gén., mais concerne ces formes en tant que réalisations d'*un seul et même thème*.

Dans 2° par contre le rapport est en même temps formel et sémantique, l'opposition entre mot-base et dérivé permettant de dégager et le morphème de dérivation et la modification sémantique dont il représente le support. Entre deux cas d'un paradigme un tel rapport est tout-à-fait exceptionnel ; il serait possible, si p. e. le gén. était le cas du régime direct partitif (par opposition à l'acc. représentant le cas régime normal), c.-à-d. si le gén. était sémantiquement subordonné à l'acc.

Passons maintenant à l'aspect diachronique de ces rapports.

Les *changements* de structure morphologique sont une conséquence de changements soit phonologiques soit sémantiques. Dans le premier cas les oppositions de formes altérées au point de vue phonique, dans le second cas les nouvelles oppositions causées par des déplacements fonctionnels (sémantiques), portent atteinte à l'équilibre du système morphologique, d'où la nécessité d'un réarrangement appelé " action analogique ". L'équilibre morphologique consiste dans la proportionnalité formelle entre les formes de fondation et les formes fondées, cf. le rapport formel constant entre mot-base et dérivé, lequel permet de prévoir la forme du dérivé d'une façon précise.

Par suite des actions phonétiques et sémantiques les lois de structure morphologique naissent, changent ou disparaissent.

Soit le pluriel des substantifs masculins forts en allemand. En v.-h.-a. ce sont soit des thèmes en *-a-* (*tag*, plur. *taga*) soit des thèmes en *-i-* (*gast*, plur. *gesti*), abstraction faite des restes de classes de thèmes en train de disparaître. L'apparition de l'umlaut dans *gesti* est un phénomène d'ordre phonétique : on n'a affaire qu'à la désinence *-i*, l'implication $a > e$ n'est pas morphologique. Cet état des choses change au moment du passage, vers la fin de l'époque v.-h.-allemande, des voyelles finales (*-a*, *-i*) en *-e*. Les deux classes de thèmes coincident alors, en ce qui concerne la désinence du pluriel, mais le pluriel des anciens thèmes en *-i-* comporte une implication : m.-h.-a. *gest-e*, où la désinence *e* implique l'umlaut du vocalisme radical, en face de m.-h.-a. *tag-e*, où une telle implication n'a pas lieu. Le développement phonétique conduit à la genèse d'un morphème composé.

Mais ce n'est pas tout. On obtient un morphème *-e* servant à former le pluriel des substantifs masculins forts, et un morphème isofonctionnel (c.-à-d. servant lui aussi à former le pluriel des substantifs masculins forts) *-e* impliquant l'umlaut radical. Or ce qui nous semble d'importance capitale c'est l'extension de l'umlaut à la plupart des anciens thèmes en *-a-*, c.-à-d. des thèmes qui comportaient un pluriel en *-a* en v.-h.-a., p. e. *Bäume, Töpfe.*

I) *Un morphème bipartite tend à s'assimiler un morphème isofonctionnel consistant uniquement en un des deux éléments, c.-à-d. le morphème composé remplace le morphème simple.*

Il est important de souligner qu'une telle extension du morphème composé ne s'effectue pas d'une façon *nécessaire*. Ce que nous affirmons c'est que dans le cas d'une action " analogique " c'est le morphème composé qui l'emporte et non pas le morphème simple. Ainsi nous ne tâchons même pas de trouver la cause du fait qu'en allemand moderne il subsiste encore des pluriels en *-e* sans umlaut (*Tage*).

L'allongement vocalique chez les itératifs-imperfectifs slaves ne peut pas être de date indoeuropéenne. L'indoeuropéen ne connaît que l'allongement de la voyelle fondamentale *e/o*. Si l'on rencontre en balto-slave le degré long de *i*, *u* (*ī*, *ū*) c'est évidemment par suite du fait que des voyelles longues nouvelles s'y sont formées lors de la disparition de *ə* antéconsonantique. P. e. lit. *gérti* < **gērti* < **gerəti-*, lit. *pìnti* < **pīnti* < *pinəti-* < p_o*nəti-*.

Or l'opposition *-ēr-t-*(forme-base) : *-ēr-ajǫ* (forme dérivée) = *-er-t-* (forme-base) : *-er-ajǫ* (forme dérivée) passe, après l'abrègement *-ērt-* > *-ert-*, à *-er-t-* : *-ēr-ajǫ* = *-er-t-* : *x* (*x* = *-ērajǫ*). Les signes graphiques ont ici une valeur spéciale : *e* = voyelle quelconque, *r* = sonante quelconque, *t* (suffixal ou désinenciel) = consonne quelconque. L'implication (*e* > *ē*) est généralisée en vertu de la loi formulée plus haut.

Il y a des cas plus compliqués. Comme l'a démontré Wackernagel, l'accusatif pluriel des thèmes à hiatus (types εὐγενής, nom. plur. εὐγενέ-ες ; μείζων, nom. plur. * μείζο-ες etc.) suppose un remaniement consistant dans le remplacement de l'ancienne désinence -ας par -νς (sur le modèle des anciens thèmes vocaliques : πολλό-νς, τιμά-νς etc.). Or une forme * εὐγενένς nous fait attendre * εὐγενείς, avec accent aigu comme dans πολλούς, τυμάς. La forme εὐγενεῖς avec circonflexe est expliquée comme étant due à l'influence du nominatif, où le circonflexe est phonétique (-έ-ες > -εῖς). Mais le mécanisme de la transformation nous a échappé jusqu'à présent.

Voici notre explication. Les désinences du pluriel sont en grec, comme dans toutes les autres langues indoeuropéennes, des signes *globaux*. Le morphème sémantique de la pluralité et le morphème syntaxique du cas s'y confondent en constituant un tout inanalysable. Il en est autrement qu'en turc (osmanli) et en arabe (classique), où le morphème plus central du pluriel se détache nettement des désinences casuelles. Le morphème -εῖς du nom. plur. εὐγενεῖς se décompose donc non seulement au point de vue formel (désinence -εις plus intonation), mais aussi au point de vue fonctionnel. Il a une fonction centrale de pluralité plus une fonction marginale casuelle. Il va sans dire que cette articulation sémantique n'a rien de commun avec la structure formelle du morphème (désinence + intonation). Le nominatif et l'accusatif sont isofonctionnels en ce qui concerne leur fonction centrale (pluralité). Notre loi s'applique donc au cas d'une coincidence des désinences du nom. et de l'acc. plur. Celle des deux désinences qui comporte une implication l'impose à l'autre. L'intonation du nom. plur. pénètre dans l'acc. et non pas inversement puisque l'intonation aigue ne représente que le manque de l'intonation (circonflexe).

A première vue notre explication peut paraître artificielle et recherchée, mais elle est confirmée par la coincidence du nom. et de l'acc. plur. masc. en slave septentrional (polonais, tchèque, russe). La disparition des yers finaux (-ъ, -ь) y a engendré l'opposition entre les consonnes dures et les consonnes mouillées (palatales) : *-tъ/-tь* > *t/t'*. Ensuite les consonnes suivies de voyelles palatales ont été identifiées aux consonnes mouillées implosives. En gros l'état du russe moderne a été atteint. A ce moment la différence phonologique entre *i* et *y* cessa d'exister ; c'est que la différence entre *ti* et *ty* fut remplacée par *t'i* : *ti*. Les voyelles *i* et *y* devinrent des variantes combinatoires d'un seul phonème *i* réparties en fonction du caractère palatal ou dur de la consonne précédente. La voyelle fondamentale était *i* parce que *i* seul apparaissait en absence de consonne précédente, c.-à-d. à l'initiale du mot.

Cette coincidence phonologique de *i* et *y* a entraîné l'identification des désinences du nom. et de l'acc. plur. des thèmes masculins en *-o-*. Or si les formes *trudi* (nom. plur.), *trudy* (acc. plur.) coincident en ce qui concerne les désinences (nom. *trud'i*, acc. *trudi*), la différence phonologique entre elles se maintient par suite du caractière de la consonne finale de la racine (palatal : dur). Mais le caractère dur de la consonne finale dans *trudi* (acc.) est une *implication* parce que normalement la voyelle *i* suppose la palatalité de la consonne précédente. Cette implication est surajoutée à la désinence *-i* du nom. plur., d'où le passage de *trud'i* à *trudi* (identification du nom. et de l'acc. plur.). Cet exemple prouve non seulement la justesse de notre explication de l'acc. plur. εὐγενεῖς, il est aussi la preuve du fait que les fonctions syntaxiques du nom. et de l'acc. ne sont pour rien dans cette évolution. Car tandis qu'en grec c'est l'ancienne forme du nominatif qui l'a emporté (εὐγενεῖς), c'est le cas inverse pour le slave septentrional. La raison repose donc dans la structure des morphèmes en question. En grec c'est le nominatif qui présente le morphème composé, dont la partie centrale seulement apparaît à l'accusatif. En slave c'est juste le contraire.

L'extension du morphème composé dans le domaine de la dérivation équivaut à la création d'une *opposition polaire* entre le mot-base et le dérivé. En effet la distance entre *A* et *A* plus suffixe est plus grande que la distance entre *A* et *A* plus suffixe plus implication. L'extension de l'allongement chez les itératifs-imperfectifs slaves en est un bon exemple. Cette polarisation formelle entre mot-base et dérivé est un pendant à la polarisation sémantique. Mais notons qu'inversement le sens du dérivé tend à rejeter le mot-base vers un sens diamétralement opposé. C'est ainsi que le mot-base d'un diminutif revêt, par opposition au sens de ce dernier, une valeur augmentative, ou que le mot-base d'une formation féminine adopte le sens d'un être mâle (*vr̥ka-* par opposition à *vr̥kī́-*), bien qu'à l'origine la valeur du mot-base ait été neutre.

Ce qu'on appelle " conglutination " (fusion) d'éléments suffixaux n'est souvent qu'un phénomène de polarisation mettant en relief le dérivé par rapport au mot-base. D'une façon schématique on a

$$\begin{array}{ccc} B & \longrightarrow & B + s_1 \\ \downarrow & & \downarrow \\ B + s_2 & & B + s_1 + s_2 \end{array}$$

où B désigne le mot-base (thème), s_1 étant un suffixe plus central et s_2 un suffixe plus marginal. S'il y a coincidence sémantique entre B et $B + s_1$, c.-à-d. si la valeur du suffixe s_1 se perd, la généralisation de B (= évincement de $B + s_1$ par B) aura pour contrecoup le choix non pas de $B + s_2$, mais de $B + s_1 + s_2$ comme forme dérivée, parce que s_2 n'est qu'une partie du complexe $s_1 + s_2$. Le suffixe nouveau $s_1 + s_2$ aura naturellement la valeur de l'ancien suffixe s_2. Cf. allemand *-lein* < *-l* + *īn-*, *-chen* < *-k* + *īn-* etc.

Jusqu'ici nous avons pu constater que l'" analogie " consistait dans l'extension de morphèmes composés aux dépens de morphèmes isofonctionnels simples. Ce changement se laisse représenter par des proportions, tout à fait claires en cas de dérivation. P. e. *dъmǫ* : *-dymajǫ* = *pekǫ* : *-pěkajǫ* etc. La base (le fondement) de la proportion est formée par le rapport mot-base : dérivé. Pour embrasser tous les cas qui entrent en ligne de compte il nous faut élargir la formule en introduisant les notions *forme de fondation* et *forme fondée.*

II) *Les actions dites " analogiques " suivent la direction : formes de fondation → formes fondées, dont le rapport découle de leurs sphères d'emploi.*

On voit le progrès que représente cette formule quand on la compare avec le principe de fréquence statistique qu'on a jadis voulu appliquer aux phénomènes de l'" analogie ". Non seulement les sphères d'emploi sont autre chose que les fréquences numériques mais, ce qui est important, elles se laissent déterminer de façon rigoureuse.

Soit le paradigme de l'adjectif grec. Les accentuations du nom. gén. plur. fém. δίκαιαι, δικαίων, propres seulement à l'adjectif, trouvent leur explication dans le fait que le féminin est bâti (fondé) sur le masculin. La sphère de la forme masculine déborde celle du féminin puisqu'il y a des adjectifs du type χρυσόθρονος ou εὐγενής dont la forme masculine fait double emploi. D'autre part, ce qui est essentiel, la fonction primaire[1] du masculin est le sens personnel " commun " parce que c'est le masculin qui est employé là où le sexe est sans importance. Ceci nous fait attendre que les changements d'ordre phonétique seront compensés par des proportions agissant dans le sens masculin → féminin, ce qui a en effet eu lieu lors du passage de δικαιάων à * δικαιῶν. C'est à ce moment qu'est déclenché le mécanisme ἀγαθῶν (masc.) : ἀγαθῶν (fem.) = δικαίων (masc.). x (x = δικαίων au lieu de * δικαιῶν). L'accentuation δίκαιαι, plus ancienne, doit s'expliquer d'une manière semblable (ἀναθοι : ἀγαθαι = δίκαιοι : x = δίκαιαι au lieu de * δικαῖαι).

L'extension de l'umlaut dans le type *Bäume*, celle du circonflexe dans l'acc. plur. εὐγενεῖς, celle de la consonne dure dans le type *trudy* (nom. plur.) s'explique justement par le fait qu'il s'agit de formes du pluriel, donc de formes *fondées* (sur le singulier).

Le rapport des formations védiques *vr̥kī́ḥ* et *devī́* repose 1° sur l'identité de leur fonction : elles sont isofonctionnelles en tant que formations féminines tirées de mots-bases masculins. Leur répartition a un caractère mécanique, le suffixe- *ī/iy-* (du type *vr̥kī́ḥ*) étant réservé aux mots-bases thématiques et le suffixe *-ī/yā-* (du type *devī*) s'appliquant plutôt aux mots-bases athématiques (*devī́* lui-même constitue une exception) ; 2° sur la sphère de leur emploi : *vr̥kī́ḥ* se rencontre chez les thèmes substantifs, *devī́* comprend en même temps des substantifs et des adjectifs.

De cette sorte le type *vr̥kī́ḥ* n'occupant qu'une partie de la sphère d'emploi

[1] La fonction primaire n'a rien à faire avec le sens étymologique de la forme, mais se rapporte à la valeur déterminée par le système et indépendante de l'entourage sémantique.

du type *devī́* lui est subordonné ou, ce qui revient au même, est fondé sur lui. Les actions " analogiques " prendront donc le chemin *devī́* → *vṛkī́ḥ*.

Dans le RV les deux types sont encore très bien distingués. Il y a un certain nombre de formes casuelles communes héritées, à savoir l'instr. plur. *vṛkī́bhiḥ*, *devī́bhiḥ*, le dat.-abl. plur. *vṛkī́bhyaḥ*, *devī́bhyaḥ*, l'instr. plur. *vṛkī́ṣu*, *devī́ṣu* et l'instr.-dat.-abl. duel *vṛkī́bhyām*, *devī́bhyām* (il s'agit des cas appelées " moyens "). Quant au reste du paradigme il y a différence :

sg. nom.	acc.	dat.	gén.	plur. nom. -acc.	gén.	duel nom. -acc.	sing. instr.	duel gén. -loc.
devī́	*devī́m*	*devyā́i*	*devyā́h*	*devī́ḥ*	*devīnā́m*	*devī́*	*devyā́*	*devyóḥ*
vṛkī́ḥ	*vṛkíyam*	*vṛkíye*	*vṛkíyaḥ*	*vṛkíyaḥ*	*vṛkī́ṇām*	*vṛkíyā(u)*	*vṛkíyā*	*vṛkíyoḥ*

La cause phonétique qui déclenche l'action assimilatrice de *devī́* sur *vṛkī́ḥ* c'est le passage de *-íy + voyelle* à *-(i)y + voyelle à svarita*, d'où, dès l'Atharva, *-(i)y + voyelle à udātta*. L'instr. sing. *vṛkíyā*, le gén.-loc. duel *vṛkíyoḥ* deviennent *vṛkyā́*, *vṛkyóḥ* en s'identifiant complètement, au point de vue flexionnel, aux formes correspondantes de *devī*. Etant donné que *vṛkī́ḥ* est subordonné à *devī́*, cette identification entraîne l'assimilation complète de *vṛkī́ḥ* à *devī́* et non pas inversement. Du paradigme de *vṛkī́ḥ* il ne reste que deux formes dont la conservation a permis de différencier les formes casuelles faisant double emploi : à côté de la forme nouvelle de l'acc. plur. *vṛkī́ḥ* l'ancienne forme *vṛkíyaḥ*, tout en cédant sa fonction d'accusatif à *vṛkī́ḥ*, retient l'ancienne fonction de nom. plur. ; la forme nouvelle *vṛkī́* ne l'emporte que sur l'ancien nom. sing. (*vṛkī́ḥ*), tandis que l'ancien nom.-acc. duel *vṛkíyā(u)* > *vṛkyáu* ne lui succombe pas en se différenciant ainsi de la forme correspondante du sing. Ces deux différenciations s'imposent aussi à *devī́* [nom. plur. *devyáḥ*, nom.-acc. duel *devyá(u)*].

Le type *tanū́ḥ*, parallèle de toutes pièces au type *vṛkī́ḥ*, en suit fidèlement les transformations. Donc *vṛkíyam* : *vṛkī́m* = *tanúvam* : *tanū́m*, *vṛkíye* : *vṛkyái* = *tanúve* : *tanvái* etc.

Mais le fondement découlant du rapport des sphères d'emploi n'est pas l'unique possible. Il y a un autre entre une structure et son membre constitutif.

III) *Une structure consistant en membre constitutif plus membre subordonné forme le fondement du membre constitutif isolé, mais isofonctionnel.*

Il y aura donc polarisation formelle des racines dépourvues de suffixe par rapport aux racines plus suffixes ; des racines dépourvues de préfixes par rapport aux racines précédées de préfixes ; des racines munies de désinence zéro par rapport aux racines plus désinences syllabiques ; des morphèmes monosyllabiques (que ce soit des racines ou des désinences) par rapport aux morphèmes isofonctionnels polysyllabiques.[2]

Cette loi ne se rapporte pas à l'opposition de deux formes dont la hiérarchie résulterait de leurs sphères d'emploi. Ici c'est l'opposition entre une structure et son membre constitutif qui se trouve à la base du fondement. Ce qui vaut pour une structure vaut aussi pour son membre constitutif.

[2] Ce dernier rapport (morphèmes polysyllabiques : morphèmes isofonctionnels monosyllabiques) joue un rôle lorsqu'il s'agit de l'accentuation. Un morphème monosyllabique accentué ne contient que la syllabe accentuée (= constitutive au point de vue de l'accent), tandis qu'un morphème polysyllabique présente en outre une ou plusieurs syllabes inaccentuées (= subordonnées au point de vue de l'accent).

On se pose la question si les formules II) et III) sont compatibles. En effet si d'après II) un dérivé muni d'un suffixe ou préfixe est fondé sur le mot-base correspondant (p. e. grec λύω : ἀναλύω), la formule III) semble postuler juste l'inverse (ἀναλύω : λύω). Cette contradiction n'est qu'apparente. Les rapports entre les morphèmes (au sens large du terme) sont d'une double nature. D'une part le morphème contraste avec d'autres morphèmes appartenant à la même classe, d'autre part il s'oppose aux morphèmes avec lesquels il coexiste dans un même complexe (= morphème plus compliqué). Cela est surtout clair pour le mot. Il appartient à une classe *sémantique* (= partie de discours) et en même temps il joue un rôle *syntaxique* dans une phrase ou dans un groupe de mots. Mais tandis que pour le mot on se sert d'une double terminologie en parlant d'une part du verbe, du substantif, de l'adjectif etc., d'autre part du prédicat, du sujet, de l'épithète (attribut) etc., il n'en est pas de même pour les morphèmes plus petits, comme p. e. une racine ou un suffixe. Ce manque de terminologie est apte à nous masquer la différence entre II) et III) dans beaucoup de cas concrets. Notons cependant que si ἀνα-λύω est fondé sur λύω en tant que son dérivé, λύω de son côté n'est pas fondé sur ἀνα-λύω, mais sur *préfix* + λύω, c.-à-d. ἀνα-λύω, κατα-λύω, παρα-λύω etc. *simultanément*. Cela veut dire que les valeurs individuelles de tous ces préfixes n'y sont pour rien, et qu'il s'agit uniquement de la forme pleine (développée) du verbe en face de laquelle le verbe simple apparaît comme une réduction. C'est que tandis que la fonction *sémantique* primaire est celle qui est indépendante de l'entourage sémantique (p. e. des suffixes), la fonction *syntaxique*[3] primaire est constituée par l'opposition du morphème avec les morphèmes qui l'accompagnent à l'intérieur d'une structure.

Passons maintenant aux exemples ayant trait à III).

La conjugaison française du moyen âge est bâtie sur trois éléments : 1º les désinences ; 2º la place de l'accent ; l'accent vieux français est encore mobile, quoique dans une mesure restreinte : le mots en *-e* y sont soit oxytons soit barytons, tous les autres n'étant qu'oxytons ; 3º l'alternance vocalique radicale. Ces trois éléments jouent un rôle aussi bien dans les conjugaisons dites irrégulières (II*b* : type *tenir* ; III ; IV) que dans la conjugaison régulière I). P. e. *il leve* : *nous lavons* ; *il lieve* : *nous levons*.

La structure du paradigme de la 1re conjugaison est donc la suivante : *certaines désinences contenant e impliquent l'accentuation radicale* ; *ces désinences plus accentuation radicale impliquent de leur côté le vocalisme radical* (*accentué*). On a p. e. 2e p. sing. **lev-es* > **lèves* > *lièves*. En pratique il s'agit des désinences *-e*, *-es*, *-e* (au singulier) et *-ent* (3e p. plur.) de l'indicatif et du subjonctif et de la désinence *-e* de la 2e p. sing. de l'impératif. Par suite de l'amuissement de l'*e* " féminin " (= *e* muet final) la catégorie phonologique de l'accent disparaît en français vers le milieu du XVIe siècle. Toutes les désinences en question deviennent des désinences à vocalisme zéro ou plutôt des désinences zéro. Du coup l'alternance vocalique disparaît : c'est le vocalisme inaccentué qui est généralisé ; *avalons* : *avales* = *levons* : *lèves* (au lieu de *lièves*) = *lavons* : *laves* (pour *lèves*). Dès le moment de la disparition de *l'e* muet les formes verbales à désinence quelconque présentent un vocalisme (jadis celui de la

[3] Au sens large du terme.

syllabe inaccentuée) qui devient obligatoire pour les formes à désinence zéro. La généralisation du vocalisme *accentué* est exceptionnelle et suppose toujours une raison d'ordre particulier.

L'alternance vocalique s'est maintenue chez les verbes irréguliers II*b*, III, IV. Là en effet la structure des formes était tout autre. Le vocalisme (accentué) y était d'avance propre non seulement aux formes à désinence *e* inaccentuée (3e p. plur. *meurent*, subjonctif *meure*(*s*)), mais aussi aux formes à désinences non-syllabiques (*meurs*, *meurt*), lesquelles n'existaient pas dans la première conjugaison. Mais, ce qui est essentiel, l'alternance *consonne/zéro* (p. e. *meus*, *mouvons*) venait compliquer les rapports mutuels des formes du paradigme. Par rapport à *mouv-ons* les formes à désinence zéro sont *meu-*, ce qui empêche l'application de la loi parce que le vocalisme de *meu-* semble lié à l'absence de la consonne *v*.

Notons que les formes personnelles à désinence zéro sont isofonctionnelles par rapport aux formes à désinence pleine : dans les formes en question le zéro contrastant avec les désinences pleines représente une valeur déterminée à l'intérieur du système. Le rapport des formes à désinences pleines aux formes à désinence zéro est celui d'une structure pleine à la structure isofonctionnelle réduite à son membre constitutif (dans notre cas : à la racine verbale dépourvue de désinence ou plutôt munie de désinence zéro).

L'accentuation du verbe personnel en ancien grec s'explique par la même loi de fondement des membres constitutifs sur des structures. A une époque préhistorique la fusion du verbe personnel avec l'adverbe précédent (devenu préverbe) a privé le verbe de son accent. Comme c'était le cas pour n'importe quel préverbe, le verbe simple (c.-à-d. non précédé de préverbe) a dû suivre la structure *préverbe* + *verbe* ce qui equivalait à la perte de l'accent chez le verbe personnel. On a p. e. ἀπολεῖπον (participe neutre) : λεῖπον = ἀπόλιπον' (1re p. sing. aoriste) : x (x = λίπον inaccentué). La même chose s'est passée en indien. Il n'est pas permis de penser à un héritage commun puisque la réunion du préverbe et du verbe s'effectue indépendamment dans chaque langue indoeuropéenne. Le lien étroit entre le manque de l'accent et la genèse des composés verbaux engage plutôt à poser des développements parallèles mais indépendants. On sait grâce à Wackernagel que la limitation de l'accent en grec a fait remplacer le manque de l'accent par l'accentuation récessive, devenue caractéristique du verbe personnel. On verra autre part que des faits analogues démontrant la dépendance du verbe simple par rapport au composé se sont produits en baltique.

Voici à son tour un exemple montrant la dépendance des racines monosyllabiques non intonables (= consistant en une seule more) par rapport aux racines monosyllabiques intonables (= consistant en deux mores).

Les thèmes indoeuropéens de **su̯ésor-* " sœur " et **dhugətér-* " fille " se confondent partiellement en baltique par suite du recul des accents internes ayant lieu dans des conditions jusqu'ici mal définies (il semble qu'un accent interne reposant sur une voyelle ou une diphtongue brève est remplacé par un accent initial). En tout cas les formes fortes **duktèrį* (acc. sing.), **duktères* (nom. plur.) etc. deviennent *dùkterį*, *dùkter*(*e*)*s* du lituanien historique, tandis que l'oxytonèse des cas faibles **dukt*(*e*)*rès* (gén. sing.), **dukt*(*e*)*rų̃* (gén. plur.) est continuée dans la langue moderne. Il y a donc coincidence partielle entre les oxytons et les barytons, laquelle s'étend sur les cas forts : *dùkterį, dùkteres* comme *sẽserį, sẽseres*, tandis que le changement phonétique ne touche aucunement l'opposition entre **sẽseres* (gén. sing.), **sẽserų* (gén. plur.) et les formes oxytones *dukterès, dukterų̃*. Or quelles sont les conséquences ultérieures de cette identification partielle des deux paradigmes ?

1° Identification complète des paradigmes de *sesuõ* et de *duktẽ* conduisant à un seul paradigme mobile ;

2° imposition de cette mobilité à tous les paradigmes vocaliques à vocalisme radical bref (c.-à-d. comportant l'intonation douce).

La première modification s'explique par le fait qu'il s'agit de thèmes immotivés à racine non intonable. Par là-même ils sont subordonnés, dans leur structure, aux thèmes immotivés à racine intonable. Ces derniers sont rudes immobiles. Les thèmes *duktẽ/sesuõ* sont donc sujets à la loi de réarrangement laquelle exige que le morphème composé l'emporte sur le morphème simple. Tandis que le paradigme de *duktẽ* implique dans le rapport *dùkterį, dùkteres* : *dukterès, dukterų̃* un déplacement de l'accent, il n'en est rien dans le cas de *sesuõ* (*sẽserį, sẽseres* : **sẽseres, *sẽserų*). Le surplus morphologique représenté par le saut de l'accent déborde les anciennes limites morphologiques en s'étendant sur les paradigmes barytons, d'où gén. sing. *seserès*, plur. *seserų̃*.

L'influence des thèmes consonantiques (en *-r-*, *-n-*, *-nt-*, peut-être en *-s-*) sur les thèmes vocaliques ne consiste en somme que dans l'extension ultérieure du même phénomène d'" analogie ". Le rapport *mótė* : *duktẽ* (ou *sesuõ*) l'emporte sur le rapport *výras* (rude immobile) : *vil̃kas* (doux immobile) puisque le premier consiste dans une opposition double (rude immobile : doux mobile). La mobilité historique de *vil̃kas* est ainsi une conséquence de sa polarisation par rapport à *výras*.

Un dernier exemple. Les neutres de la 3e déclinaison grecque présentent l'accentuation récessive (*ἔρεβος, ὄνομα, ἄλειφαρ*). A la suite des contractions certains neutres dissyllabiques devinrent des monosyllabes à intonation circonflexe, p. e. *φάος* > *φῶς*. Le monosyllabisme de certains neutres de la 3e déclinaison impliquant ainsi l'intonation (intonation circonflexe), les monosyllabes neutres hérités (comme **κήρ*) adoptent la même implication, d'où *κῆρ*. La même chose se passe pour les formes personnelles du verbe, lesquelles aussi exigent l'accentuation récessive. Les formes monosyllabiques circonflexes résultant des contractions (p. e. *σπάε* > *σπᾶ*) imposent le circonflexe aux formes monosyllabiques héritées (*δῦ, βῆ*). Il y a enfin des vocatifs monosyllabiques du type *Ζεῦ* dont le circonflexe (cf. nom *Ζεύς*) s'explique de manière identique. L'extension du circonflexe impliqué par ces différentes catégories est due au fait que les monosyllabes s'opposent aux polysyllabes, sur lesquels ils sont fondés.

Le procès du réarrangement peut être enrayé par la tendance à la différenciation. On a déjà vu, à propos de l'exemple *vr̥kī́ḥ/devī́*, que les désinences attendues à priori, *-ī́ḥ* au nom. pluriel, *-ī́* au nom.-acc. duel (d'après le type *devī́*) ont cédé la place aux désinences correspondantes du type *vr̥kī́ḥ* [*-(i)yáḥ*, *-(i)yáu* respectivement] pour des raisons de différenciation. La forme *devī́* joue un double rôle : elle est en même temps le nom. sing. et le nom.-acc. duel. De même la forme *devī́ḥ* représente en même temps le nom. plur. et l'acc. plur. La différenciation engendre une opposition entre *-ī* (nom. sing.) et *-(i)yau* (nom.-acc. duel), entre -(*i*)*yaḥ* (nom. plur.) et -*īḥ* (acc. plur.). Cette répartition s'explique par le fait que les désinences de fondation sont transformées suivant la nouvelle loi de structure, tandis que les désinences fondées retiennent l'ancienne structure en se différenciant ainsi des désinences de fondation. Car le nom.-acc. duel est fondé sur le nom. sing. (" déterminé " par le nom. sing.) puisque sa désinence -*a*(*u*) correspond en même temps au nom. sing. des thèmes en -*a* et en consonne ; de même la désinence -*ī* s'oppose soit à -*iḥ* soit à -*ī*, la désinence -*e* suppose un nom. sing. en -*am* ou en -*ā*. D'autre part le nom. sing. plur. en -*aḥ* est fondé sur l'acc. plur. puisqu'il correspond non seulement à l'acc. plur. en -*aḥ* des thèmes consonantiques, mais aussi à d'autres désinences de l'acc. plur. Le nom. sing. et l'acc. plur. obtiennent donc les désinences de *devī́*, le nom.-acc. duel et le nom. plur. retiennent celles de *vṛkī́ḥ*.[4]

IV) *Quand à la suite d'une transformation morphologique une forme subit la différenciation, la forme nouvelle correspond à sa fonction primaire* (*de fondation*), *la forme ancienne est réservée pour la fonction secondaire* (*fondée*).

La différenciation n'a lieu que dans le type *vṛkī́ḥ*, où elle devient possible grâce à l'évincement des anciennes désinences par celles de *devī́*. Ensuite seulement elle s'étend aussi sur l'ancien paradigme de *devī́*.

La différenciation joue un rôle capital dans les actions " analogiques ". On constate des différenciations entre nom propre et nom commun, entre adjectif et diminutif, entre cas et adverbe, entre les bahuvrīhi et les tatpuruṣa etc.

La différenciation comporte parfois un caractère spécial dont voici un exemple.

Il s'agit de la déclinaison romane, où le système casuel a été abandonné en faveur de la différenciation des nombres. Le système latin sing. *panĭs*, *panem* ; plur. *panēs*, *panēs* est transformé en roman occidental, à cause de la disparition de la nasale et de la coincidence de *ĭ*, *ē* en *ẹ*, en *panẹs*, *pane* ; *panẹs*, *panẹs*. La coincidence phonétique entre le nom. sing. et le nom. plur. abolit une distinction sémantique, celle du nombre. Cette distinction est restituée aux frais de la distinction des cas, laquelle, étant syntaxique, occupe une position plus marginale que la distinction des nombres. Sur le modèle (acc.) plur. *panẹs* : (acc.) sing. *pane* on refait le nom. sing. ; (nom.) plur. *panẹs* : (nom.) sing. *pane*.

L'évincement du nom. sing. en -*s* a eu lieu en ibéroroman (esp. *pan*, port. *pão*), tandis que le v. français, bien qu'appliquant le même principe, s'est servi d'une autre proportion. Pour parer à la confusion des nombres dans la 3e déclinaison (**pains* de *panis* et de *panes*, **flours* de **floris* et de *flores*) il a tout simplement refait le nom. plur. sur la 2e déclinaison (lorsqu'il s'agissait des masculins) ou le nom. sing. sur la 1re d. (pour le féminin). Pour le masculin on obtient donc (nom.) sing. *murs* : (nom.) plur. *mur* = (nom.) sing. *pains* : (nom.) plur. *pain*. Féminin (nom.) plur. (déjà refait) *terres* : (nom.) sing. *terre* = (nom.) plur. *flours* : (nom.) sing. *flour*. Il faut ici remarquer que les féminins du type *flour* présentent, chez Chrétien de Troyes, un *s* au nom. sing. dont l'archaïsme fait objet de discussion.

La proportion employée en français n'était pas applicable en ibéroroman.

[4] Quand on dit que les désinences -(*i*)*yaḥ*, -(*i*)*yau* de *vṛkī́ḥ* évincent les désinences correspondantes de *devī́* grâce à leur " transparence ", on formule d'une façon moins précise ce que nous venons de dire.

Un *_muros_, *_mure_ (< _murus, muri_) ou un *_terra, terre_ (< _terra, terrae_) n'aurait pu aucunement, pour de simples raisons phonétiques (différence de vocalisme final), influer sur *_panes_ etc. Le remplacement du nom. *_panes_ par l'acc. _pane_ en ibéroroman y déclenche l'extension de l'acc. aux frais du nom. dans la 1re décl. (esp. _tierras_) et dans la 2e décl. (_muro, muros_).

En roman oriental (roumain, italien) le résultat est différent à cause de la disparition prélittéraire de l'_s_ final. Mais le principe y maintient toute sa force. Les trois déclinaisons représentées par _murus_, _terra_ et _panis_ revêtent en italien l'aspect suivant :

nom.	_terra_	_terre_	_muro_	_muri_	*_pani_	_pani_
acc.	_terra_	*_terra_	_muro_	*_muro_	_pane_	_pani_

Il n'est pas nécessaire d'insister sur le mécanisme évident de la différenciation étant à la base de l'état historique.

Ces exemples romans nous enseignent que

V) _Pour rétablir une différence d'ordre central la langue abandonne une différence d'ordre plus marginal._

Les cinq formules qu'on vient d'illustrer par des exemples concernent

1° les _bases_ des réarrangements réalisés par des proportions. Ces bases sont constituées d'une part par le rapport du général au spécial, rapport objectivement donné par les zones d'emploi respectives (formule II), d'autre part par le rapport de la structure à son membre constitutif isofonctionnel (formule III). Cette dichotomie correspond aux deux grandes classes de rapports existant dans le système de la langue : les rapports de dérivation et les rapports syntaxiques, c.-à-d. les rapports entre les éléments appartenant à une même classe, et les rapports entre les éléments entrant dans une même structure ;

2° le _résultat_ des réarrangements consistant dans la généralisation de morphèmes complexes aux dépens de morphèmes simples (partiels ; formule I) ;

3° _la différenciation_ en tant que résultat d'un réarrangement incomplet amenant le scindement d'une forme A en deux formes A' et A, dont la nouvelle représente la fonction primaire de A, la fonction secondaire étant réservée à l'ancienne forme A (formule IV). L'extension de la différenciation peut entraîner la suppression de différences marginales lorsqu'il s'agit de soutenir les différences centrales (formule V).

Or si les formules en question jettent une lumière sur le mécanisme des changements dits " analogiques ", elles n'écartent pas pour cela le caractère de contingence qu'on a toujours attribué à ces transformations. La circonstance que le réarrangement peut être soit complet soit incomplet (dans le cas de différenciation) nous fait attendre qu'il peut ne pas s'effectuer du tout. Une preuve ultérieure en est fournie par les dialectes étroitement apparentés qui, partant du même changement phonétique, ont subi des transformations " analogiques " d'étendue différente. Nous allons analyser un exemple de ce genre.

En ancien scandinave la différence entre la 2e et la 3e p. sing. du présent de l'indicatif est abolie. Les désinences primitives des verbes forts étaient *_-iz_ dans la 2e, *_iþ_ dans la 3e p. La syncope de la voyelle crée un contact de _-z_, _-þ_ avec la consonne finale de la racine. Si cette consonne est _l_ ou _n_, il y a assimilation de _-lz_ > _-ll_, _-lþ_ > _-ll_ ; _-nz_ > _-nn_, _-nþ_ > _-nn_. De cette façon certains verbes forts ont identifié les deux personnes au présent de l'indicatif. L'action " analogique " a étendu l'identité des deux personnes sur tous les verbes forts et faibles. On a donc en anc. islandais *þú býþr* et *hann býþr*, *þú dømer*, et *hann dømer*, *þú kallar* et *hann kallar* etc. Le scandinave occidental s'en tient là. En ancien suédois, par contre, cette identité continue à s'étendre en pénétrant finalement dans tous les paradigmes, celui du prétérit aussi bien que ceux des deux subjonctifs. Tandis que l'anc. islandais a *kallar* pour les deux personnes du présent (indicatif), et distingue entre (*þú*) *kallader* et (*hann*) *kallade* au prétérit, l'anc. suédois fait coincider les deux formes en *kallade*.

Le même germe phonétique a donc eu des conséquences morphologiques inégales en scandinave occidental et en scandinave oriental. En ouestique l'action " analogique " s'étendit d'abord sur les verbes forts, puis sur les verbes faibles, mais exclusivement à l'intérieur du présent de l'indicatif. En estique le présent de l'indicatif influe de son côté sur le prétérit de l'indicatif et le subjonctif. Il va sans dire que l'identification des formes de la 2e et de la 3e p. sing. est accompagnée de l'extension de l'emploi obligatoire du pronom personnel *þú* lequel seul permet de distinguer la 2e p. de la 3e.

Pourquoi la coincidence des deux formes a-t-elle envahi des zones d'étendue différente en ouestique et en estique ? A notre avis la cause n'en peut être qu'extérieure, c.-à-d. indépendante du système linguistique donné. La zone de l'action analogique, plus grande en estique qu'en ouestique, nous semble démontrer que l'extension de la forme nouvelle (c.-à-d. de l'identité des deux personnes) y a duré plus longtemps en surmontant des résistances sociales plus grandes.

Le mécanisme de l'extension des formes nouvelles se laisse représenter par le schéma suivant : que A constitue le centre ou le point de départ de l'innovation, B_1, B_2 etc. les milieux sociaux (classes, professions, générations, territoires etc.) dans lesquels cette innovation pénètre par étapes successives.

		B_1	B_2
		r }	*r* }
		þ }	*þ* }
		er }	*er* }
		e }	*e* }
		↓	↓
	A ⟶	A_1 ⟶	A_2
Ind.	*r*	*r* }	*r* }
	þ	*r* }	*r* }
Subj.	*er*	*er* }	*e* }
	e	*e* }	*e* }

Dès que B_1 adopte l'identification des personnes effectuée dans le milieu A, la désinence *-r* est généralisée suivant la proportion *-þ* (milieu B_1) : *-r* (milieu A) dans les 3es personnes sing. du présent de l'indicatif. A un individu appartenant au milieu B_1, lequel distingue les désinences *-r* et *-þ* dans son propre parler, leur coincidence paraît une marque caractéristique de la langue A : il l'imite en exagérant (généralisant) la différence entre A et B_1, en l'étendant aux cas où elle n'a pas jusqu'ici existé et en créant des formes hypercorrectes, c.-à-d. introduisant partout la désinence *-r* à la place de *-þ* au présent de l'indicatif. Si la langue A continue à se répandre sous cet aspect modifié (A_1) en pénétrant

p. e. dans le milieu B_2, elle peut devenir le fondement de polarisations ultérieures et de formes hypercorrectes nouvelles. Par un individu appartenant au milieu B_2 l'identité des deux personnes est conçue comme une marque du parler A_1, ce qui conduit à la coincidence de ces personnes au présent du subjonctif (dans A_2) en face de leur différence dans B_2 (*-er*, *-e*).

La langue *A* (il s'agisse de langue commune, officielle, littéraire etc.) subit donc lors de sa pénétration dans les milieux sociaux successifs B_1, B_2 des changements conditionnés par l'opposition du parler (au sens large de ce terme) et de la langue *A* dans l'esprit du parlant. Si les parlers B_1, B_2 s'accordent à l'origine dans le détail morphologique en question (désinences verbales en l'espèce), l'innovation " analogique " (la coincidence de la 2e er la 3e p.) a des chances de s'imposer au système tout entier (ici : les deux temps et les deux modes).

2e 3e p. sing.	prés. ind.	prés. subj.	prét. ind.	prét. subj.
anc. islandais	*-ar, -ar*	*-er, -e*	*-er, -e*	*-er, -e*
anc. suédois	*-ar, -ar*	*-e, -e*	*-e, -e*	*-e, -e*

Autrement dit l'extension de la forme nouvelle dans le système de la langue est en rapport direct et étroit avec son extension à l'intérieur de la communauté linguistique. On en trouve la preuve non seulement dans la morphologie, mais aussi dans le vocabulaire. Ainsi la richesse des nuances sémantiques d'un mot, sa polysémie reflètent son emploi plus ou moins étendu à l'intérieur des différents milieux sociaux, professions, territoires etc. Mais plus une communauté est homogène, plus il y a des chances pour que l'innovation se répande sans déborder la zone primitive de son emploi. A cet égard la différence entre le scandinave occidental et le scandinave oriental est instructive. Il semble que le premier ait été un milieu plus homogène et par conséquent plus perméable aux changements linguistiques que le dernier.

Mais la chose présente encore un autre aspect. L'extension de l'identité de la 2e et la 3e p. sing. en scandinave oriental équivaut à l'emploi du pronom personnel de la 2e p. *þú*, p. e. *þú kallaþe* en face de la 3e p. *kallaþe* (se rapportant habituellement à un substantif). Les milieux adoptant la forme nouvelle de la 2e p. la conçoivent comme un remplacement de l'ancien tour " synthétique " *kallaþ-er* " clamavisti " par un tour " analytique " *þú kallaþe* *" tu clamavit ". Or l'imitation de cet aspect de l'innovation conduit au remplacement du tour synthétique par le tour analytique dans la 1re sing., d'où au lieu de *kallaþa* la construction *ek kallaþe*. Ainsi l'innovation se répand dans deux directions : paradigme de l'indicatif → autres paradigmes, 2e p. sing. → 1re p. sing. Le résultat final est l'identité de toutes les trois personnes sing. dans les paradigmes verbaux du scandinave oriental.

Les phénomènes morphologiques scandinaves trouvent un pendant sur le territoire allemand. En v. saxon (et en anglofrisien) il n'existe au pluriel des deux temps et des deux modes qu'une seule désinence : *gëƀath* ; *gëƀen* ; *gâƀun* ; *gâƀin* en face du franconien ind. prés. *wërthan, wirthit, wërthant* etc. Ce trait morphologique du saxon et de l'anglofrisien est dû à la disparition, propre à ces langues, des consonnes nasales devant les spirantes *f, þ, s*. Les désinences *-aþ* de la 2e p. plur. et *-anþ* de la 3e p. plur. y aboutissent au même résultat puisque l'allongement compensatoire de la voyelle précédente (cf. *ûs* < *uns*, *fîf* < *fimf*) est annulé par l'abrègement des voyelles inaccentuées (*-anþ* > *-áþ* > *-aþ*). Cette coincidence, phonétique chez les verbes en *-an* et *-jan*, est généralisée : dans les langues historiques elle est obligatoire pour tous les verbes et pour tous les quatre paradigmes. De plus la construction analytique devenue nécessaire dans la 2e p. plur. (p. e. v. saxon *gi gëƀath* “ vous donnez ”) se communique à la 1re p. plur. En v. saxon et en anglofrisien les choses se sont donc passées, pour le pluriel, exactement de la même manière que pour le singulier du scandinave oriental :

a) coincidence de la 2e et la 3e p. prés. ind. de certains verbes (singulier en scandinave oriental, pluriel en v. saxon) ;

b) envahissement du prét. ind. et des deux subjonctifs (singulier en scandinave oriental, pluriel en v. saxon) ;

c) envahissement de la 1re p. de tous les paradigmes (singulier en scandinave oriental, pluriel en v. saxon).

Un troisième exemple d'une coincidence des trois personnes est fourni par les dialectes alemaniques, où la désinence commune du pluriel est *-et* (*gebet*). A l'origine il n'y avait identité que de la 2e et la 3e p. plur. : cet état des choses est attesté non seulement par Notker (*wir gëben, ir gëbent, sie gëbent*), mais aussi par le parler moderne de Wallis (*-e, -et, -et*).

On voit par ces trois exemples que la construction analytique (pronom personnel plus verbe à la 3e p.) se généralise à l'intérieur du nombre (singulier ou pluriel). La direction de l'action “ analogique ” est soit 2e p. sing. → 1re p. sing., soit 2e p. plur. → 1re p. plur., jamais 2e p. sing. → 2e p. plur. ou inversement. La construction analytique du type **tu amat* au lieu de *amas* peut déclencher **ego amat* pour *amo*, tandis que **vos amat* pour *amatis* est impossible parce que le système grammatical exige au pluriel *amant* et non pas *amat*. Le développement **vos amat* ne serait possible que si le sing. et le plur. de la 3e p. étaient d'avance identiques comme c'est le cas p. e. en lituanien.

Les mêmes dialectes alemaniques fournissent des exemples encore plus clairs de formes hypercorrectes résultant de la réaction du parler envers la langue commune (littéraire). A Bâle[5] la désinence commune des trois personnes du pluriel est *-e* (< *-en*). Elle provient d'une proportion dont les termes de fondation sont dialectaux et les termes fondés littéraires :

formes de fondation : *gebe(t), gebet, gebet*
formes fondées : *gebe(n), gebet, gebe(n)*

Le rapport *gebet* : *gebe* à la 3e p. plur. entraîne *gebet* : *x* (*x* = *gebe*) aussi dans la 2e p. plur.

Des réactions semblables ont lieu sur les territoires représentant la transition de l'alemanique au franconien :

formes de fondation : *gebet, gebet, gebet*
franconien et littéraire : *geben, gebet, geben*
territoire de transition : *geben, geben, geben*
gebet : *geben* (1re, 3e p. plur.) = *gebet* : *x* (*x* = *geben*).

Le trait caractéristique des proportions étant à la base de ces changements c'est que leurs membres sont des termes *identiques* appartenant à deux

[5] D'après Behaghel, *Geschichte der deutschen Sprache*[5], p. 168 s.

systèmes différents. Elles représentent un cas spécial, apte à illustrer que le fondement *interne* défini par les formules II) et III) est en même temps un fondement *externe*.

VI) *Le premier et le second terme d'une proportion appartiennent à l'origine à des systèmes différents : l'un appartient au parler imité, l'autre au parler imitant.*

Retournant à notre point de départ nous constatons que l'*étendue* d'une action " analogique " ne peut être prévue d'avance (cf. scandinave occidental : oriental). L'extension de changements morphologiques est en même temps *externe* (à l'intérieur d'une communauté linguistique) et *interne* (à l'intérieur du système grammatical). Car d'une part un système défini est propre à un grand nombre d'individus, d'autre part l'individu représente un point de croisement de plusieurs systèmes (de parlers, dialectes, langues). En ce qui concerne ce croisement il a été appelé par Schuchardt *Sprachmischung*, mais il serait plus juste de parler du *fondement* du système *A* sur le système *B* (v. schéma ci-dessus) déclenchant des effets d'opposition, de polarisation etc. parce que les différences existant entre deux systèmes apparentés sont normalement généralisées par le sujet parlant (formes hypercorrectes). Les phénomènes de ce genre ont été mis en lumière et décrits en détail par le maître de la géographie linguistique J. Gilliéron.

Somme toute les choses se présentent de la façon suivante : Il résulte d'un système grammatical concret quelles transformations " analogiques " sont possibles (formules I–V). Mais c'est le facteur social (formule VI) qui décide si et dans quelle mesure ces possibilités se réalisent. Il en est comme de l'eau de pluie qui doit prendre un chemin prévu (gouttières, égouts, conduits) *une fois qu'il pleut*. Mais la pluie n'est pas une nécessité. De même les actions prévues de l'" analogie " ne sont pas des nécessités. Étant obligée à compter avec ces deux facteurs différents la linguistique ne peut jamais prévoir les changements à venir. A côté de la dépendance mutuelle et de la hiérarchie d'éléments linguistiques à l'intérieur d'un système donné elle a affaire à la contingence historique de la structure sociale. Et bien que la linguistique générale penche plutôt vers l'analyse du système comme tel, les problèmes historiques concrets ne trouvent une solution satisfaisante que si l'on tient compte des deux facteurs simultanément.[6]

[6] Le présent article fut envoyé aux *A. L.* en avril 1947. Dans l'entretemps l'auteur a entrepris des recherches sur l'accentuation balto-slave qui lui ont fait voir le rapport des paradigmes *doux mobiles* : *rudes immobiles* (v. p. 14–15) dans une lumière nouvelle. Mais le fait essentiel de la *polarisation* résultant du rapport de fondement, n'en est pas touché.

21 SOUNDS AND PROSODIES

J. R. Firth

The purpose of this paper is to present some of the main principles of a theory of the phonological structure of the word in the piece or sentence, and to illustrate them by noticing especially sounds and prosodies that are often described as laryngals and pharyngals. I shall not deal with tone and intonation explicitly.

Sweet himself bequeathed to the phoneticians coming after him the problems of synthesis which still continue to vex us. Most phoneticians and even the "new" phonologists have continued to elaborate the analysis of words, some in general phonetic terms, others in phonological terms based on theories of opposition, alternances, and distinctive differentiations or substitutions. Such studies I should describe as paradigmatic and monosystemic in principle.

Since de Saussure's famous *Cours*, the majority of such studies seem also to have accepted the monosystemic principle so succinctly stated by Meillet: "chaque langue forme un système où tout se tient". I have in recent years taken up some of the neglected problems left to us by Sweet. I now suggest principles for a technique of statement which assumes first of all that the primary linguistic data are pieces, phrases, clauses, and sentences within which the word must be delimited and identified, and secondly that the facts of the phonological structure of such various languages as English, Hindustani, Telugu, Tamil,[1] Maltese,[2] and Nyanja[3] are most economically and most completely stated on a polysystemic hypothesis.

In presenting these views for your consideration, I am aware of the danger of idiosyncrasy on the one hand, and on the other of employing common words which may be current in linguistics but not conventionally scientific. Nevertheless, the dangers are unavoidable since linguistics is reflexive and introvert.

Reprinted from *Papers in Linguistics, 1934–1951* (London: Oxford University Press, 1957), with the permission of Oxford University Press, publisher of the volume under the auspices of the School of Oriental and African Studies, London University. Originally published in *Transactions of the Philological Society* 1948, pp. 127–52.

[1] At one of the 1948 meetings of the Linguistic Society of America, Mr. Kenneth Pike suggested that in certain Mexican Indian languages it would be convenient to hypothecate a second or phonemic sub-system to account for all the facts. Taking part in the discussion which followed, I pointed out my own findings in Tamil and Telugu for both of which languages it is necessary to assume at least three phonological systems: non-brahman Dravidian, Sanskrito-dravidian, and Sanskritic.

[2] See J. Aquilina: *The Structure of Maltese*, A Study in Mixed Grammar and Vocabulary. (Thesis for the Ph.D. degree, 1940. University of London Library.)

[3] See T. Hill: *The Phonetics of a Nyanja Speaker*, With Particular Reference to the Phonological Structure of the Word. (Thesis for the M.A. degree, 1948. University of London Library.)

That is to say, in linguistics language is turned back upon itself. We have to use language about language, words about words, letters about letters. The authors of a recent American report on education win our sympathetic attention when they say " we realize that language is ill adapted for talking about itself ". There is no easy escape from the vicious circle, and " yet ", as the report points out, " we cannot imagine that so many people would have attempted this work of analysis for themselves and others unless they believed that they could reach some measure of success in so difficult a task ". All I can hope for is your indulgence and some measure of success in the confused and difficult fields of phonetics and phonology.

For the purpose of distinguishing prosodic systems from phonematic systems, words will be my principal isolates. In examining these isolates, I shall not overlook the contexts from which they are taken and within which the analyses must be tested. Indeed, I propose to apply some of the principles of word structure to what I term *pieces* or combinations of words. I shall deal with words and pieces in English, Hindustani, Egyptian Arabic, and Maltese, and refer to word features in German and other languages. It is especially helpful that there *are* things called English words and Arabic words. They are so called by authoritative bodies; indeed, English words and Classical Arabic words are firmly institutionalized. To those undefined terms must be added the words *sound*, *syllable*, *letter*, *vowel*, *consonant*, *length*, *quantity*, *stress*, *tone*, *intonation*, and more of the related vocabulary.

In dealing with these matters, words and expressions have been taken from a variety of sources, even the most ancient, and most of them are familiar. That does not mean that the set of principles or the system of thought here presented are either ancient or familiar. To some they may seem revolutionary. Word analysis is as ancient as writing and as various. We A.B.C. people, as some Chinese have described us, are used to the process of splitting up words into letters, consonants and vowels, and into syllables, and we have attributed to them such several qualities as length, quantity, tone and stress.

I have purposely avoided the word *phoneme* in the title of my paper, because not one of the meanings in its present wide range of application suits my purpose and *sound* will do less harm. One after another, phonologists and phoneticians seem to have said to themselves " *Your* phonemes are dead, long live *my* phoneme ". For my part, I would restrict the application of the term to certain features only of consonants and vowels systematically stated *ad hoc* for each language. By a further degree of abstraction we may speak of a five-vowel or seven-vowel phonematic system, or of the phonematic system of the concord prefixes of a Bantu language,[4] or of the monosyllable in English.[5]

By using the common symbols **c** and **v** instead of the specific symbols for phonematic consonant and vowel units, we generalize syllabic structure in a new order of abstraction eliminating the specific paradigmatic consonant and vowel systems as such, and enabling the syntagmatic word structure of syllables with all their attributes to be stated systematically. Similarly we may abstract

[4] See T. Hill: *The Phonetics of a Nyanja Speaker*.

[5] Miss Eileen M. Evans, Senior Lecturer in Phonetics, School of Oriental and African Studies, has work in preparation on this subject, as part of a wider study of the phonology of modern English.

those features which mark word or syllable initials and word or syllable finals or word junctions from the word, piece, or sentence, and regard them syntagmatically as prosodies, distinct from the phonematic constituents which are referred to as units of the consonant and vowel systems. The use of spaces between words duly delimited and identified is, like a punctuation mark or " accent ", a prosodic symbol. Compare the orthographic example " Is she ? " with the phonetic transcript **iʒʃiy** ? in the matter of prosodic signs. The interword space of the orthography is replaced by the junction sequence symbolized in general phonetic terms by **ʒʃ**. Such a sequence is, in modern spoken English, a mark of junction which is here regarded as a prosody. If the symbol *i* is used for word initial and *f* for word final, **ʒʃ** is *fi*. As in the case of **c** and **v**, *i* and *f* generalize beyond the phonematic level.

We are accustomed to positional criteria in classifying phonematic variants or allophones as initial, medial, intervocalic, or final. Such procedure makes abstraction of certain postulated units, *phonemes*, comprising a scatter of distributed variants (allophones). Looking at language material from a syntagmatic point of view, any phonetic features characteristic of and peculiar to such positions or junctions can just as profitably and perhaps more profitably be stated as prosodies of the sentence or word. Penultimate stress or junctional geminations are also obvious prosodic features in syntagmatic junction. Thus the phonetic and phonological analysis of the word can be grouped under the two headings which form the title of this paper—sounds and prosodies. I am inclined to the classical view that the correct rendering of the syllabic accent or the syllabic prosodies of the word is *anima vocis*, the soul, the breath, the life of the word. The study of the prosodies in modern linguistics is in a primitive state compared with the techniques for the systematic study of sounds. The study of sounds and the theoretical justification of roman notation have led first to the apotheosis of the sound-letter in the phoneme and later to the extended use of such doubtful derivatives as " phonemics " and " phonemicist ", especially in America, and the misapplication of the principles of vowel and consonant analysis to the prosodies. There is a tendency to use one magic phoneme principle within a monosystemic hypothesis. I am suggesting alternatives to such a " monophysite " doctrine.

When first I considered giving this paper, it was to be called " Further Studies in Semantics ". I had in mind the semantics of my own subject or a critical study of the language being used about language, of the symbols used for other symbols, and especially the new idioms that have grown up around the word " phoneme ". Instead of a critical review of that kind, I am now submitting a system of ideas on word structure, especially emphasizing the convenience of stating word structure and its musical attributes as distinct orders of abstractions from the total phonological complex. Such abstractions I refer to as prosodies, and again emphasize the plurality of systems within any given language. I think the classical grammarians employed the right emphasis when they referred to the prosodies as *anima vocis*. Whitney, answering the question " What is articulation ? " said : " Articulation consists not in the mode of production of individual sounds, but in the mode of their combination for the purposes of speech ".[6]

[6] Amply illustrated by the patterns to be seen on the Visible Speech Translator produced by the Bell Telephone Laboratories.

The Romans and the English managed to dispense with those written signs called " accents " and avoided pepperbox spelling. Not so the more ingenious Greeks. The invention of the written signs for the prosodies of the ancient classical language were not required by a native for reading what was written in ordinary Greek. They were, in the main, the inventions of the great scholars of Alexandria, one of whom, Aristarchus, was described by Jebb as the greatest scholar and the best Homeric critic of antiquity. The final codification of traditional Greek accentuation had to wait nearly four hundred years—some would say much longer—so that we may expect to learn something from such endeavours.[7] It is interesting to notice that the signs used to mark the accents were themselves called *προσῳδίαι*, prosodies, and they included the marks for the rough and smooth breathings. It is also relevant to my purpose that what was a prosody to the Greeks was treated as a consonant by the Romans, hence the " h " of hydra. On the relative merits of the Greek and Roman alphabets as the basis of an international phonetic system of notation, Prince Trubetzkoy favoured Greek and, when we talked on this subject, it was clear he was trying to imagine how much better phonetics might have been if it had started from Greek with the Greek alphabet. Phonetics and phonology have their ultimate roots in India. Very little of ancient Hindu theory has been adequately stated in European languages. When it is, we shall know how much was lost when such glimpses as we had were expressed as a theory of the Roman alphabet.

More detailed notice of " h " and the *glottal stop* in a variety of languages will reveal the scientific convenience of regarding them as belonging to the prosodic systems of certain languages rather than to the sound systems. " h " has been variously considered as a sort of vowel or a consonant in certain languages, and the glottal stop as a variety of things. Phonetically, the glottal stop, unreleased, is the negation of all sound whether vocalic or consonantal. Is it the perfect minimum or terminus of the syllable, the beginning and the end, the master or maximum consonant ? We have a good illustration of that in the American or Tamil exclamation **ʔaʔa** ! Or is it just a necessary metrical pause or rest, a sort of measure of time, a sort of mora or matra ? Is it therefore a general syllable maker or marker, part of the syllabic structure ? As we shall see later, it may be all or any of these things, or just a member of the consonant system according to the language.

We have noticed the influence of the Roman and Greek alphabets on notions of sounds and prosodies. The method of writing used for Sanskrit is syllabic, and the Devanagari syllabary as used for that language, and also other forms of it used for the modern Sanskritic dialects of India, are to this day models of phonetic and phonological excellence. The word analysis is syllabic and clearly expressive of the syllabic structure. Within that structure the pronunciation, even the phonetics of the consonants, can be fully discussed and represented in writing with the help of the prosodic sign for a consonant closing a syllable. For the Sanskritic languages an analysis of the word satisfying the demands of modern phonetics, phonology, and grammar could be presented on a syllabic basis using the Devanagari syllabic notation without the use of the phoneme concept, unless of course syllables and even words can be considered as " phonemes ".

[7] See " A Short Guide to the accentuation of Ancient Greek ", by Postgate.

In our Japanese phonetics courses at the School of Oriental and African Studies during the war, directed to the specialized purposes of operational linguistics, we analysed the Japanese word and piece by a syllabic technique although we employed roman letters. The roomazi system, as a system, is based on the native Kana syllabary. The syllabic structure of the word—itself a prosody—was treated as the basis of other prosodies perhaps over-simplified, but kept distinct from the syllabary. The syllabary was, so to speak, a paradigmatic system, and the prosodies a syntagmatic system. We never met any unit or part which *had* to be called a phoneme, though a different analysis, in my opinion not so good, has been made on the phoneme principle.

Here may I quote a few of the wiser words of Samuel Haldeman (1856), first professor of Comparative Philology in the University of Pennsylvania, one of the earlier American phoneticians, contemporary with Ellis and Bell. " Good phonetics must recognize the value for certain languages ' of alphabets of a more or less syllabic character ', in which ' a consonant position and a vowel position of the organs ' are regarded ' as in a manner constituting a unitary element ' ".[8] Sir William Jones was the first to point out the excellence of what he called the Devanagari system, and also of the Arabic alphabet. The Arabic syllabary he found almost perfect for Arabic itself—" Not a letter ", he comments, " could be added or taken away without manifest inconvenience ". He adds the remark, " Our English alphabet and orthography are disgracefully and almost ridiculously imperfect ". I shall later be using Arabic words in Roman transcription to illustrate the nature of syllabic analysis in that language as the framework for the prosodies. Sir William Jones emphasized the importance as he put it of the " Orthography of Asiatic Words in Roman Letters ". The development of comparative philology, and especially of phonology, also meant increased attention to transliteration and transcription in roman letters. Sir William Jones was not in any position to understand how all this might contribute to the tendency, both in historical and descriptive linguistics, to phonetic hypostatization of roman letters, and theories built on such hypostatization.

In introducing my subject I began with sounds and the Roman alphabet which has determined a good deal of our phonetic thinking in Western Europe—as a reminder that in the Latin word the letter was regarded as a sound, *vox articulata*. We moved east to Greek, and met the prosodies, i.e. smooth and rough breathings, and the accents. The accents are marks, but they are also musical properties of the word. In Sanskrit we meet a syllabary built on phonetic principles, and each character is **əkʂərə**, ultimate, permanent, and indestructible. Any work I have done in the romanization of Oriental languages has been in the spirit of Sir William Jones, and consequently I have not underestimated the grammatical, even phonetic, excellence of the characters and letters of the East where our own alphabet finds its origins. On the contrary, one of the purposes of my paper is to recall the principles of other systems of writing to redress the balance of the West.

And now let us notice the main features of the Arabic alphabet. I suppose it can claim the title " alphabet " on etymological grounds, but it is really a

[8] Cf. " English School of Phonetics ", *Trans. Phil. Soc.*, 1946.

syllabary.[9] First, each Arabic letter has a name of its own. Secondly, each one is capable of being realized as an art figure in itself. Thirdly, and most important of all, each one has syllabic value, the value or *potestas* in the most general terms being consonant plus vowel, including vowel zero, or zero vowel. The special mark, *sukuun*, for a letter without vowel possibilities, i.e. with zero vowel, or for a letter to end a syllable not begin it, is the key to the understanding of the syllabic value of the simple letter not so marked, and this is congruent with the essentials of Arabic grammar. Like the **hələnt** in Devanagari, **sukuun** is a prosodic sign. The framework of the language and the etymology of words, including their basic syllabic structure, consist in significant sequences of radicals usually in threes. Hence a letter has the potestas of one of these radicals plus one of the three possible vowels **i, a,** or **u** or zero. Each syllabic sign or letter has, in the most general terms, a trivocalic potentiality, or zero vowel, but in any given word placed in an adequate context, the possibilities are so narrowly determined by the grammar that in fact the syllable is, in the majority of words, fully determined and all possibilities except one are excluded. The prosodies of the Arabic word are indicated by the letters if the context is adequate. If the syllabic structure is known, we always know which syllable takes the main prominence. It is, of course, convenient to make the syllabic structure more precise by marking a letter specially, to show it has what is called zero vowel, or to show it is doubled. Such marks are prosodic. And it is even possible to maintain that in this system of writing the diacritics pointing out the vowels and consonants in detail are added prosodic marks rather than separate vowel signs or separate sounds in the roman sense; that is to say, generalizing beyond the phonematic level, **fatħa, kasra, ðamma, sukuun, alif, waw, ya, taʃdiid** and **hamza** form a prosodic system.

In China the characters, their figures and arrangement, are designs in their own right. Words in calligraphy are artefacts in themselves of high aesthetic value, for which there is much more general respect than we have in England for the Etonian pronunciation of the King's English. For my purpose Chinese offered excellent material for the study of institutionalized words long since delimited and identified. With the help of Mr. K. H. Hu, of Changsha, I studied the pronunciation and phonology of his dialect of Hunanese.[10] Eventually I sorted out into phonological classes and categories large numbers of characters in accordance with their distinguishing diacritica. Diacritica were of two main types, phonematic and prosodic. The prosodic diacritica included tone, voice quality, and other properties of the sonants, and also yotization and labio-velarization, symbolized by **y** and **w.** Such diacritica of the monosyllable are not considered as successive fractions or segments in any linear sense, or as distributed in separate measures of time.[11] They are stated as systematized abstractions from the primary sensory data, i.e. the uttered instances of monosyllables. We must distinguish between such a conceptual framework

[9] Or rather Arabic writing is syllabic in principle. Professor Edgar Sturtevant has stated this view and recently confirmed it personally in conversation.

[10] See my " The Chinese Monosyllable in a Hunanese Dialect (Changsha) ", *BSOS.*, vol. viii, pt. 4 (1937) [with B. B. Rogers].

[11] In the sending of Japanese morse ak = ka, the first signal being the characteristic sonant. (Joos, *Acoustic Phonetics,* L.S.A., pp. 116–126, and conclusions on segmentation.)

which is a set of relations between categories, and the serial signals we make and hear in any given instance.[12]

Before turning to suggest principles of analysis recognizing other systems of thought and systems of writing outside the Western European tradition, let me amplify what has already been said about the prosodies by quoting from a grammarian of the older tradition and by referring to the traditional theory of music.

Lindley Murray's English Grammar (1795) is divided in accordance with good European tradition,[13] into four parts, viz. Orthography, Etymology, Syntax, and Prosody. Part IV, Prosody, begins as follows: " Prosody consists of two parts: the former teaches the true PRONUNCIATION of words, comprising ACCENT, QUANTITY, EMPHASIS, PAUSE, and TONE; and the latter, the laws of versification. Notice the headings in the first part—ACCENT, QUANTITY, EMPHASIS, PAUSE, and TONE ".

In section 1 of ACCENT, he uses the expression the *stress of the voice* as distinguishing the accent of English. The stress of the voice on a particular syllable of the word enables the number of syllables of the word to be perceived as grouped in the utterance of that word. In other words, the accent is a function of the syllabic structure of the word. He recognizes principal and secondary accent in English. He recognizes two quantities of the syllable in English, long and short, and discusses the syllabic analysis and accentuation of English dissyllables, trisyllables, and polysyllables, and notices intonation and emphasis.

The syntagmatic system of the word-complex, that is to say the syllabic structure with properties such as initial, final and medial characteristics, number and nature of syllables, quantity, stress, and tone, invites comparison with theories of melody and rhythm in music. Writers on the theory of music often say that you cannot have melody without rhythm, also that if such a thing were conceivable as a continuous series of notes of equal value, of the same pitch and without accent, musical rhythm could not be found in it. Hence the musical description of rhythm would be " the grouping of measures ", and a measure " the grouping of stress and non-stress ". Moreover, a measure or a bar-length is a grouping of pulses which have to each other definite interrelations as to their length, as well as interrelations of strength. Interrelations of pitch and quality also appear to correlate with the sense of stress and enter into the grouping of measures.

We can tentatively adapt this part of the theory of music for the purpose of framing a theory of the prosodies. Let us regard the syllable as a pulse or beat, and a word or piece as a sort of bar length or grouping of pulses which bear to each other definite interrelations of length, stress, tone, quality—including voice quality and nasality. The principle to be emphasized is the *interrelation*

[12] See also N. C. Scott, " A Study in the Phonetics of Fijian ", *BSOAS.*, vol. xii, pts. 3–4 (1948), and J. Carnochan, " A Study in the Phonology of an Igbo Speaker ", *BSOAS.*, vol. xii, pt. 2 (1948). Eugénie Henderson, Prosodies in Siamese, in *Asia Major*, N.S. Vol. I, 1949.

[13] Cf. " Arte de Escribír ", by Torquato Torío de la Riva, addressed to the Count of Trastamara, Madrid, 1802. The four parts of grammar are etimología ó analogía, syntaxis, prosódia, or [*sic*—Ed.] ortografía. Prosódia teaches the quantity of syllables in order to pronounce words with their due accent. There are three degrees in Spanish, acute or long, grave or short, and what are termed *común* or *indiferentes*.

of the syllables, what I have previously referred to as the *syntagmatic relations*, as *opposed to the paradigmatic or differential relations* of sounds in vowel and consonant systems, and to the paradigmatic aspect of the theory of phonemes, and to the analytic method of regarding contextual characteristics of sounds as allophones of phonematic units.

A good illustration of these principles of word-analysis is provided if we examine full words in the spoken Arabic of Cairo, for which there are corresponding forms in Classical Arabic. Such words (in the case of nouns the article is not included) have from one to five syllables. There are five types of syllable, represented by the formulae given below, and examples of each are given.

SYLLABIC STRUCTURE IN CAIRO COLLOQUIAL [14]

(i) CV : open short. C + *i*, *a*, or *u*.
(*a*) **fíhim nízil**
(*b*) **ẓálamu ʕitláxam ḍárabit**
(*c*) **ʕindáhaʃu** (*cvc–cv–cv–cv*)

(ii) CVV : open medium. C + *i*, *a*, or *u*, and the prosody of vowel length indicated by doubling the vowel, hence VV—the first V may be considered the symbol of one of the three members of the vowel system and the second the mark of the prosody of length. Alternatively **y** and **w** may be used instead of the second **i** or **u**.
(*a*) **fáahim fúulah nóobah***
(*b*) **muṣíibah ginéenah* misóogar***
(*c*) **ʕiʃtaddéenah*** (*cvc–cvc–cvv–cvc*)
(*d*) **ʕistafáad náahum**

(iii) CVC : closed medium. C + *i*, *a*, or *u*.
(*a*) **ʕáfham dúrguh**
(*b*) **yistáfhim duxúlhum**
(*c*) **mistalbáxha** (*cvc–cvc–cvc–cv*)

(iv) CVVC : closed long. C + *i*, *a*, or *u* and the prosody of vowel length—see under (ii).
(*a*) **naam ṣuum ziid**
baat ʃiil xoof*
(*b*) **kitáab yiʃíil yiṣúum**
(*c*) **ʕistafáad yistafíid yifhamúuh**
(*d*) **ʕistalbaxnáah tistalbaxíih**

(v) CVCC : closed long. C + *i*, *a*, or *u* and the prosody of consonant length in final position only, the occurrence of two consecutive consonants in final position.
(*a*) **ʃadd bint**
(*b*) **ḍarábt yimúrr**
(*c*) **ʕistaɛádd yistaɛídd** (*cvc–cv–cvcc*)

In the above words the prominent is marked by an accent. This is, however, not necessary since prominence can be stated in rules without exception, given the above analysis of syllabic structure.

[14] See also Ibrahim Anis, *The Grammatical Characteristics of the Spoken Arabic of Egypt.* (Thesis for the Ph.D. degree, 1941. University of London Library.) ṭ ḍ ṣ ẓ = ƫ ȡ ȿ ʐ (I.P.A.)

Though there are five types of syllable, they divide into three quantities short, medium, and long. When vowel length is referred to, it must be differentiated from syllabic quantity—vowels can be short or long only. The two prosodies for vowels contribute to the three prosodies for syllables.

* *The special case of* **ee** *and* **oo.**

In most cases Colloquial **ee** and **oo** correspond to Classical *ay* and *aw*, often described as diphthongs. There are advantages, however, in regarding *y* and *w* as terms of a prosodic system, functioning as such in the syllabic structure of the word. **xawf** and **xoof** are thus both closed long, though *cvwc* is replaced by *cvvc*. Similarly **gináynah** and **ginéenah, náy** and **née** are both medium, one with *y*-prosody and one with vowel length. Though the syllabic quantities are equivalent, the syllabic structure is different. Two more vowel qualities must be added to the vowel system, **e** and **o**, different from the other three in that the vowel quality is prosodically bound and is always long.

There are other interesting cases in which, quite similarly, colloquial C + **ee** or **oo** with the prosody of length in the vowel in such words as **geet** or **ʃuum,** correspond to equivalent classical monosyllables **jiʕt, ʃuʕm.** The phonematic constituents of the pairs of corresponding words are different, but the prosody of equipollent quantity is maintained. Many such examples could be quoted including some in which the prosodic function of **ʕ** (glottal stop) and " **y** " are equivalent.

Classical.		*Cairo Colloquial.*
δiʕb		**diib**
qaraʕt	[Cyrenaican : **garayt**]	**ʕareet**
faʕs		**faas**
daaʕim		**daayim**
naaʕim		**naayim**
maaʕil		**maayil**
ḍaraaʕib		**ḍaraayib**

The prosodic features of the word in Cairo colloquial are the following :—

In any word there is usually such an interrelation of syllables that one of them is more prominent than the rest by nature of its prosodies of strength, quantity, and tone, and this prominent syllable may be regarded as the nucleus of the group of syllables forming the word. The prominent syllable is a function of the whole word or piece structure. Naturally therefore, the prosodic features of a word include :—

1. The number of syllables.
2. The nature of the syllables—open or closed.
3. The syllabic quantities.
4. The sequence of syllables } [radicals and flexional elements separately treated.]
5. The sequence of consonants }
6. The sequence of vowels }
7. The position, nature, and quantity of the prominent.
8. The dark or clear qualities of the syllables.

There is a sort of vowel harmony and perhaps consonant harmony, also involving the so-called emphatic or dark consonants.

I think it will be found that word-analysis in Arabic can be more clearly stated if we emphasize the syntagmatic study of the word complex as it holds together, rather than the paradigmatic study of ranges of possible sound substitutions upon which a detailed phonematic study would be based. Not that such phonematic studies are to be neglected. On the contrary, they are the basis for the syntagmatic prosodic study I am here suggesting. In stating the structure of Arabic words, the prosodic systems will be found weightier than the phonematic. The same may be true of the Sino-Tibetan languages and the West African tone languages.

Such common phenomena as elision, liaison, anaptyxis, the use of so-called " cushion " consonants or " sounds for euphony ", are involved in this study of prosodies. These devices of explanation begin to make sense when prosodic structure is approached as a system of syntagmatic relations.

Speaking quite generally of the relations of consonants and vowels to prosodic or syllabic structure, we must first be prepared to enumerate the consonants and vowels of any particular language for that language, and not rely on any general definitions of vowel and consonant universally applicable. Secondly, we must be prepared to find almost any sound having syllabic value. It is not implied that general categories such as vowel, consonant, liquid, are not valid. They are perhaps in general linguistics. But since syllabic structure must be studied in particular language systems, and within the words of these systems, the consonants and vowels of the systems must also be particular to that language and determined by its phonological structure.

Let us now turn to certain general categories or types of sound which appear to crop up repeatedly in syllabic analysis. These are the weak, neutral, or " minimal " vowel, the glottal stop or " maximum " consonant, aitch or the pulmonic onset—all of which deserve the general name of laryngals. Next there are such sounds as **ħ** and **ɛ** characteristic of the Semitic group of languages which may also be grouped with " laryngals " and perhaps the back **ɣ.** Then the liquids and semi-vowels **l, r, n** (and other nasals), **y** and **w.**

Not that prosodic markers are limited to the above types of " sound ". Almost any type of " sound " may have prosodic function, and the same " sound " may have to be noticed both as a consonant or vowel unit and as a prosody.

First, the neutral vowel in English. It must be remembered that the qualities of this vowel do not yield in distinctness to any other vowel quality. The term neutral suits it in English, since it is in fact neutral to the phonematic system of vowels in Southern English. It is closely bound up with the prosodies of English words and word junctions. Unlike the phonematic units, it does not bear any strong stress. Its occurrence marks a weak syllable including weak forms such as **wəz, kən, ə.**

Owing to the distribution of stress and length in Southern English words, it is often final in junction with a following consonant initial. Two of the commonest words in the language, *the* and *a*, require a number of prosodic realizations determined by junction and stress, **ðə, ði, ˈðiy, ə, ən, ˈey, æn.**

In other positions, too, the neutral vowel often, though by no means always, marks an etymological junction or is required by the prosodies of word formation, especially the formation of derivatives. The distribution of the neutral vowel in English from this point of view would make an interesting study. The prosodic nature of *ə* is further illustrated by the necessity of considering it in connection with other prosodies such as the so-called "intrusive" *r*, the "linking" *r*, the glottal stop, aitch, and even *w* and *y*. Examples: *vanilla ice, law and order, cre'ation, behind, pa and ma, to earn, to ooze, secretary, behave, without money.* The occurrence of Southern English diphthongs in junctions is a good illustration of the value of prosodic treatment, e.g.:—

(i) The so-called "centring" diphthongs, **iə(r), eə(r), ɔə(r), uə(r).**

(ii) What may be termed the "y" diphthongs, **iy,**[15] **ey, ay, oy.**

(iii) The "w" diphthongs **uw, ow, aw.**

It may be noted that **e, æ, ɔ** do not occur finally or in similar junctions, and that **ɔ:, a:,** and **ə:** all involve prosodic *r*.

Internal junctions are of great importance in this connection since the verb *bear* must take *-ing* and *-er*, and *run* leads to *runner up*. Can the **r** of *bearing* be said to be "intrusive" in Southern English? As a prosodic feature along with *ə* and in other contexts with the glottal stop, aitch and prosodic *y* and *w*, it takes its place in the prosodic system of the language. In certain of its prosodic functions the neutral vowel might be described temporarily as a pro-syllable. However obscure or neutral or unstressed, it is essential in *a bitter for me* to distinguish it from *a bit for me.* In contemporary Southern English many "sounds"[16] may be pro-syllabic, e.g. **tsn̩'apl, tstuw'mʌtʃ, sekr̩tri** or **sekətri, s'main, s'truw.** Even if *'s true* and *strew* should happen to be homophonous, the two structures are different: *c'cvw* and *'cvw.* "Linking" and "separating" are both phenomena of junction to be considered as prosodies. In such a German phrase as *ʔin ʔeinem ʔalten 'Buch*, the glottal stop is a junction prosody. I suppose Danish is the best European language in which to study the glottal stop from the prosodic point of view.[17] Unfortunately, I am not on phonetic speaking terms with Danish and can only report. The Danish glottal stop is in a sense parallel with tonal prosodies in other Scandinavian languages. It occurs chiefly with sounds said to be originally long, and in final position only in stressed syllables. If the word in question loses its stress for rhythmical or other reasons, it also loses the glottal stop. It is therefore best considered prosodically as a feature of syllabic structure and word formation. The glottal stop is a feature of monosyllables, but when such elements add flexions or enter compounds, the glottal stop may be lost. In studying the glottal stop in Danish, the phonematic systems are not directly relevant, but rather the syllabic structure of dissyllabic and polysyllabic words

[15] It is, I think, an advantage from this point of view to regard English so-called long *i:* and *u:* as *y*-closing or *w*-closing diphthongs and emphasize the closing termination by writing with Sweet *ij* or *iy*, and *uw*.

[16] In the general phonetic sense, not in the phonematic sense.

[17] See Sweet, "On Danish Pronunciation" (1873), in *Collected Papers*, p. 345, in which he makes a prosodic comparison with Greek accents. (On p. 348 he uses the term "tonology".)

and compounds. In Yorkshire dialects interesting forms like **'fɔʔti** occur. Note however **'fɔwər** and **'fɔwə'tiyn.** A central vowel unit occurs in stressed positions in these dialects, e.g. **'θəʔti, 'θəʔ'tiyn.**

There may even be traces of a prosodic glottal stop in such phrases as **t 'θədʔ'dɛɛ, t 'θədʔ'taym.** Junctions of the definite article with stressed words having initial **t** or **d** are of interest, e.g. **ɔntʔ'tɛɛbl, itʔ'tram, tətʔ'tɛytʃə, fətʔ'dɔktə, witʔ'tawil.** These are quite different junctions from those in **'gud 'dɛɛ** or **'bad 'taym.** Compare also Yorkshire **trɛɛn** (*cvvc*) **t'rɛɛn** (*c'cvvc*), **tət'ʃɔp, tə 'tʃɔp,** and especially **witʔ'tak** (*with the tack*) and **wid 'tak** (*we'd take*), also **witə'tak** (*wilt thou take*). In London one hears **'θəːʔ'tsiyn** and **'θəːt' ʔiyn,** where the two glottal stops have somewhat different prosodic functions.

The glottal stop as a release for intervocalic plosives is common in Cockney, and is a medial or internal prosody contrasting with aspiration, affrication, or unreleased glottal stop in initial or final positions. Such pronunciations as **'kɔpʔə, 'sapʔə, 'wintʔə, dʒampʔə** are quite common. I would like to submit the following note of an actual bit of conversation between two Cockneys, for prosodic examination : **i 'ʔoːʔ ʔə 'ʔɛv íʔ 'ʔoːf, baʔ i ''waw̃ʔ ʔɛv iʔ oːf.**

I have already suggested the *y* and *w* prosodies of English, including their effect on the length prosody of the diphthongs and their function in junctions when final. After all, human beings do not neglect the use of broad simple contrasts when they can combine these with many other differentiations and in that way multiply phonetic means of differentiation. In the Sino-Tibetan group of languages the *y* and *w* element is found in a large number of syllables—there are many more *y* and *w* syllables than, say, *b* or *d* or *a* syllables. In the many Roman notations used for Chinese, these two elements are variously represented and are sometimes regarded as members of the paradigm of initials, but, generally as members of the paradigm of finals. They can be classified with either, or can be simply regarded as syllabic features. Sounds of the **y** or **w** type, known as semi-vowels or consonantal vowels, often have the syllable-marking function especially in initial and intervocalic position. In Sanskrit and the modern languages affiliated to it, it is clear that prosodic *y* and *v* must be kept distinct from similar " sounds " in the phonematic systems. The verbal forms **aya, laya, bənaya** in Hindustani are not phonematically irregular, but with the *y* prosody are regular formations from **a-na, la-na,** and **bəna-na.** In Tamil and other Dravidian languages *y* and *v* prosodies are common, as markers of initials, for example, in such Tamil words as **(y)enna, (y)evan, (y)eetu, (v)oor, (v)oolai, (v)ooʈʈu.** However, the prosodies of the Dravidian languages present complicated problems owing to their mixed character.

Other sounds of this semi-vowel nature which lend themselves to prosodic function are **r** and **l,** and these often correspond or interchange with *y* or *w* types of element both in Indo-European and Sino-Tibetan languages. Elements such as these have, in some languages, such pro-syllabic or syllable-marking functions that I think they might be better classified with the syntagmatic prosodies rather than with the overall paradigmatic vowel and consonant systems. Studies of these problems in Indo-European and Sino-Tibetan languages are equally interesting.

The rough and smooth breathings are treated as prosodies or accentual elements in the writing of Greek. It is true that, as with accents in other languages, the rough breathing may imply the omission of a sound, often **s**, or affect the quality and nature of the preceding final consonants in junction. "h" in French is similarly connected with junction and elision. Even in English, though it has phonematic value in such paradigms as *eating, heating ; eels, heels ; ear, hear ; ill, hill ; owl, howl ; art, heart ; arming, harming ; anchoring, hankering ; airy, hairy ; arrow, Harrow ;* and many others, it is an *initial signal* in stressed syllables of full words having no weak forms. English **h** is a special study in weak forms, and in all these respects is perhaps also to be considered as one of the elements having special functions, which I have termed prosodic. In English dialects phonematic "h" (if there is such a thing), disappears, but prosodic "h" is sometimes introduced by mixing up its function with the glottal stop. I have long felt that the aitchiness, aitchification, or breathiness of sounds and syllables, and similarly their creakiness or "glottalization" are more often than not features of the whole syllable or set of syllables. Indeed, in some of the Sino-Tibetan languages, breathiness or creakiness or "glottalization" are characteristic of prosodic features called tones. In an article published in the *Bulletin* of the School of Oriental and African Studies, Mr. J. Carnochan has a few examples of aspiration and nasalization in Igbo as syntagmatic features of a whole word, rather like vowel harmony, which is prosodic.

Apart from the fact that nasals such as *m, n, ŋ* are often sonants—that is to say, have syllabic function—they are also quite frequently initial or final signals, and in Bantu languages such signals have essentially a syntagmatic or syllable or word-grouping function. In a restricted prosodic sense, they can be compared with the glottal stop in German.

In bringing certain types of speech sound into consideration of the prosodies, I have so far noticed the neutral or weak vowel, the minimal vowel, which often becomes zero ; the glottal stop, the maximal consonant which unreleased is zero sound ; aitch, the pulmonic onset, and the liquids and nasals. The first two, I suggest, deserve the name of laryngals, and perhaps h. There remain such sounds as **ħ, ʕ, ɣ,** and **x,** characteristic of the Semitic group of languages. These sounds are certainly phonematic in Classical Arabic. But in the dialects they are often replaced in cognate words by the prosody of length in change of vowel quality, generally more open than that of the measure of comparison.

When words containing these sounds are borrowed from Arabic by speakers of non-Semitic languages, they are usually similarly replaced by elements of a prosodic nature, often with changes of quality in the vowels of the corresponding syllable.

Hindustani and Panjabi provide interesting examples of phonematic units in one dialect or style being represented in another by prosodies. Instances of interchanges in cognates between phonematic units of the vowel system and units of the consonant system are common, and examples and suggestions have been offered of interchanges and correspondences between phonematic units of both kinds and prosodies. The following table provides broad transcriptions to illustrate these principles.

TABLE I

h

Hindustani, Eastern, careful.	*Hindustani, Western, quick.*	*Panjabi, (Gujranwala).*
pəhyle	**pəyhle**	**pə̂ylle**
bəhwt	**bəwht**	**bə̂wt**
pəhwŋcna	**pəwhŋcna**	**pə̂wŋc**
bhəi		**b̤ə̤i**
kər rəha həy	**kərrahəyh**	
rəhta (ræhta)		**rə̂ynda**

In **pəhyle** we have a three-syllable word in which **h** is phonematic (*cvcvcv*). In **pəyhle** there are two syllables by a sort of coalescence in which **əyh** indicates an open " h "-coloured or breathy vowel of the æ-type (*cvhcv*). Similarly in the phrase **bəhwt‿əccha** there are four syllables (*cvcvc‿vccv*), in **bəwht‿əccha** three, the vowel in the first of which is *open* back and " h "-coloured (*cvhcvccv*).

In Panjabi **pə̂ylle** the open vowel carries a compound high falling tone and the structure is prosodically quite different (*cv̂ccv*) which, I think, is equipollent with *cvhcv* (**pəyhle**). **bə̂wt** similarly is *cv̂c*, reduced to a monosyllable with initial and final consonant and a tonal prosody. In Hindustani verbal forms like **rəhna, rəhta** ; **kəhna, kəhta** ; the **ə** vowel in the h-coloured syllable immediately followed by a consonant is open with a retracted æ-like quality. **yɪh** is realized as **ye, vwh** as **vo,** in both of which there is a similar lowering and potential lengthening in emphasis.

TABLE II

ARABIC ع IN URDU LOAN-WORDS

Spelling Transliterated.	*Transcription of Realization in Speech.*
məʕlum	**malum**
bəʕd	**bad**
dəfʕ	**dəfa**
mənʕ	**məna**
məʕni	**məani, mani**
ystʕmal	**ystemal**

In all these cases the vowel realized is open and fairly long. In Maltese, words which in Arabic have **h** and which still retain **h** in the spelling are pronounced long with retracted quality, e.g. **he, hi, ho, eh, ehe,** as in **fehem, fehmu, sehem, sehmek, qalbhom.** These long vowels may be unstressed. Similarly all the **għ** spellings (transliterated **ɣ**) are realized as long slightly pharyngalized vowels which may also occur in unstressed positions, which is not possible with vowels other than those with the Semitic **h** and **għ** spellings. E.g. **ɣa, aɣ, aɣa, ɣo, oɣ, oɣo, ɣi (ɣey), ɣe, ɣu (ɣəw)** in such words as **għidt, għúda magħmul, bálagħ.** In the phrase **balagħ balgħa** (he swallowed a mouthful) the two forms are pronounced alike with final long **a** (for form, cf. **ħataf ħatfa,** he snatched) **h** and **għ** are often realized in spoken Maltese as a prosody of length.

In Turkish the Arabic **ɛ** in loan-words is often realized as a prosody of length in such pronunciations as **fiil** (*verb, act*), **saat** (*hour*), and similarly Arabic **ɣ**, in **iblaa** (*communicate*), and Turkish **ğ** in **uultu** (*tumult*). We are reminded again of Arabic **ʕ** which is also realized as a prosody of length in the colloquials, e.g. Classical **jiʕt** is paralleled by **geet** in Cairo, **jɛɛt** in Iraqi, and **ʒiit** in Cyrenaican Sa'adı. In Cairo and Iraqi the prosody of length is applied to an opener vowel than in Classical, but this is not always the case.

The study of prosodic structures has bearing on all phonological studies of loan-words, and also on the operation of grammatical processes on basic material in any language. Taking the last-mentioned first, elision or anaptyxis in modern Cairo colloquial are prosodically necessary in such cases as the following: **misíkt + ni = misiktíni,** where the anaptyctic **i** is required to avoid the junction of three consonants consecutively which is an impossible pattern. The prominence then falls on the anaptyctic vowel by rule. Pieces such as **bint + fariid** are realized as **bintifaríid.** With the vowels **i** and **u,** elision is possible within required patterns, e.g.: **yindíhiʃ + u = yindihʃu, titlíxim + i = titlíxmi,** but not with **a, ʕitlaxam + it = ʕitlaxamit.**

Amusing illustrations of the effect of prosodic patterns on word-borrowing are provided by loan-words from English in Indian and African languages and in Japanese. Prosodic anaptyxis produces **səkuul** in Panjabi and prothesis **iskuul** in Hindi or Urdu. By similar processes **səʈeʃən** and **isʈeʃən** are created for *station*. In Hausa *screw-driver* is naturalized as **sukuru direba.** Treating **skr** and **dr** as initial phonematic units, English *screw-driver* has the structure 'cv*w*-cv*y*c*ə*, the prosodies of which Hausa could not realize, hence *cvcvcvcvcvcv*, a totally different structure which I have carefully expressed in non-phonematic notation, to emphasize the fallacy of saying Hausa speakers cannot pronounce the " sounds ", and to point to the value of studying prosodic structure by a different set of abstractions from those appropriate to phonematic structure. It is not implied that there is one all-over prosodic system for any given language. A loan-word may bring with it a new pattern suited to its class or type, as in English borrowings from French, both nominals and verbals. When completely naturalized the prosodic system of the type or class of word in the borrowing language is dominant. In Japanese strange prosodic transformations take place, e.g. **bisuketto** (biscuit), **kiromeetoru, kiroguramu, supittohwaia, messaasyumitto, arupen-suttoku, biheebiyarisuto, doriburusuru** (to dribble).

Linguists have always realized the importance of the general attributes of stress, length, tone, and syllabic structure, and such considerations have frequently been epoch-making in the history of linguistics. Generally speaking, however, the general attributes have been closely associated with the traditional historical study of sound-change, which, in my terminology, has been chiefly phonematic. I suggest that the study of the prosodies by means of ad hoc categories and at a different level of abstraction from the systematic phonematic study of vowels and consonants, may enable us to take a big step forward in the understanding of synthesis. This approach has the great merit of building on the piece or sentence as the primary datum. The theory I have put forward may in the future throw light on the subject of Ablaut which, in spite of the scholarship expended on it in the nineteenth century from Grimm to Brugmann, still remains a vexed question and unrelated to spoken language. I venture to hope that some of the notions I have suggested may be of value to those who are discussing laryngals in Indo-European, and even to those engaged in field work on hitherto unwritten languages. The monosystemic analysis based on a paradigmatic technique of oppositions and phonemes with allophones has reached, even overstepped, its limits! The time has come to try fresh hypotheses of a polysystemic character. The suggested approach will not make phonological problems appear easier or oversimplify them. It may make the highly complex patterns of language clearer both in descriptive and historical linguistics. The phonological structure of the sentence and the words which comprise it are to be expressed as a plurality of systems of interrelated phonematic and prosodic categories. Such systems and categories are not necessarily linear and certainly cannot bear direct relations to successive fractions or segments of the time-track of instances of speech. By their very nature they are abstractions from such time-track items. Their order and interrelations are not chronological.

An example is given below of the new approach in sentence phonetics and phonology [18] in which the syntagmatic prosodies are indicated in the upper stave and the phonematic structure in the lower stave, with a combination text between. Stress is marked with the intonation indicated.

Prosodies

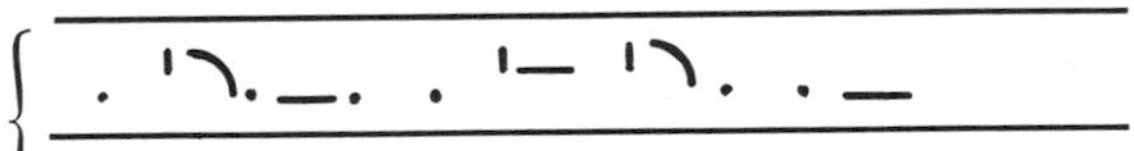

cy vcə vcə cəz‿mvtʃ‿bvcə vy cvcc

ðy ***y*** **ʌðə** [19] **ɔfə wəz mʌtʃ betə ay θiŋk**

Phonematic Structure { ð—ʌð—ɔf—w-z mʌtʃ bet—a—θiŋk

Prosodies

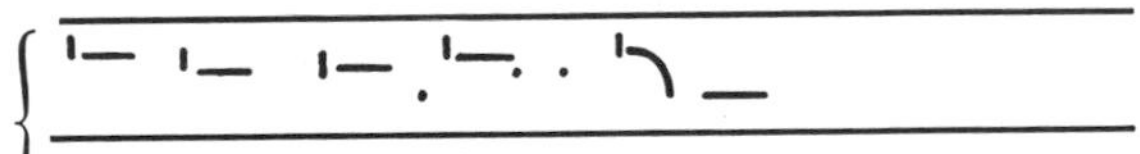

cvy hvz‿ʃvy əccvccic cvc cvc

way *hæz ʃ***i***y* **əkseptid ðis wʌn**

Phonematic Structure { wa æz ʃi ksept d ðis wʌn

It is already clear that in cognate languages what is a phonematic constituent in one may be a prosody in another, and that in the history of any given language sounds and prosodies interchange with one another. In the main however, the prosodies of the sentence and the word tend to be dominant.

To say the prosodies may be regarded as dominant is to emphasize the phonetics and phonology of synthesis. It accords with the view that syntax is the dominant discipline in grammar and also with the findings of recent American research in acoustics. The interpenetration of consonants and vowels, the overlap of so-called segments, and of such layers as voice, nasalization and

[18] For a fuller illustration of the scope of sentence phonology and its possible applications, see Eugénie Henderson's *Prosodies in Siamese.*

[19] The use of ə as a prosodic symbol in such final contexts implies potential **r** or **ʔ** according to the nature of the junction.

aspiration, in utterance, are commonplaces of phonetics. On the perception side, it is improbable that we listen to auditory fractions corresponding to uni-directional phonematic units in any linear sense.

Whatever units we may find in analysis, must be closely related to the whole utterance, and that is achieved by systematic statement of the prosodies. In the perception of speech by the listener whatever units there may be are prosodically reintegrated. We speak prosodies and we listen to them.

22 HOMONYMIE ET IDENTITÉ

Robert Godel

On peut voir dans l'homonymie un simple accident dont toute langue fournit plus ou moins d'exemples et qui ne présente guère d'intérêt pour le linguiste. L'existence ou l'absence d'homonymes paraît sans conséquence pour la structure de la langue, et l'on peut même admettre, avec M. Buyssens,[1] que " l'homonymie est un défaut de perspective qui ne se produit que lorsqu'on isole artificiellement le signe du discours ". Mais on peut y voir aussi l'un des aspects d'une question générale dont Saussure a marqué l'importance et la difficulté : la délimitation et le classement des unités synchroniques. " La langue, observe-t-il, a le caractère d'un système basé complètement sur l'opposition de ses unités concrètes. On ne peut ni se dispenser de les connaître, ni faire un pas sans recourir à elles ; et pourtant leur délimitation est un problème si délicat qu'on se demande si elles sont réellement données ".[2] Ce qui est donné, en effet, ce sont des combinaisons d'unités ; le système que supposent ces combinaisons ne peut être décrit, l'inventaire des unités qui le constituent ne peut être dressé que si l'on a d'abord analysé correctement les différents types de combinaisons en usage. Or l'analyse — j'entends l'analyse synchronique — n'atteint pas toujours des unités absolument simples, ni surtout absolument invariables. L'unité simple, le *monème*, comme M. Frei a proposé de l'appeler,[3] ne se présente pas avec la même forme et la même signification exactement dans toutes les combinaisons où il entre : le signifié comme le signifiant peut varier dans une certaine mesure sans que soit compromise l'identité du signe. Dans quelle mesure, voilà ce qu'il faudrait préciser pour pouvoir établir, dans un système donné, le tableau des monèmes comme on établit celui des phonèmes ; cela suppose que, dans l'un et l'autre cas, les faits synchroniques se prêtent à une analyse objective. La question, dans son ensemble, dépasse mon propos : les remarques qui suivent ne visent qu'à déterminer la situation des homonymes dans un système linguistique.

Les variations du signifiant n'affectent pas l'identité du signe tant qu'elles

Reprinted from *Cahiers Ferdinand de Saussure* 7 (1948) : 5–15, with the permission of *Cahiers Ferdinand de Saussure*.

[1] *Les langages et le discours*, Bruxelles 1943, § 60–61.

[2] *Cours de linguistique générale* (*CLG*), 2me éd. Paris 1922, p. 149.

[3] *Qu'est-ce qu'un dictionnaire de phrases ?* dans *Cahiers F. de S. 1*, p. 51. La célèbre définition du "mot" qu'a proposée Meillet (*Linguistique historique et linguistique générale*, 2me éd. Paris, 1926, p. 30) serait celle du monème si elle comprenait l'indivision du signifiant.

sont strictement combinatoires, c'est-à-dire déterminées par le seul contact des signifiants voisins. Tel est le cas des variations dues au sandhi, comme *mwa* / *mwaz* (= mois), pour reprendre un exemple donné par Saussure.[4] Il en est de même, en turc, pour les variations des suffixes causées par l'harmonie vocalique et l'assimilation des consonnes : les adjectifs verbaux *ezgin* " écrasé ", *yorgun* " fatigué ", *küskün* " vexé, fâché ", etc. contiennent tous un suffixe identique -GIn. En revanche, lorsque la différence entre les signifiants ne relève pas d'une règle combinatoire, on ne peut parler d'identité : les préfixes *co-* (cohéritier, copropriétaire) et *con-* (concitoyen) ne sont pas deux variantes, mais deux monèmes distincts, d'ailleurs synonymes, comme le sont par exemple, les suffixes *-able* et *-ible*. En turc, il n'y a pas d'alternance régulière entre les voyelles A et I dans les suffixes ; il faut donc considérer comme distincts les suffixes -GAn et -GIn dont les valeurs, au surplus ne coïncident pas toujours (*dargın* " fâché " : *darılgan* " irascible ").[5]

Ainsi, malgré la similitude des signifiés, on n'hésitera pas à reconnaître des unités distinctes dans tous les cas où les signifiants sont différenciés, le critère de différenciation étant fourni par la phonologie.

En est-il de même dans le cas inverse ? Autrement dit, étant donné deux signifiés associés au même signifiant, y a-t-il des raisons valables pour affirmer qu'il s'agit d'unités distinctes, ou des variations de sens d'une unité qui reste identique ? A première vue, la situation est claire : il existe d'une part des homonymes ; d'autre part, un signe peut, sans se dédoubler, élargir sa valeur par extension de sens, figure ou emploi technique.[6] Si l'on s'en tient à la définition classique des homonymes et à l'emploi qu'on a coutume d'en faire, aucune question ne se pose. Mais c'est précisément sur la notion même d'homonymie qu'il conviendrait d'abord de s'entendre. La grammaire traditionnelle ne reconnaît pour homonymes que des mots. M. Marouzeau dit, avec plus de rigueur étymologique : " Sont homonymes, des noms (gr. ónoma) de prononciation identique et de sens différents ".[7] Avec ou sans cette restriction, les homonymes ainsi définis ne sont qu'un groupe particulier de faits, qu'il serait logique de replacer dans l'ensemble des faits de même nature ; et c'est ainsi que bien des linguistes ont été amenés à un usage beaucoup plus large de cette notion.[8] Non seulement les divers types d'unités, mais les syntagmes, les phrases même fournissent des exemples d'homonymie. Tous ces faits appartiennent-ils également à la langue ? Leur caractère commun a-t-il plus d'importance que ce qui les distingue ? C'est ce qu'il faudra voir, après avoir signalé une autre difficulté.

Entre les homonymes et les unités à signification variable, le contraste n'est vraiment net que dans la perspective diachronique. L'historien de la langue,

[4] *CLG*, p. 147. M. Buyssens voit aussi dans les deux prononciations de *ces*, *des*, *les* (devant consonne ou devant voyelle) des " variantes combinatoires " d'un même mot (*Leuvense Bijdragen*, 1948, 1–2, p. 3).

[5] Je rectifie ici ce que j'ai dit de ces suffixes dans ma *Grammaire turque* (Genève, 1945), § 9 et 176. Un doublet comme : *alışkan/alışkın* " accoutumé " est exceptionnel et ne prouve pas l'identité (cf. franç. herb*eux* / herb*u*).

[6] *CLG*, p. 151 : adopter un enfant, une mode.

[7] *Lexique de terminologie linguistique*, 2me éd. Paris, 1948, p. 108.

[8] Voir par ex. tout le chapitre de Bally, *Linguistique générale et linguistique française* (LGLF) 2me éd. Berne, 1944, p. 172–178.

attentif à l'évolution sémantique, ne met pas en doute l'identité du signe dont il décrit et classe les significations successives ou coexistantes, de même qu'il ne cesse de considérer comme distincts deux signes étymologiquement différents dont l'évolution phonétique a rendu semblables les signifiants. La définition de l'homonymie semble, il est vrai, n'avoir qu'une portée synchronique ; mais il est sous-entendu (comme l'indiquent les exemples habituels) que le fait synchronique résulte d'un événement diachronique particulier : la convergence phonétique des signifiants. Si, par exemple, en arménien moderne (dialecte occidental), *kayl* " pas " et *kayl* " loup " sont homonymes, c'est que les phonèmes différenciateurs se sont confondus (cf. arm. classique : *khayl* / *gayl*). Il y a là, pour le dire en passant, une donnée utile en phonologie : de l'homonymie de deux unités, on peut inférer l'identité d'un phonème (dans l'exemple cité, *k*, noté par les lettres *ke* et *kim*). On range dans la série homonymique : *pois*, *poids*, *poix*, l'interjection *pouah !* qui a un *p* aspiré et un accent expressif : c'est qu'en français ces particularités phonétiques ne sont pas des traits pertinents.

Mais on sait que l'événement inverse, soit la divergence et la dissociation des signifiés, engendre aussi des homonymes (*dessin* / *dessein* ; *voler* / *voler*) qu'on peut appeler, avec Bally,[9] des " homonymes sémantiques ". Or, du point de vue synchronique, rien ne distingue ces deux classes d'homonymes. Il suffirait qu'on ignorât l'histoire et les antécédents des couples homonymiques pour que le cas des deux verbes : *louer* (de *locāre*) / *louer* (de *laudāre*) se confondît avec celui de *voler* / *voler*, continuant l'un et l'autre le même *volāre*. On ne connaît pas d'étymologie vraiment sûre au latin *tempus* " temps " ; il est donc impossible de déterminer s'il est homonyme étymologique ou sémantique de *tempus* " tempe ".

D'ailleurs, même les comparatistes considèrent comme distincts, dans le système de telle langue, des suffixes ou des désinences de forme semblable, aussi bien dans les cas de différenciation des signifiés que dans ceux de convergence des signifiants : dans la flexion nominale du latin, le *-a* de *iuga* est homonyme et distinct de celui de *domina*, *equa*, bien qu'ils soient sans doute originellement identiques, alors que les désinences du datif et de l'ablatif singulier, dans le type *dominō*, sont issues de finales différentes (lat. arch. *-ōi* / *-ōd*). Envisagé du point de vue synchronique, le fait d'homonymie se définit par la coexistence, dans un même système, de deux ou plusieurs signes distincts, quoique phonologiquement semblables. Et ceci nous ramène à la question posée plus haut : comment savoir si ces signes sont réellement distincts, ou s'il s'agit d'un même signe à signification variable ?

A la question : identité ou homonymie ? il n'est pas certain qu'une réponse précise puisse être donnée dans chaque cas particulier. On en conclura simplement qu'un dénombrement exact des monèmes d'une langue donnée n'est pas possible. Cependant, le sentiment de l'identité ou, au contraire, de l'homonymie, existe souvent chez ceux qui parlent leur propre langue : je sens, par exemple, l'identité du verbe dans : *recevoir* un ami, une lettre, un coup ; celle de l'adjectif *épais*, qualifiant un papier, une forêt, un liquide. Dire, avec Bally,[10]

[9] *Traité de stylistique française*, 2me éd. Heidelberg et Paris, s. d. I § 50 ; *LGLF* § 284.

[10] *LGLF*, § 274. Bally indique plus loin (§ 278) qu'il entend par cette expression l'absence de rapports associatifs.

que dans les homonymes les signifiés sont " hétérogènes ", c'est user d'un critère un peu vague : qu'on se rappelle les observations de Saussure [11] sur la *valeur* du signe linguistique, distinguée de sa signification.

Pour déterminer la place des homonymes dans un système linguistique, il conviendrait d'abord de considérer les faits sous les deux aspects indiqués par Saussure : [12] dans le plan syntagmatique, d'une part, et dans le plan associatif. On verrait peut-être mieux, alors, pourquoi certains nient l'existence même des homonymes alors que d'autres en découvrent d'innombrables.

Dans le syntagme, les unités ne se distinguent pas seulement par leur forme et leur sens, mais aussi par leurs caractères grammaticaux (classe, fonction). Ainsi les verbes " terminer, finir, achever ", pris au sens propre, sont synonymes : dans la plupart des contextes, ils peuvent se remplacer, et les nuances de sens que signalent les dictionnaires sont souvent négligées dans l'usage courant. En revanche, leurs emplois sont délimités par des caractères grammaticaux différents : " terminer " n'admet pour complément qu'un substantif ; " finir " comporte l'emploi intransitif. Ces caractères font partie de la valeur du signe — donc du signifié ; mais en se réalisant dans les syntagmes, ils différencient indirectement les signifiants. Selon la définition de M. Marouzeau, un " nom " ne peut être homonyme d'un signe d'une autre classe. Il est exact que deux signes de catégories différentes ne sont pas, l'un à l'égard de l'autre, dans la même situation que deux signes de même catégorie. Dans le premier cas, la question d'identité ne se pose pas : *si* (adverbe) et *si* (conjonction) sont des unités distinctes, de même que les suffixes *-eur* (f. *-euse*) et *-eur* (f. ex. : blancheur), dont le premier se joint à des radicaux de verbes, le second à des adjectifs. La différence des sens est accusée par celle des fonctions : les deux signes ne peuvent jamais figurer dans des syntagmes de même type. Dans le cas où les homonymes appartiennent à la même classe, la différence de sens peut se trouver combinée avec une distinction indirecte des signifiants : l'homonymie de *poêle* (m.) et *poêle* (f.) ne se manifeste, dans le syntagme, que si la différence de genre ne trouve pas à s'exprimer. Les conditions sont en somme les mêmes que pour les radicaux *fond-* (de fondre) et *fond-* (de fonder) : les deux paradigmes coïncident en partie (fondons, fondant, etc.).

Or, des coïncidences semblables peuvent se produire entre des syntagmes ou des fragments de phrase qui ne contiennent pas d'unités homonymes : ainsi *kilèm*, dans : celui qui l'aime / qu'il aime. Il y aurait peut-être avantage, du moins pour la question traitée ici, à désigner d'un autre terme que celui d'homonymie les accidents syntagmatiques de ce genre, et à parler de groupes ou de segments *homophones*. En effet, l'homophonie n'implique nécessairement ni le même nombre d'unités de part et d'autre, ni le même agencement. En turc, les verbes *yenmek* " vaincre " et *yenmek* " être mangé " ont le même radical ; [13] il ne s'agit pas d'unités homonymes, car *yen-* " vaincre " est un monème, tandis

[11] *CLG*, p. 160–161.

[12] *CLG*, p. 187–188. Les termes saussuriens (syntagmatique et associatif) ont été critiqués ; l'accord n'étant pas encore fait sur ceux qui devraient les remplacer, je ne vois pas d'inconvénient à m'en servir ici.

[13] Les deux paradigmes coïncident entièrement, sauf au présent indéfini : *yener* " il vainc " / *yenir* " il se mange ". Un cas du même genre est signalé par Bally, *Traité de stylistique franç.* I, § 41 : *représenter* / *re-présenter*.

que *ye-n-*, passif de *ye-* " manger " est formé de deux unités. Dans cette même langue, il existe deux types d'adjectifs en *-lI* : l'un dérivé nominal (ex. sis*li* " brumeux "), l'autre adjectif verbal (ex. ser*ili* " étendu ", daya*lı* " appuyé "). les deux formations peuvent donner le même produit apparent ; mais dans : *pirinç kilitli bir sandık* " un coffre à serrure de cuivre ", *kilitli* s'analyse en *kilit* " serrure " + *-li* " muni de ", alors que dans : *sandık kilitli idi* " le coffre était fermé à clé ", il s'agit de l'adjectif verbal de *kilitlemek* " fermer à clé ", où *-li* contient, par superposition, le suffixe du dénominatif (*-le-*) et celui de l'adjectif verbal. Ce sont deux syntagmes homophones, et de cohésion différente ; le type : substantif + *-li* appartenant à la syntaxe libre, il serait même inexact de parler de " mots " homonymes.

L'homonymie, d'autre part, exclut l'identité ; en revanche, deux groupes homophones peuvent contenir des éléments identiques, ou même être composés des mêmes unités placées dans le même ordre. C'est ainsi qu'en turc *hasta-lar* signifie, selon le contexte, " les malades " ou " ils (sont) malades " (cf. *evler-de* " dans les maisons " / *ev-de-ler* " ils (sont) à la maison ").

Normalement, dans le discours, la signification de chaque unité se trouve fixée par le contexte et la situation, de façon à exclure non seulement les homonymes éventuels, mais encore les autres acceptions de la même unité. Il y a bien, il est vrai, des phrases à double sens ; mais l'équivoque, involontaire ou voulue, ne suppose ni ne prouve l'existence d'homonymes :[14] elle peut tout aussi bien résulter d'une double acception du même signe (" Philopoemen, le *dernier* des Grecs ") ou de quelque autre cause : il m'est arrivé, par exemple, de ne pas reconnaître de prime abord le mot *partage* dans le contexte suivant qui en suggérait une fausse analyse : " un enclos où les cowboys procèdent au triage, partage et marquage du bétail ".

C'est donc seulement dans le système des rapports associatifs ou mémoriels qu'on peut tenter de faire le départ entre signes homonymes et variations sémantiques d'un signe identique. Il suffit de comparer les unités non pas isolément, mais en tenant compte des familles de signes auxquelles elles appartiennent. Par familles de signes, j'entends, d'accord avec M. Frei,[15] les classes de dérivés (ex. les noms d'action en *-ment* : *enseignement, changement...*) et les séries paradigmatiques et dérivationnelles, ces deux dernières réunies dans l'exemple donné par Saussure : *enseignement, enseigner, enseignons....*[16] Sont homonymes, deux ou plusieurs signes ayant même signifiant, mais appartenant à des familles différentes. Ainsi les suffixes *-esse* (maîtresse, tigresse) et *-esse* (tristesse, faiblesse) sont homonymes, car les dérivés des deux types forment deux classes distinctes. De même, les radicaux *fond-* (fondre) et *fond-* (fonder), dont les séries paradigmatiques divergent, ainsi que les dérivés (fondeur / fondateur, etc.) ; ou encore, en latin, *ser-* (serō, serui, sertum ; seriēs, serta) et *ser-* (serō, sēvi, satum ; sator, satio, sēmen...). Il y a en français, pour la même raison, deux adjectifs *poli* homonymes, avec des familles différentes : poli, polir, dépolir, polissage... / poli, impoli, poliment, politesse, etc.

De cette constatation, on ne peut toutefois déduire que l'homonymie soit

[14] Frei. *La grammaire des fautes*, 1929, p. 65, 69–70 ; Buyssens, au passage cité dans la note 1.
[15] *Ramification des signes dans la mémoire, Cahiers F. de S. 2*, p. 15–16.
[16] *CLG*, p. 175.

exclue entre signes de même famille ; seulement, en ce cas, elle se prouve indirectement par la confrontation de séries parallèles. L'ordonnance en séries parallèles (plusieurs déclinaisons, singulier et pluriel, conjugaison) est peut-être une caractéristique des paradigmes. Ainsi, en latin, il y a homonynie entre la désinence de 1re p. sg. *-am* au futur de l'indicatif et *-am* au subjonctif présent dans le type : *dīcam, audiam,* puisqu'on a, d'une part, les séries *-am, -ēs, -et, ēmus / -am, -ās, -at, -āmus,* et d'autre part : *amābō / amem, ībō / eam,* etc. en regard de : *dīcam / dīcam.* Pareillement, dans les substantifs du type *dominus, iugum,* l'homonymie des désinences *-ō* (dat. sg.) et *-ō* (abl. sg.) est garantie par le contraste des désinences de ces deux cas dans les autres paradigmes : *dominae / dominā, ducī / duce, mihi / me,* etc. Si, dans toutes ces dernières séries, les signifiants cessaient d'être distingués, il n'y aurait plus qu'un seul cas. C'est ce qui est arrivé, en latin, pour l'ablatif et l'instrumental : la valeur de l'ablatif latin est simplement plus étendue que celle, par exemple, de l'ablatif arménien, qui s'oppose à un instrumental. Il est frappant que les écrivains romains traduisent toujours l'ablatif latin par le datif grec, même dans les emplois où l'on aurait en grec un génitif (= ablatif) : ex *συνδέσμῳ* (Quint. Inst. or. I, 4, 18) en face du grec : *ἐχ συνδέσμου.*

Ces remarques ne prétendent pas à épuiser ni à résoudre en bloc le problème complexe des syncrétismes de cas, auquel j'espère revenir dans une étude sur le système des cas en arménien moderne. Je souscrirais volontiers, en tout cas, aux critiques que M. Bazell adresse à ce propos à R. Jakobson.[17]

Si l'on admet ce qui précède, on exclura du domaine de l'homonymie toutes les différences entre signifiés qui relèvent de la transposition sémantique — plus exactement, de la transposition implicite ou alternance des signifiés.[18] Si, par exemple, *louer* (louange, louangeur) est homonyme[19] de *louer* (location, locataire, sous-louer), ce dernier, en revanche, est identique dans ses deux acceptions (donner / prendre en location) : la même alternance se retrouve dans une série d'autres verbes : *apprendre, mettre* ou *ôter* (un vêtement), et familièremente *éviter marier* (épouser / donner en mariage). En effet, si les faits d'homonymie sont toujours singuliers, l'alternance des signifiés suppose des procédés susceptibles d'applications nouvelles. Il y a transposition libre, et non homonymie, entre les suffixes *-ier* (*-ière*) ou *-eur* (*-euse*) désignant un agent (laitier, fournisseur) et les mêmes suffixes dénotant un instrument (sucrier, compteur), car il existe un nombre indéfini d'exemples.

Il y aurait lieu d'étudier les alternances qui peuvent être considérées comme régulières, et généralement les procédés de transposition usités dans une langue donnée ; car, n'étant pas les mêmes partout, ils contribuent à caractériser les systèmes. Le turc n'a pas — ou n'avait pas, avant l'élaboration du nouveau vocabulaire — d'adjectifs de relation du type : *familial, républicain,* sauf les emprunts à l'arabe. En arménien (en turc aussi), un nom abstrait ou de matière se transpose couramment en adjectif : *ken* " rancune / brouillé (avec quelqu'un) ", *šuk* " ombre / ombragé ", *medaks* " soie / en soie ", etc. En français,

[17] Ch. Bazell. *On morpheme and paradigm,* Istanbul, 1948, p. 2.

[18] Cette expression m'est suggérée par M. Bazell (lettre du 29. 5. 1948). Cf. l'article de M. Frei, dans *Cahiers F. de S. 2,* p. 18–19.

[19] On peut, pour abréger, appeler verbes homonymes les verbes à radicaux homonymes et de même conjugaison.

la chose est exceptionnelle (colère, chagrin, chic). Cet exemple soulève la question des classes de signes : en français, où l'adjectif et le substantif constituent deux classes bien distinctes, la transposition est dirigée ; type régulier : *riche* → *un riche* ; type irrégulier : *la colère* → *un homme colère.* En arménien, elle semble libre dans un grand nombre de cas (*ken, šuk*). En revanche, la transposition, libre ou dirigée, entre nom d'action et nom de lieu est régulière en français : *cuisine, poste, arrêt, dépôt, garage, parc* (parc pour autos / parc autorisé) ; l'arménien, à ma connaissance, n'en a aucun exemple. En latin, beaucoup d'adjectifs comportent une alternance de sens actif-passif (grātus, sollicitus, caecus, dubius...). Si Lucrèce (R. N. VI v. 394) et Salluste (Cat. 39) ont employé *innoxius* avec une valeur passive, c'est qu'une pareille transposition n'était pas étrangère ou contraire au système de la langue.

Concluons. Même du point de vue synchronique, on peut constater l'existence de signes homonymes : ce sont des monèmes, phonologiquement semblables, mais distingués par leur place dans les rapports associatifs. C'est dans ces conditions qu'il y a lieu de discerner les cas d'homonymie et ceux d'identité, et la confrontation des séries mémorielles fournit un critère moins subjectif que le sentiment linguistique des individus.

L'homonymie des unités se rencontre-t-elle dans d'autres systèmes de signes ? Dans l'alphabet, les lettres forment une seule série d'unités, et chacune reste identique dans ses divers emplois : dans l'orthographe française, il n'y a qu'une lettre *s*, notant alternativement les phonèmes *s* et *z*, ce qui ressemble à la transposition sémantique (p. 13). La même combinaison, par exemple *eu*, peut avoir des valeurs différentes (ex. *jeu / j'eus*) : cas comparable à celui du turc : *hasta-lar* (p. 11). En revanche, il y a homonymie réelle entre les lettres majuscules *I*, *V*, *X*, *C* et les chiffres romains un, cinq, dix, cent, etc. Dans la typographie des textes anglais, ce sont les minuscules qui sont homonymes des chiffres romains : les risques d'équivoque sont nuls, alors qu'il y en aurait si le chiffre " un " était noté *I*. Le clavier des machines à écrire fait bien voir la situation des homonymes : la série des chiffres occupe (en partie) le registre supérieur, et les lettres sont distribuées sur les autres. L'absence d'un chiffre dans la série, à la place où il devrait figurer, signifie que ce chiffre a un homonyme parmi les lettres : *l* minuscule pour " un " et *O* majuscule pour " zéro " sur les claviers français ; *Z* majuscule pour " trois " sur les claviers russes.

Les couleurs du blason forment deux séries (émaux et métaux) ; toutes leurs combinaisons sont différenciées, et c'est seulement en l'absence des autres éléments (disposition, figures) que bleu et blanc, sur une cocarde ou une banderolle, par exemple, peuvent faire penser, si la situation ne fournit pas d'indice, à l'écussion de Lucerne ou de Zoug aussi bien qu'à celui de Zurich : simple équivoque, qui n'implique aucune homonymie véritable.

23 L'APPRENTISSAGE DU LANGAGE

Antoine Grégoire

Résumé

Le second et dernier volume de notre " Apprentissage du langage " a paru. Nous signalons ici quelques-unes des questions touchant à la phonétique, à la morphologie, à la syntaxe et au discours de la langue enfantine, étudiée après la seconde année, et surtout pendant le cours de la troisième.

En 1941, M. R. Jakobson a établi d'une façon définitive la valeur linguistique du parler des enfants. Dans son livre révélateur, il a profité, en le reconnaissant avec une aimable gratitude, des documents que nous avions rassemblés pendant les deux premières années de chacun de nos deux fils.[1] Il en a dégagé des lois de phonétique générale ; il en a constaté l'existence aussi bien dans la phase primitive des langues que dans la langue des aphasiques, c'est-à-dire des patients contraints de réapprendre l'usage des sons et la fonction significative de ceux-ci. En terminant sa recherche des principes phonétiques universels, l'auteur ajoutait qu'on en trouverait tout autant dans le domaine de la morphologie et dans celui de la syntaxe. Nous lui avons promis de continuer notre étude sur l'apprentissage de nos deux fils pendant la troisième année et les suivantes. Ce second volume paraîtra prochainement, et nous devons à la courtoisie de M. A. W. de Groot de pouvoir publier dès maintenant un choix de remarques qu'il nous a été donné de faire.

C'est donc surtout la troisième année qui a retenu notre attention. Cette année, en général,[2] resplendit comme l'époque où l'on met entre les mains d'un jeune virtuose l'instrument dont il va apprendre le jeu pour en user sa vie entière. On ne pouvait guère prévoir un succès aussi rapide après les deux premières années. Sans doute, dès la première, et peut-être plus tôt qu'on ne le pense, l'enfant écoute avec une attention qui va croissant le parler de son entourage. Après un an, son bavardage personnel l'intéresse moins ; il est pris, sans le sentir lui-même, par le langage usuel ; il y gagne d'acquérir quelques mots, désignant tel ou tel objet, ou servant à rappeler, à solliciter une action, un geste, un jeu.... En fait de conversation, vers la fin de la deuxième année, il emploie des phrases dites monorèmes, où ne se trouve qu'un mot, ou quelques

Reprinted from *Lingua* 1 (1948) : 162–74, with the permission of M. D. Frank, president, North-Holland Publishing Company, publisher of *Lingua*.

[1] R. Jakobson, *Kindersprache, Aphasie und allgemeine Lautgesetze*, Upsal, 1941, 83, pp. in–8. Nous avons résumé et apprécié cet ouvrage dans un article de la Revue belge de philologie et d'histoire, t. XXI (1942), pp. 388–394.

[2] Autant qu'on peut l'affirmer, vu la rareté des autres études du même genre.

mots parmi lesquels ne compte qu'un mot capital. Voici, du 21e mois, un ensemble de trois de ces communications, réunies par le cadet : *coco ; ti-ng, ti-ng ; tu tu.* Il parle ainsi, le matin, étant au lit, pour déclarer : moi qui suis *Coco*, j'entends *piailler* les moineaux ; je vais bientôt déjeuner avec de la confi*ture*. Durant les six premiers mois de la troisième année, ces sortes d'énigmes resteront en vogue, mais dans l'intervalle plusieurs des phrases françaises du langage courant sont assimilées ; dorénavant, l'enfant est en possession des phrases régulières : sujet, verbe, attribut ; des phrases pléonastiques à double sujet : " papa, il travaille ", et surtout l'autre type : " il travaille, papa ", en y ajoutant les phrases impératives, les interrogations, et les exclamations. Les subordonnées introduites par des conjonctions (par exemple par " quand ") n'apparaîtront que dans les derniers mois, et rarement.

Parmi les phrases indiquées en dernier lieu, on aura remarqué deux espèces qui surprennent à première vue ; on est tenté de les croire trop difficiles à combiner de la part de jeunes enfants. La réponse n'est pas malaisée : ces phrases sont d'abord d'un usage très fréquent ; ensuite elles possèdent une qualité qui plaît dans le langage parlé, et surtout dans le langage familier. Que l'on compare la phrase régulière : " papa travaille " avec les deux exemples pléonastiques cités : il travaille, papa, et : papa, il travaille. Il y a, pour ainsi dire, plus de " substance " dans chacune des deux dernières, et on le fait sentir sans peine dans le ton qu'on y infuse.

Les dits enfants donnent encore, à la même époque, une preuve plus saisissante de leurs préférences. Le tour qu'ils emploient en majorité est le suivant : les *vaches* qui courent ! Cette phrase elliptique n'est indiquée dans aucune grammaire. Le premier linguiste qui l'a signalée doit être le regretté Alb. Sechehaye. Il a cité l'exemple qu'il a entendu : madame, votre broche qui tombe, dit par un percepteur de tram. Le linguiste opinait que la phrase relève du langage enfantin ou populaire. Cela ne veut pas dire qu'elle ait été inventée par les enfants, ni à leur intention. Elle semble tellement répandue qu'elle doit être apparue depuis longtemps dans le langage parlé.[3]

En résumé, en un peu plus d'un an, de jeunes enfants ont surmonté une tâche singulièrement féconde : après le gazouillis de leur première année, en apparence informe, désordonné, dépourvu souvent de signification, les voici maîtres d'un " discours " varié, riche de nuances et de force, car ils se sont approprié plusieurs procédés des plus expressifs.

LA PHONOLOGIE ENFANTINE.

C'est le titre que nous nous sommes permis de donner à la huitième partie de notre ouvrage. Il demande un mot d'explication, en vue de justifier le sens que nous désirerions lui accorder et que nous avons élargi. M. R. Jakobson, d'ailleurs, n'avait pas été loin, en achevant son livre, de mener à bonne fin cette

[3] Nous n'avons pas fait de recherches concernant son passé. Le relatif *qui* fait supposer une principale, et elle existe sous les formes " il y a... qui... ", " c'est... ", ou " ce sont... qui ", deux formules d'affirmation, ou par une indication telle que " vois ", " voyez ", qui se retrouve du reste dans les expressions " voici... qui... ", et surtout " voilà... qui... ". Toutefois il est très possible qu'une seule exclamation de surprise, de peur, d'étonnement, telle que : " les vaches ! ", soit suivie sur le champ de sa justification : " qui courent... ".

question de terminologie. Après s'être occupé des caractéristiques phonétiques du langage enfantin, il souhaitait d'y ajouter l'examen des phénomènes morphologiques, ainsi que des phénomènes syntaxiques. Il s'est abstenu de dénommer ces deux domaines. Or qu'avait-il établi ? N'était-ce pas la phonologie phonétique, puisqu'il avait limité son étude aux faits de cet ordre ? On sait qu'à présent la signification capitale et bien assise de " phonologie " est celle de caractère *fonctionnel*, ou de fonction. Sans doute ce composé renferme *phono-* ; mais nous rappellerons le sentiment exprimé par Alb. Sechehaye, que dans le langage tout fait retour à la phonétique, en ce sens que tout se rattache à la base matérielle des sons, à cette substance brute que vivifient les applications qu'on en fait. Aucun linguiste, croyons-nous, ne sera choqué d'entendre dire *phonologie phonétique* ; ne trouvera-t-on pas comme étant en harmonie les appellations de *phonologie morphologique*, de *phonologie syntaxique*, et pour être complet, de *phonologie du discours*, comme celle que nous venons d'esquisser en peu de phrases, à propos des jeunes enfants ?

Quoi que l'avenir en décide, nous réunissons ci-après un choix de particularités relatives à chacune des phonologies.

Nous nous arrêtons d'abord à deux phénomènes phonétiques qui, si l'entourage n'y avait pas mis opposition, auraient marqué le début, dans le parler des deux frères, de deux suppressions graves. L'une d'entre elles serait d'autant plus à supposer qu'elle s'est produite depuis des siècles dans une langue mondiale telle que l'anglais et dans un dialecte roman, qui est le wallon. L'*r* final, en position non accentuée, disparaît en français populaire, en wallon, en français wallonisé, *quat'* ; en wallon, *qwat'* ; *maît'*, en wallon, *maîs'* ; en anglais, dans les mots du genre de *fa:* ; *fò:* ; ou *fòə* ; *fiə* (*far* ; *four* ; *fear*), etc. Il en va de même d'un groupe consonantique, à la finale d'un mot ; cf. en wallon, *pwèt'* (" porte "), *cwèt'* (" corde "), et même à l'intérieur du mot, par exemple *pwètrè* (" porterait "), alors qu'on dit *pwèrté* (" porter ") ; en anglais, *niəli*, pour *nearly*, prononcé tout à fait à la façon de *really*.

Ces cas témoignent du peu de soin avec lequel la masse, à une époque lointaine, veillait à faire entendre une consonne *peu audible* et qui occupait *une position faible*. Son absence n'obscurcissait pas le mot, ni sa signification. La preuve en est que ces mots ont passé dans la langue normale.

Comment les deux enfants étudiés se sont-ils comportés dans le traitement de l'*r*, au moment où ils s'appliquaient davantage à bien imiter la prononciation des leurs ? Ils n'ont pas apporté beaucoup d'enthousiasme à ménager l'*r*. L'aîné a réussi à respecter de plus en plus la consonne avant la fin de la troisième année, en général après le 7me mois. Il a dû ce succès relatif à la sollicitude dont il était entouré par ses parents, et aussi à son désir constant de mieux faire. Le cadet, moins surveillé, a négligé plus longtemps la consonne. Mais à plusieurs moments, il a profité très rapidement de l'influence de son frère, qui, de ce côté, a été son principal éducateur.[4]

[4] L'assimilation de l'*r* ressemble à une longue et patiente conquête. Ses progrès ont été exposés en détail dans le livre à paraître. Nous en citons un, choisi parmi les plus intéressants. Une nécessité phonologique garantissait la présence de l'*r* dans les formes du futur : on n'a jamais entendu de forme à hiatus, telle que serait * fea pour " fera ". C'est aussi vers la fin de la troisième année que se multiplie le futur.

Avant de quitter la susdite consonne, il convient de relever à son propos une contradiction qui surprend à première vue ; elle devient instructive dans la suite. Les lecteurs de notre premier volume se rappellent qu'à l'âge de $2\frac{1}{2}$ mois, les deux enfants faisaient entendre des groupes *ere, re, erere*, répétés à satiété, dans un gazouillis durant plusieurs minutes chez l'aîné. L'*r* a survécu dans ces groupes jusqu'au 14e mois chez le cadet, et un peu plus longtemps chez l'aîné, ainsi que dans les groupes synonymes *ram ram*. Ajoutons que l'*r* entendu au début était précisément l'r *pharyngal non* roulé employé dans *le français de l'entourage*, celui que deux ans plus tard les enfants éprouveraient tant de peine à reproduire correctement.[5] Pourquoi les groupes *ere*, etc. ont-ils été délaissés, puis tout à fait oubliés ? Ces groupes, on le conçoit, vagues signes de bonne humeur, n'ont pas été repris par les auditeurs ; les enfants eux-mêmes les laissèrent s'évanouir.[6]

A la même époque que l'*r*, l'histoire des consonnes dites sifflantes, *s* et *z*, et de celles qu'on appelle *chuintantes*, *ch* et *j*, présente, elle aussi, des surprises de nature fort délicate. Les enfants demandent un temps considérable pour que, dans leur langage, ces quatre consonnes répondent assez exactement aux sons qu'elles représentent en français.

Appuyons d'abord sur le fait suivant : lorsque ces quatre consonnes se trouvent réunies dans une même langue, et si les deux groupes sont d'un usage à peu près aussi fréquent, comme c'est le cas en français, on s'aperçoit très tôt du nombre étonnant de confusions qui s'opèrent dans l'emploi des deux groupes. On constate en outre que ces échanges tendent à se faire *au profit des sifflantes* ; elles sont préférées aux *ch* et aux *j*. Si l'éducateur ne résistait pas à ces propensions, le sort en serait jeté. Les chuintantes risqueraient de céder le pas aux sifflantes. Celles-ci ont sur les autres l'avantage de consister en un sifflement très clair. L'articulation n'est pas compliquée, d'aucun des deux côtés ; mais le sujet parlant l'intervertit aisément, fort mal à propos. Son ouïe ne suffit pas toujours pour qu'il se mette en garde. On connaît le grand nombre de personnes qui zézaient. Nombre d'*s* et de *z* ressemblent à de mauvais *ch* ou à de mauvais *j*. Le plus souvent en effet, la pointe de la langue, qui normalement s'abaisse derrière les alvéoles des dents inférieures, se place derrière les alvéoles supérieures, ou tout au moins entre les deux rangées des dents.

Le nombre de zézayeurs passe donc pour être considérable. Toutefois si l'on faisait des calculs exacts, les chuinteurs, ou les chlinteurs, c'est-à-dire les déficients qui maltraitent les *ch* et les *j*, sont au moins aussi fréquents que les zézayeurs, mais on s'arrête d'ordinaire moins à critiquer leur défaut qu'à condamner celui dont pâtissent l'*s* et le *z*.

En effet, les observateurs constatent que des mots d'usage courant, tels que " déjà ", " jamais ", le " chat ", se disent comme s'ils s'écrivaient *déjà, *jyamais, *chya ; autrement dit, le *ch* et le *j* se palatalisent de plus en plus.

[5] Dans la suite, il s'y adjoignit des *r* roulés de la luette, et même des *r* labiaux roulés (dans le groupe *br*).

[6] Comment expliquer le savoir-faire inattendu des enfants, tout près de leur naissance, lorsqu'ils ont usé spontanément de l'*r* ? Dans notre premier volume nous avons invoqué une cause physiologique. La position constante du bébé, à cette époque, est la position couchée sur le dos. Le souffle rencontre les parois du pharynx ; elles sont légèrement contractées, ou simplement rapprochées ; soumises au frôlement de l'air, elles produisent la fricative de *ərə*. Quant à l'*ə*, c'est la voyelle " neutre ", à peu près la même en français en allemand, en anglais.

Dans la majorité des cas, la pointe de la langue se pose derrière les alvéoles de la mâchoire inférieure, position absurde, et qui est celle de l'*s*, ou bien elle se relève vers le palais, mais avec le défaut de se porter trop en avant et de se palataliser ; le même défaut peut également altérer le premier cas cité : si la pointe de la langue reste en bas, c'est la partie antérieure qui se relève, mais aussi trop en avant.

Chose curieuse, les jeunes enfants demandent de nombreuses années pour se défaire de cette palatalisation, qui semble s'imposer à eux, malgré les corrections. Une fois qu'ils entrent à l'école, ou qu'ils y reviennent après les vacances, le redressement souffre encore plus de difficultés à réussir ; ils entendent autour d'eux trop de condisciples incorrigibles.

Tout bien considéré, nous nous trouvons, en terre de langue française, en présence de deux écueils : le premier est *le voisinage relatif* de deux groupes de consonnes, les sifflantes et les chuintantes ; l'autre, *la palatalisation*, qui se greffe sur les chuintantes, même si l'on s'abstient de porter la pointe de la langue en bas. La ténacité avec laquelle les enfants en âge d'école et même les adolescents palatalisent semble indiquer un besoin, celui de donner aux chuintantes un aspect phonétique assez marqué pour les distinguer nettement des sifflantes. Si cette raison est exacte, il est à prévoir que l'on continuera de plus en plus à y satisfaire. Dans un temps qui n'est peut-être pas très éloigné, la jeune génération serait en général gagnée à l'adoption des chuintantes palatalisées, *chy*, *jy* : *chyat, *déjyà.

Les exemples précédents ont trait à la phonétique. On voit à suffisance les fortes similitudes qui apparentent le langage des enfants et les parlers primitifs ou populaires. La même parenté existe dans les questions de morphologie, de syntaxe, et nous citerons quelques exemples choisis parmi les plus originaux.

Le but que poursuit l'enfant, surtout à partir de la troisième année, est de s'assimiler la langue de son entourage. Mais il n'accomplit pas sa tâche à la façon d'un perroquet, qui y réussit phonétiquement, sans rien y comprendre. L'enfant sait ce qu'il dit (sauf erreur toujours possible) ; mais il est personnel ; il est lui-même, doué de facultés, qu'il met en train ; il ne redoute pas de le montrer, si ses éducateurs ne lui en inspirent pas la crainte.

Aussi, les occasions les plus fréquentes où sa volonté d'action a des chances d'apparaître existent en quantité, dans toutes les langues du monde, du moins dans les langues indo-européennes et dans leurs descendantes. Aucune d'entre elles n'est exempte d'obscurités, de complications, de manque d'unité, d'exceptions, de difficultés gênantes, pis encore de contradictions. Ces irrégularités, le plus souvent débris conservés de couches anciennes, déroutent l'enfant. Il recourt à la simplification des divergences, autant qu'il le peut, sollicité, sans qu'on le lui signale, par de puissantes analogies, vraies ou fausses. Des peuples entiers out agi de même, et continuent à le faire, mais dans une mesure beaucoup plus réduite, à cause de la langue écrite, de la diffusion de plus en plus répandue de l'instruction, et du caractère de celle-ci, c'est-à-dire en général conservateur, et parfois timoré. Grâce à son jeune âge, l'enfant, n'éprouve guère de crainte ; il opère avec la franche liberté d'un apprenti novice ; il ne croit pas se tromper, guidé par une logique, sans doute élémentaire, par manque de connaissances.

1. — Dans notre premier livre, nous avons discuté le rôle faible joué par les articles, et surtout par l'article défini, auquel les deux enfants se montrent encore assez souvent réfractaires, même l'aîné.[7] Ce peu d'entraînement à l'exprimer provoque les confusions spéciales appelées agglutinations et aphérèses. Les phénomènes de ce genre se prolongent pendant la troisième année, et même accidentellement, par delà. Dans les premiers temps, les mots plus usuels, tels que " œuf ", " âne ", " arbre ", " oiseau ", " église " témoignent de l'impression vague que les articles laissaient dans l'esprit en s'accolant aux substantifs. Ces mots s'affublent à l'initiale aussi bien d'un *n* que d'un *z* (l'*s* du pluriel de *les, des*), ou par surcroît, d'un *t* (après " grand ", " méchant ", etc.). Voici une petite scène, survenue sans qu'on l'ait provoquée. On met à l'épreuve l'aîné, non à propos de l'article, mais en vue de rectifier la finale *-rbr*[e]. L'enfant dit d'abord [re]gardez *le grant' arpe,* avec la liaison d'usage ; il répète : gardez le *z-abe,* puis de nouveau, le beau *z-abe,* qu'il change en : le beau *t-arbe.* On l'interroge encore sur le mot ; il revient au *z* initial : c'est *un z-arbre,* et retombe ensuite sur le *t.* Encore au début de la quatrième année il disait un petit *n-arpe* (à cause de un-*n-arbre*), le grand *n-arpe,* et même : *au l-arpe.*

2. — *La* et *là* sont construits identiquement, mais beaucoup de traits les séparent. L'article est chétif, ainsi qu'on vient de le voir ; il se réduit à *l'* dans *l'alaisse,* et s'incorpore même dans : une *l-alaise.* L'adverbe *là* reste solide en tout temps dans le langage des enfants, sauvé par sa signification, et par son indépendance relative.

Seulement les enfants se permettent des hardiesses que, par habitude, nous condamnons, et que nous appelons des fautes. Celles qui suivent témoignent cependant de coïncidences de fonctions ou de signification que les petits perçoivent ; elle les entraîne à trop rapprocher les deux mots *là* et *ça,* dont ils font même des synonymes, par exemple l'expression *accroché à là,* qui serait normale sous la forme : " accroché à cela ", ou " à ça ". Dans ce dernier exemple, " ça " joue le rôle d'un substantif. L'enfant en tire une conséquence ; il l'emploie comme tel, avec l'article, en disant : moi, je vais [re]ga[r]der *le ça* (c'est-à-dire le bel objet que voici.[8] L'adverbe *là,* que nous venons de voir l'équivalent de *ça,* aura aussi son tour, dans l'expression : su[r] *là,* su l'eau, dit au 2e mois de la troisième année. Elle réapparaissait quatre mois après : pas su[r] *là.*

3. — La partie pronominale de la grammaire française, malgré les simplifications qui l'ont améliorée, comparativement au latin, renferme encore tant de particularités que les enfants de deux ans accomplis n'en acquièrent pas aisément une connaissance complète. L'aîné des deux enfants, voulant toujours bien faire, commet un excès de rigueur logique, à propos des formes du pronom relatif.[9] Il s'agit de la phrase : " toute la chaudière *qui* tombe ! ". L'enfant, qui connaît ce type d'expression, ainsi qu'on l'a vu, crée lui-même cet exemple, mais modifie comme suit le *qui* : toute la chaudière *qu'elle* tombe. On ne lui a

[7] Le plus consciencieux des deux, et le seul existant à cette époque, donc le seul surveillé et conseillé.

[8] Il s'agit d'un joli coupe-papier ; le manche imite un tout petit pied de biche en corne, avec des poils véritables.

[9] Le pronom le plus dangereux qui soit pour les débutants, à quelque langue qu'il appartienne.

jamais parlé du genre des mots, ni du féminin ou du masculin. Mais il sait que lorsqu'il est question d'une chaudière, on dit : *elle* tombe,[10] ainsi que *une grande* chaudière.

4. — Le système des conjugaisons est un champ considérable, en dépit des simplifications nombreuses et importantes que la langue parlée y a introduites, tant dans les formes que dans les temps, les modes et les voix. Pendant la troisième année, la tendance est déjà fortement ancrée chez les enfants de ramener au modèle commode de la première conjugaison les formes ou types de formes irrégulières qui encombrent les autres. Pour ne citer qu'un exemple, l'infinitif *buver* que R. de Gourmont avait déjà publié comme existant, se retrouve, réinventé par notre cadet.

L'aîné, plus rapide à s'assimiler les formes dites correctes, pèche d'un autre côté. Il admet moins aisément la conjugaison des verbes réunissant plusieurs radicaux d'apparence disparate. Le plus bel exemple en est " je vais — nous allons — j'irai ", du même genre que le grec ancien *ὁράω* Les sympathies de l'enfant se portent naturellement sur " aller " ; il en tire un futur régulier nous *allerons*,[11] supprimant le radical isolé dont " irai, etc. " sont les seuls débris.

5. — Les verbes réfléchis nous paraissent très opportuns ; nous ne pourrions nous en passer. Mais ils entraînent le grand embarras des pronoms réfléchis, et l'enfant ne s'y retrouve pas. Aussi fait-il retour au traitement des verbes simplifiés dans leur signification. Le verbe *seul* peut à l'occasion jouer le rôle de verbe réfléchi : *i sauffe*, papa (= papa se chauffe), dira l'enfant de deux ans et demi, tout aussi bien que : *le chat chauffe* (derrière la vitrine, au soleil), et que *la boisson* " chauffe ". Il existe en français des verbes à sens actif et à sens intransitif (que la nuance soit passive on réfléchie), tels que : on peut *varier* la couleur ; la couleur *varie* ; son humeur *varie* tout le temps, et même : il *varie* tout le temps. La latin classique possédait aussi de ces curiosités, par exemple *variare* lui-même. L'ancien français n'en était pas dépourvu. Voilà donc un des verbes privilégiés, bons à servir à trois fins : il renferme en soi l'idée de changement ; elle s'applique comme il convient, suivant l'occasion, aux mots qu'elle concerne, soit qu'ils la subissent, soit qu'ils se la fassent subir, soit qu'on les y soumette. L'aîné se créera sans peine une conception commode de certains verbes en assouplissant leur fonction significative et grammaticale sans nuire à leur clarté. Il se servira par exemple pendant des mois du verbe quotidien *lever*, en lui donnant les sens de " se lever ", de " levez-vous ", ou de " levez-moi " (de ma chaise), sans compter le sens de : faire (se) lever. Il lui faudra un long laps de temps avant qu'il adopte la construction réfléchie. Il a même, au début de la quatrième année, imaginé un verbe réfléchi, en élargissant de plus la signification du verbe : tu vas *te mourir !* (c'est-à-dire te tuer).

6. — Durant la troisième année, les enfants accomplissent d'ordinaire la tâche importante d'assimiler une part du vocabulaire usuel. Ce qu'ils en avaient appris lors des deux années antérieures était minime : en fait de mots notés à l'audition, l'aîné : 132 mots, le cadet : 113. L'année d'après se révèle plus

[10] M. H. Frei, dans *La grammaire des fautes*, p. 189, cite des cas de *qu'elle* au lieu de *qui*, recueillis dans des lettres de prisonniers de guerre, par exemple : ce n'est pas ma sœur *qu'elle* écrit.

[11] M. H. Frei ne mentionne pas ce néologisme à propos du verbe " aller " dans la correspondance populaire qu'il a parcourue.

fructueuse. L'aîné atteindra un total de 1293 mots. Ce chiffre dépasse un peu la moyenne que M. et Mme Stern ont établie, en réunissant un certain nombre d'autres statistiques déjà publiées. Leur moyenne va de 1000 à 1100 mots. La nôtre pourrait être plus près de la vérité. Nous avons en recours pour la dresser à une méthode *double*, à laquelle l'aîné a été associé, et qui est exposée dans notre livre. Nous y renvoyons le lecteur.

Pour le moment, nous préférons appeler son attention sur une activité de nature importante que les enfants font entrevoir pendant la quatrième année, et qui peut se développer les années suivantes, à des degrés divers. Ils ne se bornent plus à s'approprier le plus fidèlement possible les mots usuels qu'ils entendent : il leur arrive d'en façonner eux-mêmes, avec plus ou moins d'adresse, soit qu'ils ignorent le terme exact, soit qu'ils lui préfèrent un autre vocable. En effet ils élargissent parfois le sens du mot employé, non au hasard ni pour plaisanter,[12] mais au gré d'une comparaison, d'une sorte d'image. En voici deux exemples. L'aîné, au milieu de la quatrième année, a vu passer les jeunes filles d'un pensionnat ; il les appelle des élèves. Un peu plus loin, on s'arrête devant des plates-bandes, où surgissent les pointes vertes de boutures bien alignées ; l'enfant s'écrie : on dirait *des élèves*. Six mois après, il fait la remarque : les dames des automobiles qui ont des figures *en rideau* ; *rideau* employé pour " voilette ". Depuis lors, il n'a pas cessé, par occasion, de substituer à la banalité des mots courants une expression frappante, non qu'il ait jamais manifesté des velléités poétiques. Un jour, il dit ressentir un mal roux, soit indéfini, lourd, par opposition à un mal *piquant*. *Roux* témoigne d'une observation exacte, tant celle du malaise que celle de l'impression laissée par la couleur. Il ne s'y trouve pas la poésie pregnante qui fait briller *l'infime alerte d'or* de P. Valéry.

On ne possède que très peu de renseignements sur les trouvailles semblables aux précédentes. Elles doivent se faire plus fréquentes chez les jeunes Français des régions non dialectales. La pratique de la langue maternelle depuis le premier âge leur fait acquérir plus de souplesse et encore plus de spontanéité. La plupart du temps, ces petites inventions tombent dans l'oubli. Ce sont des pertes que très souvent le linguiste souhaiterait de voir réparées.

L'un des premiers juges de notre second volume, le dialectologue M. L. Remacle, a fait observer dans son rapport que la linguistique enfantine rendrait des services *à la pédagogie* des tout petits. C'est en effet l'idée que nous exposons au début de nos conclusions. En surveillant la prononciation de notre aîné et en lui disant les noms des animaux, des plantes ou des outils, etc...., notre but n'était pas de commencer son éducation linguistique et moins encore sa formation grammaticale. Mais notre souhait était de diriger son attention sur une des fonctions les plus élevées de la vie humaine. Sans aucune préoccupation scolaire, au hasard des promenades, des jeux, des occupations ménagères, des petites narrations, fables ou aventures racontées pendant les courts loisirs, cent détails apparaissent, relatifs au langage. Evidemment un choix devait en être fait, mais l'enfant gagnait l'habitude de parler, de discuter, de soigner sa parole autant que ses raisonnements et ses idées. Bref, il s'occupait de cette

[12] Cas qui peuvent se présenter, mais dont nous ne nous occupons pas ici.

linguistique enfantine avec autant de soin qu'il songeait à son maintien, à sa démarche, à ses petits travaux de jardinage, etc.

Cette ébauche de culture linguistique, si minime soit-elle, nous paraît fort peu répandue. Nous le regrettons vivement. Il ne faudrait pas y consacrer beaucoup d'efforts pour que l'intérêt en restât toujours actif. Et s'il se répandait davantage, la linguistique elle-même n'en retirerait-elle pas quelque profit ? Cette science, assez jeune comparée à ses sœurs, est-elle aussi bien connue qu'elle le mérite ? Nous n'oserions trop l'affirmer. Si elle l'était davantage, certains problèmes linguistiques trouveraient aisément une solution. Permettez-nous, en terminant, d'en rappeler un seul exemple. Il nous éloigne en apparence, le plus qu'on puisse imaginer, du petit monde dont nous avons discuté, et cependant.... Les poètes (il s'agit d'eux) ne semblent pas connaître entièrement leur propre langage ni même se plaire à ce qu'on les renseigne. Mais l'étrangeté du cas est trop grave pour qu'on n'y revienne pas ni qu'on ne le déplore. Nous songeons à la versification française, dont les manuels officiels renferment les règles. L'*e* caduc compte encore de nos jours comme ayant la valeur d'un pied, alors qu'il n'existe plus en français parlé, depuis des siècles, dans une foule de cas. Dès 1913, nous conférencions à l'université de Liège sur la vétusté qui déparait les vers dits " académiques " par certains. A les lire, à les écouter lire comme ils doivent l'être, on pense à des comédiens accoutrés à des modes très anciennes, rien qu'à entendre, à chaque vers, ressusciter un ou deux *l* caducs. L'habitude prise peu après notre âge d'école est un leurre ; elle cache un écart abusif loin de la réalité phonétique. Le français employé en poésie est artificiel. Inutilement, car le français moderne n'a nul besoin de subterfuge. Sa prononciation a ses beautés, indéniables ; elle se passe fort bien d'oripeaux antiques. Il suffit de lire de beaux vers à sujet élevé comme ceux que nous avons cités dans notre article révolutionnaire publié jadis.[13] Ils sont l'œuvre d'un des rares poètes qui ont réalisé la réforme nécessaire. Ses trois quatrains, lus de vive voix sans superfétations orthographiques, ne choquent personne et ne paraissent vulgaires en ancun point. Un autre poète belge, Melle Elise Champagne,[14] s'est montrée plus réservée, mais elle a transgressé l'interdiction à l'intérieur des vers des mots à finales *-ie*, *-ée*, *-ue*, une fois que l'élision n'est pas possible devant consonne initiale, ou que l'*s* du pluriel y fait obstacle. Or toutes ces finales n'existent plus ; les reproduire dans une prononciation qui prétendrait être soignée, serait trahir une origine provinciale. Les poètes d'à présent admettraient-ils encore avec une foi aveugle, de favoriser des absurdités orthographiques, au lieu de rajeunir le vocabulaire poétique en multipliant les possibilités d'emploi ?

[13] Sous le titre, exagéré à dessein, *La poésie future*, où est fait l'éloge de la versification nouvelle (Revue belge de philologie et d'histoire, Bruxelles, 1926 ; cf. p. 34). L'auteur des quatrains, M. R. Limbosch, a publié lui-même des notes excellentes sur les réformes qui sont à préconiser.

[14] Dans un recueil de beaux poèmes : *L'enfant perdue*, Liège, 1946. Cf. ces vers : La Fraude à l'amour vénal.... — Fait briller dans la nuit lunaire — Les diamants verts de son corps — Et fascine les vieux faussaires — Des perfid*ies* de sa voix d'or.

24 ON THE NEUTRALISATION OF SYNTACTIC OPPOSITIONS

C. E. Bazell

Four types of non-paradigmatic relation, each applicable to the planes of content and of expression, have some bearing on our subject :

(i) The relations in a given chain, i.e. *in praesentia.*

(ii) The relations in the system which these manifest, so far as they are relevant. For instance in the expressive chain *ab*, *a* and *b* are successive. But this succession of speech-units need not answer to anything in the system. To prove that it does we must show that the reverse sequence *ba* stands in distinctive contrast, i.e. that the reversal of phonemes is capable of calling forth a difference in content. If in principle it can, then the relation " before-after " corresponds to an opposition in the system, in the same right as the relevant features of the phonemes themselves.

(iii) The syntagmatic functions, e.g. " selection ".[1] These are faculties for combination in the chain, and hence cannot of course be applied to the relations in any given chain.

(iv) The relations between the terms in a pattern, e.g. subordination. If in the pattern of which the combination of attributive adjective and substantive is an example, the functions of one member (e.g. the substantive) alone are similar to the functions of the whole group, this member is said to be superordinate. The same relations may hold between phonemes in the chain. They might in some sense be called relations *in praesentia*, but they are clearly of quite a different kind from that of succession. For the relation of succession is given in the chain in question, whereas that of subordination can only be determined through the behaviour of the units in other environments.

It is to be noted that the relations under the second heading themselves form paradigms. Whereas one term preceding another in the chain is in syntagmatic relation with it, the relation " before ", regarded as a relevant unit in the system, is paradigmatically opposed to " after ". The sequence *ab* contrasts, *in absentia*, with the sequence *ba.*

In some languages the order of units within the morpheme has no distinctive function. In North Chinese (Mandarin) the phonetic order of consonants is

Reprinted from *Travaux du Cercle Linguistique de Copenhague* 5 (1949) : 77–86, with the permission of the author and of the Linguistic Circle of Copenhagen.

[1] Cf. Hjelmslev, *Omkring Sprogteoriens Grundlæggelse*, pp. 21–37. Cited here as *OSG.*

fixed, except for *n*; of the other consonants *r* is always final, while the remaining consonants are always initial. In many languages the sequence of phonemes within the syllable is entirely fixed; this is not common in European dialects, but Old Slavonic, before the loss of the "reduced vowels", may probably be cited.[2] In other languages the orders of one class of unit could be regarded as distinctive, while the sequence of the other units would follow automatically. For instance, it would often suffice to describe consonants as final or non-final, from which all other relations would ensue.[3] But where the sequence of units is in principle unfixed, and is regulated only in certain environments or in the case of certain phonemes, it is still unusual to speak of neutralization.

For this fact there are doubtless two reasons. These neutralizations have few morphological effects. Only rarely the replacement of one order by the other, i.e. "implication"[4] in the domain of sequence, involves a morphological transposition, a reversal in the order of phonemes expressing a morpheme. But many neutralizations of phonemic oppositions are also incapable of entailing alternations of morphemic expression. This is true for instance of the neutralization of the opposition *m/n* in final position in Greek, as contrasted e.g. with Finnish. Inversely, implications of order occasionally entail morpheme-alternations: for instance in Hungarian, where the opposition of order is suspended for the combination of *r* and *h* within the morpheme, inflected forms from the stem *teher* "burden" are of the type *terh-* (for **tehr*). No fusion in the expression of plerematic units is here involved, similar to that of Russian *rod-* "race" and *rot-* "mouth",[5] since by chance a noun **tereh* in distinctive opposition is lacking. But it is clear that this fact is irrelevant to the principle.

The second reason has still less relevance. This is the common tendency to treat terms and relations in the light of quite different criteria. That this tendency is unjustified follows from the fact that the distinction between term and relation is not "given": it is the result of an interpretation. The fact that a reversal of expressive units is capable of calling forth a difference in content implies that their order answers to something in the system, but it does not follow that this feature in the system is the relation of order. For order in the chain, even if relevant, could be replaced by some non-relational substance without the system being affected. Let us suppose order replaced

[2] According to one view, supported by Trubetzkoy, *n* could occur in syllabic final as well as initial position. Trubetzkoy based his opinion mainly on the use, in the Glagolitic script, of a distinct graphy for the nasal where most modern dialects show a nasal vowel. Since, however, this sign is distinct from that for initial *n*, a separate phoneme can probably be posited. This may well be the best structural interpretation of final nasal in Chinese, the increase in number of phonemes thus entailed being compensated by the simpler formulation of the principle of the irrelevance of position.

[3] This would seem to be the position in most Tibeto-Burman dialects. Trubetzkoy (*Grundzüge*, p. 220) gives a different account of Burmese, according to which "Konsonanten . . . im Wortauslaut nicht geduldet werden". It is difficult to see how the system could bear this interpretation. But if it were correct, it would follow that order could not be a phonological feature within the Burmese word, a consequence he did not draw.

It is to be noted that in a system with only two orders distinguished in their actualization by position relative to a unit regarded as itself without order, we should not have to do with a feature answering to the functional definition of order implied below.

[4] Cf. Hjelmslev, *Note sur les oppositions supprimables*, TCLP VIII, p. 55, and *OSG*, p. 81.

[5] Cf. *Note sur les oppositions supprimables*, loc. cit.

by pitch : a given order in the chain would be replaced by a given absolute degree of pitch, and the actualization of the phonemes could then take place in random sequence. Now the pitch of each phoneme may be determined without reference to its environment, hence the relations in the actual chain would count for nothing.

It seems likely that, presented with such a norm, the analyst would be inclined to interpret the various degrees of pitch as features of the phonemes rather than as relations between them. And yet the pitches are mere substitutions of the orders, and as such must manifest the same system. The characteristics of order would of course be kept in the new substance (pitch) : i.e. pitch 3 would presuppose pitches 1 and 2, and so on. This is all that is meant by order, and if we have decided to treat it as a relation the new substance will not affect the analysis. But we could have decided otherwise.[6]

So far we have taken order as our example of a syntactic relation. In the plane of expression three levels have been mentioned. Firstly phonetic order. Secondly phonemic order, i.e. order of which the relevance has been proved but which, so to speak, is still tainted with the substance : its definition is of the same sort as that which the Prague School would give for vowel or consonant. Thirdly order in the system, which must be given the sort of definition which glossematics would demand for vowel [7] or consonant. At this third stage " after " and " before " are mere labels for a relational opposition. If we were to substitute one member of the opposition for another (that is to say, in practice, if we were to reverse all chain-sequences) the system would remain the same.[8] But this does not exhaust the levels of order, since there remains another type of order which rightly enjoys this name, since it has the same structural definition [9] though in a different field. This is the so-called " structural order ", as when it is said that German *wird kommen können* has the structural order " wird — können — kommen ", or better " wird-können/ kommen ". By this it is meant that the syntactic system of German forces us to take *wird können* and not *wird kommen* as a unit in this case despite the ostensible sequence. It is true that this also answers to the relations in content, but that is not the same fact. The distinction may easily be illustrated from the purely expressive level. Let us suppose that we transposed the first two phonemes in all English words and presented the result to a phonologist for analysis, as though it were the material of an actual language. He would soon discover that the combinatory rules in this new language often favoured treating

[6] It is usual to interpret the prosodic features as qualities of units (prosodische Eigenschaften), though in the chain they are actualized as relations between units, as is peculiarly obvious with the " Anschlussarteigenschaften ". It may well be here that the system would better be interpreted in agreement with the substance.

[7] The present writer is unable to agree in detail with the definitions of vowel hitherto offered in glossematics, so far as they are familiar to him ; and believes that the ultimate definition is more likely to be in terms of subordination than of determination. But the principle stands.

[8] It is sometimes forgotten that such substitutions can only be carried out with minimal features. We could not substitute *p* for *k*, in a language possessing *b* and *g*, without affecting the system. Still less could we substitute one word-meaning for another, as has recently been suggested ; the minimal units of content would alone provide the basis for such an operation.

[9] This definition would not entail that order be taken as a relation. If it is, then an isolated term cannot be said to have order ; whereas if it were chosen to call order a feature of the unit, an isolated unit would be said to be " first " : a mere difference of convention, but one which might well be suggested by the morphological system of the language concerned.

the first and third phonemes as a phonemic syntagma. In other words the "structural order" would not be so different from that of English as the actual order. That it nevertheless would be different derives from the fact that the actual order also has structural relevance, and would have to be taken into consideration like every other feature of the system. For this reason the term "structural order", which we keep here for want of a better, is not very fortunate. The difference is that between a syntactic relation of the second, and of the fourth, type; that is to say that "structural order" belongs to the same level as subordination. Whereas relations of the second type appear from an inspection of the individual chain, providing only that we know how they are manifested in the substance in question, those of the fourth type are only discovered through a comparison of different chains, even after such comparisons as are necessary for the establishment of the relevant features have been undertaken. The latter we call pattern-relations. Relations of the second type will be termed in contrast *overt* relations.

The overt relations are directly manifested in the actual chain-relations, or at least in some features of *la parole*, capable of calling forth a distinction upon the other plane. For the pattern-relations on the other hand the question of relevance cannot arise: they are relations between types of relevant features, or rather the schemes into which these may enter. An expressive pattern has no content, though it may be necessary to recognize the pattern before we can recognize the meaning; for semantic oppositions may be expressed by the position of an expressive feature in the pattern, which, though not itself having content, provides the framework without which position could not be conceived. The patterns are, as it were, the chess-boards on which the game of meaning is played; though to render the analogy more close one would have to imagine that the board, in chess, could only be guessed through the arrangement of the chess-pieces. In some artificial systems, such as that of mathematical symbolism, the pattern is necessarily deducible from the units and their arrangement, and this is often true of part-systems in natural languages, e.g. within the phonology of the word. But more often this is not so, which in practice means that even when each term in the chain can be unambiguously interpreted, the chain as a whole may remain ambiguous.

There is a natural though not a necessary correspondence between the pattern-relations and the overt relations, and again between these and the actual relations in the chain. The latter correspondence derives from the fact that, though logically form precedes substance, historically substance precedes form. This form may afterwards be manifested in new substances, but the tension between the old form and the new substance[10] is always plain. We shall assume below that the overt relations answer to their manifestation in the chain, since it is outside the scope of this note to define them. It is rather the pattern-relations with which we are concerned.

The pattern-relations of *subordination* and *cohesion* have in common that they presuppose structural order: the latter can be concluded from either. Cohesion

[10] There is for instance an obvious tension between the graphic substance and the system of a natural language, which was never intended for actualization in two-dimensional space; though in a limited degree the form is already influenced by its new mode of manifestation, cf. the possibility of a new "taxeminventar" or new categories (*OSG*, p. 92).

is the degree with which two units combine to make the equivalent of a single unit: for instance if of the two groups *en* and *ne* the former may unite with much the same preceding and following elements as a simple vowel, or may combine with supra-segmental features such as the tones in the manner of a single vowel-phoneme, whereas the latter cannot, then *en* has closer cohesion than *ne*. If in both these combinations the combinatory possibilities of the whole group are more similar to the vowel's than to the consonant's, then the vowel is superordinate, and the consonant subordinate.

But these relations only hold on condition they are characteristic of the pattern to which the group belongs. When a group is not characteristic of its pattern, i.e. when one at least of its members is used in a " marked " function, the relations are those which customarily hold between the members of the pattern. Thus *ai* may be equally commutable with *a* or *i*, but if *ai* belongs to the same pattern as *al*, *ar*, *at*, *as* etc. and if *a* is superordinate in these groups, it is also superordinate in the group *ai*. Since the superordinate is the unmarked term of the opposition *super-/subordinate*, it may be replaced by the term " central " and this used when there is only one member as well.

The natural equivalents of cohesion and subordination among the *overt* relations are juncture and relative prominence. Two units in close cohesion tend to unite more closely in the chain. The central element tends to be more prominent. But there is no necessary association. Two units in close cohesion may not even be adjacent in the chain, whereas the central unit, as above defined, may be less prominent than the subordinate.

When two units are simultaneous in the structural order, the opposition of subordination is neutralized, i.e. there is co-ordination. This answers to the obvious fact that when two features (e.g. vowel-quality and nasality) are simultaneous in overt order, no distinctions of prominence (e.g. syllabic/asyllabic) can be made, as between the two features.

The fact that two groups belong to the same pattern cannot be determined by the fact that the interior relations (e.g. cohesion or subordination) are the same, since this would involve circularity: it is the general characteristics of the pattern which determine the relations posited for a given group. The test of identity of pattern is the mutual substitution of two groups, and the question of interior relations comes after.

This is of special importance for another pattern-relation, that of determination. By determination we understand, with the glossematicians, presupposition, but apply the term here not to a syntagmatic function but to the general relations in the pattern. One unit will be said to determine the other if the bulk of elements having the same position in the same pattern presuppose a member of the class to which the other element belongs, but not vice versa. In this we follow the conventional usage whereby a substantive is said to determine another substantive if it fills that place in the pattern which normally falls to an adjective or other semanteme whose " unmarked " function it is to accompany a substantive. On the pure plane of expression the determinant is normally also subordinate, e.g. the fact that the functions of *ba* are in general the functions of *a* is due to the fact that *a* may, like the whole combination, stand alone, i.e. it does not determine *b*. But in morphology it is common that an element should show all the characteristics otherwise associated with a superordinate while remaining determinant. That verbs are the determinants of their subjects is evident, at least on the side of content. At the same time the verb combines, in the expression, with those inflections which embrace the whole nexus [11] inclusive of subject, i.e. is treated as central in the nexus. Again morphemes commutable [12] with nexus, e.g. the impersonals, are verbal rather than nominal. Thus the verb in predicative function, although determinant, is that member of the group whose characteristics are more nearly the characteristics of the whole group. Hence its final position in the phrase in those languages in which the subordinate, with normal word-order, always precedes.

Unlike the other pattern-relations, determination can have no overt equivalent, for the simple reason that one unit could not be " seen " to presuppose another in the actual chain unless the latter were in fact necessary, so that the relation between the two units would be irreversible and hence irrelevant. This objection does not apply to determination itself, since a pattern in which one set of terms, taken in general, presupposes another, may be filled in a given chain by two terms in the inverse relation.

It is comparatively rare that the three relations of cohesion, subordination and determination should be all completely independent of one another, but an instance is provided by the combination of verb and noun in European languages :

(i) The verb may be either central or subordinate with respect to the noun without alteration of cohesion or determination : cf. verb with object and participle with superordinate noun.

(ii) The verb may have different relations of cohesion with the noun, without alteration of subordination or determination : object and subject are both subordinate determinata but with different degrees of cohesion (cf. above).

(iii) The verb may have different relations of determination vis-à-vis the noun, without alteration of cohesion or subordination, cf. the use with object and that with noun in " adverbial " function.

With reference especially to the last of these three possibilities, it must be added that the comparison of almost any two groups will yield differences of cohesion. When however these are as small as is compatible with the other differences of relation, they may be regarded as irrelevant.

The oppositions between pattern-relations could be regarded as neutralized whenever two morphemes can enter into only one of two given relations with each other. But in practice it is not profitable to speak of neutralization except when all members of the paradigms in question stand to each other in a fixed relation. The most obvious instance is the relation of most inflectional morphemes to the stem they determine. The inflections of tense, for example, are naturally always determinants of the verbal semanteme ; they have a fixed cohesion with the latter and are always subordinate, i.e. the stem is

[11] Cf. Hjelmslev, *Essai d'une théorie des morphèmes* (Actes du IVe congrès des linguistes), p. 143, and *Mélanges...J. Marouzeau*, p. 276.

[12] This commutability applies of course only to the third person, which is one reason why the cohesion of subject and verb must be regarded as looser than that of object and verb, which has wide commutability with intransitive stems. Indeed the cohesion of subject is the loosest compatible with the role of determinatum to a unit adjacent in structural order.

decisive for the functions of the whole group. The degrees of cohesion vary from one inflection to another, and are less close by definition than for basic affixes, but within a given paradigm they are generally constant. Not all inflections have a subordinate character: the inflections of case and mood are decisive for the functions of the word-complex; but their relation to the stem is clearly incapable of being reversed in this respect.

To such morphemes as the last the notion of determination is hardly applicable at all on the level of content. For the determination of noun by transitive verb, where three morphemes (verb, noun, accusative) are concerned, means that the verb presupposes a noun in a given relation; and it is precisely this relation which the accusative expresses. In other words the content of the inflectional morpheme is here the relation involved in the fact of determination. It is thus meaningless to speak of this relation as holding between the accusative and the stem-morphemes.

This is even more obvious for the morphemes of congruence, such as adjectival gender or number. Here the morphemes express not a given relation but the fact of relation to a given other unit alone. They answer, on the plane of content, to the relations of structural order themselves; while the relations they bear to other expressive units correspond to nothing in content.

The fact that within the limits of the word syntactic oppositions are often either neutralized or, in special cases, inapplicable, was the structural basis of the old convention according to which relations in the word did not come under the heading of syntax at all. This convention was less harmful than the assumption, which it usually accompanied, that syntactic relations hold between words considered as wholes. This assumption could never be carried to its logical conclusion in any description of language; for the rest the traditional notion of inflection as opposed to formative affix depends precisely on the fact that the former does not, or does not necessarily, unite with a stem to form a unit in the chain. That syntactic relations cut across word-boundaries was therefore implicitly recognized in traditional grammar, though it coexisted with the incompatible view of the word as fundamental unit in the chain of discourse. Its importance on the level of expression cannot be denied, in the same right as that of syllable or phoneme; [13] but like the latter it has no necessary correspondence with any unit or complex in the content.

Why then should there be a correspondence, however rough, between the expression of units within the word and the neutralization of syntactic oppositions? Partly no doubt because it is precisely the role of the word-cliché to assume responsibility for the arrangement of elements, thus removing the burden of choice from the speaker. Historically, the causes which operate

[13] In many languages the word might be defined as the maximal unit within which there are no oppositions of juncture, just as the syllable might be defined as the maximal unit in which there are no oppositions of prominence and the phoneme as the maximal unit in which there are no oppositions of order, i.e. the phonemic features are necessarily simultaneous. In other languages there are different degrees of juncture in the word, e.g. looser junction for composition than for inflection, or different degrees of prominence within the syllable, in relevant opposition (at least if the "Silbigkeitskorrelation" [Trubetzkoy, *Grundzüge* 139] answers to the same functional definition within the syllable as the "Betonungskorrelation" for the relations as between one syllable and another). It seems likely that the same relations may be repeated at different stages of the hierarchy, so that the former cannot be used to define the latter.

towards the unification of different elements in the body of a single word are the same as those which operate towards neutralization in general. It is therefore not surprising that the oppositions of relations within the word are often fewer than the features of content expressed could explain.[14] It is not however the relations of content as such between which the oppositions are neutralized ; we have rather to do with a limitation to the possibilities of expressing these relations within the boundaries of given types of syntagma. It is possible to examine an expressive unit such as the word from the standpoint of content, but the results will inevitably be coloured by the choice of a given expressive unit, of which the limits do not coincide with those of the semantic units. Such results cannot be regarded as valid except in relation to their arbitrarily chosen starting-point. Though it has now become axiomatic that either plane must be judged with reference to the other, a real equality of treatment remains an ideal still far from fulfilment. At the present stage it is probably enough to demand that the preferential treatment of one level, usually that of expression, should arise from the nature of our material and never be imposed by the linguist.

[14] For instance in Turkish a reversal of the suffixes *-il-* (passive) and *-dir-* (causative) would answer to a distinction of meaning : *sev-dir-il-mek* " to be caused to love ", **sev-il-dir-mek* " to cause to be loved ". But the latter form, though cited in several general works on linguistics, is unknown to Osmanli Turkish, where the meaning required must be expressed by a periphrasis. Where order within the Turkish verb is free, a reversal is not generally accompanied by a change in content.

25 ON THE PROBLEM OF THE MORPHEME

C. E. Bazell

The common definition of the morpheme as " minimum formal unit ", and the usual interpretation of this definition in the sense of " minimal *signifiant* ", are open to several objections. Some of these objections are trivial, since they no longer apply as soon as the brief primary definition is expanded. Unfortunately a trivial objection often bears some resemblance to a relevant criticism with which in fact it has little to do, and when the grounds for this objection have been removed it is imagined that the criticism has been answered. The chances of confusion may be reduced if the trivial and relevant objections are set side by side, or even given the same verbal form :

(i) " The definition starts from expression rather than from meaning. But the morpheme is a sign in the sense of de Saussure, an association of a *signifiant* and a *signifié* upon equal terms ".[1] This objection may be merely pedantic, since it matters little whether we start from the expression or from the meaning so long as we pay equal attention to both. If the unit is as a whole the same, it is indifferent whether we think of it as an expression with meaning or as a meaning with expression. But if the definition leads us to judge the two levels by different criteria, and if it is this practice against which the objection is aimed, a real weakness in current morphemic theory is implied.

(ii) " There are formal features other than the morphemes, e.g. features of arrangement. These presuppose the morphemes but are none the less minimal, and share with the morphemes the expression of distinctive functions ". The objection is obvious if it means simply that the primary definition must be taken in rather a narrow sense. Such distinctions as that of morpheme and " tagma " as the constituents of the syntagm provide the necessary correction. But there is a different sense in which morpheme and tagma may share in the expression of the meaning of a syntagm : a feature of meaning may be distributed over both. This is usually expressed by saying that the morpheme concerned has a given meaning only in certain syntactic patterns, but it would be truer to say that neither the morpheme nor its place in the pattern here have meaning in their own right : their combination constitutes the *signifiant*.

Reprinted from *Archivum Linguisticum* 1 (1949) : 1–15, with the permission of the author and of I. M. Campbell of *Archivum Linguisticum*.

[1] " However, de Saussure does not always adhere strictly to this definition . . . more often he lapses into ' l'usage courant ' according to which ' ce terme désigne généralement l'image acoustique seule ' 99c ". (R. S. Wells, *De Saussure's System of Linguistics*, *Word*, III 7–8.)

(iii) " The interpretation as minimal *signifiant*, i.e. as ' smallest meaningful unit ' or ' the smallest linguistic unit charged with its own meaning ',[2] implies a consistency of meaning which is not a necessary feature of the morpheme ". If contextual variations are referred to here, the objection is irrelevant, since a range of meaning however wide does not affect the essential unity of value within the system. But there are semasiological variants within the limits of a single morpheme which are purely conventional, i.e. they resemble the differences of meaning expressed by distinct morphemes ; just as there are variant expressions of the morpheme (the so-called morpheme-alternants) which may resemble the expressions of distinct morphemes in so far as they have no phonemes in common. The notion of morpheme as meaningful unit is often taken to imply a unity of meaning incompatible with this sort of variation, especially in the domain of inflectional morphemes.[3]

(iv) " The morpheme serves less to express a meaning than to express a distinction of meaning ". This may merely conceal the tedious old view that units smaller than the word cannot have meaning as such, or possibly the view, not less tedious, that stems have their meanings in a sense in which inflections do not. It may however mean this, that the method by which we arrive at the morpheme is the method of substitution with the proof that this substitution can systematically call forth distinctions of meaning. By adding that the morpheme " has meaning " we are saying something not implied by the methods used for its determination, and which may, in any given instance, be right or wrong.[4]

The relevant objections as opposed to the trivial ones have this in common that they arise from the nature of the languages with which we have to deal and would not necessarily apply in the case of a language of exceptionally simple structure. In such a language all variations in morpheme-meaning might in fact be referable to the context and the functions of morpheme and tagma be quite distinct or the latter unit be lacking.[5] All one could object to in the definition of morpheme so far as this language was concerned, would be that it was unnecessary, since the morpheme would be identical with the sign. The sign is by definition minimal, since higher units are to be regarded as combinations of signs, not as complex signs. But in the languages with which we have

[2] R. Jakobson in *Rapports sur les questions historiques . . .* (*Actes du 6e Congrès international des linguistes*, p. 7.)

[3] For the category of case for example there are the studies of the Russian system by Jakobson, *Beitrag zur allgemeinen Kasuslehre* (*TCLP*, I, VI, 240), of the early Georgian system by H. Vogt, *Norsk Tidsskrift for Sprogvidenskap*, XIV, 99 ff., and of the *Finnish and Hungarian Case-systems* by Sebeok (Stockholm, 1944), all based on the assumption that each case expresses a single semantic feature or bundle of features.

[4] It would seem that the function of the morpheme in expressing distinctions of meaning is felt to characterise it insufficiently as against the phoneme. But the phoneme does not express distinctions of meaning, nor does it even " distinguish between meanings " ; it distinguishes between the expressions of meanings, i.e. between " forms ", in the popular sense of " being a distinctive feature ".

[5] It goes without saying that the arrangement of morphemes would always keep the function of showing which meanings " went together " ; but this is a natural not a conventional function and therefore belongs to speech rather than to language.

In his *La langue et la société* (Instituttet for sammenlignende kulturforskning A, XVII) Sommerfelt has described an Australian language that he holds to possess a simple structure of this kind. Unfortunately the assumption is the easier to make the less we know of the language or culture concerned.

to deal the sign is not co-extensive with the morpheme : the justification for the latter term lies in an asymmetry between expression and content which a system of signs does not necessarily presuppose.

The first and third of the objections above are in so far related as the refusal to recognise the inner-linguistic status of semantic variants within the morpheme implies that expression and meaning do not play corresponding roles in its determination, since the expressive variants of a morpheme are obviously units within *la langue*, so far at least as they do not simply reflect the rules of phonemic syntax.

The notion that a morpheme must have a single value underlying all its uses in speech, a value perhaps highly abstract or difficult to ascertain but always accessible to patient research, would seem partly to depend upon a comparison between phoneme and morpheme. Two comparisons are familiar, the one between the allophones of a phoneme and the alternants of a morpheme,[6] the other between the allophones and the semantic variants of the morphemic *Gesamtbedeutung*. The former of these comparisons is absurd, since allophones are identified as members of the same phoneme through their intrinsic characteristics, and belong to speech, whereas the morpheme-alternants are recognised as members of the same morpheme by the functions which they serve, and belong to language. The second comparison is false, since the units of meaning which underlie semantic variants stand in no necessary relation to the morphemes.

Yet both these comparisons have contributed to the view of the morpheme as a semantic unit. The fact that the morphemic alternants as such have nothing in common has suggested the conclusion that their relation is only assured by a single common value which they express ; and the analogy of the allophones and the semantic variants implies that when all contextual and situational variations have been allowed for there will remain some one common feature or bundle of features common to all examples.[7]

This is to reverse the error of the earlier grammarians, who were often tempted to take as linguistic distinctions differences of meaning easily attributable to the force of the context. The infinity of contextual meanings—of " things meant " [8]—must answer to a limited number of values in *la langue*, but this number has no relation to the number of morphemes.

The unity of a morpheme is guaranteed less by its uniform meaning than by the systematic irrelevance of any distinctions of meaning to its expressions. This systematic irrelevance may characterise either the morpheme as such, or

[6] In his recent article, *Problems of Morphemic Analysis* (*Language*, XXIII, 321 ff.) C. F. Hockett even makes this comparison a basis for his new term *morph* for " morphemic alternant ", on the valid analogy (*allo*)*phone* : *phoneme* = *morph* : *morpheme* " (p. 322, footnote 7).

[7] The allophones of a phoneme do not necessarily show common phonetic features in the strictest sense, but the variations must be such that common " neuremes " may be supposed (cf. Martin Joos, *Acoustic Phonetics*).

[8] " Thing meant " is understood in Gardiner's sense : whatever the speaker has intended shall be understood by the listener (*Speech and Language*, 82). The thing meant is not to be confused with the " object referred to " : the meaning is in language, and the object referred to is outside language, before the utterance, whereas the thing meant has no independence of the utterance. The object or situation referred to has no interest as such for the linguist, but the thing meant is the " matter " of the semasiologist in the same sense as sounds are the matter of the phonematician, without being his subject.

the language. In the latter case, there is a real identity of value : the variations in meaning are merely contextual. But when the semantic oppositions are only suspended at a given point of the system, to reappear elsewhere, we have to do with a difference of value which morphemic identity cannot affect.

For example it would be clearly erroneous to put such distinctions as that of " directive " and " passive " (object-) accusative in early IE languages on the same level as that of the " affected " and " effected " object. The latter distinction has no formal repercussions : it is not a matter of linguistic meaning but belongs to the sphere of the " thing meant ". On the other hand the categories of passive and directive have linguistic expression ; the fact that the accusative may be used for both means merely that the distinction is suppressed at this point. Should this lead us to suppose that there is something in common between the two meanings, and that it is this common feature that the accusative expresses ? The supposition would not necessarily be wrong, but it is surely not logically cogent.

Jakobson argues : [9] " Wenn die Einzelbedeutungen eines Kasus wirklich ' nichts Gemeinsames miteinander hätten ', so wäre auch der Kasus unvermeidlich in mehere homonyme, miteinander nicht verknüpfte Formen zerfallen ". But what shows that the cases do not in fact constitute each a set of homonymous forms ? The grammarian excludes the possibility at the start : if two " cases " are invariably identical, then they constitute a single case. He does the same for every small paradigm, holding rightly that, other things equal, the importance of an identity is in inverse proportion to the number of members in the class. Where the class is a large one, such as those of noun or verb, mere formal identity is trivial, and to such trivial identities he restricts the term homonym. This is a commonplace of method, from which no semantic conclusions can be drawn.

This method is justified by the facts of language. Identity of form within a small paradigm creates a stronger associative link than within a large paradigm, and thus at the same time provides more favourable conditions for analogical extensions of the expressive association. Semantic relations will support this association, but they need not be so close as to enable a single value to be posited.[10]

There are two opposite dangers, that of taking merely logical distinctions to be linguistic, and that of taking linguistic distinctions to be merely features of *la parole* because they are neutralised within the limits of some morphological category. It is the latter danger to which the structural linguist, whose task it is to show the unity that underlies diversity, is more exposed. It should go without saying that if this danger is not avoided, real relations will be missed :

[9] Beitrag, p. 241, cf. footnote 2, p. 2 [footnote 3, p. 217 above].

[10] Jakobson (*loc. cit.*) remarks that there may be systematic formal relations between e.g. a case of one number and a different case of another number ; nobody would think of positing a single morpheme here, and therefore the notion of case-identity must imply something more than systematic formal relations. Indeed ; but the " more " implied is of syntactic rather than semantic nature, cf. below. Actually his argument tells in the opposite direction ; since if there may be systematic relations of identity between categories clearly quite different semantically, may there not also be such relations between categories where the postulation of a common meaning is just conceivable—*but, in fact, not valid ?* To assume the contrary is to fall into a logical error similar to that of the " conservative editor " who admits evident corruptions in his text but insists on defending the manuscript whenever the reading will " just make sense ".

the features common to different morphemes will be overlooked through false identifications within the boundaries of a single morpheme.[11]

Since the morpheme has variants on both the linguistic levels, it would be preferable to abandon the term " morpheme-alternant " and to speak of expressive and semantic alternants according to the level concerned. On both planes the alternants proper, of which the choice depends upon their position in the chain, can be distinguished from the free variants. For morphemic unity it is necessary, in the first place, that the limit between one expressive variant and another should not answer to the limit between one semantic variant and another, i.e. that no variation in the expression should be accompanied by a variation in content.

The expressive alternants are usually determined by the other morphemes within the same word, whereas the semantic alternants are usually determined by morphemes outside the word in which the semantic alternant of the morpheme is found. Typical examples are the variants of " case-form " in different declensions, and the variations of " case-value " [12] with different verbal or prepositional rection. This is a consequence of the fact that the expressions of morphemes combine in an expressive unit, the word, whereas their meanings combine in a unit of meaning, which is not the word.[13]

The mutual indifference of expressive and semantic variants is a necessary, but not of course a sufficient, criterion of the unity of a morpheme. Let us suppose for instance that we have a set of distinct prepositions each identical with a perfectivising prefix ; the prefixes cannot be distinguished in meaning but depend upon the verbal stem in question. Then we may either posit a single perfectivising morpheme of which these forms are expressive alternants, and which is distinct from any of the prepositions, or we may posit a set of morphemes of which the prepositional and prefixal meanings are variants, thus

[11] The appeal to a " pre-logical mentality " in which the " different meanings " are in fact one meaning is here irrelevant, since the distinctions under discussion are such as do receive expression at some point in the system, and which therefore are real for the " pre-logical mentality ", whatever this may mean. Moreover the ground for assuming a given mentality in such cases are usually linguistic, so that the argument is circular. It is unfortunate that such empirical tests as can be applied are seldom resorted to. For instance, can the morpheme in question have the two " meanings " simultaneously ? In Latin, the same accusative can combine with two verbs, one implying an " affected " and the other an " effected " object, but not with two verbs of which one entails a directive and the other an objective accusative. There is such general agreement between European languages in this respect that often rules need not be given ; but it would be valuable to know how far they apply in exotic forms of speech, while one would willingly dispense with the information, more often given, that for the speaker of such and such a dialect, two concepts distinct for us are " identified " or " felt as the same ".

[12] For example the dative in German expresses the unmarked member of the opposition *static : kinetic* in many prepositional combinations, in minimal contrast to the accusative ; whereas the accusative expresses the unmarked member of the opposition *direct : indirect* in many verbal combinations, in minimal contrast to the dative. It is such oppositions, and not the oppositions of the morphemes conceived as wholes, which are the semantic equivalent of the phonemic oppositions. The semantic oppositions like those of the phonemes, reappear in different morphemes without implying identity in any other respect.

[13] For instance, on the semantic level an inflectional morpheme is one member of a syntagm whose other member is not merely the " semanteme " with which it combines in the word, but this semanteme together with most or all of the subordinate morpheme-groups, e.g. it is the whole nexus, not the verb as such, with which the tense-morpheme combines. Cf. L. Hjelmslev, *Essai d'une théorie des morphèmes, Actes du IV Congrès*, p. 143. But it is untrue to say that the morphemes of voice combine with the whole nexus, for their function is to show the relation of subject to predicate, not to qualify the sentence as a whole. Similarly, preposition and case form an immediate constituent as opposed to the noun-stem.

referring each prefix to a different morpheme. Either will be a legitimate analysis, since within the boundaries of a single unit no difference of meaning answers to a different expression.

But for any given system the question must be asked: which units show greater cohesion? Is there a tendency to transplant any expressive variant of the prepositions into the corresponding prefixal form, or a tendency to extend any new meaning of a prefix to the other prefixes?[14] In the former case we shall prefer to allot the expressively similar elements to one morpheme, in the latter case the semantically similar elements. If both tendencies can be observed we must be prepared to allow two contradictory systems.

This is not " to introduce diachronic criteria into synchronic grammar ", since an analogy does not effect a change in the system but merely presupposes a given arrangement of the elements in this system, alike whether it gives rise to a " new form " or simply maintains an old one.[15] The criterion of tendency is confessedly often difficult to apply; but it should carry weight not only in otherwise doubtful cases but act also as a brake on merely ingenious analyses. An analysis which has no consequences for speech has no purpose. For instance a recent synchronic description of French includes such divisions as *aîné* into a " prefix " ϵ " before ", and *ne* " born ".[16] It is hardly probable that the author thinks that the historical relation can have any further relevance in French: he would doubtless agree that if the participle *né* should ever be replaced by a analogical form it is not only unlikely, but practically inconceivable, that *aîné* would be affected. But he would hold, perhaps, that such an opinion is subjective. It cannot indeed be immediately put to the test. But knowledge of a wide range of dialects over long periods can tell us what sort of analyses are likely to be relevant to speech as productive or preservative patterns. Such as are not may surely be held superfluous. It would however be wrong to demand with another American scholar that productivity in the usual sense (i.e. the ability of the morphemic expression to enter *new* combinations) should be taken as sole criterion.[17]

[14] In the exceptionally simple instance chosen " any subsequently developed variant of meaning (or expression) " must be meant, since we have assumed that there is no variation at the stage posited. But the assumption of semantic variants of the perfective which are not common to all the prefixes would not change the principle, so long as no two prefixes could combine with the same verb-stem in distinctive functions.

[15] Tendency must be understood in a wide sense, since it includes the tendency to *maintain* relations. For example an English strong past like *ground* is not simply traditional, since it owes its survival to the analogy of semantically similar " circular-action " verbs (*bound, wound*) and thus presupposes the analysis of models which might have survived in their own right.

[16] R. A. Hall, *French*, " Structural Sketches ", I (*Language Monographs*, No. 24, p. 3. supplement to *Language*, 1948). Against the analysis is the obsolescence of (*pyine*), the indivisibility of the opposite (*kade*), the absence of monophonemic nominal prefixes in French with exception of the semi-learned ø (*eu*-) etc.

[17] This is the view of D. L. Bolinger, *Word, IV*, 18–24. It would be justified if we could call preservative analogy a sort of concealed productivity.

It is a logical conclusion from the relevance of tendency to the interpretation of the system that two identical forms of speech, taken over a small period, might correspond to two different systems. This conclusion has been drawn by Isačenko, *Zur phonologischen Deutung der Akzentverschiebungen in den slavischen Sprachen* (*TCLP*, VIII, 173–83), for the phonematic system.

It is the fault of " mechanistic " descriptions of language that they fail to account for speech-tendencies. For instance a description of the phonemic structure of a vocabulary is of little interest if no distinction is made between those combinations which tend to be altered as soon as the words in which they occur enter into everyday usage and those which remain constant

Now the definition of a linguistic unit or category, to be generally applicable to different languages, must be in terms of nuclear features. It would be false to suppose that the characteristic features of a class must necessarily all be shown by every member of the class defined. A more rigid conception of category is bound to do violence to the facts of any new system to which it is applied. For example every definition of " case " will necessarily include the notion of relation as a specific feature of the category.[18] But traditionally the vocative is allowed as a case, although it does not express a relation in the same sense as the others. Must we therefore, with some very ancient as well as very recent grammarians, exclude the vocative from the case-paradigm ; or must we instead widen the definition of case to allow the vocative entry into the category in its own right ? To adopt the former solution is to run counter to the system of the languages concerned, in which a large number of common features favour case-status ; to adopt the latter is to render the definition so wide that other morphemes not sharing the case-features would have to be classed as cases.[19]

These are the horns of a false dilemma. A definition in linguistics should be merely the starting-point for classification while the fuller contours of the category are left to be filled in as the system dictates. Starting from the oblique cases as nuclear members of the case-category we regard the vocative as peripheral within the class of cases, to which it belongs by virtue of common expressive features (syncretism with other cases, *cumul* with number, etc.) and common " scope ".[20]

What applies to a paradigmatic class applies *mutatis mutandis* to the morpheme as such. The nuclear type is represented by the " unambiguous signs ", i.e. signs which are neither homonymous nor synonymous with others, and which are not suspect either of being divisible into signs or of being only parts of

(cf. F. Hintze's criticism of Twaddell's account of German word-form in *Studia Linguistica*, II, 45 ff.). It is true that if the system concerned is that of a modern language and the word in question of recent accession, there is a risk of error : it is possible that the system may have widened to allow room for the new forms. But the risk must be taken.

[18] The sense in which other nominal morphemes express relation does not concern us here. There are also nominal morphemes that express the same sort of relation as the cases, but are differently orientated, e.g. the *status constructus* in Hebrew expresses a relation to the subordinate, whereas the cases express a relation to a superordinate.

[19] For instance the adverb could be regarded as a case of the adjective, as has been proposed, the relation expressed being that between two sentence-elements and not, as with the vocative, between speaker and hearer (a very dubious interpretation of the vocative, but the only way to save it as a relating morpheme, cf. de Groot, *Lingua*, I, p. 462). But the adverb differs from a combination of noun and case by a strong tendency to lexicalisation, by rough functional equivalence to simple morphemes—the synchronic interpretation of these as isolated cases of defective nouns being highly artificial—absence of concord, etc. etc., all features which cannot a priori be regarded as less important. These differences do not of course all apply in every language : e.g. Turkish adverbial *-ce* may very well be regarded as a case.

[20] The scope of a morpheme is the semantic equivalent to its order in the expressive chain, e.g. the scope of a case embraces the noun inclusive of number and gender, that of a number gender only, etc. In Latin case, while having the same expressive order as that of the numbers, has the same scope as that of the prepositions, whereas in languages of " agglutinative " structure there tends to be symmetry between scope and order. The fact that in a combination of preposition and case it may often be impossible to distinguish the meanings of each separately, is the converse of *cumul*, i.e. distinct members of the *signifiant* are cumulated upon one *signifié*, while in *cumul*, as usually employed, distinct *signifiés* are cumulated upon one *signifiant*.

signs. Other morphemes are in various manners peripheral.[21] Morphemes with alternants are in so far similar to unambiguous signs as the variations in expression do not call forth differences in meaning nor the semantic variants differences in expression. In other words within the limits of such morphemes the variations in expression and meaning resemble variations in irrelevant phonetic qualities and in " things meant " respectively, differing from the latter only by their functional relevance outside the limits of the morpheme in question.

A morpheme is thus a member of the class of elements converging upon the nucleus of unambiguous signs. Some applications may now be considered.

It is commonly said that certain historically independent signs have in given constructions become " mere grammatical tools " or " of purely syntactic function " and the like, phrases which constant use has not endowed with any very clear meaning. An extreme example would be English *do* in negative constructions. Have we to speak of different morphemes in *do not do ?* The content of *do* in its first occurrence is plainly zero, but zero is no less acceptable as a semantic alternant of the morpheme than zero-phoneme as an expressive alternant.

Semantic form is different both from meaning in *la parole* and from morphemic form. When Hjelmslev writes that Danish *jeg ved det ikke* and Finnish *en tiedä* have the same meaning but different forms,[22] we have rather a contrast between morphemic form and semantic matter that still leaves room for the distinction of semantic form. In both languages there is a privative opposition between positive and negative, there is no intermediate term, nor does either entail the suspension of a semantic opposition which the other allows. In these respects the semantic forms are the same, and this fact is not altered by the appearance of the expression of the negative at different points of the morpheme chain (in Danish as verbal determinant, in Finnish as verb-stem). A real difference of semantic form would be shown by a language with a third term " dubitative " opposed at once to positive and negative ; this happens not to be true of the languages we know, in which " dubitative " may itself combine with either positive or negative. Another sort of difference is actually shown by those languages which combine negation with another semantic opposition which is neutralised in the positive ; of such languages classical Greek, so far as the variation of negative particles is not automatically regulated, is the best-known example. These are real distinctions of semantic form, and, have nothing to do with those differences in form which the contrast between verbal and adverbial rendering in Finnish and Danish respectively is fit to illustrate.[23]

[21] A given morpheme may of course be nuclear qua morpheme and yet peripheral in its paradigm or *vice-versa*.

[22] *Omkring Sprogteoriens Grundlæggelse*, pp. 47–8. Form with the glossematicians does not mean *expressive* form, so that the statement is not obvious in *this* sense.

[23] A glossematician would certainly consider that his theory had been misrepresented in several ways here, since it is the merit of this school to have insisted on the equipollence of expression and content. The above argument implies that practice has not followed theory. This view cannot be justified in detail here, but it is not unfair to remark that the primacy of expression over content was an earlier tenet of this school (cf. Hjelmslev, *op. cit.*, 68, footnote 2). Few who have followed Hjelmslev's work can have failed to be struck by the meagre practical results of the change in attitude. The new theory has mainly been used—whether rightly or wrongly—to justify old practices.

At the same time one misunderstanding which might arise from the over-simplified account

If, for example, Finnish possessed two contrasting negative constructions of which the one cited would, in fact, be normally that chosen to render the negative in the example given, then indeed we should have an identity of meaning which concealed a distinction of semantic form. If North German *suchte* and South German *hat gesucht* are different in semantic form even where they have the same meaning, this is not because the morpheme-structure is entirely different but because the South German construction does not stand in opposition to a form with the meaning of *North* German *hat gesucht*. A Greek negative construction might well have been chosen to illustrate the coincidence of similar meaning with different form ; whereas the comparison of Danish and Finnish [24] phrases serves merely to obscure the issue.

It would lie outside the scope of this note to discuss the very complex question of how semantic form is to be determined. This problem is not the problem of the morpheme. Thus in order to decide whether French " partitive *du* " is the same morphemically as the combination of preposition and article, we do not need to decide whether the two meanings may be both referred to some more abstract value, or whether partitive *du* stands in minimal semantic opposition to *un*. The latter fact is doubtless the reason why the two are traditionally given quite separate places in the French morpheme-system. The relevant reasons in favour of one or the other solution are that there is a systematic expressive identity of partitive with prepositional combination but a systematic syntactical parallel between *du* and *un* which does not apply to normal prepositional combinations.[25]

A very different problem is presented by such morphemes as Hungarian *-nál* (adessive) ,*-tól* (ablative), *-hoz* (allative). Here the expressive data have been responsible for the monomorphemic interpretation. A division of the phonemic chain in respect of function is not possible, though the semantic division into two features, one of " adhesion " which the three elements have in common, and one of direction which each has in common with a pair of other suffixes, is apparent. Now this is not enough to justify a morphemic division. But the features of direction have their separate expression in other combinations, e.g. *mellett* " beside ", *mellöl* : " from beside ", *mellé* " to beside ",

---

above is worth countering. The semantic form might be identical even if the meaning were entirely different, e.g. the opposition of positive and negative in one language might answer to the oppositions of tense in another language, if the relations within the system as a whole were the same, just as (phonetically) the consonantal system of one language might answer to the vowel-system of another. It is not the semantic opposition as such, but its place in the network of relations, which is relevant to form. This point is not considered above, but its neglect implies no difference of principle.

[24] The statement that Finnish *en tiedä* contains a verb meaning " not ", while correct so far as it goes, might awaken the false impression that this form has the same place in Finnish as an ordinary negative verb, e.g. "*fails* to do ". In fact the Finnish negative verb is syntactically unique, not, as *fail* in English, a " verb like any other ".

[25] The parallel is of course far from complete, since *un* may combine with all prepositions whereas *du* cannot combine with the historically identical preposition. That a minimal semantic opposition may not be morphemically minimal is—for common sense—illustrated by the pair " A killed X " and " A was killed by X ", where the semantic contrast is minimal but where the second of the pair differs from the first by several morphemes. The tendency is to escape this conclusion by saying that the second construction is to be differently interpreted : the " thing meant " is minimally different but the speaker expresses it in terms of quite other value. But the evidence for this seems simply to be that the morphemic structure is indeed quite different, which was obvious at the start. The argument, if made explicit, would be seen to be circular.

whereas the features of adhesion may be shown by a common phoneme even in the suffixes (the suffixes of interiority have all initial *b*). The syntactic parallel between suffixes and " postpositions " is very close in Hungarian.[26] One should therefore be prepared to recognize a morpheme-division in the Hungarian suffixes.

The divisibility of the Latin case-number suffixes rests on different criteria, since the case-features never receive distinct expression. On the other hand the syntactic distinction of case and number is far more marked than that of adhesion and direction in Hungarian, since the two series of features may be governed by entirely different sets of morphemes, e.g. the prepositions and numerals respectively. But this is a characteristic of distinct signs.[27] There is therefore something to be said in favour of regarding the cases and numbers as morphemes rather than as " morphemic components ".

In a syncretic system it may not always be possible to draw a fast line between syncretism proper and the neutralisation of a morphemic opposition. In the traditional grammar of the classical languages the nominative and accusative neuter are regarded as distinct morphemes, whereas it is not usual to speak of a 1st person dual active of a Greek verb, but rather to say that the plural is used where the dual of other persons would be normal; i.e. there is syncretism in the former case but neutralisation in the latter. The choice of the classical grammarians in such cases was doubtless usually the appropriate one. The extreme view of Bloomfield [28] that a distinction in however few paradigms implies homonymy in all those in which the distinction is not made, would involve denial of the privative nature of oppositions expressed by morphemes, and could of course not be carried to its logical conclusion in any grammatical description.

The definitions of sub-classes of morphemes, such as stem and inflection, semanteme and morpheme in the older sense, free and bound forms, or again constituents and exponents, must be subject to the same provisos. For instance the criterion of word-boundaries, which plays some part in each, will, if rigidly interpreted, lead to the separation of features which go together in the language concerned. Where the lines of division which the criterion of the word would lead to, do not tend to coincide with other dividing-lines,[29] then the unit defined should

[26] Cf., e.g. *abban a házban, a mellett a ház mellett* " in " resp. " beside that house ", in which *mellett* like *-ban* takes part in the agreement of noun and demonstrative. This is one reason why the postulation of a nominative morpheme with zero-suffix (cf., e.g. J. Lotz, *Das ungarische Sprachsystem*, p. 63) will not fit the system: there is no more reason to say here that *ház* has a zero-suffix when an independent word with *mellett* than when a stem with *-ban*. In either case we have simply the stem with following overt morphemes. Similarly in the Turanian linguistic type. On the other hand one cannot go so far as to deny, with some American scholars, that a morpheme can consistently be expressed by a zero-suffix; if there is reason to attribute a positive meaning to zero a morpheme must be assumed.

[27] It might be objected that syntagms function like signs within the framework of larger syntagms. The theory of the immediate constituent is based on this simple fact. But a resemblance which is valid for an infinite number of units is naturally without significance for the determination of a minimal unit. The cases and numbers belong to a limited class of elements concerning which it is desirable to make the same sort of statements as we make about separate morphemes, rather than the sort of statements we make about morpheme-features or classes of morphemes.

[28] Bloomfield, *Language*, p. 224.

[29] An example has been given from Hungarian (cf. footnote 2, p. 13) [i.e. footnote 26 above]. Lotz (*op. cit.*, p. 99) deals with the postpositions as " unselbständige Adverbien ", as though

not be sought in the system in question, which will doubtless have other units clustering round different nuclei.

The morpheme of current grammatical description is a compromise between two different units, of which the one is that with which this note is concerned, whereas the other might be described as the " minimal complex of semantic features capable of receiving distinct expression ". Up to a point the two units may stand in a one-one relation, and it is only good method to assume that they do when there is no cogent argument to the contrary. But there is no necessary relation. The morpheme, as the central unit of language, bridges the asymmetry of content and expression, but stands itself in a relation of " reduced " asymmetry to each of these two levels. These asymmetries are in their turn covered by intermediate units, for instance the morphoneme as link between the phoneme and morpheme, and—though still to be named—some unit between the morpheme and the semantic elements. Not all these units may be needed for every language, and more will be needed for some systems. Each of these intermediary units must be defined by its functions as systematic link between different levels, and can carry no further implications. If so interpreted, the definition of the morpheme as minimum formal unit may be allowed.

---

there were less relation between *-ben, benne* and the parallel *mellett, mellette* than between the latter and a morpheme such as *túl* " beyond ", which cannot take suffixes, governs itself a " case-suffix ", and may, though less commonly, precede the noun.

26 LINGUISTIQUE ET THÉORIE DU SIGNE

Jerzy Kuryłowicz

Malgré son étymologie, le terme *sémantique* ne se rapporte habituellement qu'à la science qui s'occupe des sens (de la signification, de l'acception) des formes linguistiques.[1] Pour donner un nom à la théorie générale du signe, F. de Saussure,[2] éprouvant le besoin d'un terme nouveau, a proposé celui de *sémiologie.* En face de la linguistique et des autres sciences sociologiques, elle serait ce que la physique est pour les sciences naturelles. Les différents théorèmes de la linguistique résulteraient de l'application de la sémiologie au cas concret et spécial du langage humain.

Pour dégager la couche fondamentale relevant de la théorie générale du signe, il faudrait confronter la sémantique avec d'autres sciences traitant de n'importe quelle fonction (pas nécessairement symbolique). Mais en réalité de telles comparaisons ne sauraient en l'état actuel des recherches, être fructueuses. La linguistique elle-même, la mieux systématisée parmi les sciences sociales, n'a pas encore, malgré Bühler et les mises au point de Laziczius, de Lohmann et d'autres, établi une hiérarchie transparente de ses axiomes. Non seulement les différences de méthode existant entre les sciences spéciales, mais surtout les divergences entre les matériaux analysés, ayant tantôt un caractère massif et continu, tantôt fragmentaire et isolé, contribuent à décourager, de prime abord, toute tentative de comparison.

Au cours de ces vingt dernières années, les progrès de la phonologie ont donné un essor nouveau à la théorie du signe. Le mérite principal de la phonologie à cet égard est d'avoir développé les concepts d'*opposition* et de *corrélation,* identiques à ceux qui, depuis longtemps, avaient eu cours dans le domaine sémantique (morphologique). Remarquons seulement qu'ici c'est le terme *dérivation* qui désigne le rapport *neutre-négatif : positif* d'une opposition (par exemple, *château : châtelet*), correspondant ainsi de toutes pièces au terme *corrélation* employé en phonologie (par exemple, *p* sourd : *b* sonore). Si l'autre grand trait commun aux deux domaines, sémantique et phonique, à savoir la relation entre les éléments d'une même structure (= complexe) ou la *syntaxe* au sens large du mot, n'a pas d'abord attiré l'attention des linguistes, c'est que

Reprinted from *Journal de Psychologie* 42 (1949) : 170–80, with the permission of the author and of *Journal de Psychologie.*

[1] C'est dans ce sens que nous emploierons le terme *sémantique* ici. Il comprend le lexique et la grammaire, la morphologie au sens étroit du mot aussi bien que la syntaxe.

[2] *Cours de linguistique générale*², 1922, p. 33.

la phonologie ne lui a pas consacré assez d'attention. Mais l'esquisse de *glossématique*, présentée par MM. Hjelmslev et Uldall au Congrès Linguistique de Copenhague (1936), a déjà le mérite de souligner le parellélisme profond des deux domaines (appelés plérématique et cénématique), justement en fait de structures.

Ce dont on ne s'est pas rendu compte, du moins de manière explicite, c'est qu'une théorie générale du signe servant de base à une théorie du signe linguistique n'a pas besoin de quitter le domaine de la langue. C'est que le domaine phonique et le domaine sémantique, indépendamment de la relation qui les unit et qui constitue l'essence même de la langue, représentent, *chacun*, un système de signes, et, ce qui plus est, représentent des systèmes *hétérogènes* en ce qui concerne la forme, le contenu et la fonction des signes.

Dans le domaine phonique, il y a certains sons-types élémentaires dont la forme peut être arrêtée et décrite par des méthodes relevant de la physique et de la physiologie. Leur fonction n'est pas du tout, il faut insister sur ce point, d'ordre sémantique, c'est-a-dire qu'ils ne servent pas directement de symboles. Ils servent, par contre, à bâtir des unités sémantiques, telles que les racines, les affixes, etc. Dans le domaine sémantique, ce sont ces unités qui fonctionnent comme éléments à l'intérieur de structures à fonction sémantique : les mots et les structures plus compliquées (groupes de mots, propositions). Autrement dit, les éléments phoniques servent à bâtir des unités sémantiques ; ces dernières, de leur côté, entrent comme éléments dans des structures sémantiques. Entre le découpage d'une structure sémantique en unites (éléments) sémantiques et l'analyse phonique de ces dernières, il y a abîme qui nous fait bien sentir les natures hétérogènes de la phonologie et de la sémantique. C'est la même distance qui existe, par exemple, entre les éléments d'un style d'architecture et les propriétés physiques et chimiques de la pierre employée dans la construction. Si, malgré tout, les systèmes phoniques et sémantiques montrent des affinités profondes, voire même des traits identiques dans leur structure, il faut y reconnaître des lois propres, non pas à *un* système, mais à des systèmes remplissant certaines conditions générales.

Pour mettre en lumière ces affinités, nous allons citer une loi valable dans les deux domaines, phonique et sémantique, la loi bien connue (de la logique élémentaire) concernant le contenu et l'emploi (la fonction) d'un concept : plus étroite est la zone de son emploi, plus riche est son contenu (son sens) ; plus large est son emploi, plus pauvre est son contenu. Cette loi est familière aux linguistes. La généralisation et la spécialisation du sens d'un mot, d'un suffixe, etc., sont en rapport étroit avec l'élargissement et le rétrécissement de son emploi. Or cette loi a un pendant dans la système phonique ; nous avons essayé de le démontrer dans notre article *Le sens des mutations consonantiques.*[3] On sait, grâce au regretté Trubetzkoy,[4] que l'opposition de phonèmes dite privative, c'est-à-dire celle qui, dans certaines conditions, est supprimée, crée un lien étroit entre deux phonèmes, dont l'un, appelé *positif*, n'apparaît que dans l'opposition, l'autre, *négatif-neutre*, apparaissant soit dans l'opposition (négatif), soit en dehors d'elle (neutre). L'exemple le plus connu, c'est le rapport

[3] *Lingua*, I, 1, 1947, p. 77–85.
[4] *Journal de Psychologie*, XXX, 1933, p. 227–246.

p : b, t : d, etc., lequel, dans beaucoup de langues, fonctionne comme un rapport de *sourde* à *sonore*. En face de *t, p*, etc., les phonèmes *d, b*, etc., présentent la marque de la *sonorité*, laquelle fait défaut pour *t, p*. Le caractère sourd de ces dernières n'est pas perçu comme une marque positive, mais comme un *manque* de sonorité. D'une part, *p* se définit donc comme une occlusive labiale ; d'autre part, *b* comme une occlusive labiale sonore. Le contenu, c'est-à-dire la somme des caractères pertinents, de *b*, est plus riche que le contenu de *p*. Or, cette différence se reflète dans leurs emplois respectifs. Ainsi, dans des langues comme le polonais, le russe ou l'allemand du Nord, l'opposition *p : b, t : d*, etc., se trouve supprimée, à la fin du mot, au profit de la sourde. Au commencement de la syllabe, cette opposition, au contraire, est toujours possible. Il y a donc des positions communes aux sourdes et aux sonores, et d'autre part des positions où les sourdes seules sont admissibles. Il en résulte que la zone d'emploi des sourdes débord celle des sonores, et que le rapport entre le contenu et l'emploi (la fonction) vaut aussi bien pour le domaine des sons que pour celui du sens. L'ancienne formule, qui ne se rapportait qu'aux concepts ou aux unités sémantiques, s'applique désormais aussi à d'autres signes, tels les phonèmes.

La loi logique (sémantique) du contenu et de l'emploi des *concepts* devient ainsi une loi *sémiologique* concernant le contenu et l'emploi des *signes*. Il se pose la question de savoir sur quelles identités foncières des deux systèmes repose cette loi valant aussi bien en phonologie qu'en sémantique (morphologie).

Le tableau ci-dessous résume ce qui précède :

Tableau synoptique des deux systèmes (isomorphes)

Domaine	Sémantique	Phonique
Forme	Phonèmes	Sons
Contenu	Sens	Phonèmes
Emploi (fonction)	Opposition à l'intérieur d'une structure ou d'une classe	
Structures	Propositions, groupes de mots	Syllabes
Classes	Parties du discours, groupes de dérivés	Voyelles, consonnes avec leurs subdivisions

Le trait commun le plus important, c'est le double groupement des éléments, d'une part en structures, de l'autre en classes. Dans le domaine sémantique, les propositions sont composées de mots, mais ces derniers appartiennent à des classes appelées *parties du discours*. La sémantique se sert d'une double série de termes, l'une syntaxique par exemple *prédicat, sujet, attribut, détermination circonstancielle :* l'autre proprement sémantique : *verbe substantif, adjectif, adverbe*. La première vise les fonctions à l'intérieur des structures que sont les propositions et les groupes de mots, la seconde se rapporte au contenu sémantique (actions ou états, objets, qualités, circonstances) servant ainsi de fondement à la division en classes. Or, ce qui est de première importance, c'est le fait que les contenus ne sont qu'un reflet des fonctions syntaxiques d'abord, de certaines fonctions sémantiques spéciales ensuite. C'est parce que le verbe est prédicat, c'est-à-dire une détermination in *statu nascendi*, qu'il désigne l'action, et que l'adjectif épithète, qui en est une aussi, mais une détermination qui est donnée d'avance, désigne une qualité ; le substantif servant de support à la détermination désigne l'objet, etc. Les traits essentiels du système sémantique de la langue se résument ainsi dans la thèse suivante : les fonctions syntaxiques fondent des classes caractérisées par des contenus sémantiques généraux ; à l'intérieur d'une classe, il y a des groupes et des sous-groupes de members unis par un sens plus spécial (p. ex. les diminutifs en *-et* dans la classe des substantifs).

Nous croyons, dans cette synthèse pouvoir passer sous silence certaines questions ayant, du reste, une importance considérable pour la linguistique. C'est d'abord le problème de la dérivation, mis à l'ordre du jour du VIe Congrès international des Linguistes (Paris, juillet 1948), où l'on parlera des fondements syntaxiques de la dérivation. Il y a ensuite la question d'*éléments* et de *structures* sémantiques. S'ils équivalent, chez nous, aux *mots* et aux *propositions* respectivement, ce n'est là qu'*une* des solutions possibles, bien que la plus importante. Le mot lui-même est, de son côté, une structure composée d'une partie radicale (autosémantique) et de parties affixales (synsémantiques), dont les rapports fonctionnels posent aussi des questions d'ordre " syntaxique " et sémantique. Mais, pour passer de la structure la plus complète, qu'est la proposition, aux sémantèmes élémentaires, que sont les racines et les affixes, on ne peut pas brûler l'étape *mot*.

Passant au domaine phonique, nous constatons d'abord que les classements faits jusqu'ici soit par la phonétique traditionnelle, soit par la phonologie, surtout en ce qui concerne les consonnes, ont manqué de principes généraux. La bipartition *voyelles : consonnes* est fondée sur la fonction " syntaxique " de ces éléments à l'intérieur de la syllabe, ce qui a été admis toujours quoique tacitement. Or, le même principe de la fonction nous permet de pousser le classement plus en avant en établissant des sous-groupes de consonnes isofonctionnelles, dont les contenus, par là-même, se recouvrent en partie (identité de certaines marques articulatoires). Un essai de ce genre a été publié récemment par l'auteur dans *Bulletin de la Société linguistique polonaise*.[5]

Faisant abstraction du contenu et ne s'en tenant qu'à la fonction, on peut dresser, par exemple, le tableau de correspondances que voici :

proposition	syllabe
prédicat	voyelle
sujet	groupe consonantique initial
détermination circonstancielle	groupe consonantique final, etc.

Dans l'article qu'on vient de citer, le lecteur trouvera l'explication de la différence fonctionnelle entre le groupe consonantique initial (explosif) et le groupe consonantique final (implosif) par rapport au centre volcalique.

Dans les deux systèmes, sémantique et phonique, les éléments ou plutôt les classes des éléments, sont fondés sur les structures. C'est là un fait primordial qu'on s'explique par les données immédiates de la parole. La langue se réalise toujours sous la forme d'énoncés, dont les propositions ne sont qu'un cas spécial et sous une forme syllabique. Ce sont, en un mot, les structures et non pas les éléments qui constituent nos données protocolaires.

Le trait essentiel commun aux systèmes phonique et sémantique, c'est donc la fondation des classes d'éléments isofonctionnels sur la base de structures. Si

[5] Contribution à la théorie de la syllabe, *Bulletin de la Société linguistique polonaise*, VIII, 1948.

la science parcourt le chemin en sens inverse, en partant des éléments (p. ex. phonèmes) pour arriver aux structures (p. ex. syllabes), c'est que, par un procès préalable d'analyse *non explicite*, elle a dégagé les éléments. Ce qu'on attend de la linguistique de nos jours, c'est justement une analyse rigoureuse et *explicite* des structures, et la déduction des classes ancrées, par leurs fonctions syntaxiques, dans les structures.

Il faut distinguer entre deux éléments *commutables*, appartenant à la même classe, par exemple entre deux substantifs, et deux éléments entrant dans une structure, par exemple *substantif* + *verbe* formant une proposition. Dans le premier cas, le rapport entre les deux éléments, s'il y en a un, est celui de la subordination (logique), par exemple, *château : châtelet, oiseau : rossignol.* Il y a, comme on l'a vu plus haut, un membre *neutre* (*-négatif*) et un membre *positif*, le premier pouvant *toujours* remplacer le dernier, sans que l'inverse soit possible. Le rapport entre les membres d'une phrase, par exemple *l'oiseau chante*, est d'une autre nature. Le prédicat y est le membre *constitutif* (*central* d'après MM. Hjelmslev et Uldall), le sujet est *complémentaire* (*marginal* suivant les mêmes auteurs), parce que le prédicat à lui seul présente la même valeur syntaxique qu'une proposition complète.[6] Dans le domaine phonique, la voyelle est la partie constitutive de la syllabe, parce qu'elle peut à elle seule fonctionner comme syllabe ; les groupes consonantiques n'en sont que des parties complémentaires.

Il y a ainsi deux sortes d'oppositions : entre les membres d'une même classe et entre les membres d'une même structure. Tout comme le membre positif se définit par le membre neutre (-négatif), le membre neutre (-négatif) étant le *definiens*, le membre positif, le *definiendum*, de même le membre complémentaire d'une structure (par exemple le sujet d'une proposition ou les complexes consonantiques d'une syllabe) se définit par l'opposition (syntaxique cette fois) au membre constitutif.

La loi sémantique du contenu et de la zone d'emploi s'est révéléé comme un cas spécial d'une loi sémiologique. Cette loi concerne les éléments commutables s'opposant l'un à l'autre à l'intérieur d'une seule et même classe, dont les uns sont plus généraux, les autres, subordonnées aux premiers, plus spéciaux. On se demande s'il existe aussi une loi sémiologique correspondante concernant les éléments parties d'une structure.

Dans un article sur *Les lois des procès dits* " *analogiques* "[7] nous avons tâché de déterminer les chemins par lesquels se propagent les innovations linguistiques attribuées à l' " analogie ". Or, les matériaux empiriques en indiquent deux : l'un du général au spécial, par exemple, ce qui vaut pour le mot-base vaut aussi pour le dérivé (principe II). L'autre de la structure pleine à son membre constitutif (principe III). Pour illustrer ce dernier cas : dans plusieurs langues indo-européennes le verbe simple adopte l'accentuation du verbe composé. Si, dans *tous* les verbes composés, par suite de la fusion du préverbe avec le verbe, quel que soit le préverbe, le thème verbal se trouve accentué (ou inaccentué) d'une certaine manière, le verbe simple, qui ne comporte aucun préverbe, présentera la même accentuation (ou le même manque d'accentuation).

[6] On en trouvera la preuve formelle dans notre article : Les structures fondamentales de la langue : groupes et propositions, *Studia Philosophica*, III, 1948, p. 203–209.

[7] Les lois des des procès dits " analogiques ", *Acta Linguistica*, V.

Des structures isofonctionnelles (ici les verbes) apparaissent donc tantôt sous une forme développée (pleine) *préverbe* + *thème*, tantôt sous une forme réduite à la partie constitutive seule (= le thème). Puisque ces formes sont isofonctionnelles, la même fonction verbale s'étend une fois sur *préverbe* + *thème*, l'autre fois sur le *thème* seul. On peut donc dire que, dans le dernier cas, elle occupe une zone plus étroite que dans le premier ; mais les zones d'emploi sont ici mesurées de tout autre manière que dans le théorème logique précédent.

Les deux chemins par lesquels se propagent les innovations linguistiques dites *analogiques*, du général au spécial, et des structures pleines aux structures réduites, nous font donc entrevoir la structure des systèmes phonique et sémantique. Ajoutons que ces deux chemins correspondent aux deux procédés de raisonnement humain : le premier, la déduction, procédant du général pour aboutir au spécial (*ce qui vaut pour le concept général* A *vaut aussi pour le concept spécial* a) ; le second, l'induction, partant du spécial pour aboutir au général (*ce qui vaut pour le membre constitutif plus le membre complémentaire* a_1, a_2, a_3..., a_n, *où* n *épuise toutes les possibilités, vaut aussi pour le membre constitutif plus zéro*).

Dans le système de la langue, que ce soit le domaine phonique ou le domaine sémantique, une double hiérarchie gouverne les rapports mutuels de ses membres. L'une est identique à la loi logique de la subordination du spécial au général. L'autre, ignorée jusqu'ici, mais formant un pendant exact à la première, c'est la subordination des structures réduites aux structures pleines isofonctionnelles. C'est sans doute l'opinion erronée que les propositions se fondent sur des mots isolés qui est responsable du fait que la logique traditionnelle, émanation de la grammaire, ne s'est pas aperçu de la loi générale concernant les structures. Mais la grammaire moderne ne la codifie pas non plus, ce qui entraîne des conséquences fâcheuses en phonologie aussi bien qu'en morphologie ou en syntaxe. Ainsi, par exemple, il arrive encore qu'on traite les propositions impersonnelles du type lat. *pluit* " il pleut " comme des prototypes de propositions, ou formes élémentaires servant de base aux formes développées. Or, suivant le théorème en question, ce sont au contraire des formes *motivées* qui s'appuient sur les propositions dichotomes, à (*groupe ed*) *sujet* + (*groupe de*) *prédicat*. La question de la *genèse* des différents types de propositions ne saurait nous intéresser ici.

La sémiologie dont il est question ici ne saurait devenir une théorie *générale* du signe. Ce sera une sémiologie dégagée de deux domaines hétérogènes, il est vrai, mais qui présentent des ressemblances de structure frappantes, en particulier les classes de signes basées sur les fonctions " syntaxiques ". Mais si la grammaire a engendré la logique, il faut refaire l'œuvre d'Aristote pour dégager une sémiologie qui corrigerait deux défauts essentiels de sa logique. L'un c'est le point de vue traditionnel qui semble considérer le *contenu* comme donné d'avance. Or, le contenu, par exemple la somme des marques articulatoires d'un phonème, le contenu sémantique d'un morphème, n'est qu'une condensation de ses emplois, c'est-à-dire découle des oppositions phoniques ou sémantiques respectivement, dans lesquels le phonème ou le morphème figure. Le contenu est fondé sur la zone de l'emploi, et non inversement. L'argument phonologique cité plus haut, concernant les membres neutre (-négatif) et positif d'une corrélation phonologique, est péremptoire à cet égard. Toute proportion gardée, le théorème du *contenu* et de l'*emploi* nous rappelle le célèbre théorème de la masse et de l'énergie.

L'autre défaut grave de la logique traditionnelle est de considérer les concepts comme quelque chose qui préexiste aux jugements, c'est-à-dire de considérer les propositions comme fondées sur les mots simples. Or, le fait que les classes sémantiques sont ancrées dans les fonctions syntaxiques, le théorème des structures réduites fondées sur les structures pleines, plaident en faveur d'un état de choses contraire.

Nous laissons de côté les changements chronologiques du système. Dans l'article précité des *Acta Linguistica*, V, auquel nous renvoyons le lecteur intéressé, nous nous sommes servi de quelques concepts se rapportant à la diachronie, tels la *différenciation* et la *polarisation*. Ce qui importe avant tout, c'est de reconnaître la hiérarchie et l'interdépendance des structures et des éléments, lesquelles se maintiennent et se rétablissent à travers et malgré les changements. Nous ne pouvons non plus discuter ici les notions de *fonction primaire* (ou *valeur*) et de *fonctions secondaires*, lesquelles sont d'une importance capitale, tant pour l'aspect diachronique que pour l'aspect synchronique.

Ce n'est pas tout. Le facteur *social*, qui semble au premier coup d'œil extérieur au *système* de la langue, lui est en réalité organiquement lié. L'expansion d'un signe à l'intérieur du système n'est qu'un contre-coup de son expansion dans la communauté linguistique.[8] Or, ce rapport possède non seulement un côté dynamique, mais aussi un aspect statique. La sphère d'emploi d'un signe à l'intérieur du système correspond à la sphère de son emploi dans la communauté linguistique. C'est-à-dire que plus le contenu est général, plus large est l'emploi du signe dans la communauté parlante ; plus le contenu est spécial, plus l'emploi, non seulement interne (= à l'intérieur du système), mais aussi externe (= à l'intérieur de la communauté) est étroit. Pour le domaine *sémantique*, cette dépendance entre le système et le facteur social a été dès longtemps signalée par Meillet.[9] D'autre part, M. Twaddell[10] a souligné la nature sociale du *phonème*. Mais le caractère social intrinsèque des systèmes étudiés ici, et par conséquent aussi du système sémiologique qui est à leur base, découle surtout de considérations générales. Les essais occasionnels pour saisir le système de la langue à travers ses réalisations sont toujours partis de la supposition, plus ou moins tacite, mais justifiée, que la fonction de représentation ou la fonction symbolique (*Darstellungsfunktion* de Bühler) était la seule qui méritât l'attention. C'est cette fonction qui résume le côté social du langage, c'est-à-dire la *langue*, tandis que les fonctions expressive et appellative, dans la mesure où elles ont un caractère spontané et non conventionnel, n'apparaissent que dans la *parole*, et relèvent d'une théorie des activités humaines plus que d'une théorie des *signes*. Et ce qui vaut pour la nature sociale des symboles garde sa force pour les éléments phoniques qui servent à bâtir ces symboles, c'est-à-dire pour les phonèmes, dont le caractère social est non moins assuré.

[8] Toute innovation " analogique " repose sur une proportion dont les termes appartiennent à deux parlers différents (cf. le principe VI de notre article des *Acta Linguistica*, V).

[9] Comment les mots changent de sens, *Année sociologique*, 1905–6, et *Linguistique historique et linguistique générale*, I, 1921, p. 230.

[10] On defining the phoneme, *Language Monographs*, XVI, 1935.

27 ON THE SIMPLICITY OF DESCRIPTIONS

Henning Spang-Hanssen

The object of glossematics is to provide a procedure by means of which linguistic texts may be described exhaustively and without contradiction. If several procedures prove to lead to this goal that procedure must be chosen which ensures the simplest possible result of the description.[1]

While it is hardly difficult, neither theoretically nor practically, to decide how far a description of linguistic texts is contradictionless and exhaustive, the decision which of the several procedures is the simplest gives rise to special problems. Such a decision will on the one hand presuppose an objective standard for what is simplicity. More important, however, is the fact that the simplicity of a description (i.e. the result of a description) is not only dependent on the description itself (the descriptive result). Simplicity in ordinary usage is a notion bound up with processes, not with " things " ; if a thing is said to be simple, it will always be conceived as being part of a process,[2] and since " one and the same thing " may be connected with various processes (e.g. be the result of one process, or have the function of an instrument in another process) it is impossible to regard simplicity as an independent and permanent quality of the thing. Simplicity in the terminology of linguistic theory cannot in this respect be different from simplicity in ordinary vague usage. The simplicity of a description (i.e. of the result of a description) is dependent on the process of which the description is a part. If the description is regarded as the final result of an analytical procedure then its simplicity will be measurable by the simplicity of the procedure ; if, on the other hand, the description is taken as a means of predicting certain relations in texts other than those that are the subject of the analysis, then the simplicity of the description will be measurable by the simplicity of the prediction process.

Since descriptions may aim at different aspects of the texts, it is further to be expected that a description which in one respect is relatively simple will prove to be less simple in other respects. An estimate of the simplicity of a description used as a means of predicting presupposes that the special goal of the prediction is known. Simplicity is a relative concept just as expediency.

Reprinted from *Travaux du Cercle Linguistique de Copenhague* 5 (1949) : 61–70, with the permission of the author and of the Linguistic Circle of Copenhagen.

[1] cf. Louis Hjelmslev : *Omkring sprogteoriens grundlæggelse* (Copenhagen 1943 ; in the following shortened to *OSG*) par. 6.

[2] This is only an instance that " things " on the whole can only be conceived in their reciprocity, i.e. they are only defined by being linked with others, cf. *OSG* par. 9.

It is not necessary here to discuss what precisely may be taken as the standard of the simplicity of a certain process. In vague speech it may be said that, of several processes with the same final result, that one is simplest which requires least exertion in attaining the result. The difficulty is to say precisely what exertion means. There is no doubt that in many processes it will be a question of physically or psychologically defined exertion. Only further investigations can show whether it will be possible with regard to the processes relevant for the description of linguistic texts (i.e. the analytical procedure and the prediction process) to formulate criteria which are formal in a glossematic sense,[3] and which can serve as a standard for simplicity, that is criteria which present an exact standard, and which are at the same time related to the ordinary concept of simplicity.[4] Neither for the preceding nor the following argument is it essential whether the simplicity of a description applied to a given prediction goal can be measured by means of formal criteria or whether it is necessary to measure the simplicity by means of psychological and/or physical units. The essential thing here is that the simplicity of a description—taken as a means—is a relative concept, which has significance only if the purpose to which the description is applied is indicated.

This circumstance is important for the concrete formulation of descriptions of linguistic texts. The following remarks are intended to illustrate this by means of a few instances taken from the analysis of the expression plane, with special regard to the inventory of expression taxemes (phonemes).

The phoneme inventory of a language is ascertained by applying the commutation test to the phoneme variants found in the analysis of a text. It must be a rule that commutation tests are applied to all variants in the expression signs which the examined text material contains.[5] If a single commutation test gives a positive result, i.e. if the substitution of an examined variant for another examined variant in a given sign expression results in a change of content then each of the two examined variants is an invariant: in other words we are dealing with two different phonemes. But if a single commutation test is negative, if the substitution of variants does not result in a change of content, we are not therefore entitled to conclude that the variants belong to the same phoneme. The commutation test in individual cases will only help to establish phonemic difference, not phonemic identity. Not until the commutation test has been applied to the entire material is it possible to ascertain groups, each containing a number of variants among which the commutation test everywhere in the material has given a negative result, i.e. a number of replaceable variants. The variants of such a group therefore do not exhibit any phonemic difference, in other words they are instances of one and the same phoneme.

Every concrete application of the commutation test requires that it is

[3] I.e. they belong to the pattern of the language. The term " formal " is convenient but may be misunderstood, since " formal " in other contexts is often used as the opposite of " real ", or as belonging to the " form " as contradistinct from the " content ". In the terminology of glossematics " form " (and " formal ") is a relative concept. Cf. *OSG* par. 15.

[4] It may be laid down, e.g., that the number of units in the inventories is the inverse ratio of simplicity if otherwise everything—including the purpose of the description—remains unchanged (cf. *OSG* par. 14).

[5] More precisely: to all variants of one and the same category; e.g. in the case of a vowel variant the commutation test is only applied to vowel variants; cf. *OSG* par. 14.

possible, with an objectively controllable motivation, to maintain that we are dealing all the time with the same variant, after an examined variant in the sign expression in which it was found has been shifted to a given place in another examined sign expression. This means that it must be possible by means of some criterion to characterize the variant. If the sign expressions in question e.g. occur in a spoken text, the acoustic character of the variants may be used. Explicitly or implicitly, this acoustic criterion has been used in phonemics. It has also been used in glossematic analyses of the expression system of spoken languages. But while this criterion in phonemics enters into the very notion of the phoneme the fundamental distinction of glossematics between pattern and usage necessitates an intrinsically different valuation of the part played by the acoustic quality in ascertaining the expression taxemes of the spoken language.[6] In glossematics, the pattern of a language is independent of usage, in so far as usage presupposes the pattern, but not vice versa. The pattern of a language is therefore not necessarily bound up with a definite usage, more particularly with a definite manifestation. One and the same pattern can be manifested in different " substances " ; the expression plane may among other things be manifested through the acoustic substance and the graphic substance. It follows from this view that a characterization of variants by means of acoustic qualities is not the only theoretically possible procedure in ascertaining the inventory of expression taxemes in a language.

If it is the aim of a linguistic description, as is normally the case, to predict both the pattern and certain aspects of usage in hitherto not examined texts, it will be practical, however, in the description to seek the closest possible contact with the pertinent aspects of usage. If the indication of the pronunciation of a text is among the aims, it will thus be practical to make the pronunciation criteria characterize the variants. This presupposes an independent forming in usage, in this case the sound substance. Many formings of this kind are possible ; the sound substance may be analyzed on a physical, articulatory or auditory basis, and there are probably within each section various possible procedures. But no such independent forming in the usage can be expected to agree entirely with the pattern of the language, i.e. to be perfectly congruent with the latter ; different formings in usage can only be more or less affinitive to the pattern, i.e. they are more or less congruent with it. In principle therefore no particular forming in usage is superior to others. The choice between them is determined exclusively by the question what aspects of usage are to be described together with the pattern of the language. Furthermore, among several possibilities that refer to the same aspect, that one will be chosen which makes the desired prediction simplest.

It may also be desirable to have regard to other aspects than the pronunciation of a language—or more exactly certain features of the pronunciation—in making a description of a language. It may be expedient, e.g. to operate with as few elements as possible ; [7] if the description is intended to serve as a basis of a

[6] The term " phoneme " in itself indicates connexion with sound. Glossematics, however, uses the term " expression taxeme " which is neutral as to substance.

[7] This must not be confused with the well-known principle that of several descriptions otherwise identical the one is called simplest that lists the smallest inventory (cf. note 2, p. 62) [i.e. note 4, p. 235]. In the text above, however, we are dealing with the *purpose* of making the inventory small.

graphic system it is essential to remember that the number of letter symbols should for practical reasons be kept low, an aim that has played an important part in working out orthographies, as in those cases where the Latin alphabet was made to serve in languages with a greater number of phonemes. It is always possible in principle to reduce the number of taxemes by regarding commutable variants as made up of unequal numbers of repetitions of one and the same taxeme. Thus in glossematic analyses which aim at establishing contact with the pronunciation in languages with commutable long and short vowel variants the long vowels will be regarded as repeated short vowels, by which means the number of different vowels is diminished. Theoretically it is possible by such a procedure to reduce the number of taxemes until only one is left which may be repeated a greater or smaller number of times. The Morse alphabet works analogously with two taxemes (written · and —); seen from a phonetic point of view this alphabet is arbitrary, i.e. there is no connexion between the formation of the Morse letters and the customary sound value of the letters described phonetically. A description of the expression system of ordinary languages by means of a very few taxemes (repeated a greater or smaller number of times) will from a phonetic point of view probably always be arbitrary, since it is hardly possible to arrange the sounds of a language unambiguously in one or a very few dimensions.[8] But it must be remembered that arbitrariness—just as simplicity—is a relative concept; non-phonetic criteria can be pointed out by means of which a reduction to few taxemes can be carried out, so that the description is not arbitrary in another respect. Ascertained phonemes might e.g. be reduced to repetitions of one and the same element, so that the number of repetitions is determined by the place of the phoneme in the set of phonemes arranged according to progressively diminishing frequency. Such a principle has been made the basis of the formation of the Morse alphabet.

In graphic systems the desire for a low number of elements is usually accompanied by a desire for parallelism of graphic elements and phonemes, a factor that may also work in the opposite direction. According to what is the dominating regard the number of elements may be different. But it may be interesting also from a theoretical point of view to examine the various possibilities which present themselves when different points of view are made the basis for the arrangement of expression systems. By way of illustration we shall take the short vowels in Danish.

There are among others the *y*- and *ø*-phonemes, manifested in the pronunciation by [*y*] and [*ø*] respectively, [*ø*] being more open than [*y*].[9] This phonemic difference is apparent in a great number of twin words, but in some words both vowels occur without any difference as to content.[10] Further, a phonemic difference is found between *ø* and *ö*, the latter being pronounced [*ö*] which is more open than [*ø*],[9] and also a phonemic difference between *y* and *ö*. These last two phonemic differences occur exclusively in such pairs of words in which the vowel is followed by *n*; some instances: *synder* [*sønər*] " sins "—*sønner* [*sönər*] " sons "; *brynde* [*brynə*] " passion "—*brønde* [*brönə*] " wells ". There

[8] The concept of sonority represents a—hardly practicable—attempt to arrange the sounds of language in one dimension.
[9] See e.g. A. Martinet: *La phonologie du mot en danois* (*BSLP 38, 2*; 1937) par. 2–2.
[10] *Ibid.* par. 2–14, 2–16, 2–17.

exists, however, no pair of words in which *y* and *ø* are commutable before *n*; in this position *y* is rare and does not occur as phonemically different from *ø*.[11]

If now the mentioned part of the vowel inventory is to be arranged in such a way that phonetically identical variants, which have proved to be interchangeable, are regarded as belonging to one and the same expression taxeme, we must acknowledge three taxemes: *y*, *ø*, and *ö*. If, on the other hand, the preponderant idea is to reduce the inventory, it is possible to give an unambiguous description by means of only two taxemes, which might be spelt *y* and *ø*. The manifestation of these in the pronunciation may then be described in such a way that *y* is pronounced [*y*], before *n* however [*ø*] or (rarely) [*y*], *ø* is pronounced [*ø*], but before *n* [*ö*]. Roughly speaking, the matter might phonetically be described like this: that the pronunciation of both taxemes before *n* inclines towards a greater degree of opening (a similar tendency in the same direction is well known as regards the pronunciation of *y* and *ø* before *r*). From a phonetic point of view the description by means of three taxemes is simplest, but if it is a question of reducing the inventory, the description by means of two taxemes is simplest. It may be added that Danish spelling likewise has only the two letters *y* and *ø*; their distribution, however, is determined by several additional factors.

Both from a theoretical and from a practical point of view, considerable importance is attached to the possibility of attaining a simpler description of inflexional and derivative paradigms—more precisely of their expression plane—by a suitable arrangement of the inventory of expression taxemes. Here the problem is to reach a simpler description of certain aspects of the pattern of language, whereas the regard to a simple phonetic description concerns certain aspects of usage. The cases of alternation that occur frequently in paradigms may, at any rate for a part, be eliminated by a suitable arrangement of the inventory of the expression taxemes, by means of which a simpler description of the expression plane of the paradigms is attained. This will be done at the cost of the simplicity of the description as regards the phonetic aspect of the expression taxemes, and the choice between the possibilities is therefore determined by the question which of the different aspects shall be made the subject of a simple description. Instances taken from the vowel inventory of Czech may illustrate these remarks.

Corresponding to the vowels *a*, *e*, *i* (or *y*) there are in Czech also long vowels written *á*, *é*, *í* (or *ý*). There are, further, the short vowels *u* and *o*, together with long *u*, written *ú*, or *ů*; the graph *ú* is only used initially, *ů* in all other positions (long *o*, written *ó*, occurs only in foreign words and will not be considered in the following). Of several diphthongs only *ou* is mentioned here.

All the vowels and diphthongs that occur can be described by means of the taxeme inventory: *a*, *e*, *i* (or *y*), *o*, and *u*. The long vowels may be regarded as monosyllabically repeated short vowels, e.g. *á* as *aa*, long *u* (*ú* and *ů*) as *uu*. The diphthongs also may be reduced, written e.g. *ou*, to the taxemes *ou*. Such a description effects the simplest possible contact with an ordinary phonetic

[11] We emphasize that the illustration comprises only the *short* vowels *y*, *ø*, *ö*. It is moreover a moot question whether it is necessary to regard long *ö* as phonemically different from long *ø*, and it is thus seen that both the short as well as the long *ö* have special positions among the Danish vowels.

description. But as regards the simple description of inflexion and derivation paradigms, another reduction of *ů* and *ou* will be preferable (the number of taxemes remaining unchanged). In the numerous cases in which in such paradigms an alternation takes place between short and long vowels in the stem (or root), *o* alternates with *ů* (not with *ó*, which occurs only in foreign words), and *u* with *ou* or (only initially) with *ú* (but not with *ů*) ; e.g.

Nominative sing.	hrách	"pea"	chléb	"bread"	dům	"house"
Genitive sing.	hrachu		chleba		domu	
Nominative sing.	kráva	"cow"	trouba	"pipe"		
Genitive plur.	krav		trub			
Diminutive	prach	"dust"	bok	"hip, side"	zub	"tooth"
	prášek		bůček		zoubek	
Infinitive	hájiti	"defend"	chýliti	"bend"	hloubiti	"deepen"
Iterative infinitive	hajovati		chylovati		hlubovati	

It will be possible to formulate the alternations more simply—contrary to the simplest possible phonetic description of the expression taxemes—by reducing *ů to oo* and by reducing both *ou* and *ú* to *uu* ; since *ou* is not commutable with *ú* there will be no ambiguity in regarding both *ou* and *ú* as *uu* (in dialects, by the way, the pronunciation [ou] for *ú* occurs). Thus [u :] becomes the manifestation of two different taxemes : of *uu* initially, and of *oo* in other positions. The differentiation of Czech orthography between *ú* and *ů* has its origin in precisely this circumstance : *ů* is written in the cases in which there is alternation with *o* (and where earlier stages of the language had long *o*), which is always the case except initially. The graphic symbol of *ů* is a fusion of *u* and *o*.

It will be necessary to emphasize that the problem of listing the inventory of taxemes which we are dealing with here and which the mentioned instances have illustrated is fundamentally different from the question of a definition of the individual taxemes, a question that has been treated in monographs by several authors. For several languages it has been shown (first for English by *Bloomfield*) how the individual phonemes may, without regard to their phonetic character, be defined on the basis of their possible combinations or alternations. In glossematics a further analysis of the taxemes is carried out by observing their syncretisms. But every definition or further analysis presupposes that the inventory of taxemes has been completely listed ; a definition of Czech *u* e.g., on the basis of possible combinations, may turn out differently in proportion as graphic *ou* is reduced to *ou* or *uu*. All of the mentioned monographs have—implicitly or explicitly—presupposed that the inventory of taxemes or phonemes has been listed in the closest possible contact with the phonetic description, i.e. by applying exclusively acoustic criteria in the characterization of the variants in the commutation test.[12]

For us, however, the question is how far is it possible, and under given conditions expedient, to replace the phonetic characterization of the variants in the commutation test by other forms of characterization, e.g. certain aspects of inflexion and derivation.

Morphonologic or morphemic monographs have no direct bearing on this subject either, since they also presuppose that the phoneme inventory has

[12] Stated explicitly by Hans Vogt (*Norsk tidsskrift for sprogvidenskap XII* (1942) p. 7).

already been established. On the other hand, the traditional orthographies offer material to elucidate the problem, this not only appears from the above-mentioned instances, but mention may also be made of the principle—well known from many orthographies—that a stem or a root within certain limits retains its spelling unchanged independent of phonematic changes in the inflexion and derivation. Glossematics seems on the whole to be a fertile soil for the study of the independent principles of written languages.

A special form is to work with *latent* units where it is possible in the listing of the inventory of expression taxemes, to attain a simple description for a special purpose. A taxeme in a sign expression is thus under certain conditions regarded as forming a reductible syncretism with a taxeme whose manifestation is zero.[13] The syncretism is reduced by introducing in its place the taxeme (or more precisely the taxeme variety) with a manifestation other than zero, which under changed conditions may be found in the sign expression under investigation. The principle is known from traditional orthographies that employ " silent letters ", which are accounted for by the fact that the " silent letter " of a word reassumes its usual sound value when the word is subjected to inflexion or derivation.

The object of operating with latent expression taxemes may be to attain a small inventory. Thus by assuming a latent *d* in Danish, *Louis Hjelmslev* has been able to describe the glottal stop as a signal for certain syllabic structures, a method which eliminates the glottal stop from the taxeme inventory; what justifies the introduction of a latent *d* in certain words, e.g. *mand* " man ", *vand* " water ", is the fact that in adjectival derivatives in *-ig* (e.g. *mandig* " manly ", *vandig* " watery ") a *d* occurs which is manifested in the pronunciation.[14] The aim may also be to effect a simpler description of inflexion and/or derivation paradigms, e.g. the inflexion as to the gender of substantives and adjectives in French. A latent *d* in Danish *mand, vand,* and others also simplifies the description of derivatives in *-ig*, compare e.g. *vand—vandig* with *luft* " air "—*luftig*, in which there is no latent expression taxeme.

The introduction of latent units is a particularly practical means to simplify descriptions with special aims, for latent units can never be in direct opposition to a description that aims at affinity with the pronunciation. But the description becomes less simple with respect to the prediction of the pronunciation in not investigated texts, as it is necessary—by way of supplement—to indicate under what conditions the taxemes are latent. Where it is desirable to retain a comparatively simple contact with the pronunciation, which will be mostly the case, rather narrow bounds are fixed for how many latent units may be expediently introduced.

The object of the foregoing remarks and illustrations from the listing of the inventory of expression taxemes has been to throw light on the general principle that in the choice between several contradictionless and exhaustive descriptions of texts the wider aim of the description must be the decisive factor, and that among several descriptions, each of which is expedient in certain respects, the simplest must be preferred. In all these instances the desire for a simple

[13] cf. *OSG* par. 18.

[14] There is however no *necessity* to reckon with the latent *a*; *-dig* may be regarded as a derivative.

description of the manifestation of the expression taxemes in the pronunciation has been a dominant factor, which, however, at several points was counteracted by other regards. In practice, attention to the pronunciation will play an important part in every description of the expression system of a spoken language. My observations are not intended to deny this principle : they are intended to point out that a description on the basis of this view is not the only possible one for a glossematic consideration, nor in all cases the most expedient one. It is of fundamental importance to analyse these questions and one of the reasons is that analogous problems will appear in the content analysis where the problems are less familiar and where the wider aim of the description is not necessarily entirely analogous with the customary aim of descriptions of the expression plane. " En examinant de plus près les faits particuliers qui s'observent ou bien dans la langue en général, ou bien dans telle langue particulière, on se rend compte qu'il y a certains faits qui s'observent plus facilement dans l'un des deux plans, d'autres qui s'observent plus facilement dans l'autre ".[15]

[15] Louis Hjelmslev : *Note sur les oppositions supprimables* (*TCLP VIII* (1939) p. 52).

28 ACTIF ET MOYEN DANS LE VERBE

Émile Benveniste

La distinction de l'actif et du passif peut fournir un exemple d'une catégorie verbale propre à dérouter nos habitudes de pensée : elle semble nécessaire — et beaucoup de langues l'ignorent ; simple — et nous avons grande difficulté à l'interpréter ; symétrique — et elle abonde en expressions discordantes. Dans nos langues même, où cette distinction paraît s'imposer comme une détermination fondamentale de la pensée, elle est si peu essentielle au système verbal indo-européen que nous la voyons se former au cours d'une histoire qui n'est pas si ancienne. Au lieu d'une opposition entre actif et passif, nous avons en indo-européen historique une triple division : actif, moyen, passif, que reflète encore notre terminologie : entre l'*ἐνέργεια* (= actif) et le *πάθος* (= passif), les grammairiens grecs ont institué une classe intermédiaire, " moyenne " (*μεσότης*), qui semblerait faire la transition entre les deux autres, supposées primitives. Mais la doctrine hellénique ne fait que transposer en concepts la particularité d'un certain état de langue. Cette symétrie des trois " voix " n'a rien d'organique. Elle prête certes à une étude de synchronie linguistique, mais pour une période donnée de l'histoire du grec. Dans le développement général des langues indo-européennes, les comparatistes ont établi depuis longtemps que le passif est une modalité du moyen, dont il procède et avec lequel il garde des liens étroits alors même qu'il s'est constitué en catégorie distincte. L'état indo-européen du verbe se caractérise donc par une opposition de deux diathèses seulement, active et moyenne, selon l'appellation traditionnelle.

Il est évident alors que la signification de cette opposition doit être tout autre, dans la catégorisation du verbe, qu'on ne l'imaginerait en partant d'une langue où règne seule l'opposition de l'actif et du passif. Il n'est pas question de considérer la distinction " actif-moyen " comme plus ou comme moins authentique que la distinction " actif-passif ". L'une et l'autre sont commandées par les nécessités d'un système linguistique, et le premier point est de reconnaître ces nécessités, y compris celle d'une période intermédiaire où moyen et passif coexistent. Mais à prendre l'évolution à ses deux extrémités, nous voyons qu'une forme verbale active s'oppose d'abord à une forme moyenne, puis à une forme passive. Dans ces deux types d'opposition, nous

Reprinted from *Journal de Psychologie* 43 (1950) : 119–27, with the permission of the author and of *Journal de Psychologie*.

avons affaire à des catégories différentes, et même le terme qui leur est commun, celui d'" actif ", ne peut avoir, opposé au " moyen ", le même sens que s'il est opposé au " passif ". Le contraste qui nous est familier de l'actif et du passif peut se figurer — assez grossièrement, mais cela suffit ici — comme celui de l'action agie et de l'action subie. Par contre, quel sens attribuerons-nous à la distinction entre actif et moyen ? C'est le problème que nous examinerons sommairement.

Il faut bien mesurer l'importance et la situation de cette catégorie parmi celles qui s'expriment dans le verbe. Toute forme verbale finie relève nécessairement de l'une ou de l'autre diathèse, et même certaines des formes nominales du verbe (infinitifs, participes) y sont également soumises. C'est dire que temps, mode, personne, nombre ont une expression différente dans l'actif et dans le moyen. Nous avons bien affaire à une catégorie fondamentale, et qui se lie, dans le verbe indo-européen, aux autres déterminations morphologiques. Ce qui caractérise en propre le verbe indo-européen est qu'il ne porte référence qu'au sujet, non à l'objet. A la différence du verbe des langues caucasiennes ou amérindiennes par exemple, celui-ci n'inclut pas d'indice signalant le terme (ou l'objet) du procès. Il est donc impossible, devant une forme verbale isolée, de dire si elle est transitive ou intransitive, positive ou négative dans son contexte, si elle comporte un régime nominal ou pronominal, singulier ou pluriel, personnel ou non, etc. Tout est présenté et ordonné par rapport au sujet. Mais les catégories verbales qui se conjoignent dans les désinences ne sont pas toutes également spécifiques : la personne se marque aussi dans le pronom ; le nombre, dans le pronom et dans le nom. Il reste donc le mode, le temps, et, par-dessus tout, la " voix ", qui est la diathèse fondamentale du sujet dans le verbe ; elle dénote une certaine attitude du sujet relativement au procès, par où ce procès se trouve déterminé dans son principe.

Sur le sens général du moyen, tous les linguistes s'accordent à peu près. Rejetant la définition des grammairiens grecs, on se fonde aujourd'hui sur la distinction que Pāṇini, avec un discernement admirable pour son temps, établit entre le *parasmaipada* " mot pour un autre " (= actif) et l'*ātmanepada* " mot pour soi " (= moyen). A la prendre littéralement, elle ressort en effet d'oppositions comme celle dont le grammairien hindou fait état : skr. *yajati* " il sacrifie " (pour un autre, en tant que prêtre) et *yajate* " il sacrifie " (pour soi, en tant qu'offrant).[1] On ne saurait douter que cette définition réponde en gros à la réalité. Mais il s'en faut qu'elle s'applique telle quelle à tous les faits, même en sanskrit, et qu'elle rende compte des acceptions assez diverses du moyen. Si on embrasse l'ensemble des langues indo-européennes, les faits apparaissent souvent si fuyants que, pour les couvrir tous, on doit se contenter d'une formule assez vague, qu'on retrouve à peu près identique chez tous les comparatistes ; le moyen indiquerait seulement une certaine relation de l'action avec le sujet, ou un " intérêt " du sujet dans l'action. Il semble qu'on ne puisse préciser davantage, sinon en produisant des emplois spécialisés où le moyen favorise une acception restreinte, qui est ou possessive, ou réflexive, ou réciproque, etc. On est donc renvoyé d'une définition très générale à des exemples très particuliers, morcelés en petits groupes et déjà diversifiés. Ils ont

[1] Nous avons utilisé dans cet article, à dessein, les exemples qui sont cités dans tous les ouvrages de grammaire comparée.

certés un point commun, cette référence à l'*ātman*, au " pour soi " de Pāṇini, mais la nature linguistique de cette référence échappe encore, à défaut de laquelle le sens de la diathèse risque de n'être plus qu'un fantôme.

Cette situation donne à la catégorie de la " voix " quelque chose de singulier. Ne faut-il pas s'étonner que les autres catégories verbales, mode, temps, personne, nombre, admettent des définitions assez précises, mais que la catégorie de base, la diathèse verbale, ne se laisse pas délimiter avec quelque rigueur ? Ou serait-ce qu'elle s'oblitérait déjà avant la constitution des dialectes ? C'est peu probable, à voir la constance de l'usage et les correspondances nombreuses qui s'établissent d'une langue à l'autre dans la répartition des formes. On doit donc se demander par où aborder le problème et quels sont les faits les plus propres à illustrer cette distinction de " voix ".

Les linguistes se sont jusqu'à présent accordés à juger, explicitement ou non, que le moyen devait être défini à partir des formes — et elles sont nombreuses — qui admettent les deux séries de désinences, telles que skr. *yajati* et *yajate*, gr. *ποιεῖ* et *ποιεῖται*. Le principe est irréprochable, mais il n'atteint que des acceptions déjà restreintes, ou une signification d'ensemble assez lâche. Cette méthode n'est cependant pas la seule possible, car la faculté de recevoir les désinences actives ou les désinences moyennes, si générale qu'elle soit, n'est pas inhérente à toutes les formes verbales. Il y a un certain nombre de verbes qui ne possèdent qu'une série de désinences ; ils sont les uns actifs seulement, les autres seulement moyens. Personne n'ignore ces classes des *activa tantum* et des *media tantum*, mais on les laisse en marge des descriptions.[2] Ils ne sont pourtant ni rares, ni insignifiants. Pour n'en rappeler qu'une preuve, nous avons dans les déponents du latin, une classe entière de *media tantum*. On peut présumer que ces verbes à diathèse unique étaient si caractérisés ou comme actifs ou comme moyens qu'ils ne pouvaient admettre la double diathèse dont les autres verbes étaient susceptibles. Au moins à titre d'essai, on doit chercher pourquoi ils sont restés irréductibles. Nous n'avons plus alors la possibilité de confronter les deux formes d'un même verbe. Il faut procéder par comparaison de deux classes de verbes différents, pour voir ce qui rend chacune inapte à la diathèse de l'autre.

On dispose d'un certain nombre de faits sûrs, grâce à la comparaison. Nous allons énumérer brièvement les principaux verbes représentés dans chacune des deux classes.

I. — Sont seulement actifs : être (skr. *asti*, gr. *ἐστι*) ; aller (skr. *gachati*, gr. *βαίνει*) ; vivre (skr. *jīvati*, lat. *vivit*) ; couler (skr. *sravati*, gr. *ῥεῖ*) ; ramper (skr. *sarpati*, gr. *ἕρπει*) ; plier (skr. *bhujati*, gr. *φεύγει*) ; souffler (en parlant du vent, skr. *vāti*, gr. *ἄησι*) ; manger (skr. *atti*, gr. *ἔδει*) ; boire (skr. *pibati*, lat. *bibit*) ; donner (skr. *dadāti*, lat. *dat*).

II. — Sont seulement moyens : naître (gr. *γίγνομαι*, lat. *nascor*) ; mourir (skr. *mriyate*, *marate*, lat. *morior*) ; suivre épouser un mouvement (skr. *sacate*, lat. *sequor*) ; être maître (av. *xšayete*, gr. *κτάομαι* ; et skr. *patyate*, lat. *potior*) ; être couché (skr. *śete*, gr. *κεῖμαι*) ; être assis (skr. *āste*, gr. *ἧμαι*) ; revenir à un

[2] A ma connaissance seul Delbrück, *Vergl. Synt.*, II, p. 412 sq., les met à la base de sa description. Mais il a morcelé les faits en petites catégories sémantiques au lieu de viser à une définition générale. — En procédant ainsi, nous n'impliquons pas que ces verbes à diathèse unique préservent nécessairement un état plus ancien que les verbes à double diathèse.

état familier (skr. *nasate*, gr. *νέομαι*) ; jouir, avoir profit (skr. *bhuṅkte*, lat. *fungor*, cf. *fruor*) ; souffrir, endurer (lat. *patior*, cf. gr. *πένομαι*) ; éprouver une agitation mentale (skr. *manyate*, gr. *μαίνομαι*) ; prendre des mesures (lat. *medeor*, *meditor*, gr. *μήδομαι*) ; parler (*loquor*, *for*, cf. *φάτο*), etc. Nous nous bornons dans cette classe et dans l'autre à relever ceux des verbes dont l'accord d'au moins deux langues garantit la diathèse ancienne et qui la conservent dans l'usage historique. Il serait facile d'allonger cette liste à l'aide de verbes qui sont dans chaque langue spécifiquement moyens, comme skr. *vardhate* " croîte " ; *cyavate* (cf. gr. *σεύομαι*) " s'ébranler " ; *prathate* " s'élargir " ; ou gr. *δύναμαι, βούλομαι, ἔραμαι, ἔλπομαι, αἴδομαι, ἅζομαι*, etc.

De cette confrontation se dégage assez clairement le principe d'une distinction proprement linguistique, portant sur la relation entre le sujet et le procès. Dans l'actif, les verbes dénotent un procès qui s'accomplit à partir du sujet et hors de lui. Dans le moyen, qui est la diathèse à définir par opposition, le verbe indique un procès dont le sujet est le siège ; le sujet est intérieur au procès.

Cette définition vaut sans égard à la nature sémantique des verbes considérés ; verbes d'état et verbes d'action sont également représentés dans les deux classes. Il ne s'agit donc nullement de faire coïncider la différence de l'actif au moyen avec celle des verbes d'action et des verbes d'état. Une autre confusion à éviter est celle qui pourrait naître de la représentation " instinctive " que nous nous formons de certaines notions. Il peut nous paraître surprenant par exemple que " être " appartienne aux *activa tantum*, au même titre que " manger ". Mais c'est là un fait et il faut y conformer notre interprétation : " être " est en indo-européen, comme " aller " ou " couler ", un procès où la participation du sujet n'est pas requise. En face de cette définition qui ne peut être exacte qu'autant qu'elle est négative, celle du moyen porte des traits positifs. Ici le sujet est le lieu du procès, même si ce procès, comme c'est le cas pour lat. *fruor* ou skr. *manyate*, demande un objet ; le sujet est centre en même temps qu'acteur du procès ; il accomplit quelque chose qui s'accomplit en lui, naître, dormir, gésir, imaginer, croître, etc. Il est bien intérieur au procès dont il est l'agent.

Dès lors supposons qu'un verbe typiquement moyen tel que gr. *κοιμᾶται* " il dort " soit doté secondairement d'une forme active. Il en résultera, dans la relation du sujet au procès, un changement tel que le sujet, devenant extérieur au procès, en sera l'agent, et que le procès, n'ayant plus le sujet pour lieu, sera transféré sur un autre terme qui en deviendra objet. Le moyen se convertira en transitif. C'est ce qui se produit quand *κοιμᾶται* " il dort " fournit *κοιμᾷ* " il endort (quelqu'un) " ; ou que skr. *vardhate* " il croît " passe à *vardhati* " il accroît (quelque chose) ". La transitivité est le produit nécessaire de cette conversion du moyen à l'actif. Ainsi se constituent à partir du moyen des actifs qu'on dénomme transitifs ou causatifs ou factitifs et qui se caractérisent toujours par ceci que le sujet, posé hors du procès, le commande désormais comme acteur, et que le procès, au lieu d'avoir le sujet pour siège, doit prendre un objet pour fin : *ἔλπομαι* " j'espère " > *ἔλπω* " je produis espoir (chez un autre) " ; *ὀρχέομαι* " je danse " > *ὀρχέω* " je fais danser (un autre) ".

Si maintenant nous revenons aux verbes à double diathèse, qui sont de beaucoup les plus nombreux, nous constaterons que la définition rend compte ici aussi de l'opposition actif : moyen. Mais cette fois, c'est par les formes du même verbe et dans la même expression sémantique que le contraste s'établit. L'actif alors n'est plus seulement l'absence du moyen, c'est bien un actif, une production d'acte, révélant plus clairement encore la position *extérieure* du sujet relativement au procès ; et le moyen servira à définir le sujet comme *intérieur* au procès : *δῶρα φέρει* " il porte des dons " : *δῶρα φέρεται* " il porte des dons qui l'impliquent lui-même " (= il emporte des dons qu'il a reçus) ; — *νόμους τιθέναι* " poser des lois " : *νόμους τιθέσθαι* " poser des lois en s'y incluant " (= se donner des lois) ; — *λύει τὸν ἵππον* " il détache le cheval " ; *λύεται τὸν ἵππον* " il détache le cheval en s'affectant par là-même " (d'où il ressort que ce cheval est le *sien*) ; — *πόλεμον ποιεῖ* " il produit la guerre " (= il en donne l'occasion ou le signal) : *πόλεμον ποιεῖται* " il fait la guerre où il prend part ", etc. On peut diversifier le jeu de ces oppositions autant qu'on le voudra, et le grec en a usé avec une extraordinaire souplesse ; elles reviennent toujours en définitive à situer des positions du sujet vis-à-vis du procès, selon qu'il y est extérieur ou intérieur, et à le qualifier en tant qu'agent, selon qu'il effectue, dans l'actif, où qu'il effectue en s'affectant, dans le moyen. Il semble que cette formulation réponde à la fois à la signification des formes et aux exigences d'une définition, en même temps qu'elle nous dispense de recourir à la notion, fuyante et d'ailleurs extra-linguistique, d'" intérêt " du sujet dans le procès.

Cette réduction à un critère purement linguistique du contenu de l'opposition entraîne plusieurs conséquences. L'une ne peut être qu'indiquée ici. La présente définition, si elle vaut, doit conduire à une nouvelle interprétation du passif, dans la mesure même où le passif dépend du " moyen " dont il représente historiquement une transformation, qui à son tour contribue à transformer le système qui l'accueille. Mais c'est là un problème qui ne saurait être discuté en passant. Pour rester dans les limites de celui-ci, nous avons à indiquer quelle place cette diathèse tient dans le système verbal indo-européen et à quelles fins elle est employée.

Si forte est la suggestion qui émane de la terminologie traditionnelle, qu'on a peine à se représenter comme nécessaire une opposition fonctionnant entre une forme " active " et une forme " moyenne ". Même le linguiste peut avoir l'impression qu'une pareille distinction reste incomplète, boiteuse, un peu bizarre, gratuite en tout cas, en regard de la symétrie réputée intelligible et satisfaisante entre l'" actif " et le " passif ". Mais, si l'on convient de substituer aux termes " actif " et " moyen " les notions de " diathèse externe " et de " diathèse interne ", cette catégorie retrouve plus facilement sa nécessité dans le groupe de celles que porte la forme verbale. La diathèse s'associe aux marques de la personne et du nombre pour caractériser la désinence verbale. On a donc, réunies en un même élément, un ensemble de trois références qui, chacune à sa manière, situent le sujet relativement au procès et dont le groupement définit ce qu'on pourrait appeler le champ positionnel du sujet : la personne, suivant que le sujet entre dans la relation de personne " je-tu " ou qu'il est non-personne (dans la terminologie usuelle " 3ᵉ personne ") ; [3] le nombre, suivant qu'il est individuel ou plural ; la diathèse enfin, selon qu'il est extérieur ou intérieur au procès. Ces trois catégories fondues en un élément unique et constant, la

[3] Cette distinction est justifiée dans un article du *Bull. Soc. Lingu.*, XLIII, 1946, p. 1 sq.

désinence, se distinguent des oppositions modales, qui se marquent dans la structure du thème verbal. Il y a ainsi solidarité des morphèmes avec les fonctions sémantiques qu'ils portent, mais en même temps il y a répartition et équilibre des fonctions sémantiques à travers, la structure délicate de la forme verbale : celles qui sont dévolues à la désinence (dont la diathèse) indiquent le rapport du sujet au procès, alors que les variations modales et temporelles propres au thème affectent la représentation même du procès, indépendamment de la situation du sujet.

Pour que cette distinction des diathèses ait eu en indo-européen une importance égale à celle de la personne et du nombre, il faut qu'elle ait permis de réaliser des oppositions sémantiques qui n'avaient pas d'autre expression possible. On constate en effet que les langues de type ancien ont tiré parti de la diathèse pour des fins variées. L'une est l'opposition, notée par Pāṇini, entre le " pour un autre " et le " pour soi ", dans les formes, citées plus haut, du type skr. *yajati* et *yajate*. Dans cette distinction toute concrète et qui compte un bon nombre d'exemples, nous voyons, non plus la formule générale de la catégorie, mais seulement une des manières dont on l'a utilisée. Il y en a d'autres, tout aussi réelles : par exemple la possibilité d'obtenir certaines modalités du réfléchi, pour signaler des procès qui affectent physiquement le sujet, sans que toutefois le sujet se prenne lui-même pour objet ; notions analogues à celles de fr. *s'emparer de, se saisir de*, aptes à se nuancer diversement. Enfin les langues ont effectué à l'aide de cette diathèse des oppositions lexicales de notions polaires où un même verbe, par le jeu des désinences, pouvait signifier ou " prendre " ou " donner " : skr. *dāti* " il donne " : *ādāte* " il reçoit " ; gr. *μισθοῦν* " donner en location " : *μισθοῦσθαι* " prendre en location " ; — *δανείζειν* " prêter " : *δανεῖζεσθαι* " emprunter " ; lat. *licet* " (l'objet) est mis aux enchères " : *licetur* " (l'homme) se porte acquéreur ". Notions importantes quand les rapports humains sont fondés sur la réciprocité des prestations privées ou publiques, dans une société où il faut s'engager pour obtenir.

Ainsi s'organise en " langue " et en " parole " une catégorie verbale dont on a tenté d'esquisser, à l'aide de critères linguistiques, la structure et la fonction sémantiques, en partant des oppositions qui les manifestent. Il est dans la nature des faits linguistiques, puisqu'ils sont des signes, de se réaliser en oppositions et de ne signifier que par là.

29 THE STRUCTURE OF THE JAVANESE MORPHEME

E. M. Uhlenbeck

I. INTRODUCTION

That there are rules governing the phonematic composition of the word and the morpheme in every language has been known for a long time. Neither has it remained unknown that in many languages certain combinations of phonemes are of frequent, others of rare occurrence and that certain categories of words are sometimes distinguished by special phonemes or by special sequences of phonemes.

As far as we have been able to ascertain, the laws governing the phonematic form of the word have not been fully investigated yet for any language. In most language-descriptions the author confines himself—mostly after the description of the sound-system—to giving a more or less lengthy list of those rules which, even without a deliberate inquiry, soon become evident. A series of rules of this kind has e.g. been summed up by Bloomfield for American English [1] and by Martinet, more extensively, for Danish.[2]

The formulation of these rules, which are practically in all cases negative, i.e. intended to show in what positions certain phonemes or sequences of phonemes cannot occur, is, however, only the first step on the road to a full description of the word-form. As yet no exhaustive and exact data are known about the frequency-relations of the various phonematic forms, occurring in one language.

In this article we will give a short exposition of our method in undertaking such a systematic inquiry and mention some results obtained in this way.[3]

II. BOOKS AND ARTICLES ON THE SUBJECT

To Mathesius the honour is due of having been the first to point out, in two articles in the Travaux de Prague,[4] the importance of investigating what he

Reprinted from *Lingua* 2 (1950) : 239–70, with the permission of the author.

[1] L. Bloomfield, Language, New York 1933 (reprint 1945), pp. 130–135.

[2] A Martinet, La phonologie du mot en danois, Paris 1937.

[3] E. M. Uhlenbeck, De structuur van het Javaanse morpheem (= the structure of the Javanese morpheme), Bandoeng 1949.

[4] V. Mathesius, La structure phonologique du lexique de tchèque moderne, TCLP I, p. 67–84 (1929) and, Zum Problem der Belastungs- und Kombinationsfähigkeit der Phoneme, TCLP IV, p. 148 (1931).

calls: the use made of the phonemes in morphemes and words. Of his article of 1929 especially the last four paragraphs are of importance for us. In these paragraphs he compares the words in standard Czech, of which the form contains no more than four phonemes, with the words of the same structure in German, as it is pronounced in the southern part of the linguistic area. He not only sums up what structural types are admitted in both languages, but he also shows how words of not more than four phonemes are distributed in both languages over these structural types. In spite of his comparatively scanty material he succeeds in pointing out some characteristic differences between Czech and German.

In the last paragraph of his article we find, again for the first time, a comparison between the theoretical possibilities in the use of morphemes of certain structural types which both languages have in common and the proportional use of these possibilities in either language.

Undoubtedly this article by Mathesius belongs to the most important contributions written about the investigation of the structure of morphemes and words.

In his second, much shorter article in vol. IV of the Travaux de Prague he again emphasizes the fact that the investigation of what we might call the syntax of phonemes is closely connected with the determination of the functional burdening of the phonemes. Not only is it of importance to determine what phonemes can occur in a certain position in morpheme or word, but it is also significant to trace how often the permissible phonemes occur in this position. " Zur phonologischen Charakteristik einer Sprache genügt es nicht, ihren Vorrat von Phonemen und phonologischen Merkmalen festzustellen; man muss auch die Intensität untersuchen, mit der die einzelnen phonologischen Einheiten in der behandelten Sprache verwendet werden. So behauptet in der Phonologie neben der qualitativen auch die quantitative Analyse ihren Platz ".[5]

In the same volumes of the Travaux, in which Mathesius wrote his pioneering articles, Trubetzkoy published two articles [6] on a separate chapter in grammar, which must be placed by the side of phonology and morphology and for which he proposes the name morphonology, a term now generally used beside the term morphophonemics, usual in America.[7] This morphonology, according to Trubetzkoy, has a threefold task: 1. the investigation of the phonological (i.e. phonematic) structure of the morphemes, 2. the investigation of the combinatorial sound-changes, which the morphemes undergo in the morpheme-combinations, 3. the investigation of the series of sound-changes (Lautwechselreihen), which have a morphological function. This shows that although Trubetzkoy does not speak about quantitative analysis, he still classes under morphology part of the subjects to which Mathesius refers in his articles.

Trubetzkoy has not confined himself to drawing up a programme for this

[5] V. Mathesius o.c. TCLP IV, p. 148.

[6] N. S. Trubetzkoy, Sur la morphonologie, TCLP I, pp. 85–88 (1929), Gedanken über morphonologie, TCLP IV, pp. 160–163 (1931).

[7] For the rest this does not mean that there is unanimity about what must be understood by morphonology or morphophomemics. Compare Trubetzkoy's description following below of this part of grammar with e.g. Hockett's definition: " The differences in the phonemic shape of alternants of morphemes are organized and stated; this constitutes morphophonemics " (Charles F. Hockett, Problems of Morphemic Analysis, Lang. 23, p. 323 (1947)).

morphonology, but a few years later he also gave a description of the morphonology of Russian.[8] From a methodological point of view the most striking point in this description is that he did not consistently adhere to the programme he had drawn up in his article about morphonology in 1931. For the first task of morphonology, which according to him in 1931 was : the investigation of the phonological structure of the morphemes is disposed of for the Russian language in one paragraph of two pages. It is true that he makes an attempt to characterize certain groups of morphemes according to their phonematic structure, but he makes only a few isolated remarks about the morphemes that occur most frequently, i.e. the root-morphemes. He winds up with declaring that " die möglichen Strukturtypen der Wurzelmorpheme so zahlreich und mannigfaltig (sind), dasz wir von ihren Illustrierung durch Beispiele absehen müssen ".[9]

This means that he considers a further investigation of the phonematic structure of the Russian root-morphemes unnecessary, because apparently he thinks they are not subject to definite rules. In this respect, therefore, there is an important difference of opinion between Mathesius and Trubetzkoy. Mathesius is well aware that the investigation of the phonematic structure of higher linguistic units (morpheme, word) is partly of a quantitative nature ; that his description is deficient in this respect and leaves an important part of this morphonological system undiscussed, Trubetzkoy seems not to have seen clearly in 1934. The remark in the " Grundzüge " that in languages such as Burmese the theory of combination comprises only very few rules,[10] a remark that is only correct if the investigation of the phonematic structure of the root-morphemes is left out of consideration, justifies the supposition that also in 1938 he did not see clearly the necessity of a supplemental quantitative investigation. On the other hand it was Trubetzkoy who has given the investigation of phonematic structural rules its correct place as a part of structural linguistic research. He has seen that the rules of phonematic structure can only be ascertained when the phonemes are taken as relevant moments of linguistic elements of a higher level, i.e. sometimes of the word and sometimes of the morpheme.

Though Trubetzkoy thus practically leaves out of consideration the investigation of morpheme-structure, which according to himself is the first task of morphonology, in his own morphonological description as far as regards quantitative occurrence, it is rather remarkable that he pays considerable attention to it in his posthumous " Grundzüge der Phonologie ". His starting-point here, however, is quite different from 1934. Whereas then the starting-point was the morpheme of which the phonematic form was to be investigated, now the phoneme itself is the starting-point and he speaks of the investigation of the combinations of phonemes which are permissible or impossible in a language. He discusses the method of this investigation especially in the third section of his sixth chapter.[11] In the next chapter with the title " Zur phonologischen Statistik " [12] he deals with the problem of the functional character

[8] N. S. Trubetzkoy, Das morphonologische System der russischen Sprache, TCLP V2 (1934).
[9] N. S. Trubetzkoy, Das morphonologische System § 9, pp. 16–17.
[10] N. S. Trubetzkoy, Grundzüge der Phonologie, TCLP VII, p. 224 (1939).
[11] N. S. Trubetzkoy, Grundzüge, pp. 218–230.
[12] N. S. Trubetzkoy, Grundzüge, pp. 230–241.

of the elements which, as he now emphasizes, is very closely connected with the theory of phoneme-combinations.[13]

As a matter of principle these chapters VI and VII are out of place in a work on phonology. In this respect we agree with the Trubetzkoy of 1934. The phoneme is not combined with other phonemes, but the morpheme or else the word has a phonematic form which comprises one, but mostly more than one phoneme and this phonematic form is the object of the inquiry. Therefore the term : " Kombinationslehre " is not correct. So, when dealing with the method of the combination-theory, Trubetzkoy must start with the statement that " die Kombinationsregeln immer eine höhere phonologische Einheit (morpheme or word) voraus (setzen), in deren Rahmen sie gültig sind ",[14] which, strictly speaking is an admission of the fact that this matter ought not to have been included in a work on phonology. Leaving aside this objection against the terminology used and against the place of discussing this subject, the two chapters mentioned contain much of importance. In the sixth chapter it is especially the third and fourth sections, of the seventh chapter section four and five which deserve our attention.

In the third section of chapter VI Trubetzkoy speaks of the method which, in his opinion, must be followed in the investigation of morpheme-structure. As far as we know these are the only pages ever written on the method of inquiries of this kind. They are of fundamental importance.

The preliminary settlement of the various classes and the subdivision of the classes according to principles which are not the same for every language, which we will discuss in the third part of our article, leads to a division into structural types, which he demonstrates from the classification of German morphemes. After this comes the investigation proper. About the method to be followed here he remarks three things :

1. The investigation must be made type-wise, 2. for the different positions (anlaut, inlaut, auslaut) it must be ascertained separately what phonemes are permissible and what are not, 3. the three fundamental forms of phoneme-combination (i.e. the combination of vowels, the combination of consonants, the combination of vowels and consonants) must be discussed separately.[15] As an example he gives a survey of the rules governing the consonant-combinations permissible in German in initial positions of stressable morphemes. He further refers to an article by Kemp Malone [16] as an example of a good methodological inquiry.

Of these methodological outlines the first two points (type-wise treatment and separate discussion of each position) are undoubtedly correct. The formulation of the third requirement is not complete. The question is not only to trace the combinations of consonants with consonants, of vowels with vowels and of vowels with consonants in various positions, but also the relations which may exist between e.g. a consonant in anlaut and a consonant in auslaut, or between a certain intervocalic cluster of consonants and the phonemes permissible in a

[13] N. S. Trubetzkoy, Grundzüge, p. 230.
[14] N. S. Trubetzkoy, Grundzüge, p. 225.
[15] N. S. Trubetzkoy, Grundzüge, p. 227.
[16] Kemp Malone, The Phonemic structure of English monosyllables, American speech 1936, p. 205 ff. We have not been able to consult this article.

final position. There may also be relations between phonemes not immediately succeeding each other; so it is necessary to investigate more than the three fundamental forms of phoneme-combinations only.

The last section of this sixth chapter deals with the anomalous phoneme-combinations. By this Trubetzkoy understands those peculiar phoneme-combinations that are sometimes found in loan-words, interjections, archaic or dialectical elements, in proper names, onomatopoeia, tempting calls, adhortatives and elements with expressive colour. These special groups, which are discussed more systematically and extensively by de Groot [17] should all be mentioned in an exhaustive investigation; we shall refer to them again in the description of our own investigation.

In connection with the phonological statistics, which he discusses in the seventh chapter, Trubetzkoy remarks that we must distinguish between the statistic investigation of the frequency of use of a certain element and the investigation of the frequency of a certain element in linguistic structure as its object. The former bears on "parole", the latter on "langue". As our purpose is the investigation of the phonematic structure of the morpheme or the word and we therefore shall remain entirely within the province of "langue" we will only discuss what Trubetzkoy says about the second type of statistic inquiry.

About this Trubetzkoy remarks that this kind of statistic work has practically never been done as yet; so he does not outline a method for it. He does touch upon the questions of which Mathesius had also spoken in his Travaux-articles mentioned, i.e. the importance of ascertaining the relation between what actually occurs and what is theoretically possible. He indicates how this relation can be traced for a few simple word-types in German and in French.[18]

The third European author who has occupied himself with the investigation of the structure of words and morphemes is the French phonologist Martinet. In his monograph on the structure of the Danish word, which often enters into details and which we mentioned in the preceding paragraph, he gives among other things a survey of the different phonemes which may occur in anlaut, inlaut and auslaut and mentions many particulars about the deviating structure of loan-elements. Besides the many things important for the knowledge of the structure of the Danish word in particular, it is of importance for general linguistics that a distinction must be made between the combinations that are impossible as a result of phonological structure and those which accidentally do not occur, but which might have existed. He rightly observes: "Une étude des combinaisons de phonèmes d'une langue qui ne permet pas d'apercevoir les limites de ce qui est licite et de ce qui ne l'est pas, manque de précision, et est peut-être, de ce fait, inutilisable. Qu'il soit souvent difficile de se prononcer sur ce qui est véritablement réalisable, n'empêche pas qu'il y ait des cas où la distinction entre le potentiel et l'irréalisable soit facile et indispensable".[19] It is to be regretted that this quite correct view has not led to quantitative investigation.

[17] A. W. de Groot, Structural Linguistics and Phonetic Law, Lingua I, pp. 175–209.
[18] N. S. Trubetzkoy, Grundzüge, p. 239. This method is less simple than is suggested by Trubetzkoy's examples. Compare on this subject Chapter I of our book.
[19] A. Martinet, La phonologie du mot en danois, p. 63.

He does not mention functional burdening. Thus e.g. he does not ascertain systematically the frequency of the consonant-combinations which may occur. The result is that the outlines of his picture of the structure lack clearness. The same thing, but in a much stronger measure, holds good for Gougenheim's work on French phonology,[20] which certainly is not on the same level with Martinet's. Gougenheim also pays some attention to the phonematic structure of the word. It is important that he starts making structural tables of various types of French words. He makes these tables, however, only for some types containing few phonemes and considers these tables exclusively as illustrations and not as a means for further inquiry, which, if they had been drawn up somewhat differently, they might successfully have become. Also this point will come in for further discussion below.

In the United States, finally, morphonology has during the last ten years become the centre of the attention of those linguists who have been strongly influenced by Bloomfield. In a series of articles in the journal " Language " several linguists,[21] who for the most part seem to have been in close contact with one another, have tried, starting from Bloomfield's definition of the morpheme, to develop a theory of morpheme-analysis which was more satisfactory than what could be found about this in " Language ". On the whole they confined themselves to working out and systematizing Bloomfield's views, at the same time removing a few inconsistencies.

Their researches, though they do not extend to the subject proper of our inquiry, are still of importance for us, because they bear on a question which, also for us, is of fundamental importance, i.e. the way in which the elements of language are to be dissected into morphemes. For the same reason some articles by de Groot,[22] recently published in " Lingua ", are of great importance, in which with regard to the principles of our inquiry a point of view is defended which in many respects is allied to ours.

III. STARTING-POINTS, METHOD AND RESULTS

The central thoughts governing our whole investigation, are summed up in the following six points :

1. Every language has words,[23] i.e. signs having a phonematic structure and

[20] G. Gougenheim, Eléments de la phonologie française, Etude descriptive des sons du français au point de vue fonctionnel, Strasbourg 1935.

[21] Zellig S. Harris, Morpheme Alternants in Linguistic Analysis, Lang. 18, pp. 169–181 (1942).
Zellig S. Harris, Discontinuous Morphemes, Lang. 21, pp. 121–128 (1945).
Zellig S. Harris, From Morpheme to Utterance, Lang. 22, pp. 161–184 (1946).
Charles F. Hockett, Problems of Morphemic Analysis, Lang. 23, pp. 321–344 (1947).
Bernard Bloch, English Verb Inflection, Lang. 23, pp. 399–418 (1947).
C. F. Voegelin, A Problem in Morpheme Alternants and their Distribution, Lang. 23, pp. 245–254 (1947).
Rulon S. Wells, Immediate Constituents, Lang. 23, pp. 414–441 (1948).
Eugene A. Nida, The Identification of Morphemes, Lang. 24, pp. 414–441 (1948).
Eugene A. Nida, The Analysis of Grammatical Constituents, Lang. 24, pp. 168–178 (1948).

[22] A. W. de Groot, Structural linguistics and phonetic law, Lingua I, 2, pp. 175–208 ; Structural linguistics and word-classes, Lingua I, 4, pp. 427–500.

[23] cf. A. J. B. N. Reichling, Het Woord (= the Word), Nijmegen 1935, in particular chapters VIII and IX.

capable of being used as a sentence in combination with an element of intonation.

2. It is possible to ascertain the store of words of every language and therefore also of Javanese.

3. Since every language forms a system, i.e. " a functionally ordered collection of elements ",[24] also all the words of the Javanese language belong to the Javanese linguistic system.

4. Semantically, functionally and phonematically the words form part of the system.[25] Here we only consider the words in so far as, with regard to their phonematic form, they form a separate part of the total linguistic system.

5. The system that the phonematic word-forms form together, consists of various partial systems. In every language there is one central partial system. We call this, with a term to be further defined below : the system of the root-morphemes. By the side of this there are mostly other, more or less peripheral parts which are not of the same nature, number and extent in all languages. In Javanese e.g. there is by the side of the system of the root-morphemes that of the affix-morphemes, in which we can further distinguish a system of prefix-morphemes and one of suffix-morphemes.

6. In order to investigate the system of the root-morphemes it is necessary to make an inventory of these root-morphemes. This will only be possible if one has a method at one's disposal by which it is possible to indicate the root-morpheme in every word. Moreover a list of the phonemes present must be drawn up beforehand.

Of what is summed up in these six points we will discuss only three questions. First the question what we have considered as a word in Javanese, secondly the method by which we have ascertained the root-morpheme in these words and thirdly we will sum up what phonemes we have accepted for Javanese.

As regards the first question we have followed Pigeaud : what he considered as a word in his dictionary [26] was generally accepted as such by us. There were practically no doubtful cases. Long handling of this dictionary has taught us that its contents are a sufficient approximation of the vocabulary of standard-Javanese.

With regard to the second question : ascertaining the root-morpheme of the word, we shall have to be more explicit, because the terminology already introduced above needs a more exact definition and because on the subject of morphematic analysis we take on some details a point of view different from that in some recent American publications.[27]

The term morpheme is used both by the Prague school and by Bloomfield with about the same meaning. The " Projet de terminologie phonologique standardisée " had in 1929 proposed the following definition : " Unité morphologique non-susceptible d'être divisée en unités morphologiques plus petites, c'est à dire une partie de mot qui, dans toute une série de mots, se présente avec la même fonction formelle et qui n'est pas susceptible d'être divisée en parties plus petites possédant cette qualité ".[28]

[24] A. W. de Groot, Lingua I, 4, p. 434.
[25] cf. A. W. de Groot, Lingua I, 4, pp. 433–445.
[26] Th. Pigeaud, Javaans-Nederlands Handwoordenboek (= Javanese-Dutch dictionary) Groningen—Batavia 1938.
[27] cf. note 21.
[28] TCLP IV, p. 321.

Four years later Bloomfield gave the following definition of the morpheme : " a linguistic form which bears no partial phonetic-semantic resemblance to any other form ", in which he understands by linguistic form " : any combination of phonemes which has a meaning.[29]

In most cases of word-analysis one reaches the same results with both definitions. There are a few exceptions, however. Thus *cran-* in Eng. *cranberry* could hardly be called a morpheme on the ground of the second definition of the " Projet ", because *cran-* occurs only in *cranberry*, whereas Bloomfield does consider *cran-* as a morpheme.

Basing himself on the morpheme-definition of the " Projet " Trubetzkoy in his description of the morphonological system of the Russian language divided the Russian morphemes into six classes.[30] Properly speaking he does not discuss the basis of this classification. He gives an additional definition of only a few classes of morphemes.

The most extensive category, that of the root-morphemes, however, is not defined more closely. Later de Groot has formulated the structural criterion of morpheme-classification and introduced the terms central and peripheral based on this, which terms we also use.[31]

By the central morpheme of a word de Groot understands that morpheme (he uses this term in the same meaning as Trubetzkoy and Bloomfield) which must always occur in every word. It is the element which was formerly called stem, root or radical word. De Groot's central morpheme is the same as what Trubetzkoy calls root-morpheme. The other five classes of morphemes which Trubetzkoy distinguishes for the Russian language (prefixes, suffixes, combination-morphemes, ending-morphemes and word-morphemes) would all be called peripheral morphemes by de Groot, i.e. morphemes which may occur in a word, but which need not necessarily be present.

So our definition, of the root-morpheme is : the root-morpheme of a word is that word-part which necessarily must be present in every word. In the English words *speaking* and *lively speak* and *live* are the root-morphemes, *-ing* and *-ly* the peripheral morphemes.

A word must contain at least one root-morpheme, but may contain more, e.g. English *bluebell, tennisball, backyard.*

Thus, according to our definition, a root-morpheme is a special kind of morpheme in Bloomfield's sense.

In our analysis of the word we will for the present confine ourselves to the classification central-peripheral. So it is not our purpose in the first instance to analyse every word completely into morphemes, but only to ascertain the central element in every word.

Now this is not difficult in the words *speaking* and *lively.* On the whole it can be said that ascertaining the root-morpheme gives no difficulty as long as the word to be analysed contains a root-morpheme which also occurs as a word with the same form and meaning or, with the same form and meaning, is an element in a series of other words. It goes without saying, however, that in

[29] L. Bloomfield, Language, p. 161 juncto p. 138.
[30] N. S. Trubetzkoy, TCLP V2, p. 14.
[31] cf. i.a. A. W. de Groot, Neutralisation d'oppositions, Neophilologus 25, 2, p. 19.

most languages there must be a number of words in which these circumstances facilitating the analysis are not present.

Now Harris in his article in " Language " of 1942 [32] has summed up a number of cases in which the analysis of the word on the lines of Bloomfield's morpheme-theory would have as a result that elements would be classified as separate morphemes, which because of their close grammatical relation one would like to keep together. He distinguishes several types of cases which he illustrates with examples. The first three types are : 1. Tübatulabal *puw*, to irrigate : *u-buw*, he irrigated ; 2. Eng. *knife* : *knives* ; 3. Hebr. *'i.r*, town : *'a·ri·m*, towns. In these cases linguists have spoken till now, strictly speaking contrary to Bloomfield's definition, of different forms of the same morpheme. Harris' method to eliminate this inconsistency is that, while retaining Bloomfield's morpheme-definition, he systematically works out the distinction, which Bloomfield has not fully developed, between morpheme and morpheme-alternant,[33] a distinction which is analogous with that between phoneme and phoneme-variant. Thus Harris for the moment does not analyse into morphemes, but into morpheme-alternants, after which he ascertains later, on the basis of three criteria, one of which is complementary distribution, how the morpheme-alternants may be collected into morpheme-units. Thus *puw* and *-buw*, *knife* (najf) and *knive-* (najv), *'i·r* and *'a·r-* are alternants of three morphemes.

Harris' purpose : the development of a more satisfactory theory of morpheme-analysis, is of great importance for us, who want to ascertain the root-morpheme in the word in Javanese. Our purpose is in the first place to make an inventory of all the root-morphemes of this language. This inventory, the necessary result of our consideration that all words, and consequently also all root-morphemes belong to the same linguistic system, must answer the two following requirements : 1. the greatest possible completeness, 2. the mutual comparability of the elements included.

The requirement of the greatest possible completeness is implied in the term inventory. The second requirement, that of the mutal comparability of the elements included, is a result of the fact that we also want to make a quantitative inquiry. For every quantitative inquiry one must have a standard, so that in calculating percentages and fixing the numbers of frequency one should always work with elements that are mutually comparable and are therefore in the same relation towards one another. Now it is clear that a theory of morpheme-analysis which would occasion us to consider *puw* and *-buw* in Tübatulabal as two separate elements would be unacceptable to us, because the fact is that there exists between these two elements a particular relation which is no doubt lacking between many other root-morphemes in this language.

While Harris aims at a purpose quite different from ours, viz. the formulation of a consistent method of morpheme-analysis, he tries with us to avoid that *puw* and *-buw*, *knife* and *knive-*, *'i·r* and *'a·r-* are considered as separate morphemes. He succeeded by calling them alternants belonging to one morpheme-unit, by which he both saved Bloomfield's theory and collects

[32] cf. note 21.
[33] L. Bloomfield, Language, p. 164.

elements like *puw* and *-buw* within one unit, at the same time separating them from the other morphemes. We shall therefore have to revise our definition of root-morphemes, either in Harris' way or in another way, if in Javanese phenomena become apparent which are in agreement with the cases mentioned by Harris. At the time of instituting our inquiry (in the autumn of '46) it was impossible for us in Batavia to consult this essay by Harris and other articles in " Language ". At this moment we are inclined to consider the theory of morphematic analysis formulated by Harris as a considerable step forward, though we have objections against various innovations, among other things against the introduction of so-called discontinuous morphemes [34] and the zero-alternants.[35] We will confine ourselves here to giving an account of the solution found by us of the difficulties of ascertaining the root-morphemes, which in our opinion is acceptable for Javanese, but which has the drawback of not holding good for many other languages without alteration, in consequence of which the basis of the quantitative inquiry which we shall discuss below loses a certain measure of its general validity.

We shall now proceed to explain our analysis of the Javanese word.

In the first place we have introduced de Groot's distinction into dependent and independent morphemes.[36] By independent morphemes he understands those morphemes which, because of their phonematic structure, cannot occur as words. Thus in Dutch *huizen*, *huiz-* is a dependent root-morpheme, because *huiz-* because of its final *z* cannot occur as a word. *Huis*, however, is an independent root-morpheme, not because it is a word, but because it can occur as a word.

By first making an inventory of the independent root-morphemes and postponing the inquiry of the dependent root-morphemes, which are also of frequent occurrence in Javanese, to a later stage on the basis of the independent root-morphemes, we prevent elements related like *huis* : *huiz-* from being classed as separate morphemes. To give a Javanese example : on the basis of the word *bàpànipun*, his father, the dependent root-morpheme *bàpà-* was not listed by the side of the independent root-morpheme *bápá*, but described later on the basis of this *bápá*. Thus the occurrence of the *à*-variants of the *A*-phoneme in *bàpà-* was described as a special process which takes place automatically when attaching certain suffixes.

By the side of this there are also cases of the same kind as the Tübatulabal case of Harris. If the occurrence of *-buw* must be considered as a regular morphonological process, which may appear from the fact that series of cases analogous with *puw* : *ubuw* are recorded, then, in the same way as in the preceding case, *-buw* is described as formed from *puw* through this process.

If, however, this existence of a special process is synchronously dubious,[37] it is preferable not to analyse the word any further, but to consider it provisionally in its entirety as a root-morpheme. This ought also to be done when

[34] cf. Harris' Language-article of 1946, already mentioned in note 21.

[35] cf. also the criticism of Eugene A. Nida, The Identification of Morphemes, Lang. 24, pp. 414–441 (1948).

[36] A. W. de Groot, Lingua I, 2, p. 195.

[37] cf. C. F. Voegelin, Distinctive Features and Meaning Equivalence, Lang. 24, pp. 132–136 (1948).

diachronously there is no doubt that one has to deal with a morpheme-combination. Thus e.g. Jav. *kondur*, to return, be escorted back (said of the king), was considered by us as a root-morpheme, though diachronously it is certain that *kondur* contains the root-morpheme *undur*.

The addition of the prefix *ka-* accompanied by vowel contraction, however, can no longer be considered as a morphological process for present-day Javanese.

Cases of the type Heb. *'i·r* : *'a·ri·m* sometimes, though rarely, occur in Javanese, too. In contrast with Harris we have in cases of this kind taken *'a·ri·m* as a separate morpheme by the side of *'i·r*, though we must admit that this decision is disputable. Following the criterion of the presence or absence of a morphonological process we were compelled to make this decision.

Besides the three cases with which we have compared our way of analysis in analogous Javanese cases, Harris mentions three more [38] of which the analysis presents difficulties, if one maintains Bloomfield's morpheme-theory without any addition. Of these three we shall leave the case of the variable form of the Greek reduplication-prefix out of discussion, because this is not a question of a root-morpheme. The other two cases we will discuss, however, because similar cases are also found in Javanese.

The first concerns the analysis of words of the type Eng. *took*, past tense of *take*, cases, therefore, in which a change of meaning is correlated to a phonematic change of the root-morpheme. Differing from Bloomfield, who considered *took* as an alternant of *take*, Harris considers *took* as consisting of a combination of *take* with the morpheme-alternant denoted by him as /ej/ ∼ /u/, which, combined i.a. with /d/ is grouped into one morpheme-unit with past-tense meaning.

Our analysis is so far in agreement with that of Harris that, after listing *take* as a root-morpheme, we do not distil one more root-morpheme out of *took*. After *take*, *took* does not produce a fresh root-morpheme for us; so we put *took* apart again as sprung from *take* as the result of a special morphonological process.[39]

Cases of the type *took* : *take*, then, are dealt with in the same way as /najf/ : /najvz/. However, as soon as it becomes dubious also in these cases whether one can speak of a synchronous process (= Fr. *procédé*) and there is a chance that one has to deal with a diachronous process (= Fr. *procès*) [40] one should decide provisionally to list them as separate root-morphemes.

The last case Harris mentions concerns cases of the type Eng. *am*, *are*, *is*, *be*, words with complementary distribution which have an element of meaning in common, but of which the phonematic structure differs considerably. Whereas Harris classes also these forms among alternants, belonging to one morpheme-unit, we have classed such cases, when they occurred in Javanese, as separate morphemes. Jav. *ana* and *wontĕn*, to be present, for instance,

[38] In 1, 4–1, 6 of his Language-article of '42.

[39] The analysis of *took* by Bloch in his article on English Verb Inflection (*took* = alternant of *take* + zero-alternant of a morpheme with past-tense meaning) is to us no less acceptable than the analysis of Harris, as far as the central element is concerned. Nida's objection to the zero-alternant, in his article referred to in note 35, does not seem incorrect to us.

[40] For the distinction procédé, " notion de linguistique synchronique " : procès, " notion de linguistique historique ", cf. Ch. Bally, Linguistique générale et linguistique française, 2ième, édit. Bern 1944, p. 145.

which only differ from each other because *wontěn* is the polite word which in special circumstances replaces *ana*, were considered as separate morphemes.

Finally we must mention one case which is not discussed by Harris. In Javanese there are a large number of words of the type *ñjawel*, sit down, by the side of which neither *jawel* alone, nor any other word in which *jawel* is root-morpheme, occurs. Nevertheless we should consider *jawel* in such cases as a separate root-morpheme for two reasons. The first reason is that nasalization is a fully productive process in present-day Javanese; the second that words like *ñjawel* c.s. always have the same verbal value as all other words which consist without any doubt of a peripheral morpheme + root-morpheme.

By comparing our form of procedure with Harris' method of analysis we have, as we hope, made it clear also to non-students of Indonesian languages on what basis the ascertainment of the Javanese root-morphemes has been done.

To sum up we may say that our analysis distinguishes in the Javanese word morphemes and processes, the morphemes being divided into central and peripheral morphemes. The central morphemes or root-morphemes may be dependent or independent. The peripheral morphemes comprise the prefixes as well as the suffixes and infixes.

It is clear that the ascertainment of the root-morpheme in the word is only possible, if it has been determined beforehand what phonemes are distinguished in Javanese. In determining what are phonemes in a language we do not accept the point of view that one should draw a distinct dividing-line between the grammatical and the phonological analysis. Some American linguists favour this point of view.[41] Since they are of opinion that the grammatical analysis can only be undertaken when the phonological analysis (i.e. determining the phonemes) has been completed, they make the condition that in the latter analysis no use should be made of the distinctions that can be discovered only through the subsequent grammatical inquiry. Consequently the outlines of words and morphemes must, strictly speaking, not at first be considered in a phonological inquiry, according to Hockett.[42] Therefore, e.g. in his description of the sound-system of Peking-Mandarin he traces how an "utterance" (= act of speech) can be divided into sound-segments on the basis of phenomena of pause or juncture. Thus—purely by means of criteria of a phonal nature—he arrives at the phonemes, which therefore for him and other American linguists can be nothing but relevant "features of sound", whereas according to our definition phonemes are relevant moments of the form of the word and the morpheme.[43]

This aversion from the use of grammatical distinctions in phonological analysis has been, and in our opinion rightly, criticized by Pike.[44] According to him a clear-cut division between phonological and grammatical analysis is impossible and, moreover, undesirable. It is impossible, because no phonological analysis can be made without a previous identification of the morphemes. He proves that Hockett himself makes use of certain grammatical data in his

[41] Among others: Ch. Hockett, A system of descriptive phonology, Lang. 18, pp. 3–22 (1942).
[42] Ch. Hockett, Peiping Phonology, J. A. O. S. 67, 4, 253–266 (1947).
[43] cf. A. J. B. N. Reichling, Het woord, p. 198 ff.
[44] Kenneth L. Pike, Grammatical prerequisites to phonemic analysis, Word, 3, pp. 155–172 (1947).

phonological inquiry and it is also significant that in the practice of linguistic research phonological and grammatical investigations are always used side by side, a phenomenon that is not accidental, but proceeds from the fact that grammatical and phonological facts are closely related.

A general knowledge of Standard-Javanese and special researches have made us decide to distinguish the following phonemes. In the first place six vowel-phonemes A, O, E, U, I and ĕ (*pĕpĕt* or *schwa*-vowel), the first five of which contain two allophones each. These ten allophones may be grouped in two series of five. When to use the first series, and when the second, is determined by a complicated set of rules.[45] We have marked one series of allophones with a grave accent (à, ò, è, ù, ì), the other series with an acute accent (á, ó, é, ú, í) wherever this was desirable for the sake of clearness.

In the second place 21 consonants were accepted, which are united in the following diagram.

closing sounds				sibilant	liquids	semi-vowels	glottal cons.
	intensive	not intensive	nasal				
labial . . .	p	b	m			w	
dental {without raised tongue-tip .	t	d	n	s	l, r		
{with raised tongue-tip .	ṭ	ḍ	—				
palatal . . .	c	j	ñ			y	
velar . . .	k	g	ṅ				
							h, q

Only with regard to the glottal stop *q* and the intensive velar *k* there is doubt whether one really has to deal with independent phonemes. The opinion is defensible that both are only variants of one phoneme. After considering the arguments for and against it, it seemed preferable to us to consider *k* and *q* as separate phonemes.

With the help of the means of classification discussed above we now proceeded to make an inventory of all the independent root-morphemes to be found in Pigeaud's dictionary. They were arranged after the number of phonemes and the alternation of consonant and vowel-phonemes. In this way types arose to

[45] For a description of the Javanese phonemic system compare the second chapter of the work referred to in note 3.

which greatly varying numbers of units appeared to belong. We give a list of these types below, making mention of the principal frequency-numbers.

1. with one vowel:

V	2
CV	76
VC	23
CVC	636
CCV	21
CCVC	305

2. with two vowels:

VV	2	VCV	136	VCCV	114	VCCCV	10
CVV	23	CVCV	1307	CVCCV	733	CVCCCV	47
VVC	17	VCVC	1240	VCCVC	819	VCCCVC	165
CVVC	100	CVCVC	6354	CVCCVC	3453	CVCCCVC	479
CCVV	10	CCVCV	270	CCVCCV	131	CCVCCCV	4
CCVVC	17	CCVCVC	1789	CCVCCVC	713	CCVCCCVC	100

3. with three vowels:

	VCVV CVCVV VCVVC CVCVVC CCVCVV CCVCVVC	VCCVV CVCCVV VCCVVC CVCCVVC CCVCCVV CCVCCVVC	
VVCV CVVCV VVCVC CVVCVC CCVVCV CCVVCVC	VCVCV CVCVCV VCVCVC CVCVCVC CCVCVCV CCVCVCVC	VCCVCV CVCCVCV VCCVCVC CVCCVCVC CCVCCVCV CCVCCVCVC	VCCCVCV CVCCCVCV VCCCVCVC CVCCCVCVC CCVCCCVCV CCVCCCVCVC
VVCCV CVVCCV VVCCVC CVVCCVC CCVVCCV CCVVCCVC	VCVCCV CVCVCCV VCVCCVC CVCVCCVC CCVCVCCV CCVCVCCVC	VCCVCCV CVCCVCCV VCCVCCVC CVCCVCCVC CCVCCVCCV CCVCCVCCVC	
	VCVCCCV CVCVCCCV VCVCCCVC CVCVCCCVC CCVCVCCCV CCVCVCCCVC		

Through this classification according to type and the determination of the frequency for each type the most fundamental characteristics of the system of the root-phonemes became visible. We can formulate them most simply in the form of structural rules. In doing so it is useful to distinguish between negative and positive structural rules. By negative structural rules we understand those rules which denote what phonematic forms can never be taken by Javanese independent root-morphemes. Positive structural rules, on the other hand, are the rules denoting what phonematic forms these morphemes prefer to take. Thus, on the basis of the facts and relations laid down in the above diagram the following negative structural rules can be formulated :

1. No root-morpheme has more than one consonant in auslaut.
2. No root-morpheme has more than two consonants in anlaut.
3. No root-morpheme has more than three consonants in inlaut.
4. No root-morpheme has more than two successive vowels.
5. No root-morpheme contains more than three vowels.
6. No root-morpheme with more than two vowels contains a combination of two and a combination of three consonants.
7. No root-morpheme contains three consonants immediately preceded or followed by two vowels.

Every Javanese root-morpheme complies with these rules. Within the framework of these rules, however, other rules can be discovered, not absolute rules, but relative rules of preference and aversion. Four of the principal of these positive structural rules are :

1. There is a preference for root-morphemes with two vowels ; 85% of all root-morphemes contain two vowels.
2. There is a preference for regular alternation of consonant- and vowel-phonemes ; the root-morphemes with regular alternation form 55% of the total, the frequency increasing in proportion as a type approaches this regular alternation.
3. There is a preference for a consonantal beginning, which may be concluded from the regularly higher frequency of the types beginning with a consonant.
4. There is a preference for a consonantal ending ; the types ending in a consonant are regularly more frequent than the comparable types ending in a vowel.

In every class of six types that type is most frequent which begins with one consonant and ends in one consonant and which regularly alternates consonants with vowels. Thus in the class of types with one vowel the type CVC is most frequent, in the class of types with two vowels the types CVVC, CVCVC, CVCCV and CVCCCVC, while also in the classes with three vowels the frequency is highest of the fourth type from the top in each class. Thus the type CVC is to be considered as the ideal type of the types with one vowel, the type CVCVC as ideal for all types with two vowels and the type CVCVCVC as ideal for the types with three vowels. The type CVCVC, finally, is the ideal type of all.

It further appears that an overwhelming majority of the Javanese root-morphemes is concentrated in a small number of types. The ten types CVCVC, CVCCVC, CCVCVC, CVCV, VCVC, VCCVC, CVC, CVCCV, CCVCCVC and CVCCCVC comprise about 90% of the total number of root-morphemes, the three types CVCVC, CCVCVC and CVCCVC together 60%.

Although through this first classification of the total stock of root-morphemes we have become acquainted with important structural relations, we have hardly made more than a beginning of the inquiry with it. We now must proceed to the examination of each type.

We must ascertain for each type what negative and positive structural rules are valid. Among other things it must be determined, therefore, what phonemes are valid in the various positions, the frequency with which they occur in these positions and whether there are any relations between the phonemes of different positions, etc.

In order to determine the negative and positive structural rules it is necessary to group the root-morphemes belonging to one type in such a way that their structure becomes accessible for examination. We have tried to achieve this by making so-called work-cards, especially of the types containing large numbers of units. We print a few of these cards here for illustration. The first (diagram 1) is an image of the root-morphemes of the type CVC. It was planned as follows: the consonants which may occur in anlaut have been placed vertically, those which may occur in auslaut horizontally, while in every frame six squares have been drawn, representing the different vowels in a fixed order, viz.:

A	O	E
U	I	ĕ

In this way it is possible by filling up or not filling up these squares to indicate what root-morphemes occur and what do not. Those filled up indicate the existing root-morphemes, those left open are the unused possibilities.

The numbers on the card have the following meaning. The vertical column of numbers indicates the number of times that the different vowels are combined with the different initial consonants, the horizontal column the number of times that the different vowels are combined with the different final consonants. The vertical row of numbers on the extreme right shows the frequency of the initial consonants, the horizontal row at the bottom that of the final consonants. The six numbers below on the right show the frequency of the six vowels, while finally the number 636 is the total number of morphemes that occurs of this type.

For the types with one vowel (the monosyllabic types) these cards can be made without technical difficulties. This becomes different, however, with the types with two vowels. There the introduction of the same plan as we described above, would result in cards of a very large size (40 × 28 inches) by which the aim of these work-cards: the attainment of a large measure of survey-ability, would be seriously hampered. For these two-syllabic types (i.e. the types with two vowels), therefore, another system has been chosen. Of these types we have made separate consonant- and vowel-cards. Of the type CVCVC, to which about one-third of the total number of root-morphemes belongs, we have made one card to indicate the frequency of the vocalisms, i.e. what V_1's are combined with what V_2's and how many times this happened and another card showing the frequency of the different consonantisms, i.e. what C_1's, C_2's and C_3's are combined and how many times this happened.

We also print here the two cards (diagrams 2 and 3) which together give an idea of the frequency-relations of the type CVCVC.

The system of the vowel-card is as follows : As in this type six vowels may occur in both positions there are 36 possible vocalisms. The number in each square now denotes the frequency of each combination. The vertical row of numbers on the right shows the frequency of the first vowels, whatever the second vowel may be ; the horizontal row gives the frequency of the second vowels, whatever the first vowel may be. The number 6354 is the total number of morphemes of this type.

The system of the card of consonantisms is quite similar. The initial consonants have been placed vertically. The final consonants horizontally ; the $4 \times 5 = 20$ squares in each frame show the consonants that are possible in an intervocalic position, in the following fixed order :

p	t	ṭ	c	k
b	d	ḍ	j	g
m	n	ñ	ṅ	h
y	w	s	l	r

The advantage of these partial cards is that they are of modest size and therefore more surveyable. The drawback is that not all the relations are represented. Thus the relations between the vowels and the consonants do not appear. If one should like to examine also these then it would be necessary to make also for this purpose separate cards, at least if one wants to avoid making very large ones.

When once the cards have been made one can proceed to the determination of the negative and positive structural rules valid for each type. In the determination of the negative structural rules the problem crops up, already mentioned by Martinet, how to separate the combinations that cannot possibly occur from those which might have been made, but are " accidentally " not to be found. Our opinion is, that in this way the problem is not put quite correctly. It is not a question of an alternative : possible or impossible, but the chance of realization of the phonematic forms, left open on our cards varies from case to case. That a morpheme of the type CVCVC should appear in Javanese with *r-r-r* as consonantism is less probable than that a morpheme of the same type should crop up with the consonantism *s-d-h*, because morphemes with the consonantism *s-d-C* and with *C-d-h* and *s-C-h* already occur. Or, to give a more general formulation : the more cases of non-realization are governed by a negative structural rule, the slighter is the chance that this rule should be deviated from. Rules with a limited sphere of activity are more liable to transgression than rules with a more general validity.

So it can be said that the whole space left open on the card indicates the area governed by negative structural rules of widely divergent spheres of activity. The rule with the narrowest sphere of activity is the one governing only one case. The rules with the widest spheres of activity are those influencing the whole form of the card. We have already given some examples of these. The making of one card for each type would be sufficient to know them into detail, if they should be made on the basis of correct and complete data. Actually this condition is never quite fulfilled. However carefully made, the cards will always give only an approximate image of reality. Complete knowledge of the negative structural rules is impossible, at least if one uses the term structural rule also when the rule is only the expression of one single case of non-realization. Comparison of the cards will further be necessary to determine the structural rules valid for more than one type. Some will appear to be valid for special groups of types, others for all of them. Thus the type CVC shows the validity of the rule that the *pěpět* cannot be combined with final *q* and *h*, a rule which holds good without exception for standard-Javanese.[46]

To determine the positive structural rules one has not to study the part left open on the card, but in the first place the relations of frequency found.

Let us give some example of how this is done. The card of the vowel-combinations of the type CVCVC shows that with respect to vocalism there are two evident preferences. In the first place there is the preference for morphemes with A as first or second vowel. In agreement with this the vocalism A-A is the most frequent. For this type it is the optimal vocalism.

It appears further that there are ten combinations that occur comparatively rarely. They are the vocalisms : *O-U*, *O-I*, *O-ě* ; *E-U*, *E-I*, *E-ě* ; *U-O*, *U-E* ; *I-O*, *I-E*. Now, before a linguistic explanation may be sought for these differences in frequency it must first be established that statistically it is most improbable that the distribution of numbers obtained has been accidental. Some knowledge of the theory of probability, therefore, is indispensable also in this investigation.

Once one has sufficient certainty that the results are not accidental one may begin to try to interpret these differences linguistically. This interpretation consists in making the meaning of the morphemes part of the inquiry. In the first place one traces what meanings the morphemes have, which, as it appears from the cards, occupy a peripheral position in the whole of the formsystem, expecting that this will provide an explanation of this peripheral position. By peripheral we understand here : on the edge of the structure. If one does so for the CVCVC-morphemes with the ten vocalisms of rare occurrence, then it appears that they either do not belong to the standard-language, or are loan-words, or else expressiva, onomatopoeia or combinations of morphemes, which synchronously are to be considered as root-morphemes. However, there is a number of morphemes left, which cannot be classified in any special category ; we shall make a few remarks about this group below.

On the basis of these facts we can now formulate the positive structural rule : root-morphemes of the type CVCVC have rarely one of the ten vocalisms described above. If, however, a root-morpheme has one of these vocalisms, then it mostly belongs to one of the four categories mentioned.

A second example of a positive structural rule concerns the consonantism of the same type (diagram 3). From the frequency-numbers it can be concluded that root-morphemes of this type, if they begin with a closing sound (not nasal)

[46] Not, e.g., in the Javanese of Bañumas ; cf. B. J. Esser, Het Dialect van Banjoemas (= the Bañumas Dialect), Verhandelingen Koninklijk Bataviaasch Genootschap 54, 2 (1903).

or with *s* or *w* often have the same intervocalic consonant, but extremely rarely a consonant that differs from the initial consonant by one characteristic. Thus the consonantism *b-b-C* or *p-p-C* occurs frequently, the consonantism *b-p-C*, *p-b-C*, *b-m-C* or *p-m-C* sporadically, a consonantism such as *t-ṭ-C*, *d-ḍ-C*, *ṭ-t-C* or *ḍ-d-C* even never, as appears from the following tables :

1st cons.	2nd cons.	Freq.
t	ṭ	0
ṭ	t	0
d	ḍ	0
ḍ	d	0

1st cons.	2nd cons.		
p	p 41	b 1	m 9
t	t 46	d 3	n 19
ṭ	ṭ 10	ḍ 0	
c	c 43	j 2	ñ 0
k	k 46	g 7	ṅ 8
b	b 45	p 6	m 0
d	d 17	t 1	n 7
ḍ	ḍ 32	ṭ 1	
j	j 20	c 1	n 0
g	g 43	k 1	ṅ 0

1st cons.	2nd cons.			
w	w 23	p 2	b 1	m 0
s	s 43	c 1	j 8	ñ 0

If one examines the few root-morphemes having a peculiar consonant-structure of this kind, then one can state also in this case that they belong for the greater part to peculiar categories. They are mainly dialectal morphemes, loanwords, morpheme-combinations which synchronously can no longer be wholly considered as such and a few archaic elements. Also in this case there is a small unaccountable remainder of morphemes which from a synchronous point of view are not of a peculiar nature.

Examining in this way the strongly divergent frequency-numbers and determining the meaning of the root-morphemes with a rare phonematic structure, one gradually comes to the formulation of the positive structural rules valid for each type. By comparing the results of each type one may then proceed to the formulation of more general rules.

When we work on in this way the image of the phonematic structure of the Javanese root-morpheme becomes more sharply outlined. The negative structural rules decide the frame within which all morphemes find themselves, within this frame the distinction becomes apparent between the central and the peripheral root-morphemes. The central morphemes form the bulk of Javanese root-morphemes, they are the normal, for the main part autochthonous morphemes; the peripheral morphemes are in the different respects peculiar structures.

In most cases these peripheral elements belong indeed to the categories mentioned by Trubetzkoy and de Groot; for Javanese they were: loanwords, dialectal morphemes, affective-expressive morphemes, abbreviations, especially of proper names, onomatopoeia, adhortatives, archaic elements, names of plants and animals, sometimes deictic morphemes and *krama*-morphemes, i.e. elements belonging to the Javanese vocabulary of courtesy.[47] Also those root-morphemes often appear to be peripheral which, considered diachronously, are morpheme-combinations, cases, therefore, of the type *kondur*, which we mentioned above. The elements found on the outer edge of the structure, belong indeed to widely divergent groups. With the exception of the loanwords, the dialectal morphemes, the names of plants and animals and the morpheme-combinations it can be said of all other peripheral categories that a certain measure of being peripheral with regard to function answers to a peripheral form-position. That it is precisely expressive-affective morphemes, interjections, archaic elements etc. that frequently show a peculiarity in their phonematic form is not surprising. In their case one might speak of functional-peripheral. The loanwords, however, are peripheral by accident. They are foreign elements which in some measure have been naturalized and which, therefore, have had to undergo some degree of adaptation. They have had to subject themselves to certain structural rules, whereas apparently they have not yet been obliged to conform to others. If they penetrate further into the language, however, they will certainly do so, as appears clearly from many Javanese cases.

The dialectal morphemes we find among the peripheral elements are to be considered as elements which, strictly speaking, ought to have been excluded beforehand from the investigation, which was limited to standard-Javanese. On the other hand it is satisfactory that the further examination of the frequency-numbers corrects the impurity in the selection of the material. Now it is certain that there are also many dialectal morphemes which belong to the central bulk and which, therefore, make the absolute figures obtained somewhat inexact, but this is of less significance because our aim is in the first place to obtain proportional figures and not absolute figures. Whether among the more than six thousand morphemes of the type CVCVC there are a few hundred dialectal morphemes does not confuse the result obtained to an extent worth mentioning.

The peripheral elements which diachronously are morpheme-combinations are not functionally peripheral either. Their peripheral position has a historical cause and there is a good chance that in a later stage, like many other loanwords, they will come to belong entirely to the central morphemes. Sometimes, however, we find as a correlation for their peculiar phonematic form a special limitation of their ability to form new words by productive processes.

[47] cf. J. Gonda, The Javanese vocabulary of courtesy, Lingua I, 3, pp. 332–376.

The names of plants and animals, finally, do not seem to us functionally peripheral either. For the Javanese cases there are in our opinion two possibilities. Either these names are old morpheme-combinations (sometimes it seems as of certain prefix-morphemes can be distinguished in these names which mostly have three vowels), or they are old loan-words.

A root-morpheme may be peripheral in widely divergent ways. In the first place it may differ from the normal root-morphemes by the number of vowels it contains. Root-morphemes with one or three vowels occupy an exceptional position.

The root-morphemes with one vowel are mostly :

1. Morphemes of an expressive-affective and a plastic-dynamic character.
2. Abbreviations of morphemes with two vowels, used in racy, familiar speech or in Javanese poetry, and abbreviations of proper names.
3. Loanwords, especially from Dutch.

The root-morphemes with three vowels are mainly :

1. Loanwords, in the majority of cases from Sanskrit, but often also from Dutch and sometimes from Arabic.
2. Morphemes of an expressive-affective character.
3. Names of plants and animals.

The few morphemes with four vowels are loan-words and, as appears from, the vowel-variants that are found, are looked upon as groups of two morphemes with two vowels each.

In the second place a root-morpheme may be peripheral because, mostly with regard to the ultimate vowel only, the normal rules of variation are broken. This is sometimes found in loan-words, in expressive-affective morphemes and in a few archaic elements.

In the third place the peripheral character may be caused by the presence of one or two phonemes in positions which are seldom if ever occupied by these phonemes in central morphemes. Thus morphemes with *ṭ* in anlaut often have an expressive value.

In the fourth place, finally—and this case occurs most frequently in Javanese—a root-morpheme is characterized as peripheral by the presence of a special combination of phonemes which seldom occurs in the central morphemes.

Sometimes the peripheral nature is hardly conspicuous. Thus some expressive-affective morphemes with three vowels appear not only peripheral because of this form, but also because of the fact that they show a preference for equality of the second and third consonants, whereas the central morphemes have a preference for identical first and second consonants, but show aversion to the use of the same consonant as second and third consonants. One might even say that by a sort of internal reduplication—hence a morphological process, which for the rest is not productive—expressiva with three vowels and identical second and third consonants are formed from morphemes with two vowels : e.g. *jaṭus*, remain (stand, sit) close by : *jeṭaṭus*, remain all seated (unmannerly).

It often happens that a root-morpheme is peripheral in more than one respect. The morpheme taken from the Dutch *tonil* (= Du. toneel, stage), e.g. is peripheral both because of its consonantism (the combination of *t* and *n*) and its vocalism (combination of *o* and *i*).

As we remarked above the peripheral morphemes cannot always be classified in one of the preceding groups. Sometimes one finds that morphemes that, as far as one can see, are quite normal and belong to the most frequently used elements of speech, are peripheral. Thus e.g. in the at sight quite ordinary root-morpheme *bapa*, father, *b* in anlaut is combined with *p* in inlaut, a combination that occurs rarely. Nearly always one encounters a more or less extensive remainder that cannot be accounted for. In view of the fact that for the major part of the peripheral morphemes some semantic or grammatical explanation can be found, it is natural to look for a special cause also for these cases. The possibility exists that a diachronous investigation will trace a cause for the phonematic form the peculiarity of which is noticeable even at the present day. In particular this investigation should pay attention to borrowings from other languages in times long past. For in a great many cases we have ascertained that the adaptation of loan-words is a very slow process. Long after the members of the linguistic community have lost every notion that they use elements taken from another language these elements betray themselves because in some way they give evidence of being peripheral. Elements taken over from Sanskrit into Javanese more than a thousand years ago sometimes show even now, although often inconspicuously, a peculiar phonematic structure.

The synchronous, exact investigation of the phonematic form reveals hardly suspected aims for diachronous examination. Elements which, because of their apparently normal form and their frequent occurrence one would have taken for autochthonous, may in the end appear to be ancient loan-words or—which is equally possible—ancient morpheme-combinations no longer recognized as such.

In broad outlines and at the hand of some examples we have explained the method we have followed in examining the structure of the Javanese independent root-morpheme. After this examination follows the description of the dependent morphemes. This means that it is determined by an investigation in what respect their structure deviates from the independent morpheme.

When the phonematic structure of the root-morphemes has been dealt with, then the examination of the structure of the other classes of morphemes comes next. The affix-morphemes distinguish themselves from the root-morphemes in the first place by their preference for one vowel. It is true there are some with two vowels, but they form a small minority. Within the group of affix-morphemes the difference between the prefixes and suffixes is very striking. Whereas the prefixes begin by preference with a consonant and end in a vowel, the suffixes, conversely, begin with a vowel and end in a consonant. The infixes are too small in number to allow us to speak of a special structural preference ; however, as regards structure they conform to the suffixes rather than to the prefixes. Owing to this structure of the affix-morphemes the rule also holds good for the phonematic form of the word, that by preference vowels and consonants in it succeed each other regularly, in such a way that there is a consonant at the beginning and at the end. The succession of vowels is avoided by the appearance of connecting consonants (*n* and *q*). The other process to avoid a succession of vowels, vowel-contraction, is not productive any longer. Accumulations of consonants seldom occur ; in certain cases the succession of consonants is prevented by vowel-epenthesis. Though in these respects the structure of the word agrees with that of the root-morpheme, in the matter of the number of vowels, or if one likes, in syllable-length, there is a considerable difference. Whereas the normal root-morpheme contains two vowels, the word often contains three, but often also more than three.

We conclude this short sketch with a few remarks on the extent of the Javanese system of word-forms.

Through the investigation, planned as set out above, one obtains, besides an insight into the frequency-relations of the various types of morphemes, also an idea of the absolute number of morphemes in Javanese. Naturally the number fixed on the basis of the dictionary, is an approximation of the actual number, but nevertheless we feel justified in assuming that the total number of Javanese morphemes will not exceed 20,000.

Considering the comparatively small number of productive processes of word-formation one must conclude that the extent of the Javanese vocabulary is not exceptionally large, compared e.g. with that of Dutch. It is, therefore, remarkable that (Dutch) investigators have always obtained the impression of an extremely rich vocabulary.[48]

This incorrect impression is in our opinion caused by the fact that the Javanese stock of morphemes and therefore indirectly also the Javanese vocabulary is contained within a narrow frame of possibilities. The morphemes stand closer together within a small compass, whereas the Dutch morphemes, i.e. the morphemes of the investigator's native language, which are certainly equally numerous and probably even more numerous, find themselves within much wider confines, as a result of the much larger number of vowels the Dutch language has (16) and the much more numerous possibilities of consonant-combinations in all positions.

In other words, the Javanese morphemes are more alike as regards their form than the Dutch and so they give the impression of numerousness. One is easily inclined to mistake people crowded in a small space for more numerous than the same or even a larger number scattered on a large square. It sometimes seems as if nearly every CVCVC-combination of Javanese phonemes also produces an actually occurring morpheme-form.

Still this is decidedly a great exaggeration. Although the realized percentage of the various Javanese morphemes is considerably higher than in Dutch, yet on the whole the number of types with realized possibilities is several times larger than the number of morpheme-forms actually existing. A realization-percentage of 10 may already be called high. Only a few types are exceptions to this, viz. the types CV and CVC which have realized 48% and 76% of their possibilities respectively. This percentage is so high, not because there exist so many morphemes of this type in an absolute sense, but because they number so few theoretical possibilities (100 and 1320 respectively). It is not surprising that especially in these types one finds also a great number of homonymic forms. The connection already stated by Mathesius between homonymy and a high degree of realization has been fully confirmed by this investigation of Javanese.

[48] See e.g. J. Gonda, o.c. Lingua I, 3, 375.

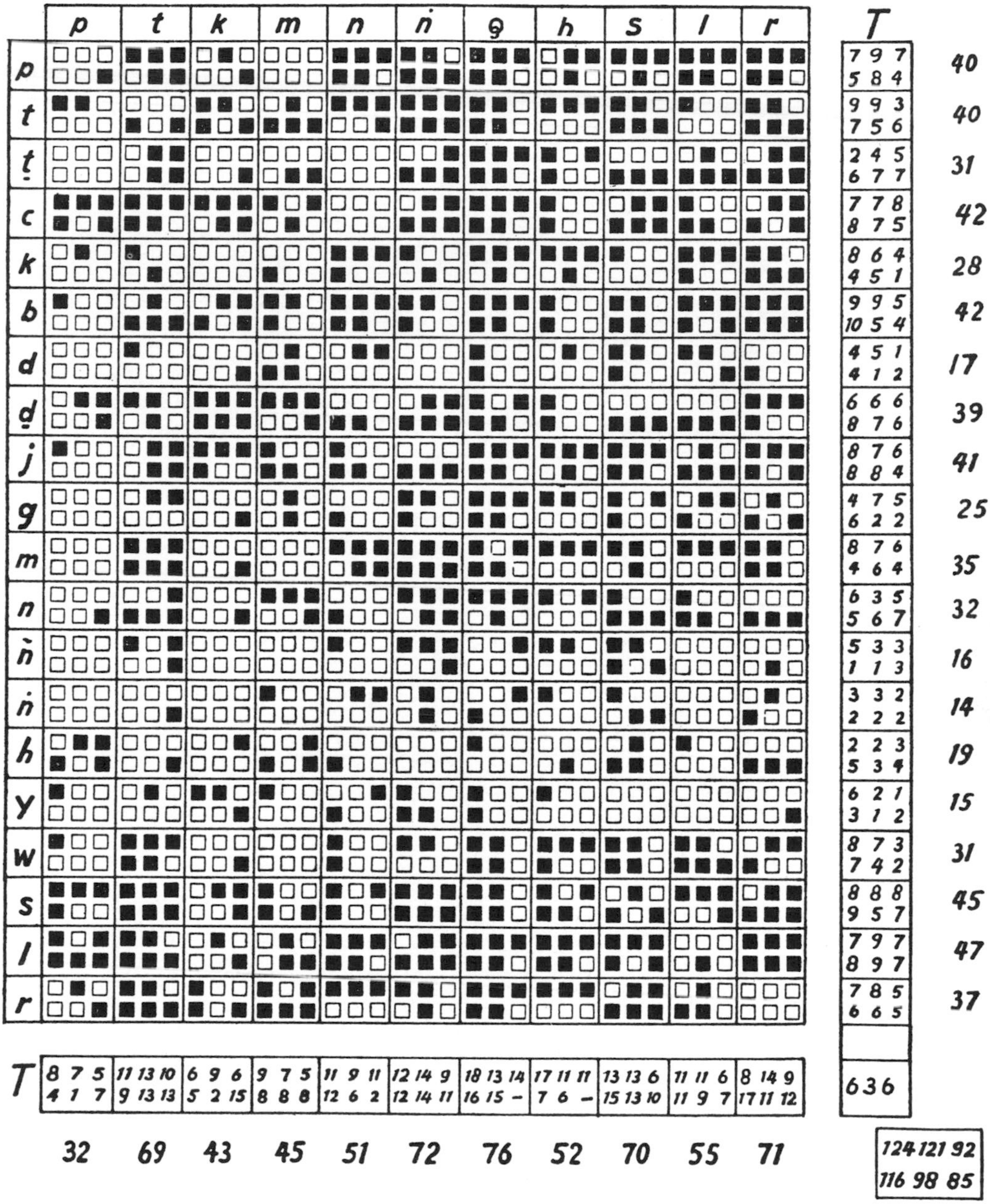

	T			
p	7	9	7	40
	5	8	4	
t	9	9	3	40
	7	5	6	
ṭ	2	4	5	31
	6	7	7	
c	7	7	8	42
	8	7	5	
k	8	6	4	28
	4	5	1	
b	9	9	5	42
	10	5	4	
d	4	5	1	17
	4	1	2	
ḍ	6	6	6	39
	8	7	6	
j	8	7	6	41
	8	8	4	
g	4	7	5	25
	6	2	2	
m	8	7	6	35
	4	6	4	
n	6	3	5	32
	5	6	7	
ǹ	5	3	3	16
	1	1	3	
ṅ	3	3	2	14
	2	2	2	
h	2	2	3	19
	5	3	4	
y	6	2	1	15
	3	1	2	
w	8	7	3	31
	7	4	2	
s	8	8	8	45
	9	5	7	
l	7	9	7	47
	8	9	7	
r	7	8	5	37
	6	6	5	
	636			

T	p	t	k	m	n	ṅ	ŋ	h	s	l	r
	8 7 5	11 13 10	6 9 6	9 7 5	11 9 11	12 14 9	18 13 14	17 11 11	13 13 6	11 11 6	8 14 9
	4 1 7	9 13 13	5 2 15	8 8 8	12 6 2	12 14 11	16 15 –	7 6 –	15 13 10	11 9 7	17 11 12
	32	69	43	45	51	72	76	52	70	55	71

124	121	92
116	98	85

diagram 1

	A	O	E	U	I	ě	T
A	616	156	107	296	228	182	1585
O	179	330	146	30	58	31	774
E	126	183	321	35	26	64	775
U	255	35	36	356	139	150	971
I	239	46	51	127	283	124	870
ě	309	162	175	219	192	342	1399
T	1724	912	836	1063	926	893	6354

diagram 2

		250	818	364	149	450	916	722	1008	484	532	661	
		p	t	k	m	n	ṅ	h	q	s	l	r	T
566	p												41 39 49 43 46 1 7 21 17 26 9 24 4 24 8 19 8 41 75 64
434	t												38 46 - - 40 29 3 15 9 27 21 19 - 18 5 17 24 10 63 50
66	ṭ												- - 10 - 9 - - - - - 7 2 - 11 - 5 5 1 8 8
422	c												31 7 30 43 54 21 1 15 2 17 25 11 - 35 2 7 39 - 40 42
830	k												64 55 54 50 46 37 34 32 23 7 32 39 29 8 3 37 55 46 96 83
528	b												6 28 19 21 29 45 8 48 27 20 - 24 6 32 4 23 22 32 74 60
152	d												3 1 - - 12 10 17 - - 7 22 7 1 3 1 5 7 3 39 14
200	ḍ												14 3 1 5 29 5 - 32 1 9 13 5 1 12 9 13 20 11 10 7
317	J												10 12 7 1 12 39 11 27 20 28 22 17 - 10 1 6 26 3 29 36
527	g												23 30 38 23 1 44 15 37 22 42 23 20 11 - 1 22 25 27 59 64
377	m												4 11 16 7 10 9 21 13 19 30 18 26 25 23 8 20 15 19 44 39
60	n												3 5 - 2 7 1 1 1 5 2 4 13 - 2 4 3 - 5 1 1
39	ñ												1 1 3 - - 2 - 1 - 3 8 2 9 4 - 1 - - - 4
73	ṅ												1 2 4 5 8 5 2 - 2 1 1 7 6 3 1 5 5 3 3 9
9	y												- 3 - - 2 - - - - 1 - - - - - 3 - - - -
243	w												2 18 2 2 10 1 18 19 22 9 - 14 1 6 - 13 23 10 43 31
620	s												35 26 17 1 39 34 11 33 8 30 38 24 - 43 7 27 52 43 76 76
535	l												22 21 16 16 28 27 13 23 17 30 42 15 14 28 11 34 49 26 35 68
356	r												28 15 - 16 17 29 5 3 30 36 30 6 8 18 3 35 37 20 4 16
6354	T	2 21 7 8 26 8 1 6 9 9 3 11 6 13 1 14 5 11 39 50	65 8 37 30 67 55 18 33 25 33 56 22 15 33 11 40 55 33 83 99	7 23 8 13 8 30 13 44 38 21 8 7 3 - - 11 17 16 43 54	1 6 5 6 7 - 4 11 5 7 1 10 2 - 6 13 1 4 33 27	19 36 3 8 35 21 16 10 16 34 34 18 4 34 10 25 32 21 40 34	34 41 41 26 38 32 24 56 34 34 35 54 10 29 13 62 65 33 124 131	43 40 16 20 33 26 11 32 33 35 42 42 12 22 3 31 48 48 94 91	61 45 78 61 56 47 27 44 13 23 49 31 29 45 4 43 66 64 109 113	32 36 14 10 22 35 9 20 8 26 26 33 8 31 4 16 23 14 49 68	26 28 37 30 54 36 20 36 17 61 28 25 9 27 6 14 51 16 7 4	36 39 21 23 53 49 23 28 26 42 33 22 17 46 10 26 49 40 77 1	326 323 266 235 399 339 167 320 224 325 315 275 115 280 68 295 412 300 698 672

diagram 3

30 THE CORRESPONDENCE FALLACY IN STRUCTURAL LINGUISTICS

C. E. Bazell

What is here called the correspondence fallacy is in fact a whole family of fallacies which, though they may shade imperceptibly one into the other, often show little similarity in their most extreme form. Some of these fallacies are related by a sort of complementarity to others into which linguists are apt to be led when the first fallacy has been exposed, and which can therefore suitably be treated under the same heading.

The prototype of these fallacies is the assumption that two distinct (sets of) criteria will necessarily lead to isomorphous analyses. An outmoded example would be the assumption by earlier exponents of the phoneme theory, that an analysis undertaken on an articulatory basis would necessarily lead to the same results as an acoustic analysis, so that the one could be translated into the other as soon as appropriate acoustic terms had been found.

In this instance the two analyses are in principle independent. But it may also be assumed that one analysis must be undertaken first.

For example it may be recognised that the case-inventory of a language is determined through the combined criteria of formal identity and distribution, but that once the case-system has been fixed, it is legitimate to suppose that each single case has a single overall meaning, that each " morpheme " answers to a " semene ", without overlapping (R. Jakobson, A. W. de Groot).

This fallacy has more sophisticated forms. It may be recognised that there is no one-one relation between two units, without its being recognised that there is no necessary relation at all. For the domain cited, this takes the form of asking what different semenes are expressed by a given morpheme, their number being left unfixed (this may be one, five, zero etc). So long as the possibility of overlapping is excluded, the fallacy is essentially the same (E. A. Nida, W. L. Wonderly). When taken as working principles rather than as postulates, such assumptions are still fallacious. But it is of course no fallacy to assume (at least as a working principle) that two units coincide more often than not. Nor is it a fallacy to assume that it is possible to devise, a posteriori, two sets of criteria which will lead to very similar results. It may be possible to gear the articulatory criteria to an acoustic analysis, or distributional criteria

Reprinted from *Studies by Members of the English Department, Istanbul University* 3 (1952): 1–41, with the permission of the author.

to a semantic analysis, providing a good deal is known of what these analyses would be. The fallacy lies in assuming a one-one relation between the results of criteria which have not been selected with this end in view.

The complementary fallacy consists in the supposition that, since different criteria lead to different results, these criteria have necessarily to be taken separately. In determining the phoneme-inventory one must use articulatory criteria alone (earlier Bloch), or acoustic criteria alone (later Bloch), but never both together. Morphemes may be determined on a distributional basis or (perhaps) on a semantic basis ; but in absence of correspondence these are simply different sorts of units, maybe with a certain correlation (C. F. Hockett). The recognition of the inevitability of incomplete correspondence leads to the misrecognition of the value (which is not " merely heuristic ") of probable correspondence, in determining the units.

But there are fallacies deriving more directly from the prototype. Such is the fallacy of supposing that some single necessary and sufficient criterion will lead, not to a unit fixed by some other criterion, but rather to some unit already recognised either by traditional grammar, or by the " linguistic conscience ", or by linguists engaged in field-work who have set up the unit for purely practical purposes. Definitions have been sought for the " word " on this assumption (A. Martinet, K. Togeby). Sometimes (most often in America) a complex, necessary and sufficient, set of criteria replaces the single criterion. The complementary fallacy is sheer scepticism : the unit cannot be defined at all (Daniel Jones for the phoneme, A. S. C. Ross for the morpheme).

A more distant relative of the correspondence fallacy is the postulate that different planes of language must be capable of being handled by the same methods ; the glossematic view of a complete parallelism of methods for the analysis of " content " and " expression " belongs here (L. Hjelmslev, H. J. Uldall).

Analogues of all these fallacies can of course be found outside linguistics.

I

A curious instance of the prototype is provided by a recent article [1] of Henri Frei. " Le fait que les éléments linguistiques... peuvent comporter des variétés obligatoires qui, a première vue du moins, ne sont pas différentielles, semble impliquer une contradiction entre la conception institutionaliste et la conception différentialiste de la langue ". Such a contradiction is un-Saussurean and therefore altogether objectionable. It is hence necessary to show that the so-called variants, so far as they are socially compulsory, really play a differentiatory role. This can be done, so far as phonic variants are concerned, by the postulation of a " subphonème long ". For instance in German *dich* and *doch* the features which most conspicuously differentiate the vowels are in reality differentiative throughout the whole unit.[2]

There is no need to discuss the appropriateness of this interpretation to the particular case, or to ask whether, if there is a " subphonème long " in *dich* this can properly be said to be " différentiatif tout le long de son trajet ". For it is

[1] *Langue, parole et différenciation,* Journal de Psychologie, 1952, pp. 140.
[2] Loc. cit. p. 151.

evident that this sort of interpretation could apply only to variants which, in traditional language, " arise through assimilation ". To the case of a phoneme which, for instance, is rendered by *l* in initial position and *r* in final position, the solution of the long subphoneme could not anyway be applied.

No doubt there are other devices for equalising the connotations of the differentiatory and the conventional. But the more such devices are applied, the more one of the two notions is emptied of meaning. Before this process had gone very far it would be discovered that the old notion of differentiation is the one which is principally needed, and that its connotation does not coincide with that of the conventionally imposed. The degree of its relation, which is certainly close, could then be studied.

II

" Today . . . we would say that *sang* consists of *sing* plus some other perfectly respectable morpheme, and that this other morpheme (change of /i/ to /a/) is an alternant of the morpheme *-ed* " (Z. H. Harris in review of Sapir's selected writings, *Language* 27, 292).

Why then has this " perfectly respectable morpheme " not always been taken as such ? Why is it still not always taken as such, even by linguists who share Harris' general attitude ? (One of these proposes that *sing* and *sang* should be regarded as allomorphs, the latter being entailed by a final zero-morph ; this zero-morph is then alternant of the morph *-ed*.)

The reason is surely quite simple ; namely that the ablaut-change is not " a perfectly respectable morpheme ", any more than a blunt knife is a perfectly respectable knife, or a broken pole a perfect pole. Certainly it may be described as a morpheme, for it fulfils the same role as an indisputable morpheme such as *-ed*, or at least an analysis is feasible by which it does so. It is unnecessary to discuss what is the point of this analysis ; one would certainly be inclined to think that once it had been stated that there were ablaut-changes fulfilling the role of past-tense morphemes, and had listed these, nothing much is added by saying that the change is a morpheme. But be this as it may, it is positively false to declare that the morpheme concerned is a morpheme on the same level as others. It is a dubious morpheme, not dubious in the sense in which an etymology may be said to be dubious until further evidence is forthcoming, but dubious in the sense in which an etymology might be said to be dubious, even when all relevant evidence was at hand. (For instance, it could be disputed whether the etymology of French *rendre* is best formulated as " from *reddere* [under influence of *prehendere*] ", or " from reddere *and* prehendere ". Further information would not decide.)

It might be urged that too much has been read into the colloquial expression " perfectly respectable morpheme ". All that is meant is that once the analyst has decided to take a datum as a morpheme, all statements about morphemes will apply to it. But no ; if the analyst has any sense, they will not. For example, if a grammarian asserts that *a* does not occur on a morpheme-frontier in English (except in *ha-v ha-d*) he does not intend ablaut-morphemes to be included. If he did he would be obliged to add provisos by which *a* in *sang* should be excepted. In fact for all phonological purposes and for some tactic purposes (e.g. productivity) *sang* is on a par with a single morpheme. Hence it is more profitable to state the purposes for which *sang* will be regarded as bimorphemic, than the purposes for which it will be regarded as monomorphemic.

Sang has a great deal in common with monomorphemic units. Perhaps some descendant of Harris will discover that it is a " perfectly good monomorpheme ". There will be no end to such " discoveries " in linguistics, until it is realised that the frontiers of a category are arbitrary until the specific purpose of the delimitation is known. There is no one " morpheme " to serve all purposes, if by morpheme is understood a unit having (at least approximately) definable frontiers.

This principle is often recognised. However, the conclusions drawn from it are then likely to be false. Since there is no one bounded category, serving all purposes, it is assumed that there must be several differently bounded categories, each necessarily deserving a name of its own. This is just what has happened in the history of morphemic studies.

In the early days of the Prague School it was seen that the term *morpheme* was ambiguous ; it was used both for the narrower modern concept and for that of the morpheme-alternant or (in American usage) the morph. Nevertheless *morpheme* continues also to be used for morpheme-alternant, in fact is so used by Harris in the sentence cited. And this is felt to be reprehensible.

Now suppose, for instance, that it were desired to make an inventory of the *productive* meaningful units of a language. What name might be given to such units ? " Productive morpheme " would not be available, for this would exclude a part of the material, namely any combination of Harris-like morphemes which were individually non-productive, but productive *qua* group. Hence a new term would be needed.

However, it is merely the narrow Harris-like sense of the term *morpheme* that gives rise to this necessity. The boundaries of the unit having been fixed once and for all, the word is not any longer available, although the new unit has precisely the same nuclear members. And the many other units having the same nucleus will similarly claim special terms.

The solution is easy. We maintain the term *morpheme* for all units having the same nucleus. " Productive morpheme " can be used to describe the category of units defined by the criterion of productivity, " distributional morpheme " for the category defined by distributional criteria, and so on. Similarly morpheme-alternants may be described as alternating morphemes. For this the term *morph* may be considered a useful abbreviation. But it will not be wrong to use the term *morpheme* for any of these units, providing the context is clear.

The fact that there is no " morpheme for all purposes " does not however mean that there is no " overall morpheme ". On the contrary a text can and should be analysed into such units, all the various competing pressures being weighed against one another in the attempt to discover the optimal divisions. These units would be the only ones considered in a very brief description, where there would be no space for the recording of specific marginalities. However as soon as some specific question is raised, such as the distribution of phonemes within the morpheme (the minimal grammar being content, as is exemplified by the very brief accounts of American languages in *IJAL*, with a mere listing of phonemes), the unit turns out to be inadequate for the purpose. This does not mean the "overall morpheme" is immediately discarded, for it is the starting-point of the more special analysis.

Mutatis mutandis, the principles followed are the same as if the study of an idiolect were being undertaken. Normal descriptions are abstractions from dialects, they describe overall languages just as abnormally short descriptions deal with overall morphemes. But one does not begin the study of an idiolect by assuming complete ignorance of the overall language. The onus of proof lies on whoever asserts a difference of system; wherever the difference is not proved, similarity is still assumed. It remains true that there is no "language for all purposes"; the idiolect cannot be fitted entirely into the overall system. Moreover it would be nonsense to assert that all parts of this overall system are on the same plane; there are marginal parts, not common to all speakers, which there was hesitation in describing with the rest. The fact that it was decided to include them does not make these parts any the less peripheral.

Now the attempt to separate entirely, at the start, different levels such as the phonemic and the morphophonemic, is much as though one were to begin the study of a language by that of separate idiolects, only afterwards seeking a correlation of the results. We should start with an overall system and subsequently split it up. The denial of this overall system is a fallacy complementary to the fallacy that there is a system for all purposes:

"Morphological and syntactic criteria must not be used to influence the basic analysis leading to the discovery of distinctive qualities and their distribution, but they are often helpful in deciding how to group these qualities, once they have been discovered, into combinations defining phonemes." [3]

There are few articles on phonemics by members of the Yale School which do not contain some warning of this sort. And the reason given is this: the use of morphological criteria in phonemics leads to a confusion of these levels, robbing us of the knowledge of the purely phonemic system as determined by strictly non-morphological (acoustic or articulatory) criteria.

But why, one wonders, should it do this? Nothing prevents us from constructing, besides an overall system in which every fact is taken into account, secondary systems based on more restricted criteria. In fact, this is what should be done, and those who attack the Yale linguists for their refusal to "regard the system as a whole" are doing phonemics little service if they fail to add that we should be told for which phonemes morphological criteria, when used, gave a result which could not have been reached without such criteria. In other words there is a central system for which all criteria coincide, while those phonemes which would be dubious without the support of morphological criteria are peripheral. This must be stated. But the refusal to allow ambiguities arising in the use of one set of criteria to be resolved by the clearer results of another set of criteria is ludicrous obstinacy, provided it can be shown that the two sets of criteria do, in general, tend to yield converging analyses whenever their results are both clear.

The exclusion of morphological criteria in phonemics, on the ground that these criteria may lead, when taken independently, to different results, is an absurdity of the same kind as the exclusion of data from different speakers (on

[3] Bernard Bloch, *Studies in Colloquial Japanese IV*, p. 95, footnote 16 (*Language* 26).

the same grounds), or, if this does not seem absurd enough, the exclusion of data gathered in the daytime on the ground that it might yield different results from those gathered at night. In each case we have the right to assume convergence, though not to assume complete identity. However, complete identity is an hypothesis to which we keep wherever divergence is not proved.

It will be said that these comparisons are ridiculous. Let us take for instance an eventual refusal to check the data gathered from one individual by the data gathered from another deemed to speak the same dialect. It might be said that individuals enjoy no initial priority whereas the very subject of phonemics is, precisely, phonemics. Is it not evident that non-phonemic criteria (except doubtless for their heuristic value, irrelevant in the final analysis) should be rigorously excluded ?

Phonemics however means something rather different according to the school in question. The Prague School does not pretend to dispense with semantics and the Yale School does no more than pretend. Why then dispense with specific morphological criteria ? These are a part of phonemics, if we are willing to make them one, and their exclusion is simply based on a petitio principii.

However, let the Yale claim to have excluded semantic criteria (the principle of relevance being replaced by a few non-semantic criteria such as that of complementary distribution, which for the Prague school is merely a proof of irrelevance among others) be allowed. We are then, it would seem, in the domain of " pure phonemics ". But further purifications are surely possible. Even the Yale School distinguishes between utterances which are intended as communications, and those which are mere babbling, without giving purely phonetic criteria of how the two are to be differentiated. Doubtless some criteria could be found, though they would certainly leave *some* " babbling utterances " unaffected. Bloch has found criteria for excluding hiccoughs ; " they never combine with other sound types in an utterance ". Unfortunately they sometimes do.

The error of the Yale School (represented here by Bloch) is the opposite of the error of the Prague School (represented by Jakobson). For the former, no identity can be taken in favour of any other identity. For the latter, almost any identity can be cited to prove any other. As for the middle view, it is represented, as so often, by scholars who profit from neither extreme—who cannot see that the vaunted " distinction of levels " demands at least recognition by a careful indication of marginalities, and that the identification of different levels, in practice, is often a worthwhile risk yielding fruit denied to the pusillanimous.

III

Il est tentant... de dire que le féminin (des adjectifs français)... est le terme non marqué, que le masculin en est tiré par suppression de la dernière consonne... cette interprétation, beaucoup plus simple, a été adoptée par les linguistes américains : L. Bloomfield, *Language*, 217... Dans un cas de ce genre, la statistique permettrait sans doute de trancher la question... si les adjectifs féminins sont de beaucoup les plus nombreux, les linguistes américains ont raison... Si au contraire les adjectifs masculins sont les plus nombreux on fera bien de s'en tenir l'interprétation habiteulle et de considérer le féminin comme marqué, malgré les difficultés de formulation. (J. Cantineau, *Cahiers Ferdinand de Saussure* 10, p. 29.)

In other words, if the frequency of French feminine adjectives is smaller than that of masculines, we must abandon Bloomfield's simple formula for the formation of feminines, and regard the feminines as having been formed from the masculines by the addition of *—d*, *—g*, *—t*, *—z*, *—s*, the formation having to be specified for each adjective.

Now firstly, how can statistics of frequency inform us whether the masculine or the feminine is " marked " ? Frequency statistics are designed to tell us about frequency, and they are not designed to tell us about anything else. Now no doubt, forms which are more frequent are usually those which, from other standpoints, may be regarded as unmarked. Hence, when all other criteria give unclear results, we may allow frequency to settle the question. But here the other criteria are perfectly clear ; Bloomfield's formulation is in every respect the more simple one for describing the facts of derivation. Hence whatever form be marked in respect of frequency, it is the masculine which is marked in respect of derivation. Hence, in the chapter on derivation at least, it must be treated as Bloomfield treated it.

A still more half-witted objection comes from a recent contributor to *Language* (27, p. 10). " This shortcut does violence to the linguistic concepts of the ordinary speaker, who is accustomed in all contexts to think of the masculine as the normal dictionary form and therefore as the basis for the feminine ". Now a Yale scholar would doubtless regard this objection as irrelevant for reasons which are foreign to our way of thinking. He would regard the order of forms in the dictionary (and the " speech-feeling " said to depend on it) as outside the sphere of the linguist. But for present purposes this is of no consequence. Here it is relevant only that the criterion adduced has nothing to do with derivation. The perfectly clear facts which Bloomfield adduced cannot lose their validity in the light of other facts, even if these are equally important in their own way. If these facts are also to be stated in the description, they will be stated in another chapter.

The error here is the same as that of Harris ; just as Harris looks for *the* morpheme, Cantineau looks for *the* unmarked form. But there are many ways in which a form may be unmarked. The more frequent form is unmarked in respect of frequency ; the form which serves as simplest starting-point for derivations is unmarked derivationally. The shorter form is unmarked in respect of length ; the paradigmatically more highly differentiated form (e.g. the gender which permits most distinctions of case) is unmarked in another respect. When all relations of " markedness " (or the vast majority) coincide, then indeed we may talk of *the* unmarked form ; though even this does not justify us in treating forms as unmarked in a chapter specifically concerned with characteristics in respect of which the unit in question is marked.

In the passage cited, Cantineau quotes the " statistical law " of Zipf in the revised form given it by Trubetzkoy : " dans une opposition privative, le terme non marqué est beaucoup plus fréquent que le terme marqué ". This is either nonsense, or it is a mere tautology. If all that is meant by the unmarked form is the most frequent form, nothing need be said except that there seems little use for this new term. If more is meant—if for instance it is meant that we must always analyse the less frequent form into the more frequent plus some positive feature—then the principle leads to absurdities. It is notorious that, of two parallel series of consonants, not *all* in one series must necessarily be more or less frequent than their counterparts in the other. Of course, when the interpretation is dubious, the frequency-criterion will help towards a decision. But it is one criterion among many. Frequency cannot be a sufficient and necessary criterion of something which is not frequency.

IV

" In diachronic matters it would seem so far that not too much is gained by departing from a linear conception of the relations between the consonantal phonemes of varying degrees of articulatory depth " (Martinet, *Word* 8, 15). Most linguists will agree that the linear *arrangement* of phonemes is the most profitable in the chapter of historical phonology dealing with consonants differing in articulatory depth, at least for most systems. But it is legitimate to wonder what can be meant by a linear *conception* of phonemic relations. Phonemes stand to one another in many kinds of relation, among others the relation defined by Roman Jakobson in terms of redundancy and acoustic similarity, and the relation defined by Martinet in terms of synchronic motivation. These are not different conceptions of relations between phonemes ; they are quite simply different relations between phonemes.

" Generally, a diachronic approach requires a greater concern with phonetic reality than is possible when we are bent upon reducing the number of distinctive features to a minimum " (loc. cit. p. 16). Whereupon Martinet stresses the importance of the criterion of motivation, and the present writer is loath to dissent, since he has always placed this aspect of phonetic reality in the forefront. Unfortunately he has to record his disagreement : a concern with *more* aspects of phonetic reality is not the same as a *greater* concern with phonetic reality. As a matter of fact, Jakobson does take the criterion of motivation into consideration, and the fact that he does not do so consistently is one of the many logical blemishes of the *Preliminaries*. But his fault is that of inconsistency, not that of unconcern with " reality ". The relations he establishes (when he conforms to his own rules) are real relations. They are also, for the most part, quite familiar relations.

Phonemes enter into linear relations (such as those described by Martinet) and also into non-linear relations (such as those described by Jakobson). Neither relation (so far as it is taken as a relation, not as a basis for " division of a whole into parts ") enjoys priority, in any absolute sense. Linear relations are more embracing, non-linear relations are more elementary.

Since the linear relations are of wider scope, i.e. affect more levels, it is not surprising to find that they have greater relevance in diachronic grammar. And of course one could draw the net still tighter by demanding a still closer " attention to phonetic reality ". Some hyper-Martinet might insist that it is " unrealistic " to classify back and front vowels in parallel series, on the grounds that there is no real symmetry synchronically, and often no symmetry at all in diachronic development. It is irrelevant to remark that it is precisely Martinet who has stressed these asymmetries most. It suffices that he has not drawn this conclusion.

The greatest opponent of hyper-Martinet would be an equally unheard-of scholar called hypo-Jakobson. This scholar would pay the minimum of attention to " phonetic reality " ; but he would pay attention to the fact (which *is* a fact) that many otherwise unrelated phonetic features are in complementary distribution, and even make a residue after deduction of features which *also* have phonetic similarity, such that these residual complementarities enable one to make a reduction in the inventory of phonemic features.

Hypo-Jakobson would present his views in the guise of an analysis, probably the only possible right analysis. Hyper-Martinet, on the other hand, would be sweetly reasonable ; his views would be presented in form of a tentative interpretation, adapted to certain aspects of " linguistic reality " but perhaps not to others. But the modesty of the latter would be no more in place than the arrogance of the former. For he would have drawn the net so tight that there would hardly remain any room for " tentativeness ". He would be dealing with relations which really admitted of no dispute. But he would be quite wrong in claiming to have reached a new " conception " of phonemic relations.

The real Jakobson would also be shocked at hypo-Jakobson's inattention to phonetic reality. In Serbian nasality and (long) vowel-quantity are in complementary distribution, their identification would " reduce the inventory ". It is not even impossible to discover a sort of " phonetic similarity " ; nasal consonants and long vowels might be described as " unchecked " in opposition to their occlusive and short counterparts. But here, as if he feels himself at last on the brink of a precipice which his colleagues had already sighted in the distance, Jakobson prudently withdraws. The much-reduced Serbian inventory still contains features in complementary distribution.

By abandoning criteria one by one it is always possible to " reduce the inventory ", up to any point desired. But such reductions in inventory are not to be taken seriously as such. What we are left with at every stage, is simply an inventory of something else. Or better, it is an inventory of something less, though not necessarily of something less important. Just as componential analysis does not, by abandoning the criterion of non-simultaneity of units, reduce the inventory of phonemes, so also the componential analysis of Jakobson, by abandoning the criterion of motivation, does not reduce the inventory of Martinetian components. Genuine reduction is only possible when the criteria are maintained at the same level of strictness. The levels of rigour are here not the same, for Martinet uses all Jakobson's criteria *and others*. (It should not be necessary to add that rigour and strictness are not here being used as terms of praise, or for that matter, of condemnation).

A word on Jakobson's claim that his analysis bears some analogy to atomic (and even electronic) analysis. This is absurd. Structural linguistics is a molar science, and one no more passes from a molar to an atomic science, by analysing phonemes into distinctive features, than one does by analysing wheels into hubs, rims and spokes. The equivalent of atomic physics is wisely left to students of phonetics and similar subjects. Their results will be interesting to molar linguists, but they will not be surprising, for the simple reason that the molar linguist has no preconceptions on a subject with which he is not occupied. Just as the atomic scientist explains the basis of the distinction between solid and liquid, without presuming to say that the macrophysical distinction is unjustified (or—with Eddington in one of his notorious popularisations—that solid bodies are not really solid), so the phonetician will help to explain, not to contradict, the analysis of molar linguists.

V

" Speech-sounds which require for their reproduction a static position of the speech-mechanism . . . may be called ' simple sounds ' ; ' Trills (e.g. rolled *r*) may also be classed among simple sounds ' :—a straight contradiction ". (A. S. C. Ross in a review of Daniel Jones' *The Phoneme* (Cambridge 1950), *Archivum Linguisticum* 2, 181).

What does Daniel Jones mean by classing trills under " simple sounds " ? Has he forgotten his definition or has he forgotten that trills are not reproduced by a static buccal mechanism ? Presumably neither. How then did he fail to be shocked by the contradiction ?

The answer is that Jones is a good practical scientist, with an implicit logic very different from that of a theoretician like Ross. There are dangers in the absence of an explicit logic, and they are all too amply illustrated in Jones' work. Some of his worst lapses are to be found in the Introduction, in which there are some absurd incursions into theory ; but far worse are to be found in the body of the work, and they are mostly due, not to a neglect of theory, but to a mistaken respect for the sort of theory which theoreticians expound, when they have not adapted their logic to the science with which they are concerned.

For Ross, a class can only consist of units sharing some common well-defined property. This is the only legitimate class in an a priori science like mathematics; it is also probably the only profitable class in an atomic science like physics. It may even be the only profitable sort of class in a quasi-atomic science such as phonetics, though this is dubious, and in any case Daniel Jones was not speaking in his capacity of pure phonetician. Pure phonetics deals with a continuum, and the notion of class hence loses its common molar sense, even more obviously than in the frankly atomic sciences.

Like other scientists, linguists class units (or facts) together because they have something in common. But this is merely the beginning of the classification. They also class units together because they each have something in common with units already classed together, if not with each other. The classes of the linguist are defined by this sort of classification. If this is not what Ross means by a class, then his meaning is not the linguists' meaning.

There are many linguists who pretend to behave otherwise, but the words they use betray them. More cautious than Daniel Jones, they avoid using these words about sounds ; they reserve them for phonemes, and since everybody has heard that a phoneme is an abstraction, statements using the more pompous word are accepted complacently where a similar statement about " sounds " might offend. They say for instance : " we prefer to take Gothic *q* as a sequence *kw* because the pattern *gw dw tw* etc. favours this interpretation ". In other words *q* had the distribution of a sound-cluster (better, of other sound-clusters), hence it will be treated as a cluster rather than as a single consonant. The question whether it is really a sound-cluster does not enter into the argument ; it belongs to another level.

But the criteria for answering the question on the other level are similar.

On this level too, we neglect similarities when they are accompanied by gross dissimilarities, and neglect dissimilarities when they are accompanied by gross similarities. And we cannot consistently do this if we are the slaves of our definitions.

We all know that a trill is incompatible with a static articulation : it is the meaning of the word *trill* that the articulation cannot be static. A trill is a regular alternation. It is not the articulation, but the alternation, which remains constant. This constancy is already a common feature of trills and " simple sounds ", and of course there are other common features—duration, distribution, etc.—which, if they could not be confirmed for a given language, would be failing criteria of the sounds' " simplicity ".

But why not then extend the definition, by explicitly including regular alternations of articulation as on a par with constant articulations ? Simply because they are not on a par. Trills are one stage removed simple sounds ; they are two stages removed if in some other respect (e.g. duration) they differ noticeably from simple untrilled sounds. A one-stage removal is not sufficient to sever them from the category, whereas two-stage removals already lead to hesitation. In other words there comes a point where divergencies trivial in themselves " break surface " by their united force. This point cannot be specified in advance, for it is not merely the number, but also the degree, of the divergences which counts.

Is not something of value lost by this " slipshod " method of classification ? But what could conceivably be lost ? By classifying trills as simple sounds it is asserted that they are, in most respects, similar to sounds with constant articulation. The name " trill " shows they are not similar in *all* respects, and indicates precisely the respect in which they differ. What other information is required, and what better way is there of conveying the information which it is desired to convey ?

Categories are there to be talked about. A category with zero-membership, whatever its æsthetic merits, is of no use to the linguist ; nor for that matter is a category with universal membership. If the words are taken in their most solemn, literal and absolute sense, there are no sounds with " constant articulation ". Now the way in which the meaning of the words is stretched to cover approximate constancy, is not essentially different from the way in which the meaning of " simple sounds " is stretched to include trills. Doubtless there is something to be said about simple sounds in the narrower sense of Ross ; but there was very little to say about them within the scope of Jones' book.

By saying that certain differences may be neglected in favour of overall resemblances it was not of course implied that these differences might be overlooked in the total description. The difference which is neglected in the construction of the category, even though it is pertinent to the category as defined, will be indicated in the description of this unit, as being marginal in this particular respect. It is important that the unit should have failed to answer all criteria positively. But an individual criterion is itself not completely defined ; in turn, it will be based on meta-criteria some of which will have not been answered positively in all cases, but which must, on this level, be neglected. The regress is theoretically infinite, but in practice must be arrested at some point or other, according to the scope of grammar in question.

VI

On sait les difficultés auxquelles se heurtent ceux des linguistes qui cherchent à donner un statut scientifique aux termes traditionnels. Pour chacun d'entre ces termes, il s'agit en fait de trouver une définition qui, d'une part permette d'identifier à coup sûr une réalité comme faisant effectivement partie de la classe ainsi isolée, d'autre part, n'exclue aucun des faits que la langue courante désigne au moyen du terme à définir. (A. Martinet, *La double articulation linguistique*, Recherches Structurales [TCLC] V p. 30.)

Yes indeed, and how much time and energy has been wasted in such fruitless endeavours ! One would have hoped that Martinet, whose work is usually conspicuous for good sense, was about to rise and put an end to all the nonsense. But this hope is gravely disappointed ; instead, we find that Martinet is proposing to give us a definition of language which not only fits all recognised examples without any ambiguity (as definitions in some empirical sciences, such as chemistry, indeed do), but also will infallibly enable us to distinguish between language and non-language whatever may meet us in the future (which no definitions in any empirical science can possibly do). " Une fois adoptée... la découverte de faits nouveaus n'aura pas pour effet de la rendre caduque ; une structure nouvelle qui répondra a la définition sera appelée ' langue ', une autre, qui n'y répondra pas, sera exclue " (p. 31).

Martinet's argument follows painfully familiar lines. First he shows that the criterion of " l'arbitraire du signe " is not sufficient to exclude from the domain of linguistics certain systems which the linguist does not regard as falling within his subject, e.g. traffic-signals. Therefore, out with this criterion ! Then follows the criterion to end all criteria, the " double articulation " (phonemic and morphemic) of the linguistic system. Finally Martinet sees that this is not quite enough, and proposes, though far less enthusiastically, the phonic character of expression as a necessary (though not sufficient) condition of linguistic status.

In order to see how the definition works, let us take the most obvious possible case in which it might be disputed whether we have to do with a language, since it concerns a system which interests the linguist at least from a practical standpoint : namely the alphabet of the international phonetic association. This has a double articulation ; the letters are composed of dots, curves and strokes, which do not answer to the phonetic features of which their meanings are composed. The language (if it is one) has a well-developed syntax (e.g. rules for the placing of diacritics, some of which are arbitrary while others are motivated), in order to form more complex signs. But is it a language ?

One now applies the second criterion, the phonic nature of the expression. Now the expression is not phonic, but the content is ! However, if we take the criterion in all seriousness, the phonetic alphabet is not a language.

But there is a strange consequence of this. Suppose Professor Martinet has a typist who is not interested in phonetics, but who has been taught to take down phonetic notes at the professor's dictation. For this typist the phonetic symbols are the *meanings* of the sounds which the dictator pronounces : the sounds signify for her the letter she must choose. So for the typist, the alphabet is a language, while for Martinet it is not.

This cannot be disposed of as a borderline-case. For what is the criterion for if not to enable a decision in borderline-cases ? The definition was not intended to make clear that Greek is a language, and that rugby football is not a language. It would not be a problem for anybody to find a definition to suit this purpose. Nor indeed is it a " problem " to find a definition which will enable us to decide, " à coup sûr ", in all doubtful cases, whether a system is a language or not.

As for the system of traffic-lights, is it seriously asserted that they would immediately become a full linguistic system if only double articulation were introduced ? Let then the red and green lights mean nothing by themselves, but the succession *red-green* is to mean " stop " and the succession *green-red* to mean " go ". Let there then be blue and yellow lights, the former meaning " slow ", the latter " fast ", their combination " until further orders ", and so on. Some combinations of these with the red and green lights will naturally be permitted, others not. The miraculous birth of language !

Now there is no doubt at all that the modified system of traffic-lights is *more* like a language than the more primitive one. Martinet's criterion is a perfectly good one, but simply it is not a definition. For there are other criteria equally good. Among these is the criterion of the arbitrary. This is not a less specific criterion, as Martinet asserts (p. 33). One could easily have a non-arbitrary system with double articulation, for instance a highly stylised pictographic system in which each sense-unit was conveyed by a limited number of strokes of a certain simple form, meaningless in themselves. This again would not be a language in the full sense, but it would be more like a language than a scheme with one level of articulation, just as it would be less like a language than an arbitrary scheme.

It would seem that one of Martinet's main motives in seeking a watertight definition of language is to justify the linguist's refusal to deal with subjects for which he is not competent. This attempt at justification involves him in a vicious circle. The incompetence of the linguist is taken as a basis for choosing certain criteria rather than others, and these then form the justification of the linguist's refusal to deal with the systems in question.

It is surely enough to define the *centre* of the linguist's interests. As for the marginal cases, the linguist may occupy himself with one or another of them as he likes.

VII

> A special type of replacement which is not mentioned in the literature, but which would seem to be most useful, is the replacement by zero, which I shall here call *excision*. As applied to a sentence which Wells has analyzed at some length, The king of England opened Parliament, it leads to an analysis of the king of England into two constituents, *the king* and *of England*. . . . (Haugen, Directions in Modern Linguistics, *Language* 27, 21.)

A type not mentioned in the literature ! In Europe at least, zero-replacement has always been the type of replacement *par excellence*. Trubetzkoy defined neutralisation as the replacement of a feature by zero, in given environments.

It is quite true that nobody has ever taken " excision " as a primary criterion for immediate constituents. For nobody found it useful, so far as immediate constituents are concerned. Of course the criterion defines a relation which is not without importance. In the sequence "a pound of white flour" one may excise *white* but not *of* (nor for the rest any other morpheme). This is not taken to indicate that *of white flour* is to be divided into the constituents *of flour/white* (still less into the constituents, for the whole phrase, *a pound of flour/white*). This is not the meaning of *immediate constituent*. It remains true that there is a special relation between *of* and *flour* (as opposed e.g. to that between *white* and *flour*), and one may even say that it is a closer relation: namely interordination, in which both terms are necessary for the construction, as opposed to subordination in which one only is necessary. This is elementary, but it has nothing directly to do with the immediate constituent. The primary criterion of the immediate constituent is the degree in which combinations behave as simple units. No other criterion is acceptable unless it shows some tendency to coincide in results with this one. If Haugen is proposing his criterion as a primary one then he is simply altering the meaning of the term. If he is proposing it as a secondary one then his suggestion is frankly absurd, and its arrogance adds to its absurdity: linguists are short-sighted, but they are not totally blind, and it is incredible that they should have missed so obvious a criterion if it had been anything to their purpose.

But how do we know that Haugen's brand-new criterion does not tend to coincide with others in its results? The example given does not of course suffice; a hundred examples would be inadequate to disprove the general tendency of criteria to coincide. But here examples are not needed at all. Haugen's criterion conflicts with the others whenever an exocentric construction contains an endocentric construction as one member. Since the favourite sentence type is usually the exocentric subject-predicate construction, and since one of its members usually endocentric (when it has more than one member), the commonest type of sentence (i.e. of three members) for which the question of constituents arises, does not yield constituents in accordance with Haugen's criterion.

Nor does Haugen attempt to show that it does. He simply does not see the need for such an attempt; its relevance to his proposal escapes him. His criterion is meant to stand in its own right. He does not see that criteria do not stand in their own right; they stand (or fall) together. This is true even of primary criteria, which need the support of subsidiary ones for their justification.

The criterion for the division of sentences and sentence-parts into their constituents is the similarity of groups to indivisible units. This criterion usually permits a primary division into two *immediate* constituents, themselves divisible in the same way until the last stage (simple units) is reached.

However, a group may be split up according to different principles leading to different results. E.g. the group *green fields*:

(*a*) If combinatory (distributional) similarity to a single indivisible unit be taken as the criterion, the division will be into *green field* and *-s*; since a single noun (without inflection) may always be substituted by the former; while the other conceivable grouping *green/fields* contains a complex *field-s* by which no simple unit can be substituted in all combinations.

(*b*) If however the criterion of inseparability be taken as the criterion, the division is clearly *green/fields*, this division alone permitting a pause at the point of division, or the insertion there of other units (*green spring fields*).

Notice that division (*a*) is supported by semantic criteria; this is still more obvious in a group like *old maid-s*, in which *old maid* forms an indivisible semantic unit. On the other hand division (*b*) is supported by phonetic criteria; for the consonants *nf* cannot occur together within a simple unit in English.

Neither of the criteria invariably yields *two* immediate constituents. For instance in the group *John stopped*, neither the division *John stopp/ed* nor the division *John/stopped* yields groups generally replaceable by a simple unit. In the group *John had gone*, pauses and insertions are possible between any of the words. One may consider the generality of the substitutional possibilities in the former example, and the frequency and length of pauses in the latter; and if these considerations are not decisive, one may choose the division indicated by the other criterion. In the examples chosen, such considerations would doubtless lead to the conventional division into "subject" and "predicate" in either case.

(*c*) Since no part of an indivisible unit can be excised, there is also a "Haugen-constituent". But, as seen, it constitutes a third different unit, whose profitability has not been demonstrated.

There can be no question of giving preference to one division. But it is easy to explain why word-division is given so special a status. The hierarchy of constituents determined on substitutional criteria knows no optimal unit; there is a constant level of progression from morpheme to sentence. On the other hand the criteria determining the word (potential pause—hence isolability—together with general profitableness for phonemic and morphemic analysis) do not tend to converge with such clarity on any other unit either larger or smaller except perhaps on the smallest and largest possible units for analysis. In other respects the word is not unique in its own hierarchy: in many systems one can define a unit larger than the word and smaller than the sentence within which certain rules of sandhi operate, together with potentiality for greater pause, supported by morphological criteria of various kinds. But the borderline-cases would probably always be more frequent than for the units traditionally regarded as words. The uniqueness of the word lies in its being an optimal unit in its own hierarchy, the only hierarchy of sentence-units which has such a well-defined (non-minimal and non-maximal) optimum unit.

For the present argument two hierarchies suffice. What is the cause of this duality? It is no duty of descriptive grammar to give an answer to this question; but it may briefly be indicated that the rules of substitution are dominated by semantics, which demands gradual hierarchy, whereas the others are dominated by phonetics, which is favourable to a non-gradual hierarchy. In other words the solution lies in the linguistic substance, rather than in the form; or better in the functions which the formed substances serve.

Within the limits of any one hierarchy, borderline cases are naturally not unusual. The "cliché" is productive of such instances in both; since it is most common within the limits of the word, and within the limits of a substitutional constituent. But the criterion may also contradict all others; e.g. in *attention was paid*, *pay attention* is a cliché, but is not a constituent either on word-criteria or on substitutional criteria. This marginality may well give rise in some systems (particularly those which do not recognise a well-defined duality by other criteria) to a third fundamental type of constituent.

VIII

Proceeding with the linguistic analysis and breaking down the speech sequence into ever smaller and simpler units, we begin with the *utterance*. The minimum utterance is the phrase. A phrase consists of *words* as its minimal actually separable components. The various borderline cases—we hold with Sapir—do not contest the validity of this actual and living entity. (R. Jakobson.)

And so we go on and on. The only objection likely to be raised against this unilinear chopping of the utterance will come from those pedants who are unable to see that a few borderline cases cannot affect the validity of a principle of division.

There is however a less likely and less pedantic objection which has not here been anticipated. What if there should be two or more distinct bases of division, whose units are quite different, so that an attempt to superimpose them would yield a majority of borderline cases ? If there is any reason to suppose that this is not the case, it has yet to be stated. More probably this is another case of the fallacy of necessary simplicity.

The word, it must be granted, is a fundamental unit. It is also agreed that the possibility of replacing a simpler unit A by a more complex unit AB or BC is a criterion for the cohesion of the parts of these latter units. By this last criterion, in the group *very small boys*, there is relatively close cohesion within *very small boy* (which can normally replace *book*, *house*, etc.) and relatively loose cohesion within *book-s*, which in important positions (e.g. as subject) cannot normally replace a more simple unit. Since the construction is of the most usual type, it is evident that the criterion of " substitution for more simple unit " leads to constituents which cut across the boundaries of words.

The fundamentality of the word as unit is due to its profitableness for phonemic and morphemic analysis. In other chapters it loses something of its fundamental role. There is another way of breaking up sentences which is necessitated by the demands of sentence-syntax. Hence there is no unique hierarchy of units.

IX

Sur le plan du contenu on se sert du principe de commutation exactement de la même façon que sur le plan de l'expression : deux morphèmes sont différents si leur interchangement produit un changement d'expression, et deux chaînons d'expression représentent des morphèmes différents si leur interchangement produit un changement de contenu. (Togeby, *Structure immanente de la langue française* p. 138.)

There is however no question whatsoever of using the principle exactly in the same way on the two planes. In order that there should be a parallelism, it would have to be possible to say : deux chaînons de contenu sont représentés par des phonèmes différents si leur interchangement produit un changement d'expression ; and this is evidently nonsense for two reasons :

(i) There is no such thing as a " chaînon de contenu " *before* the linguistic analysis, which we can set before us and demand whether or not it differs in expression from some other chain. Nothing whatever is known of a " semantic chain " until something of the language has been acquired. Whereas on the phonic plane we have to do not only with a chain, but even with an articulated chain ; it is true that this chain forms a continuum without discrete partitions, but there are points of relatively abrupt transition which afford a clue to the portions on which the test of commutation may be used.

(ii) Even supposing we accept the myth of a previously given " chaînon de contenu " we are no better off. Let us suppose that the " chaînon " could be represented in the words of another language. The method would then require that we should take utterances in this other language and ask whether they answered to a difference in expression in the language of our research. This is what Togeby does when he takes Danish " da " and " naar " (the contents of Danish *da* and *naar*) and asks whether the distinction answers to a distinction of expression in French. But of course this is not his usual method of determining the French content-system. His method, like that of everybody else, is to start from the expression. There is therefore no parallel.

But glossematists do not seriously attempt to make their " parallels " even appear parallel. Thus Hjelmslev (OSG p. 25–26 and elsewhere) compares the relation of consonant to vowel (" selection ") with the relation " in the content " of Latin *ab* to the ablative. To make the parallel more plausible, " ab " must be read for *ab*, since *ab* is evidently a morpheme *expression*, not a unit of content. But even taking " ab " as a unit of content (which as seen above is not necessarily valid), it remains true that it is a content *with* expression, whereas b is an expression-taxeme *without* content. It would have been quite easy to find a more convincing example even within the framework of present glossematic practice, although even such an example would have failed to convince anybody with a fair sense of symmetry and an intuitive grasp of linguistic system.

Once one goes outside the range of glossematic practice and applies glossematic theory, as the glossematists have never done, to the description of linguistic system, real parallels between the form of the expression and the form of the content may be found. Indeed such parallels may always be found, providing we allow ourselves to invent new systems for the purpose.

But if any linguist finds this discovery of parallels intriguing, he would do well to practice first in a relatively simple domain. Let him simply take the graphic level as " expression ", and the phonic level as " content ", disregarding all the content-level as understood by glossematists. If he is a Yale man for instance, he will find that the graphic word *read* contains three morphemes, *r*, *ea*, *d*, of which the " semes " are acoustic *r*, *iː*, and *d*. There will then come the question of whether *ea* can be taken as an " allomorph " of *ee*, since both may have the same acoustic semes. Whereupon some other Yale man will object that " vague acoustic criteria " are to be excluded, and that all analysis must be purely graphic. Ingenious devices will be proposed for an analysis on the basis of graphic distribution only, and these will very well fit the " intuitive " acoustic analysis in some systems, though not in others. The Prague linguists will insist that letters must be split up into their " ultimate components ", and the glossematists will claim to be the only people who reach the " form of the (acoustic) content ", though in fact they will be concerned with the tactics of graphic signs.

After treating graphemes as the expressions of phonemes, or rather, after having treated the graphic level as expressive of the acoustic level, the relations may be reversed, so that the acoustic level will be treated as expressive of the graphic level. This will ensure parallelism of treatment. After the experience thus gained, the linguist may turn to the comparison of the level of content with that of *one* level of expression (probably, in accordance with present practice, the acoustic one).

Had structural linguists submitted themselves to this preliminary discipline, a great deal on nonsense would never have reached the form of publication. For instance the discussion whether the English diphthongs represent one phoneme or two, which still continues (most recently in the number of *Acta Linguistica* to appear as this paragraph is being written), would begin to seem as trivial as the question whether the English graphy (ligature) æ is one letter (more pompously grapheme) or two. But these particular questions do not concern us here. What concerns us is that the whole system of parallels between expression and content built up by glossematists would be seen to break down. It would be seen to break down, not because there are no parallels, but because the parallels have been sought along the wrong lines. The schoolboy student of physical geography, asked for a marine parallel of the mountain, at first sees none ; in desperation he affirms that a lofty sea-wave corresponds to a mountain on land. Since a mountain is characterised by its exceptional height, it is natural to look for some other object also characterised by exceptional height. He has to be taught to see that the equivalent of height on land is depth at sea. It is then apparent that the convex mountains answer to the concave shapes in the depths of the ocean. This is the schoolboy's first lesson in isomorphism (in that less strict sense in which the glossematists take the term). It is one which the glossematists have never learnt to apply in their own professed subject.

It is not to be wondered at that the results of the so-called glossematic method are so similar, in a general way, to those of American linguists. For the glossematists do not follow the glossematic method, nor could they if they wished to. Their criteria, at least in the domain of so-called content, are as in the American school, criteria of expressional distribution. The voice is the voice of Hjelmslev, but the hand is the hand of Bloomfield.

But though the glossematists could not follow their own method, they could at least approach much more closely to it than they do. For the results of analysis could at least be presented in terms of a parallel between expression and content. Distributional rather than semantic criteria must be used to establish relations in the content, simply because semantic identity is usually too vague a notion to be applied with objectivity. It cannot therefore play the role which phonetic identity does in the plane of expression. This is not necessarily however always the case. One can indeed imagine some language used for such a simple purpose as the description of games of chess ; in fact there exists such a language, in graphic form. Here the semantic level would be articulated ; we know beforehand precisely the relevant differences between the situation at one point of a game of chess and the next, and we can therefore examine the expression afterwards, asking what differences there are here, if any. But we could also begin, as glossematics does, with an examination of the expression, asking merely *whether* there be a difference of content, without bothering what these differences of content were. In either case one could make a description of the " form of the content ". But on one condition only ; namely that the distributional criteria are well-chosen.

Now the most obvious relation between the distributions of units is sameness or difference in their order in the chain. Units having the same order in the chain are commutable. But it must be stressed that the units in question are expressive units, normally sequences of phonemes or sets of sequences of phonemes (" allomorphs of one morpheme " in the American sense). They are not units of content, though they make a basis on which content-analysis may be built by the use of other (also non-semantic) criteria.

How do we tell whether our Yale morphemes, which are units of expression, correspond to glossematic morphemes, which are said to be units of content ? Not by applying the principle of commutation, for the commutation of expressive units of a lower level (the phonemes) is never taken to imply that these are units of content, and it would be begging the question to say that we have to do with units of content on the higher expressive level. Nor yet by testing whether the commutations yield the *same* difference of meaning each time, for the notion of semantic identity is admitted to be vague.

To say that two units have the same or similar meaning is to say that they occur in the same or similar contexts—contexts exterior to language. How will this be reflected within language ? Evidently, by the occurrence of expressions in the same linguistic context, or more narrowly, in the same context as other expressions. But is it not the same to say that two Yale morphemes are commutable, and to say that they occur in the same context ? After all, commutability simply means altering a term while leaving its context the same (providing that the altered term on the expressive plane entailed an altered term on the plane of content).

Now indeed to say that two Yale morphemes (glossematically " morpheme-expressions ") are mutually commutable is to say that they may occur in the same context. But to say that they occur in the same context is *not* to say that they are commutable. Or at least, it is not to say that they are commutable in the narrow glossematic sense. Latin *-tus est* (and its variants) occurs in the same context as *-vit* (and its variants), but one does not speak of commutation here because several morphemes (in the *Yale* sense) are involved in the change, otherwise describable as " commutation ". With some devagations commutation applies only to the significant mutual substitution of *Yale* morphemes, i.e. of minimal signs, though this is to attribute to *sign* a sense which begs the question in favour of the glossematists.

The commutation of non-minimal signs ceases of course to have interest when the commutation of wholes may be reduced to the commutation of parts. There is no interest in the commutational relation between *green field* and *red house*, for this is fully accounted for by the commutations of *red* and *green*, and of *field* and *house*. But the commutability of Latin *-vit* and *-tus est* is unaccountable by any commutability of parts.

Yet glossematists will insist here that we have to do with a relation in the norm, not in the form. (A mere affair of " usage ".) Certainly, once we know the substantial reference of *-vit* and *-tus est*, we should be able to explain their similar distribution through this substantial reference. But then exactly the same is due of the commutation of *red* and *green* : once we know their substantial reference, we expect them to be commutable. And if this is to take the notion of a natural relation between linguistic and ontological categories too seriously—as indeed it is—then it is to take it too seriously in *both* cases. It remains true that the criteria in both cases may be, and were, purely syntactic. If the one is a matter of linguistic form (the form of the content) then so also is the other.

Now if the combination of several Yale morphemes must sometimes form the basis of content analysis, it follows that individual morphemes may not always form a basis of content analysis at all. In positions where otherwise commutable Yale morphemes are not commutable, they do not provide a basis for content-analysis, at least taken individually. The most simple case is that of congruence : the second person pronominal morpheme and the second person verbal morpheme, when the latter is imposed by rules of congruence, do not form two different content-units, since neither is separately commutable in this environment. In this case the analysis is easy, since the two morphemes together express a content-unit. The case of *-tus est* above is far more complex. But the principle is the same.

What glossematics deals with under the heading of " the form of the content " is (all details apart) the tactics of Yale morphemes. This cannot even be made to appear parallel to the form of the expression, which is genuinely based on the tactics of expressive features.

Some partial corrections of the glossematic pseudo-isomorphism are made in Bazell's article *On some asymmetries of the linguistic system* (*Acta Linguistica* V). But these corrections, though in the right direction, are not sufficiently radical. The author still continues to speak of morphological units such as the cases as though these were units of content, despite the final footnote which makes it clear that they are regarded as systematic compromises between content-units and expressive units.

That the cases cannot represent units of content has been stressed by Kurylowicz in a momentarily inaccessible article for the Polish Philosophical Society (1950). Coming as it does from a general advocate of the Gesamtbedeutung, his argument should be impressive. Unfortunately he has chosen to base it solely on the noncommutability of case-morphemes ; whereas he should have based it on the nonconvertibility of syntagms containing one case-morpheme with syntagms containing another. That nominative and accusative are not usually mutually commutable, is no argument (except for glossematists, who nevertheless have not chosen to use the argument) against an opposition in content between the two cases.

But in this instance the absence of a minor commutation is not outweighed by the presence of a major commutation, except in certain examples, adduced quite correctly by Kurylowicz. The minor commutation *urbem/urbe* (seldom possible) is partially outweighed by the major commutation *in urbem/ab urbe* (more often possible) ; but the latter commutation is also very restricted. If however a wider commutation is sought, it will hardly be found before the stage at which a whole phrase with two nouns in these cases is commutable with another phrase with the same two nouns in the same, but reversed, cases.

The criterion of commutation breaks down over the question of the case-paradigm, and it breaks down for very obvious reasons. It is the function of the cases to express different relations ; and a difference of relation may entail a difference of distribution. In particular, the cases have often the general function of expressing degrees of marginality ; the dative expresses greater marginality than the accusative. This semantic function is reflected in a difference of position of the expressive units when word-order is fixed ; but even where it is not, a genuine commutational system, as Kurylowicz shows, is not present. But this does not exclude the possibility in principle of minimal oppositions ; if two cases differ merely in respect of marginality, this is precisely an instance of such a minimal opposition. Now it happens to be true that case-systems cannot usually be described in such simple terms ; the hypothesis of a Gesamtbedeutung is improfitable. But it is improfitable for precisely the same reasons as elsewhere, not for the special reason of non-commutability, which, like any other criterion, cannot be applied by rule of thumb.

It will readily be seen that we meet here once again the fallacy of the necessary and sufficient criterion. To this fallacy the glossematists usually add another, that of identifying the criteria with the definition itself. Now though it is not possible to find some one simple criterion for recognising a unit, it is legitimate to seek a simple definition which affords the grounds of selection of all the criteria. It is a mistake to suppose that this definition will be some other criterion of the same sort. From the fact that the determination and classification of morphemes must be based primarily on distributional criteria, it does not necessarily follow that the definition of the morpheme and the morpheme classes must be a definition in terms of distribution. Such a definition would be extremely cumbrous ; and it is understandable that scholars such as Harris who insist in principle on using only distributional terms, should renounce the attempt at a general definition and devote themselves to a description of operations. But what gives these operations their sense is the fact that the units reached have something to do with meaning. Providing that the criteria are chosen with a semantic view in end they will indeed yield units which, at least prospectively, form a basis for semantic analysis. The (semantic) definition tells us what to look for ; the (distributional) criteria tell us how to find it.

But the criteria proposed by the Copenhagen School are almost entirely divorced from a source in the content. They touch this source at only one point, namely through the criterion of relevance. But the criterion of relevance serves equally well for the determination of phonemes, and if no further criterion is brought into play the morpheme will, like the phoneme, be a purely expressive unit, albeit on a higher level. There is a " form of the content " as opposed to the substance of the content, but the glossematists have done nothing towards its establishment. On the contrary, by talking of a " form of the content " and operating only with another level of expressive form, they have contributed to the misrecognition of semantic form as opposed to semantic substance. By proposing, without trying to apply, a parallelism of methods on the two levels, they have deceived their weaker-minded colleagues (who tend to identify the proposed with the applied method) into seeing a parallel where none exists. But the effect on more robust linguists has been even more lamentable. It is concluded, that, since the parallel between the methods is unjustifiable, any parallel between the results is equally spurious. The three best criticisms of glossematic theory (by A. Martinet, R. S. Wells, and I. Dal) all suffer from this fallacy. The reviewers see that there is no parallelism between the methods (either the glossematic methods, or any conceivable other methods), and they see also that there is no parallelism between the results (the results of the glossematic method). But they do not see that there are non-parallel methods which could (and would) lead to parallel results. Everything in the form of the content has a potential equivalent in the form of the expression, and vice-versa. Hence in theory it would be possible to construct a system in which the forms of content and expression were isomorphous—without any units of content answering to any units of expression, in the sense that a given expressive unit always would have the same content. The universal asymmetry of expression and content *might* be combined with a lower-order symmetry: a one-one correspondence between the units as *defined* on each plane, without a one-one correspondence of the units as *determined* on each plane. Even this form of symmetry is extremely improbable in any natural language, and it is the fault of Kurylowicz to have sought it.

Methods which are not parallel may lead to parallel systems. But in the matter of natural languages there can be no question of isomorphism. Not only the methods are different, but the results are different; categories demanded by one method have no equivalent among those demanded by another. Isomorphism is not to be sought. But if there is no parallelism, there are nevertheless parallels. By their misguided assumptions of parallelism the glossematists have closed the way to the discovery of the many parallels between the forms of content and expression.

X

" Hjelmslev's call for a linguistic algebra appears to have led H. J. Uldall and John Lotz into misguided attempts to provide one " (R. S. Wells in review of *Recherches Structurales*, *Language* 27, 564).

Systems such as those of elementary algebra or of symbolic logic have two syntaxes on quite different levels: a syntax of notation and a syntax of calculus. It belongs to the notation-syntax of elementary algebra that the symbol 1 (" one ") cannot appear in isolation before a letter-symbol, whereas it belongs to the calculus syntax that the series $ab < ba$ is (in isolation) impermissible. There is nothing in the notational syntax to prohibit this series, nor is there anything in the calculus-syntax to prohibit the series 1x-y *2*. As opposed to the calculus-syntax, notational syntax, is the business of the technician rather than of the scientist, though the scientist must often turn technician in this respect.

In linguistics there is no equivalent of the calculus-syntax; the only syntax of a language is the equivalent of notational syntax. Now Hjelmslev's " linguistic algebra " is evidently not a calculus-syntax (which does not here exist). But neither is it the equivalent of the notational syntax in algebra, for the equivalent of this is the ordinary syntax of a language. Rather is it the equivalent of a syntax of notations for describing the notational syntax of algebra. Now hitherto, just as algebraists describe their notational (as opposed to calculus) syntax in ordinary language, so have linguists described their syntax in ordinary language, with the addition of essential technical terms.

However, the syntax of a language is far more complex than the syntax of algebra. Is this not, perhaps, a good ground for a meta-syntax designed to describe it ? (Though why this meta-syntax should be described as an " algebra " still remains a mystery. The use of letters to represent variables, in absence of a calculus, could hardly be claimed as " algebraic ".)

Now Wells has no difficulty in showing (loc. cit. p. 569) that the pseudo-algebra of Lotz does nothing to simplify the presentation of the Hungarian nominal system ; he presents a simple diagram which tells us everything better. Even a description of the diagram would be more immediately illuminating than the pseudo-algebra of Lotz.

However, all that Wells has offered here is a practical proof that the pseudo-algebraic analysis by a certain linguist of a certain linguistic system, is improfitable. He does nothing to show Lotz' failure is more than accidental.

Nevertheless, it is significant that the conditions for a good " algebraic " formulation were rather favourable. A good scholar was treating a reasonably determinate system in a language which he knows more than reasonably well. It is to be suspected that his failure reflects something more fundamental.

Had Lotz expended his " dazzling techniques " on a system too simple to benefit from them ? Should we see the full benefit of such techniques in the more complex cases envisaged by Uldall (op. cit. pp. 75–76) ? Uldall gives no examples.

But surely we know already how to deal with complex systems ; we split them up into simpler ones. This was already the method of traditional grammar : we are given, for instance, certain overall paradigms, smaller exceptional paradigms below, and then again exceptions to these paradigms, until examples are reached which cannot be fitted into any larger scheme. This is still the method of Lotz, whose scheme does not include all nominal forms. The fact that there is a unit A, which may normally combine with units B, C, D . . . , but is excluded from combining with these in the environment of FG, except when the environment includes H, and here only when H precedes A or follows F, etc., etc.—this fact needs no algebraic expression, and does not need to be expressed in a single formula at all. The normal conditions are stated first, and they are stated without reserve. The reserves are stated at the appropriate point. (There will always of course remain relatively trivial reserves whose appropriate place will not be in the description, however extensive.)

As for the syntactic " concepts which Louis Hjelmslev has brought to the theory of language " (Uldall op. cit. p. 71), these have long since been familiar to every undergraduate through the text-book of Bloomfield. Whether he brought out the " dynamic aspect of the relation " (whatever this may mean) can be left undecided.

New techniques are developed as answers to problems of description. The description of the Hungarian nominal system (or at least of that part of it which Lotz deals with) is not a problem at all. Nor would any description be a problem if it could be dealt with through Uldall's simple algebra, which presupposes that all available texts have been chopped up into discrete units of which no more will be found in combinations not anticipated by the scheme. If a language could be described in terms of Uldall's algebra, then it could also be described without it, in no less simple terms.

Uldall remarks that Hjelmslev's concepts are " of such simplicity and generality that their scope seems potentially much wider than its application to linguistics alone ". No doubt: if we find that shops selling shoes always also sell shoe-laces, sometimes sell boots, and never sell beer, the relations of determination, constellation and incompatibility are brilliantly proved to apply outside linguistics. The ordinary shopgoer might be equally pleased to find that these relations, which he has not failed to observe, are also illustrated in languages. And those sales-managers who use a system of arrows (in all innocence, no doubt, of the " dynamic relation " involved) to represent such relations, will be delighted to see that this system can be reproduced by Uldall as a signal contribution to linguistic theory.

Is this sarcasm misplaced ? After all (it may be urged) it is usually left to genius to discover the obvious. But the discovery of the obvious, in this case, did not have to wait for the glossematists. It was earlier than Aristotle, and if its consequences were not rigorously applied to descriptions of language, this was simply because languages did not allow their rigorous application.

Uldall remarks on " that curious ability of units to occur on more than one derivational level which is so characteristic of linguistic structures ". We remark that curious inability of linguists (especially glossematists) to notice anything whatsoever before they have noticed it in language. But the inability is feigned, since they would not have noticed the linguistic facts if they had not been overwhelmed by parallel facts outside their chosen domain.

XI

The non-uniqueness of phonemic solutions of phonetic systems.

Since the appearance of the well-known though inaccessible article of Y. R. Chao on this subject, it has generally been recognised that the phonetic data of any language may be liable to several equally satisfactory " phonemic solutions ". With some reservations to be made below, the present writer is also in agreement with this conclusion. Nevertheless, individual linguists continue to provide new sets of postulates designed to lead to a unique analysis. The most ambitious of these attempts to circumvent the indeterminacy of phonemic analysis is undoubtedly that of Roman Jakobson, whose theory, announced in several recent articles, has now been stated more completely in the *Preliminaries to Speech Analysis*. This work appears under the joint names of Jakobson and of two distinguished acousticians, but for the purpose of the present article (which is not concerned with acoustic theory), it will be legitimate to regard the distinguished Prague scholar as the main author. He writes (p. 7) :

> By successively eliminating all redundant data . . . the analysis of language into distinctive features overcomes the " non-uniqueness of phonemic solutions " : the present approach establishes a criterion of the simplicity of a given solution, for when two solutions differ, one of them is less concise than the other by retaining more redundancy.

If this is true, then all our problems are solved. But unfortunately there is in this statement a gross petitio principii. For the indeterminacy of previous solutions arose precisely from the fact that several solutions were possible, none of which were " redundant " and none of which was " more redundant " than the other. The problem is the same, whether we deal with phonemes or with distinctive features.

It might be answered that, though the problem is indeed the same, the *solution* is easier in the one case than in the other. Indeed it is. But experience shows that it is not the analysis into features, but rather the analysis into phonemes, which allows an easier solution. The disagreements between linguists with regard to phonemic analysis may be considerable, but they are trivial compared with disagreements in regard to the analysis of minimal features.

It is true that the wide differences between various componential analyses of the same system are in great part due to differences in the sets of postulates posed by their authors. But the postulates of such authors also differ for analysis on the higher level of the phoneme. Yet here the variety of postulates does not answer to an equally wide variety in the solutions. Indeed it is the fact that different postulates tend to lead to similar solutions which guarantees the relative determinacy of phonemic as opposed to componential analysis.

Jakobson considerably limits the plurality of solutions within his own system by the postulate of the binary opposition. Here however two remarks are called for :

(I) It is always possible to reduce indeterminacy by the multiplication of postulates. But determinacy so gained is offset by a loss in *adequacy*. If all oppositions are binary by definition there can be no answer to the question whether all oppositions tend to be binary in fact. We are simply compelled to press the data of speech into a mould which may or may not be suitable.

(II) The principle of binarity is not pursued to its logical conclusion, since the possibility of complex (intermediate) features is allowed. For instance in English " one pair of optimal constrictive and optimal stop (e.g. /s/-/t/) is supplemented by a mellow constrictive " ; such " complex units could be designated by the same symbol " (p. 25). It is true that the authors add : " insofar as it is preferable to deal with simple two-choice situations and to exclude complexes, the two oppositions might be treated separately in the case of ternary series as well ". But this is merely to say that one solution is *not* simpler than the other ; either the number of series may be reduced by operating with ternary opposition, or the number of features in a series may be reduced by operating with binary oppositions alone. The criterion of non-redundancy (which is merely *one form of simplicity*) is here of no value.

But even where it is applicable, the criterion of non-redundancy has not always been applied. One instance only need be cited.

> The peculiar consonants with a double closure, which are widespread in languages of South Africa, are but special forms of consonant clusters. They are extreme cases of co-articulation, which is widely used in language for building up phonemic sequences. In the producing of such consonants, the two closures attain their release in immediate succession. Nevertheless they are perceived as clusters since the two releases are not simultaneous despite the considerable contraction of the sequence, and since other types of clusters do not occur in these languages (or at least not in the same positions). (pp. 22–23.)

Now it is evident that, since the clusters in question (*kp gb* etc.) can only occur in one sequence (*pk bg* being unknown in the same systems), the sequence is strictly redundant ; if the sounds had absolute simultaneity, the position would not, from this standpoint, be altered. The place of a consonant in these combinations, before, after, or simultaneously with, the other, serves to convey no distinctions of message. In fact, as is pointed out below in the same paragraph, the cited order of consonants is induced by the direction of the air-stream. Since the African labiovelar stops " are produced by expiration, the velar closure is released before the labial ". It is a gross infringement of the principle of non-redundancy to attribute to the fact of succession an importance different from that of an allophone induced by a neighbouring phoneme. Sequence, like other phonetic facts, may be distinctive or redundant. It is distinctive in English *bets/best* ; it is non-distinctive in the African clusters.

That the consonants are " perceived as clusters " may be a psychological fact. If so, it is easy to explain. However, the perception of clusters is one thing and the perception of sequences is another. The consonant may well be perceived as a cluster of *simultaneous* phonemes. It is of no avail to reply that simultaneous phonemes are excluded by definition. For if they are, then the definition of redundancy demands that *kp*, for which the succession is irrelevant, be regarded as a single phoneme. And this is just the issue which Jakobson desires to avoid. At the same time the appeal to " perception " is rendered ludicrous, since forms of perception cannot be excluded by postulates of this sort.

In many languages (e.g. Japanese and Chinese) there are found such syllabic sequences as *pi* and *tu* but not such sequences as *ip* and *ut*. The order of phonemes may thus be regarded as redundant. Alternatively, with Jakobson, we may identify acoustic features of *p* and *u* (gravity), and of *t* and *i* (clarity), with the result (not envisaged by Jakobson) that *p/u* (or *t/i*), which are in complementary distribution, are to be regarded as allophones of the same phoneme. The opposition of consonant and vowel, regarded as fundamental (p. 18) is in such systems irrelevant, since the vowel is always in syllabic final (and the consonant never in syllabic final) position. (Nasals make an exception, which does not affect the present argument.)

There are thus several possible analyses. One may be simpler (less redundant) than another, or they may be equal.

If they are equal on what grounds is a choice made ? A frequent answer would run that the linguist has stated his postulates and follows these ; for instance, he may have a preference for terms over relations as units, and hence prefer to regard the order of phonemes as irrelevant, or the relation of sequence may be regarded as essential and the phonic features treated as consequent on these. Provided he translates these preferences into postulates, no reasonable person has a right to object.

However we give this example (among a hundred others equally well illustrating the plurality of interpretations) for a special reason. For here the linguists have made no choice. Against all their postulates (so far as these were framed) they have chosen to regard *both* features (the relation of order and the intrinsic feature of vocality resp. consonantality) as relevant.

It is evident here that linguists (including Jakobson) have been following some principles other than that of non-redundancy. So far as most linguists are concerned, the treatment of vowels and consonants as two distinct systems has seemed more profitable than their reduction to one. In fact many rules of combination, intelligible on the two-system account, become meaningless on a monosystemic interpretation. For instance, if $t : p : k = i : u : a$, it is mysterious that, in many systems, the distributions of *p* and *k* are similar as opposed to *t* while the distributions of i and u are similar as opposed to a. The reduction in inventory, demanded by the principle of non-redundance, is rejected in response to the more imperious demands of pattern. These demands are more imperious because (i) the principle of parallel distribution is a criterion of simplicity in its own right on a level with that of non-redundancy, (ii) there is here in addition a difference of degree of intelligibility between two systems, and the simpler pattern is at the same time the more intelligible one.

As for sequence, linguists are agreed to treat it as a feature apart. This again is justified by the facts of language ; for instance the order of phonemes, even when strictly redundant, often has repercussions on the morphological level—as is unusual, though not unknown, for allophones. It nevertheless remains true that the principle of non-redundance is thereby violated.

The carrying through of one single principle to its " logical conclusion " is never profitable in an empirical science. Moreover, as was seen above, this principle does not yield a unique analysis. Nor is this accidental. For the non-uniqueness of all linguistic analyses follows directly from the principle of *discreteness*. So long as the linguist is tied to a discrete analysis, he is bound to come to a decision over borderline cases. This decision is arbitrary, and hence allows alternatives. The search for a unique discrete analysis is a vain one. Indeterminacy is the price paid for discreteness.

What applies to identifications within a single system applies also to general identifications, such as Jakobson attempts on the basis of complementary distribution of features in the languages of the world. The discovery of a single language showing both oppositions of tensity and oppositions of aspiration would not entail a serious change of view on their relationship, at least it would not providing that this be formulated in a less dogmatic manner than is done by Jakobson. Near-complementary distributions (such as those of voice and tensity) argue similarity, just as completely complementary distribution argues identity. These are differences of degree.

Complementary distribution is but one criterion for identity or similarity, and has the same basis as all other criteria, namely non-discreteness. Complementarity implies non-discreteness of function ; but the latter has no essential priority over other forms of discreteness, such as e.g. non-discreteness of pattern. Similarities in the patterning of the oppositions of voice and tensity in the languages of the world are not more negligible than the fact of complementarity for the demonstration of a resemblance. Similarly, a total complementarity (which could never be finally proved) would not show complete linguistic identity if the substantial differences were relevant to distinctions of distribution.

Non-discreteness is not a simple synonym for similarity, since it evidently covers not only class-membership relations (allophones of a phoneme etc.), but also part-whole relations (features of a phoneme etc.). Hence temporal non-discreteness (simultaneity) is one criterion for units making part of a single phoneme. But just as complementary distribution is a criterion of membership of a phoneme, rather than an essential element in its definition, so also is simultaneity one criterion of part-relation to a phoneme, rather than an essential element in *its* definition. There is no reason to exclude by definition the possibility of simultaneous phonemes, which must be allowed (with the necessary reserves as to marginality) when many other forms of discreteness are present.

There are two principles of description, simplicity and adequacy. Simplicity demands the neglect of relatively small items of discreteness, except where they are numerous enough to equal one larger item ; adequacy demands the recognition of major instances of discreteness. The criteria derive, directly or indirectly, from these principles. The choice of *one* criterion only is a major error in method. A single criterion can do no more than serve to define a single type of marginality. When not applied consistently, it cannot even do this.

31 ON THE DEFINITION OF PHONEME CATEGORIES ON A DISTRIBUTIONAL BASIS[1]

Eli Fischer-Jørgensen

I. PREVIOUS TREATMENTS

Sapir was probably the first to suggest that phonemes might be grouped into categories according to their possibilities of combination with other phonemes in the speech chain.[2] Bloomfield goes much farther. He maintains [3] that this is the only definition of phoneme categories which is structurally relevant, whereas the classification by distinctive features is irrelevant, because it is in reality a physiological description. This statement is probably too categorical. At any rate it may be maintained that the distinctive features are also found by commutation and can be defined by their mutual combinations, that they must accordingly be considered as linguistic units, and that it is only the next step, the analysis of these features, which is concerned with pure substance.[4] Both classifications would in that case be structurally relevant, and in a complete description of a language phonemes should be classified in both ways: (1) according to their constituent parts (their distinctive features) and (2) according to their possibilities of combination (their distribution or relations in the speech chain). But this article is only concerned with the second problem, the establishment of phoneme categories on a distributional basis.[5]

Bloomfield did not only demand a distributional definition, he gave a complete analysis of the English phonemic system as an example of his method.

Reprinted from *Acta Linguistica* 7 (1952): 8–39, with the permission of the author and of the editorial board of *Acta Linguistica*.

[1] This paper was read at a meeting of the Cercle linguistique de Copenhague on the 18th of May, 1951. Part of the material had been presented at the Nordisk Filologmøde, Helsingfors-Åbo, August, 1950. I am grateful to Louis Hjelmslev for many discussions of the problems involved.

[2] E. Sapir, *Sound Patterns in Language* (*Language* I, 1925, p. 37–51).

[3] L. Bloomfield, *Language* 1933, p. 129–30.

[4] cp. A. Martinet, *Où en est la phonologie?* (*Lingua* I, p. 34–58); Roman Jakobson, *On the Identification of Phonemic Entities* (*TCLC* V, 1949, p. 205–213); Roman Jakobson and J. Lotz, *Notes on the French Phonemic Pattern* (*Word* V, 1949, p. 151–158).

[5] Fritz Hintze (*Zum Verhältnis der sprachlichen "Forme" zur "Substanz"* (*Studia Linguistica* III, 1949, p. 86 ssq.)) uses the terminology "internal" and "external" for these two ways of establishing categories. Knud Togeby (*Structure immanente de la langue française* (*TCLC* VI, 1951, p. 47 and 89 sqq.), which I have been able to utilize for this last version of the present paper) uses the terminology "synthetic" and "analytic".

But it is a striking fact that in spite of the enormous influence which Bloomfield has had on American linguistics, there have been very few to follow him on this particular point. Not that there have been objections to his method: many American linguists quote this point in Bloomfield's book with approval,[6] but they do not apply his method in their actual language descriptions. G. L. Trager is one of the few exceptions.[7] But it may nevertheless be due to Bloomfield's influence that most American linguists, even in short phonemic descriptions (such as the numerous descriptions of American Indian languages in the International Journal of American Linguistics), give a rather detailed statement of the syllabic structure of the language, and in this way present the material on the basis of which the phoneme categories may be established.

In contradistinction to Bloomfield, Trubetzkoy considers the internal description of phonemes as consisting of a definite number of distinctive features and their classification according to these features as the most important task. But he mentions the classification based on different possibilities of combination as a desirable supplement, and gives a classification of Greek consonants along these lines.[8] He emphasizes, however, that it is not possible in all languages to give each phoneme a unique definition in this way. This is certainly true,[9] but it should not be used as a reason for rejecting the method.[10] On the contrary, the different possibilities of establishing subcategories show interesting differences in linguistic structure.

In general the Prague phonologists do not pay much attention to this problem but like the American phonemicists they very often describe the syllabic structure of the language in question, whereas the London school of phonetics is distinguished by its almost complete disregard of syllabic structure.

But other scholars, chiefly in Scandinavian countries, have tried to find methods for a classification of phonemes in this way, partly under direct influence from Bloomfield. H. Vogt has given a detailed analysis of phoneme categories in Norwegian.[11] Hjelmslev has repeatedly called for a relational definition and suggested methods which he found appropriate for this purpose,[12] and he has applied his method to Danish [13] and French.[14] A. Bjerrum has described the categories of the Danish dialect in Fjolde,[15] Ella Jensen has mentioned some possible classifications in the dialect of Houlbjerg,[16] K. Togeby has given a complete description of French combined with a theoretical discussion of the method employed.[17] And J. Kuryłowicz has given original

[6] e.g. B. Bloch and G. L. Trager, *Outline of Linguistic Analysis*, 1942, p. 45; Ch. F. Hockett, *A System of Descriptive Phonology* (*Language* XVIII, 1942, p. 3–21).

[7] *La systématique des phonèmes du polonais* (in this review, I, 1939, p. 179–188).

[8] *Grundzüge der Phonologie*, *TCLP* VI, 1939, p. 219.

[9] Although his Burmese example, *l.c.* p. 220 was not correct, cp. e.g. Togeby, *l.c.* p. 15.

[10] As I have done *Nordisk Tidsskrift for Tale og Stemme*, VII, 1945, p. 92.

[11] H. Vogt, *The Structure of the Norwegian Monosyllables* (*Norsk Tidsskrift for Sprogvidenskap*, XII, 1942, p. 5–29).

[12] e.g.: *Langue et parole* (*Cahiers Ferd. de Saussure*, II, 1942, p. 29–44) *and La structure morphologique* (*Ve Congrès int. des ling. 1939, Rapports*, p. 66–93); but his basic point of view is different, since he attempts a purely formal analysis.

[13] *Grundtræk af det danske udtrykssystem med særligt henblik paa stødet* (*Selskab for nord. Filologi, Årsberetning for 1948–49–50*, p. 12–23).

[14] *Bulletin du Cercle Linguistique de Copenhagen* 1948–49 (in preparation).

[15] A. Bjerrum, *Fjoldemålets lydsystem*, 1944, p. 118 ff. and 228 ff.

[16] Ella Jensen, *Houlbjergmaalet*, 1944, p. 46.

[17] *Structure immanente de la langue française* (*TCLC* VI, 1951), p. 44–88, particularly p. 79 ff.

contributions to the methodological discussion.[18] But these various descriptions have been made according to so widely divergent principles that a comparison between the languages described is hardly possible, and it seems therefore highly desirable to take up a general discussion of this question.

II. THE PURPOSE AND METHODOLOGICAL BACKGROUND OF THE PRESENT TREATMENT

The purpose of this paper is to propose a method for establishing distributional categories of phonemes which will give a sound basis for comparisons between languages. This purpose may come into conflict with the endeavour to classify the phonemes of a particular language in the simplest possible way. There will generally be several possible ways of grouping the phonemes of a language, and most authors have chosen one of these ways as the most simple, or as that characterizing the language in the best way, or as the one which has the most evident affinity to the phonetic classification. But for these purposes it has often been necessary to choose criteria of classification which are too specific to allow of any comparison with other languages. This conflict is, however, only real when it is maintained that a language should only be described in one way. When on the other hand it is required (as in the glossematic method) that a description of a language should be exhaustive in the sense that all possible classifications should be registered, the conflict is reduced to the observation that different classifications may be preferable for different purposes.

The methodological background of this paper is that of conventional phonemics. This means above all that the procedure is not purely formal, and particularly that identifications (including the identification of units belonging to different languages) are made on the basis of phonetic substance.

The terms "form" and "substance" which were introduced by F. de Saussure and have been employed by several European linguists since then, particularly by Hjelmslev, are perhaps not very happy, because they may suggest all sorts of metaphysical implications which need not interest us here, but it is mostly in these terms that the problem has been treated. Form is here taken to mean a complex of specific linguistic functions (or relations), comprising both the important relation between the two planes (content and expression), which allows the establishment of a restricted number of distinctive units in each plane (e.g. the relation between the expression [stiːm] and the content "steam-") and these relations between the distinctive units within one plane, e.g. between s and t in [stiːm]. These relations cannot be derived from the system of functions of other sciences.—But the end points of the relations may also be described in terms of other sciences, e.g. physics or physiology, and this is the "substance" point of view.

In a previous paper [19] I have discussed the possibility of establishing the inventory of distinctive elements of the expression without taking the phonetic substance into account. The result was that the linguistic analysis cannot start

[18] *Contribution à la théorie de la syllabe* (*Bull. de la Soc. pol. de ling.*, 1948), p. 80–114, particularly p. 107 ff.; and *La notion de l'isomorphisme* (*TCLC V*, 1949, p. 48–60).

[19] *Remarques sur les principes de l'analyse phonémique* (*TCLC* V), particularly p. 231.

from pure form without taking the substance into consideration. The number of commutable elements in each position (or paradigm) is found through an analysis of the interrelations between sound and meaning (in the case of spoken languages), which presupposes the recognition of differences (as yet perhaps unspecified) in these substances. And the identification of elements in different paradigms (e.g. *p* before *i* and before *u* ; initial and final *p*) must in many cases take phonetic facts into account. If it does not, the reduction will be either impossible or completely arbitrary (e.g. initial *p* identified with final *k*), which would complicate the description of the phonetic manifestation of the elements and thus be in contradiction to the principle of simplicity. In the above-mentioned article the problem was simplified by treating commutation and identification as two consecutive steps. But as a matter of fact the statement that *p* and *t* are commutable in *pin* and *tin* presupposes the identification of the *in* of *pin* with the *in* of *tin*.[20] This means that these two operations must take place simultaneously, and that the problem of dissolving the chain into phonemes consists in deciding which phonetic differences have to be considered as distinctive and which as automatic. The decision must be based on an interpretation having the purpose of describing all the facts (including the phonetic manifestation) in the simplest way.[21]

Commutation and identification form the basis for the establishment of the categories. A consonant cannot be considered as both initial and final until these two variants have been identified. But when this has been done, it must be possible to define the categories on a purely functional basis, and this whole formal structure may be transferred into another substance without any change in the definitions. It is the merit of glossematics to have emphasized this possibility.

It must also be possible to compare various languages on a purely formal basis, identifying the categories by reference to a general system of formal definitions. This is however not the generally adopted method which consists in identifying expression units in different languages on a phonetic basis.[22] It must be emphasized that these two methods will yield quite different results. From a traditional phonemic point of view it is, for instance, perfectly legitimate to compare the syllabic structures of French, Russian, and Finnish, stating the differences in consonant clusters, etc. But from a purely formal point of view it may be different. Starting, for instance, from glossematic definitions, the so-called syllables in these languages are of completely different kinds, since in French their combination is free, whereas in Russian and Finnish some categories of syllables presuppose others. In glossematic terminology the latter type is called direction-syllables, the French type pseudo-syllable. The direction can be shown by further analysis to take place between smaller parts of the syllables. These parts are called accents. But these accents are stresses in Russian

[20] As emphasized by Buyssens (*Cahiers Ferd. de Sauss.*, VIII, 1949, p. 49 ff.).

[21] The point of view adopted here, i.e. that commutation and identification must involve substantial considerations if the analysis is to be of any use, is not incompatible with Hjelmslev's theory in its present form. His " purely formal analysis " is not meant as a preliminary linguistic operation, but as a final control of the results gained in this way by trial and error.

[22] Even Togeby (*Structure immanente de la langue française*), who claims to give a purely formal description, employs this traditional method.

and vocoids [23] in Finnish. The Finnish contoids are therefore not consonants, but unspecified constituents. In other languages accents may be manifested by tones, but tones may also formally be constituents (e.g. parts of vowels) if there is no direction between them.—Consonants are defined as presupposing vowels, and vowels as presupposed by consonants. If a language has only the syllabic type cv, not v alone,[24] it can consequently not be said to have vowels and consonants in this sense. And even if two languages possess consonants both in the traditional and in the glossematic sense, their subcategories may be differently defined by the two methods. Suppose e.g. that one language has the syllabic types V, CV, CVC (i.e. final position presupposing initial position), another V, VC, CVC (initial position presupposing final position—this combination, by the way, has hardly ever been found), and a third V, CV, VC, CVC (with free combination between the positions), and all have the consonants *p, t, k* occurring exclusively in initial position : then, when the categories of consonants are defined by their positions, *p, t, k* will belong to the same category in the three languages if the positions are identified on a phonetic basis, but from a formal point of view *p, t, k* will belong to differently defined categories in all three languages.

This means that it is necessary to distinguish between the two methods of comparison. The purely formal method is the most consistent one, and it is an important task to attempt a description along these lines ; but it requires a complete system of general definitions. Such a system is being elaborated by glossematics, but it has not yet been published in detail. The traditional procedure, which is followed here, is in a certain sense a hybrid method, since the elements and the relations are chosen, for the purpose of comparison, on the basis of phonetic similarity. This method may, however, lead to interesting observations, e.g. concerning the affinities between the phonetic qualities of a sound and its syllabic position, and concerning the frequency in actual languages of the theoretically possible categories. Finally the tendencies to free combination or to definite restrictions between different parts of the syllable seem to be more easily formulated when the parts of the syllable are identified on a phonetic basis.

The designation " phoneme ", then, is also used here in a conventional sense. It has been defined in many ways, but all definitions have aimed at the same object, namely the first class of distinctive units of the expression (meaning the first class of units met with in a division of the speech chain into smaller and smaller units), of which most members (e.g. English *s*) are not capable of any further decomposition into successive distinctive units (some members may, however, be capable of such a decomposition, in English *ph* could be dissolved into the successive units *p* and *h*, but *ph* belongs nevertheless to the same level as *s*, not to the level of e.g. *pr*, because it cannot be dissolved into units of which both are capable of functioning in the same environments as the larger unit (*ph*, *p*, and *h* are not distinctive in the same environment, but *pr-*, *p*, and *r* are)).

This is not meant as a new definition but simply as a description of what is

[23] It may sometimes be convenient to use Pike's terminology " vocoids " and " contoids " for phonetic units, " consonant " and " vowel " for formal units.

[24] c and v symbolize two different classes of elements, manifested chiefly by vocoids and contoids respectively. C and V symbolize consonants and vowels in the formal sense of the words.

generally termed a phoneme.[25] It is usual to distinguish between segmental and suprasegmental phonemes. The latter class (comprising stress and tone) is characterized by not being able to enter into relations of sequence with members of the first class. We shall restrict our discussion to the relations between segmental phonemes.

III. THE BASIC UNIT

The first difficult problem is the choice of the unit which is to be taken as the basis within which the relations operate.

The minimal sign (the " morpheme " according to the American and the Prague terminology) may be discarded at once as not suitable for this purpose,[26] because its internal structure is much too variable : it may, for instance, contain a series of syllables (e.g. French *pantalon*) or consist of a single consonant (*s*) or a group of consonants (e.g. *est* in German). The same is true of the " word ", which, moreover, is a unit of a more dubious kind. This does not mean that the phonemic structure of words and minimal signs should not be described, but only that they should not be chosen as the general frame for the definition of the phoneme categories.

This frame must be some sort of phonemic " syllable ". Most linguists who have treated this problem, simply speak of the syllable without giving any definition. K. L. Pike describes the " phonemic syllable " as " the basic structural unit which serves best as a point of reference for describing the distribution of the phonemes in the language in question ",[27] and according to Pike this may be a unit of tone-placement or a unit of stress-placement or of length, or a " morpheme " or it may simply be the phonetic syllable. This point of view is not very different from that held by Togeby, who gives different structural definitions of the syllables of different languages ; [28] and there is probably no escape here : the unit serving as the best basis for describing the relations between phonemes will hardly be structurally the same in all languages. The most suitable method will probably be to choose the structural unit presenting the closest affinity to the phonetic syllable.[29] This implies the possibility of an identification between phonetic syllables in different languages, and such a possibility can in effect be maintained to a very large extent, notwithstanding the fact that the phonetic syllable has been defined in many different ways, and that its very existence has been denied. A discussion of the various definitions will not be attempted in this place. It is considered for this purpose as a unit of speech containing one relative peak of prominence. The

[25] Trubetzkoy (*Grundzüge*, p. 34) defines phonemes as " phonologische Einheiten, die sich nicht in noch kürzere aufeinanderfolgende phonologische Einheiten teilen lassen ". The restriction " first " introduced here is necessary to exclude the distinctive features. Without this restriction the term "aufeinanderfolgend " is superfluous. If the features are not recognized as distinctive phonemic units, the phoneme will simply be the minimal distinctive unit. Trubetzkoy did not recognize the distinctive features as " phonologische Einheiten ", but had taken over the term " successive " from Vachek, who did.

[26] It has been employed by Trubetzkoy, *Grundzüge*, p. 224 ff.

[27] K. L. Pike, *Phonemics*, 1947, p. 144.

[28] *Structure immanente de la langue française*, p. 47 and 48.

[29] This is also the common feature of all Pike's different phonemic syllables.

division of the chain of speech into syllables may be due simply to the inherent loudness of the successive sounds, but the peaks may be reinforced or altered by arbitrary changes of loudness, and this means may also be used to give a clear delimitation of the units. The rhythmic impression may be reinforced by what Pike calls syllable-timing,[30] i.e. the peaks occur with equal intervals of duration as in Romance languages and in Japanese, where this seems to be a predominant feature.[31] It is in all probability particularly the rôle played by the inherent loudness of sounds (creating a certain similarity of internal structure) which makes the phonetic syllable a practical point of reference for describing the distribution of phonemes. But it is evident that from a phonetic point of view there will be borderline cases, perceived differently by different people, and such cases will then have to be decided on the basis of the corresponding structural unit in the particular language.

In many languages the syllable can be defined as a unit of tone or stress-placement. But if we seek a basis for the definition of categories of segmental phonemes, it is not the syllable as a whole, but the syllable minus tones and stresses, i.e. the syllabic base, which must be chosen as the basic unit. In most languages this syllabic base may be defined structurally as the class of the smallest units, of which each (in connection with stress, tone, and intonation, if such units are distinctive in the language in question) is capable of constituting an utterance by itself. " Utterance " is taken to mean the same as Hjelmslev's term " lexia ",[32] e.g. the first unit met with in the analysis, the parts (i.e. the immediate constituents) of which cannot all function as the whole unit.—" Capable of " does not imply that all members of this class are actually found as utterances (e.g. in French most syllables can be found as utterances, but not *pœ̃*), but it implies that the fact that some are not found must be due to accidental gaps in the inventory of signs, and cannot be explained by structural laws of the language preventing particular types from having this function. This means that if the syllabic bases can be divided into two categories with different internal structure, one capable of constituting an utterance, the other not, then the class of syllabic bases as a whole cannot be said to have this function. But this case seems to be very rare. It is often found that one type of syllables, e.g. the unaccented syllables, cannot be found alone, but the syllabic bases of the unaccented syllables will generally be the same as those found in accented syllables. Cases might be adduced where the vowel ə is only found in unaccented syllables, but normally this ə will not be a separate phoneme but will be identifiable with one or more of the vowels found in accented syllables. There are, however, some real exceptions to which we shall return below.

The fact that the syllabic base is capable of constituting an utterance base is important, because this makes it possible to decide the number of syllables in a chain and to fix the boundaries between them on the analogy of the phonemes found initially and finally in utterances. There may be cases presenting more than one possibility of division ; then the choice will be of interest for the

[30] *Phonemics*, 1947, p. 73 a.
[31] B. Bloch, *Studies in Colloquial Japanese IV*, *Phonemics* (*Language* XXVI, 1950, p. 90 ff.).
[32] *Grundtræk* . . . ; cp. note 13, p. 300, above. And the syllabic base corresponds roughly to Hjelmslev's " syllabeme ", ibid. p. 15.

interpretation of the concrete words or phrases under consideration,[33] but it cannot have any influence on the establishment of the syllabic types or the possibilities of combination of phonemes, since this double possibility presupposes that both combinations have already been found.

But the opposite case, i.e. that some medial clusters cannot be dissolved into actually occurring final and initial clusters, is relevant to our problem. This is e.g. the case of *vr* in Italian ; and many examples may be adduced from the descriptions of American Indian languages in IJAL ; [34] and although some may be due to restrictions in the material used, it is evident that the phenomenon is not rare. But generally these cases are exceptions, even within the system of the language in question, and if the descriptions of medial clusters were formulated not in terms of particular phonemes, but in a more general way, the exceptions would often disappear.

But there are very extreme cases of this phenomenon, which may require a different interpretation. Finnish constitutes a good example. In Finnish the only consonants admitted finally are *n, r, l, t, s*, and initially genuine Finnish words have only one consonant ; but medially a great diversity of clusters is found, e.g. *ks, rst, mp*, etc. The type *kansa* may be dissolved into *kan* and *sa*. both having a structure permitted initially and finally in an utterance, but the type *maksa*, which is very common, cannot be dissolved in the same way. In Finnish, then, there is discrepancy between the syllabic base (which may be identified on a phonetic basis, and which, in Finnish, may receive a structural definition based on vowel harmony) and the minimal unit capable of constituting an utterance. And in this case it appears to be the best solution that the description of the phoneme categories on a relational basis should be founded on the syllabic base (the division of medial clusters may be undertaken on the analogy of the structure found initially, i.e. before the last consonant), but the fact that a whole class of consonants are only found finally in the syllabic base within the utterance, should not be completely neglected, but must be taken into account in the classification of the consonants.[35] A somewhat similar case would be a

[33] For a discussion of methods determining the choice, see F. W. Twaddell, *A Phonological Analysis of Intervocalic Consonant Clusters in German* (*Actes du IVe Congr. int. de ling. 1936*, p. 218–225), and J. Kuryłowicz, *Contribution a la théorie de la syllabe* (*Bull. de la Soc. pol. de ling.*, 1948, p. 80–114).

[34] E.g. H. P. Aschmann, *Totonaco Phonemics* (*IJAL* XII, 1946, p. 37–42) ; Viola Waterhouse and May Morrison, *Chontal Phonemes* (*IJAL* XVI, 1950, p. 35–39) ; A. M. Halpern, *Yuma I : Phonemics* ; *II : Morphonemics* (*IJAL* XII, 1946, p. 25–33 and 147–151) ; Paul L. Garvin, *Kutenai I : Phonemics* (*IJAL* XIV, 1948, p. 37–42).

[35] Hjelmslev has suggested a connection between the particular structure of Finnish syllabic bases and the fact that Finnish has vowel harmony. As already mentioned, the Finnish vocoids are, according to Hjelmslev's terminology, accents (because of their heterosyllabic relations), and the contoids are unspecified constituents (neither consonants nor vowels) and therefore not submitted to the same rules of combinations as consonants in other languages.—This might also be formulated by saying that in Finnish there is a more intimate connection between the syllables within a word than in most other languages. This appears at two points : (1) vowel harmony, according to which certain categories of vocoids in the final syllable(s) presuppose the presence of certain categories in the first syllable ; and (2) the fact that certain initial syllables cannot form utterances alone, but presuppose a following syllable. There is thus presupposition both ways.—A tendency to a similar cohesion is found in languages with distinctive stress (which, according to Hjelmslev, have the same type of syllables as Finnish, if there is presupposition) : the weak syllable cannot be found alone as an utterance, it may have particular syllabic bases containing special phonemes (ə), and often there seem to be particular rules for the occurrence of medial consonants and clusters before such weak syllables with ə, e.g. in German.

language like Keresan,[36] in which no utterance can end or begin with a vowel (the minimal monosyllable being cvc, but which nevertheless has words of the structure cvcvc and cvcvcvc, which, according to the author, should be decomposed into the syllables cv-cvc and cv-cv-cvc (the other theoretically possible decomposition cvc-vc would not be better). The syllabic type cv cannot form an utterance alone, but presupposes a following syllabic base. An exception of a different kind is formed by languages of the Mixteco-type. In Mixteco [37] the minimal utterance is cvcv or cvv, containing two syllabic bases.

The difficulty, then, is this, that in languages where there is no coincidence between the syllabic base and the minimal unit capable of constituting an utterance, there is no safe means of dissolving medial clusters and delimitating the syllabic bases. A way out of this difficulty would be to choose the (phonemically) minimal utterance as the frame of reference and not the syllabic base, and classify the consonants according to their occurrence and combinations initially, finally, and medially in such utterances. But this involves a definition of vowels and consonants on the basis of the utterance (e.g. vowels being capable of forming an utterance alone), which might give some more problems than the definition within the syllable (e.g. in languages where vcv is found, but not v alone). And, in practice, the procedure would not differ much from that proposed here, for it would only be advisable to describe medial clusters in minimal utterances, not dissolvable into smaller parts which in principle might occur alone, and that means that only few languages would have medial clusters. Taking all utterance-medial clusters into account would complicate the description needlessly, since all combinations of final-initial clusters will normally be found, and restricting " medial clusters " to those found in " words ", means the introduction of a rather dubious concept.

IV. THE TECHNIQUE

When the basic unit has been determined the next problem will be how to establish the categories. Two different procedures have been employed: (1) overlapping structural sets and (2) a hierarchy of categories and subcategories. Bloomfield employs the former method, Hjelmslev, Togeby, and Bjerrum the latter. The methods of Vogt and Trager present a mixture of these two procedures.

Structural sets means classes of phonemes having in some respect or other the same relations. In Bloomfield's description of English [38] the consonants form 38 different sets. Thus [ŋ] and [ʒ] form a set, because they are not found initially, [p, t, k, f, m, n] form a set, because they occur after [s], and for the same reason [s] forms a set of its own ; [s] and [h] form a set because they never occur before [r] etc. The same phoneme may belong to different sets, so that there is mutual overlapping, but different phonemes will generally not all be members of the same sets. The sets have arbitrary numbers, and one phoneme may thus be defined by being a member of sets 1, 5, 8 and 9, another by being

[36] Robert E. Spencer, *The Phonemes of Keresan* (*IJAL* XII, 1946, p. 229–236).
[37] K. L. Pike, *Tone Languages*, 1948, p. 77–94.
[38] *Language*, p. 130 ff.

a member of sets 3, 5, 7, 10 and so on. In its present form this method can hardly be recommended. It is much too complicated, and it does not allow of any comparison with other languages.—The method might be used for comparisons, if only a few sets based on criteria found in various languages (e.g. four different positions) were employed, and if the numbering were undertaken according to a definite principle.

The hierarchic method may proceed by pure dichotomies (this is the form employed by Trubetzkoy), or it may be modified in such a way to as allow a class to be divided into more than two subclasses; there may be not only one subcategory having a definite relation, and another having an opposite relation, but also two other possibilities: both-and and neither-nor (this is the form employed by Hjelmslev). In both these forms the hierarchic procedure is superior to the procedure based on overlapping sets, it is simpler, and it permits of comparisons between different languages, provided that an appropriate order of the criteria is chosen. There may of course be overlapping in a certain sense, since the same criterion may be used in different branches of the hierarchy at the same level, and the members of the last subcategories must be defined by their membership of this and all the preceding classes, but the hierarchic order and the categories should be respected.

A particular problem concerning the general procedure is the use of statistical considerations. Bjerrum [39] divides the consonants into two groups having in most, but not in all, cases different relations; and Kuryłowicz [40] employs the same method, speaking of primary and secondary functions. This can hardly be recommended; it is difficult to tell just how common the relation must be.

V. THE CRITERIA AND THEIR ORDER

If we want to divide the phonemes of particular languages into as many subcategories as possible, the use of very specific criteria, different in different languages, can hardly be avoided. This, however, need not impair the possibilities of comparison, provided that these criteria are used at the last stages of the hierarchy to establish the smallest subcategories. But it is important that the criteria used for the larger categories should be such that they can be employed in a very great number of languages.

The descriptions given e.g. by Trubetzkoy, Vogt, and Trager of Greek, Norwegian, and Polish respectively [41] do not satisfy this requirement. It is evident that they have chosen their criteria and arranged the procedure in such a way as to obtain a close affinity between the classes established on a relational basis and the phonetic classification of phonemes. It is of course interesting that this can be done, but it can only be done by choosing very specific criteria, employed in a rather unsystematic order.—On the whole, any procedure starting with relations between particular phonemes will be of a very limited application, whereas a procedure which, apart from the distinction between consonants and vowels, is mainly based on position, will be of a much more general application.

[39] *Fjoldemålets lydsystem*, 1944, p. 230.
[40] *La notion de l'isomorphisme* (*TCLC* V), p. 56–57.
[41] cp. footnotes 8, 11, and 7.

A. Vowels and Consonants

It will probably be possible in nearly all languages to divide the phonemes into two classes, in such a way that the members of each class are mutually commutable (i.e. are distinctive in a common environment), whereas members of the two different classes are not commutable (i.e. are not found in the same environment) but may be combined in the syllable.[42] If we find, for instance, the syllables *pi, ti, ki, pu, tu, ku, pa, ta, ka*, we may, on this basis, establish a class of mutually commutable members (*p, t, k*) which may be combined with another class of mutually commutable members (*i, a, u*). Theoretically there would be a possibility of identifying members of the two classes in pairs as variants of the same phoneme (e.g. *p* with *a*, *t* with *i*, etc.) This is not done, because there is generally no phonetic motivation for doing it in one definite way rather than in another,[43] but in some cases the phonetic relationship is evident and the identification is made (*i/j, u/w*). In this case we get a third class, whose members are commutable with members of both of the other classes.

If members of one of the two (or three) categories can constitute a syllabic base by themselves (e.g. *i, a, u*), there is an old tradition for calling members of this category vowels, and members of the other category consonants.[44] And in so far "vowels" and "consonants" are defined formally. This is a very common case. But it is not rare that no one phoneme can constitute a syllabic base by itself (i.e. cv is found, but not v). In this case we may follow the traditional procedure and call one of the categories vowels, and the other consonants, giving the name vowels to the category covering roughly the same phonetic zone as the vowels of other languages. This can be done because it has been found that the category capable of standing alone will always cover approximately the same phonetic zone, and in any case include the vocoids.—It is often said that the category forming the syllabic peak is called vowels, but this amounts to the same thing, considering that the phonetic zone normally covered by the vowels (e.g. the zone of the vocoids) has more inherent loudness than the zone covered by the consonants, and the vowels will therefore be perceived as the peak of the syllables. (This is not a formal definition, as Bloomfield [45] and others seem to believe, but it differs from the point of view taken here by considering the phonetic differences in each syllable taken separately.)

Vowels and consonants can be divided into smaller subcategories. Generally the consonants present more possibilities of categorizing than the vowels. They will therefore be treated first, and in more detail.

[42] cp. Vogt, *The Structure of the Norwegian Monosyllables* (*Norsk Tidsskrift for Sprogvidenskap*, XII, 1942, p. 11).

[43] *Remarques* . . . (*TCLC* V), p. 227–228.

[44] Later these terms have also been employed for classes of sounds, i.e. for the sounds functioning as vowels and consonants in well-known languages, particularly Latin; according to this terminology *l* would be called a consonant, even in Czech, although functionally it belongs here to the class both-and.—It is in order to avoid this ambiguity that Pike has proposed the terms vocoids and contoids for the phonetic classes.

[45] *Language*, 1933, p. 130 ff.

B. Subcategories of consonants

(*1*) *Position as the chief criterion.* The most general criterion for classifying the consonants must be position. This phenomenon, position or sequence, may be considered from different aspects. Bazell [46] has emphasized that formally it need not be considered as a relation. It might be replaced, for instance, by a definite pitch combined with each phoneme without affecting the system. In this he is certainly right (and that is why the term position is preferred here to order or sequence). Position is here considered as a phonetic feature which, like other features, may be distinctive or not. It is usually said that the difference in meaning between e.g. *tap* and *pat* is due to the permutation of the initial and final consonants, but this is only a particular consequence of two facts: (1) that in the language considered, initial and final positions are distinctive (cp. *tea/eat*); (2) that in this language both *p* and *t* (as well as other consonants) are commutable in initial position (*pin, tin*), and also in final position (*hat, hap*). And it would not be impossible to consider position as a distinctive feature belonging to the phonemes. If initial and final position are designated I and II respectively, we would then have two commutable consonants t^{I} and t^{II}, and we might write *ta, at, tap, pat* as $t^{I}a$, $t^{II}a$, $t^{I}p^{II}a$, $t^{II}p^{I}a$ and consider position as automatic, but this would complicate the inventory of phonemes enormously, and it is therefore preferable to consider *t* as one phoneme which may be combined with both I and II, but these two elements must somehow be considered as belonging to the phonemic system of the language. And if position is also distinctive within clusters, these positions must also belong to the system.

(*2*) *The hierarchic order.* The general principle should be to start with the criteria applicable to the greatest number of languages. In languages possessing only the syllabic type cv (and v) there is no possibility of subdivision of the consonants, but this is possible in languages having in addition the types cvc or ccv, if not all consonants occur in all positions. It may be subject to discussion whether it would be most practical to start with the difference between initial and final consonants or with the difference between their positions in clusters. The occurrence of the types cv + ccv may perhaps be more frequent than the occurrence of cv + cvc (i.e. many languages have no final consonants), but it gives a simpler procedure to start with the difference between initial and final consonants.

The first step should therefore be a classification of the consonants according to their possibility of occurring initially and finally, or, in other words, according to their possibility of combination with position I or position II. These two positions seem always to be distinctive, when both occur in a language. There will be three possibilities: only initial, only final, both initial and final.

The next step should be a division of the categories found at the preceding step according to their capacity of entering into clusters. There will be two possibilities: entering into clusters, and not entering into clusters. It may be asked why we have not proposed a similar step before the classification into

[46] *On the Neutralisation of Syntactic Oppositions* (*TCLC* V, 1949, p. 77–86), particularly p. 78–79.

initial and final consonants, i.e. a division of the consonants into those which cannot be combined with other consonants in the combination initial-final, i.e. which cannot be combined with other consonants in the same syllabic base, and those which can. The answer is that probably nothing would come out of such a division. If the language has only initial consonants, it is evident that none of these can be combined with final consonants, and if it has both initial and final consonants, it is very improbable that some of the initial consonants should not be able to combine with any final consonants. I do not know of any such language, but the possibility that such a language may be found can of course not be denied, and it would then be possible to introduce such a preliminary criterion of classification.

As the third step we propose a subdivision of the consonants entering into clusters according to their possibilities of entering into initial or final clusters. This division can only be applied to the consonants found both initially and finally, and there will be three possibilities: entering into initial clusters only, entering into final clusters only, and entering into both.

As a further criterion we may use the position of the consonants in clusters. Kuryłowicz [47] starts his classification of Greek consonants with clusters of three consonants as a basis. This may give a simple description of Greek, but it precludes comparison with the numerous languages having clusters of two consonants only. It will be better to start with position of consonants in two-consonantal clusters. Here two positions may be distinguished: the position immediately adjoining the vowel (in the following called position 1) and the position not immediately adjoining the vowel (called position 2). It is practical to start the numbering from the vowel, because then it can be continued for clusters of more than two consonants. The three possible classes at this fourth step will thus be: consonants only occurring in position 1, consonants only occurring in position 2, and consonants occurring in both positions.

The first four steps of the classification as proposed here may be represented schematically as follows (I meaning initial, II: final, cl.: entering into clusters, ÷ cl.: not entering into clusters, 1: adjoining the vowel, 2: not adjoining the vowel).

CONSONANTS

<table>
<tr><td>(1)</td><td colspan="4">I</td><td colspan="4">II</td><td colspan="10">I–II</td></tr>
<tr><td>(2)</td><td>÷ cl.</td><td colspan="3">cl.</td><td>÷ cl.</td><td colspan="3">cl.</td><td>÷ cl.</td><td colspan="9">cl.</td></tr>
<tr><td>(3)</td><td></td><td colspan="3">I cl.</td><td></td><td colspan="3">II cl.</td><td></td><td colspan="3">I cl.</td><td colspan="3">II cl.</td><td colspan="3">I–II cl.</td></tr>
<tr><td>(4)</td><td></td><td>1</td><td>2</td><td>1–2</td><td></td><td>1</td><td>2</td><td>1–2</td><td></td><td>1</td><td>2</td><td>1–2</td><td>1</td><td>2</td><td>1–2</td><td>1</td><td>2</td><td>1–2</td></tr>
</table>

Kuryłowicz maintains that the classification of consonants should always be based on the distribution of consonants in initial clusters, the distribution in final clusters serving only as a corollary.[48] This may be a good method to use

[47] *La notion de l'isomorphisme* (*TCLC* V), p. 56.
[48] *Contribution à la théorie de la syllabe* (*Bull. Soc. pol. ling.*, 1948), p. 107 ff.

for Greek or for the Slavonic languages, but there seems to be no reason for establishing it as a general procedure. But the last column in the diagram (i.e.: consonants entering into both initial and final clusters, and both adjoining the vowel and not) might be further subdivided according to position of the consonants in initial and final clusters respectively. This might be done by choosing arbitrarily the position in initial clusters as the first criterion, and the position in final clusters as the second criterion, or it would be possible to establish four overlapping sets.

In languages containing clusters of more than two consonants, these may be employed for further subdivisions. Bjerrum [49] is of the opinion that clusters containing two consonants will be a sufficient basis for the classification, since more comprehensive clusters are nearly always composed of clusters of two already registered. This argument is hardly tenable. In the first place the rule is not absolute, although it is valid in many languages. Hjelmslev [50] has formulated the " empirical law " that clusters of three consonants can always be dissolved into two clusters of two consonants (1 + 2 + 3 dissolved into 1 + 2 and 2 + 3) already found in the language. But there are exceptions, e.g. in Russian, where *mgl-* and *mgn-* occur initially, but *mg-* does not, and *mzḑ-* is found, whereas *mz-* is not. And a good many of the clusters of 3 and 4 consonants in Kutenai, as described by Garvin [51] cannot be dissolved.—But perhaps the rule is valid in a more general form, namely that consonants adjoining the vowel in clusters of more than two consonants are also found adjoining the vowel in clusters of two, and that consonant number 2 (counting from the vowel) is also found as first consonant in clusters of two, e.g. the group *sgv-* would involve that *v-* is found in groups like *kv-*, *sv-*, and *g-* in *gr-*, *gl-*, but not necessarily *gv.*[52]—But even if the rule is valid in this form, it cannot be used as an argument against undertaking further classifications on the basis of clusters of 3 consonants, on the contrary : it would mean that such a further classification would be possible, since it would not involve a complete redistribution, but respect the hierarchy already established ; and the rule cannot be reversed, so that all clusters consisting of two members may be combined into clusters of three. Generally the number of clusters consisting of more than two consonants is more restricted than the number of clusters consisting of two. It might therefore be possible to divide the given subcategories further according to the function of the consonants in clusters of more than two members.

(3) *The actual occurrence of the categories.* There are some interesting differences in the actual occurrence of corresponding categories at different steps. This concerns particularly steps 1 (initial and final consonants) and 4 (consonants adjoining and not adjoining the vowel) as compared with the first division into consonants and vowels.

In most languages the phonemes can be divided into two rather comprehensive classes : consonants and vowels, whereas the class " both-and " is usually

[49] *Fjoldemålets lydsystem*, p. 218.
[50] *Proceedings of the 2nd Int. Congr. of Phon. Sc. 1935*, p. 53.
[51] *l.c.*, *IJAL* XIV, 1948, p. 37 ff.
[52] This is the case in Danish, but as *k* is not found after *s*, it would also be possible to interpret *sg-* as *sk-* and *sgv-* as *skv-*, and then there would not be any exception, since *kv-* occurs. Cf. Uldall, *Proc. 2nd Congr. Phon. Sc.*, p. 57.

small when it exists at all. Contrariwise with the initial and final consonants, where it will often be found that the class " both-and " comprises most of the consonants of the language, supplemented by small classes of purely initial or purely final consonants ; or the class " both-and " may be the only class.—It is also frequently found that the class " only initial " comprises most or all of the consonants, supplemented by a small class of " both-and ". A third possibility is this that the two classes " only initial " and " both-and " are of equal importance.—But the class " only final " is generally small, and it seems never to be the only class found. Moreover it is very rare to find the two classes " only initial " and " only final " in the same language. The only wellknown example always quoted is *h*/*ŋ* in English and German and in some other languages, but even this exception may perhaps be discarded, since *ŋ* may be considered $= n + g$. Yuma seems to present both categories, but the facts might be interpreted differently.[53] Anyhow the phenomenon is rare. This means that normally all consonants are mutually commutable either initially or finally (and the same is true—mutatis mutandis—of the vowels), and that the further division of consonants (and vowels) into subcategories is only a further redistribution of elements which all belong to the same analytical level.

Looked at from the phonetic aspect this fact may be formulated like this : sounds found initially and finally in the marginal parts of the syllable are generally so closely related phonetically that they may be reduced two by two as variants of the same phoneme. A phonetic explanation of this may be that it is of no importance for the syllable as a phonetic unit that initial and final consonants should be phonetically of different types (excepting their particular way of pronunciation as " explosive " and " implosive "—" releasing " and " abutting " in Stetson's terminology—pronunciations which may be combined with all types of sounds), whereas it is of importance that there is a distinct peak in the syllable and therefore the classes of vowels and consonants are normally phonetically rather different. A consequence of this is that whereas it is mostly possible to identify two categories called vowels and consonants in different languages on the basis of their phonetic type, this is not possible for the subcategories of consonants.

There are, however, certain affinities between position and phonetic type : the sound *h* is often found exclusively in initial position, and it is not rare that voiced consonants, as distinguished from unvoiced, are found only initially (e.g. in some Germanic and Slavonic languages). And if the class of phonemes occurring finally (generally it will be the class of "both-and") is very small, it happens very often that it comprises exclusively dentals (e.g. Greek, Italian, Finnish) or nasals (e.g. Mandarin Chinese, Mixteco, and various African languages). It is hardly accidental that precisely these types show a particular power of resistance in sound history. They are evidently more capable than others of standing in the final part of the syllable, which, as shown by Grammont and verified by others, is weaker than the initial part and exposed to all sorts

[53] A. M. Halpern, *Yuma I, Phonemics* (*IJAL* XII, 1946, p. 25–33). There are 6 consonants found only initially in words (but 4 are velarized or palatalized and may perhaps be considered as clusters), and 3 found only finally (ł, ł^y, *t*^{y}) ; but these latter are found initially in unaccented syllables within words.

of weakenings and assimilations.[54] But these affinities are only slight and cannot form any basis of identifications of categories between different languages. Such identifications must be based on position in the syllable.

Corresponding to the three possible categories at step 1 (initial, final, both-and) we find at step 4 the three categories : only occurring in position 1 (adjoining the vowel), only occurring in position 2 (not adjoining the vowel), and occurring in both positions. But the actual occurrences of these categories are different. As stated above, it is extremely rare to find the categories " only initial " and " only final " in one and the same language ; but the corresponding categories " only in position 1 " and " only in position 2 " are often found together. This does not, however, imply that (as in the case of vowels and consonants) some of them might be reduceable to variants of one and the same phoneme, for they may all occur separately with mutual commutation, and so cannot be reduced.— The frequency of the two extreme categories means that position in clusters is often distinctive for only few consonants. But if it is distinctive in one case, the other distributions can be regarded as defective, and it is perfectly legitimate to define the consonants by their possibilities of combination with positions 1 and 2. If there is no case of distinction, it may nevertheless be possible to distinguish two categories on the basis of their possibilities of mutual combination (e.g. if the only clusters are *pr, tr, kr, pl, tl, kl*, there is a category *p, t, k*, and a category *r, l*), but if these categories are identified with the categories occurring in positions 1 and 2 in other languages, then a feature (position) which is only phonetic in one language has been identified with one that is phonemic in another.

The affinity between the two classes " only in position 1 " and " only in position 2 " with certain types of sounds will be greater than was the case with the corresponding classes of initial and final consonants. It is not rare that the former comprises nasals and liquids, and the latter mostly stops and fricatives ; thus the type *pr-* is common initially and *-rp* finally. This has the well-known phonetic explanation that the shifting between peaks and valleys of prominence (or crests and troughs in Pike's terminology) will be smoother if the consonants immediately adjoining the vowel have more inherent loudness than the consonants farther away from the peak. But it should not be forgotten that this is only essential in languages which do not use other phonetic means of delimiting the phonetic syllables (e.g. the Germanic languages). In languages with a fresh stress-onset before each syllable or with syllable-timing, the rules need not be so strict ; sometimes such languages (e.g. the Romance languages) also prefer the above-mentioned type, which from a phonetic point of view may perhaps be called the optimal type of syllable ; but others do not, and this " optimal " type of syllable is by no means so common as it appears from the classical textbooks of phonetics (Jespersen, Sievers, etc). It is not at all rare to find particularly nasals entering into the category of phonemes never adjoining

[54] The specific power of resistance of dentals must be due to their place of articulation (an organ which can be moved with great precision (the tongue tip) articulating against a hard and fixed object). The nasals on the other hand may perhaps be protected by a partial fusion with the preceding vowel, and perhaps by their rôle as part of the tonal basis (the languages quoted are all tone languages).

the vowel in clusters (position 2, type *nta*); this is the case e.g. in Terena,[55] and Cuicateco,[56] where the affinity is therefore opposite, or there may be no affinity at all.

C. Subcategories of vowels

The vowels may be classified according to similar principles. Corresponding to the first stage in the classification of the consonants, it would be possible to start with a classification into vowels found only initially in syllables, only finally, and both initially and finally. But the type vc is often of restricted frequency, and it seems in these cases to be accidental which vowels are found in this position and which not; on the other hand, the possibility of occurring finally or not seems to yield a good basis for a classification, e.g. in German and Dutch. So it would perhaps be preferable to divide the vowels into categories according to their possibilities of occurring: only before final consonants, only alone finally, or/and in both positions. Step 2 should be a classification according to their possibilities of entering into clusters (diphthongs and triphthongs), or not, and step 3 a classification according to their positions in these clusters.

D. Discussion of further general criteria

It is questionable whether any further general rules can be given. This does not mean that the classification in each particular language should necessarily stop here. Further subdivisions may be made according to the particular phonemes entering into mutual combinations. But a comparison between different languages at these stages would be difficult. In languages containing not dissolvable medial clusters further subdivisions should take this fact into account.

Togeby [57] has given a complete classification of the phonemes of French according to a procedure which is intended to be general, and he makes an interesting attempt to continue the general procedure two steps further. After having divided the phonemes into consonants and vowels, he proceeds in much the same way as proposed here,[58] establishing categories of consonants on the basis of their position initially or finally in the syllable and of their adjoining the vowel or not. But there are some differences in detail. The latter division is for instance, not restricted to the occurrence in clusters, so that all consonants are registered as adjoining the vowel.

Togeby's next stage is a subdivision on the basis of syncretisms. The class " initiale-finale vocalique " comprising ʃ, *z*, *m*, is thus divided into ʃ (not entering into syncretisms), *m* (entering into syncretism with *n*), and *z* (entering into syncretism with *s*).—A purely practical difficulty involved by this criterion is the general disagreement about syncretisms (neutralizations). Most American

[55] Margaret Harden, *Syllable Structure in Terena* (*IJAL* XII, 1946, p. 60–63).
[56] Doris Needham and Marjorie Davis, *Cuicateco Phonology* (*IJAL* XII, 1946, p. 139–146).
[57] *Structure immanente de la langue française* (*TCLC* VI, 1951), p. 79–88.
[58] We have both been influenced by Hjelmslev.

phonemicists do not distinguish between syncretisms and defective distribution. In Europe this distinction is generally made, but according to divergent principles. But apart from this practical difficulty it might be asked why syncretisms are considered as more fundamental than defective distribution in general. Togeby does not give any reason for his preference, but it might be argued that syncretisms seem to constitute a very stable part of the system of a language, normally extended to foreign words, even when other new combinations are adopted. But at any rate the subdivision on the basis of syncretisms with particular other phonemes does not allow of any comparison between different languages; it would probably be better to divide according to the criterion: entering into syncretisms or not. (On the whole syncretisms may probably be described more simply on the level of the distinctive features.)

The last stage in Togeby's division is called "extension". Here the phonemes of the last classes are further subdivided according to their mutual relations as "intensive" or "extensive". These terms are used in a rather vague sense, "extensive" meaning: capable of entering into more combinations compared with the other(s), depending on syncretisms or defective distributions or, perhaps simply on frequency. The idea of establishing this as a general criterion is ingenious, but it might be objected that the concept is somewhat too vague to allow of a precise comparison, and that it may be rather accidental whether phonemes entering into an evident opposition as extensive and intensive will be found together in the last subdivisions. In many cases, by the very reason of the difference in distribution, they will belong to different subcategories.

When a phoneme has received a unique definition, Togeby refrains from any further characterization on the basis of the criteria of later stages. The possibility of continuing in such a way that all phonemes are characterized (as far as possible) according to all criteria should however be taken into consideration.

VI. STRUCTURAL LAW OR ACCIDENTAL GAPS [59]

A. The general problem.

Most linguists who have established phoneme categories on a distributional basis have attempted to arrive at a specific definition of each phoneme (in so far as this has been possible in the particular language) by utilizing all differences of distribution. Hjelmslev seems to be the only exception. After having divided the consonants on the basis of the two criteria 1) initial or final, 2) adjoining the vowel or not, he refrains from further subdivisions. One reason has been that further criteria would be too particular to allow of comparisons between languages. This is perhaps true, but provided that the first criteria have been such that the existing possibilities of comparison have been utilized, this consideration should not prevent us from attempting an exhaustive categorizing of the phonemes of the particular language. Another reason has been the fear of getting beyond the limit between structural laws and accidences of utilization

[59] I am indebted to H. Spang-Hanssen for some improvements of the formulation of this chapter.

in the given stock of words. This indeed is a very difficult problem.[60] —Generally one has a vague feeling that there is a difference, and there would be general agreement in the extreme cases: anyone would probably admit that *prust* would be a possible monosyllable in English, although it does not exist, whereas *mlgapmt* would not. The question is whether we can find valid arguments in the particular language, and whether it is possible to find general rules for all languages.

Many linguists have mentioned this problem briefly without attempting any analysis of it: [61] others have implicitly fixed such a limit; it is for instance evident from the examples given by V. Mathesius [62] that he considers combinations between consonants in clusters as submitted to rules, whereas combinations between vowels and consonants are considered as accidental. Bloomfield,[63] on the other hand, defines the English vowels by means of their possibilities of combination with the following consonants, and consequently he must consider these combinations as submitted to rules. Vogt [64] defines the Norwegian vowels by means of their combinations with the preceding consonant clusters, but somewhat hesitatingly, and he emphasizes that restrictions here may be accidental and that the vague feeling one has for such differences can probably be stated by linguistic means in terms of structural rules, articulatory patterns and statistical frequency.[65] These very brief remarks at the end of Vogt's article seem to include the essential aspects of the problem. In the following pages a somewhat more detailed analysis will be attempted.[66]

First it must be emphasized that it is theoretically impossible to fix a non-arbitrary borderline between law and accident. Laws may be stated as deviations from accidental distribution; and there are many degrees of deviation. But not all cases are equally dubious.

In the first place it should be kept in mind that a gap—e.g. the non-occurrence of a specific cluster—may be due to rules having a different place in the hierarchy of categories. And as this hierarchy has been established in such a way as to begin with the more general classes, it follows that the higher the rule is placed in the hierarchy the greater is the number of particular cases which it will generally cover, and the safer it is. An example may illustrate this: the fact that the cluster *-sp* is not found in a certain language may be due to a very general rule (covering many other gaps) that the language in question has no final consonants; it will also be due to a very general rule, if final consonants

[60] It is presupposed in this argument that the aim of the description with which we are concerned is not simply an enumeration of the combinations of phonemes found in the given syllables and words, but the formulation of general laws governing these combinations, allowing for possible combinations not utilized in the given vocabulary.

[61] e.g. A. Martinet, *Phonologie du mot in danois* (*BSL*, 1937), p. 6; A. W. de Groot, *Structural Linguistics and Phonetic Law* (*Archives néerlandaises* XVII, 1941), p. 92; A. Bjerrum, *Fjoldemålets lydsystem*, p. 117; K. L. Pike, *Phonemics* 1947, p. 73 ff. and 81 ff.

[62] *TCLP* I, 1929, p. 67–89.

[63] *Language*, 1933, p. 134.

[64] *The Structure of the Norwegian Monosyllables* (*Norsk Tidsskrift for Sprogvidenskap*, XII, 1942), p. 25.

[65] *l.c.*, p. 29.

[66] The same problems arise for the descriptions of word structure, cp. Uhlenbeck, *De Structuur van het Javaanse Morpheem*, 1949, p. 5–10. He distinguishes between negative and positive structural laws. But if these positive laws include simply the possibility of combination, it is only a reversal of the negative laws.

are found, but no clusters ; it will be due to a somewhat more specific, but still comprehensive, rule if clusters are found but no final clusters, and to a still more specific rule if final clusters are found but none with *s* adjoining the vowel, and none with *p* not adjoining the vowel, and the rule may be somewhat more restricted, if only one of the two consonants does not occur in this position, but this rule might still comprise the non-occurrence of e.g. *st* and *sk*. In all these cases we may maintain with relative certainty that the lack of the cluster *sp* is due to structural laws of the language. But if the only explanation which can be alleged is the very fact that *sp* has not been found, then the chance that we are on the borderline between structural law and contingency is very great.

In these cases it is necessary to consider the relative frequency of the phonemes in the given position (not the frequency in a text, but the frequency in the material of words). In German *j* is not found before *ɔi*. This may be due to pure accident, for initial *j* is relatively infrequent compared with other initial consonants, and the diphthong *ɔi* is also relatively rare in other combinations. The probability of their occurring together is therefore not very great, and the non-occurrence need not be due to a specific law preventing this particular combination. On the other hand, there does not seem to be a similar explanation of the lack of e.g. *tl-* in English. And the systematic nature of this gap seems to be corroborated by the lack of *dl-*. One would probably, on the whole, be more inclined to recognize a law if the occurrence or the non-occurrence can be formulated in terms of phonetically similar groups of phonemes (e.g. dentals, high vowels, etc.) and think of an accidental gap if this is not the case. Psychologically this is of course of importance. Structurally it might be motivated by the fact that in the former case the rule could be formulated in a more general way in terms of distinctive features. But this is dubious.

It is evident that if not only combinations of two, but of three, four, or more elements are considered, then the chance of finding all possible combinations realized within the (always-restricted) word-stock of the language will be smaller. It is not very probable that all combinations of *str-* with different final clusters will be found, and consequently it cannot be proved that the non-occurring combinations are excluded by a structural law.

It is perhaps this consideration which is behind Twaddell's remark about English.[67] " We find, in American English, that all fundamental characteristics involving the absence of (presumably potential) distinctive forms can be correlated with immediately preceding or following phonetic fractions, including the omnipresent factor of stress ". And he gives the example that *fet* is a possible syllable in English, because the combinations *fe-* and *-et* occur. But in this general form (i.e. if we find x + y and y + z, then x + y + z is possible) the rule is not valid, either in English or in other languages.

B. Empirical rules concerning the connexion between different parts of the syllable.

Twaddell's assertion might be true if the syllabic base consisted simply of a series of phonemes and did not allow of any further division into parts or units.

[67] *On Defining the Phoneme* (*Language Monographs* XVI, 1935), p. 50.

But the division into central and marginal units (comprising vowels and consonants) and into initial and final clusters prove to be significant from this point of view.—It is not a theoretical necessity, but it is an empirical fact that in most languages there are relatively strict rules for the combinations within the units, but not for the combinations at the limits, i.e. between phonemes belonging to different units. The consonantal and vocalic clusters actually found in a language will normally be of a restricted number (compared to the theoretical possibilities), and the phonemes found in the different positions in these clusters will be still more restricted, so that the clusters found can normally be said to belong to a few frequently recurring types, and thus it will not be possible to maintain that the non-occurring clusters are simply accidental gaps.—It is true that there are languages possessing a very great number of different clusters of various types (e.g. some American Indian languages) and in these languages it might be possible to assume that the non-occurrence of some of the clusters were simply due to accidental gaps. But in most languages there are laws not only for the combination of two adjoining phonemes, but also for the combinations of three and more if such occur. It is however very rare that there are any rules for the connexion between initial and final consonants, or consonant clusters (that is why Twaddell's example *fet* is tenable), although a certain tendency to avoid the same consonants or the same phonetic types of consonants immediately before and after the vowel has been discovered in various languages;[68] but generally it is only a tendency.

It seems also to be very rare to find rules for the combination between the initial consonantal unit and the central unit, not only so that the combination of the first and last member in groups of three members can be said to be free (i.e. if *pr* and *ri* are found, then *pri* is a possibility), but also so that even the combination of two phonemes (a single initial consonant and a following vowel) seems to be free. Normally all theoretically possible combinations are found, and if not, the non-occurrence can often be explained by the fact that one or both of the phonemes are relatively rare in this position, so that it is statistically justified to speak of an accidental gap. In the combinations of three phonemes, for example *pri*, the probability of finding accidental gaps, and consequently the justification of considering non-occurrence as accidental, is greater, since more elements are involved, and some clusters or vowels may be rare.[69]

The connexion between the central unit and the final consonantal cluster seems also to be relatively free, i.e. there are less strict rules than for combinations within the units, but often it is not so free as the connexion between the initial consonant and the central unit. There may be some restrictions, which can hardly be accidental. Twaddell mentions the occurrence of vowels before *r* in English; in Danish the short vowels *i*, *y*, *u* do not occur before final

[68] W. F. Twaddell, *Combinations of Consonants in Stressed Syllables in German* (*Acta Linguistica* I, p. 189–199 and II, p. 31–50); H. Vogt, *l.c.*, p. 22 (Norwegian); E. M. Uhlenbeck, *De Structuur van het Javaanse Morpheem*, 1949, p. 10 (in Javanese the types clvl and crvr do not occur); Trnka, *Die Phonologie in čechisch und slovakisch geschriebenen Arbeiten* (*Archiv für vergleichende Phonetik* VI, 1943, p. 65–77), mentions that repetition of the same phoneme before and after the vowel in English shows foreign origin or expressiveness.

[69] In German the gaps after clusters of two consonants concern particularly the rare vowels *ö* and *ü* (e.g. *ö* : is not found after, *gl-*, *gn-*, and others). Among the clusters of three consonants, some are relatively rare and are consequently only found before few vowels (*ʃpl* e.g. only before *i* :, *i*, *ai* (and in foreign words *e*)). These gaps are accidental.

nasal consonant; and before *r* there is no distinction between *i, y, u* and *e, ø, o* (the pronunciation varies).[70] There may also be restrictions concerning the combinations of groups: in German and Dutch diphthongs are not found before *r*,[71] and there are also definite restrictions to the consonantal clusters found after diphthongs; in the Germanic languages long vowels do not occur before *ŋ* (and it is possible that both long vowels and *ŋ* should be interpreted as clusters). And there are certainly languages where consonant clusters do not occur at all after long vowels (in Germanic languages a certain tendency to avoid this is obvious.) This means that in many languages there is a more intimate connection between the central unit and the final one than between the central unit and the initial one. And this might serve as a further argument for the analysis of the syllabic base proposed by Kuryłowicz,[72] namely C + (V + C). (This is an analytical operation and does not prevent the establishment of vowels and consonants as the two main categories of phonemes. The establishment of categories is based upon the analysis, but does not coincide with it.)

The empirical rules concerning accidence or law in the combination of different parts of the syllable mentioned on the preceding pages, seem in any case to be valid for well-known languages. This means that Vogt goes too far, when he establishes categories of vowels in Norwegian defined by their possibilities of combination with preceding consonant clusters, and that Trnka [73] goes too far when he describes English vowels in terms of their ability to combine with preceding or following consonants and consonant clusters. The same thing can be maintained of Abrahams' definition of Danish consonants,[74] particularly of his definition of the difference between *t* and *d*, consisting in the restrictions of combination between the cluster *dj* and a following vowel.—On the other hand, it will often be possible to go farther than Hjelmslev, who does not use combinations between particular phonemes within the clusters to define smaller subcategories. And it should not be forgotten that the assumption of accidental gaps has consequences for the commutation. When the gap is accidental, the combination in question is possible, and it does not matter for the commutation that a word-pair with a minimal difference is not found, provided that it can be constructed without breaking the laws of the language. The border between law and contingency should be established for each language, and the accidental gaps should be utilized for the commutation, and all structural laws for the establishment of subcategories of phonemes.

It should be possible to verify the validity of the empirical rules concerning the relations between the different parts of the syllable, and of the hierarchy of more or less general laws, established above, by an inquiry into the treatment of loanwords containing combinations of phonemes not occurring in the receiving

[70] In the Danish dialects described by Ella Jensen and Bjerrum (cp. p. 300, notes 15 and 16), the combination between vowel and final consonant seems also to be submitted to certain rules.

[71] In the historical development this has been avoided in two different ways: in Dutch by not diphthongizing long *i* :, *u* :, *y* : before *r* (e.g. *vuur*); in German by inserting an ə and developing a new syllable (*Feuer*). These particular rules before *r* may be explained phonetically, cp. L. L. Hammerich, *Tysk Fonetik*, pp. 140–141.

[72] *TCLC* V, p. 50 ff.

[73] *A Phonological Analysis of Present-Day Standard English* (*English Studies*, 1935).

[74] *Tendances évolutives des consonnes occlusives du germanique*, 1949, p. 96.

language. If the non-occurrence was due to an accidental gap, the introduction of the foreign word should not make any difficulties, e.g. the introduction of a word "*prust*" in English. But the more general the law forbidding this combination, the more difficult it would be to introduce the word without any change.—Thus the word *sklerose* has been introduced into Danish without too many difficulties (although the group *skl-* is not found in Danish words), since clusters of the type *spl*, *skr*, etc., exist, i.e. clusters with *s*, *k*, and *l* in the positions required, and the combinations *sk-* and *kl-* exist. The same thing is true about the group *pn-* (*pneuma*), since *pl*, *pr* and *kn*, *gn* occur. *ps-* is more difficult, since *s* is not found elsewhere as a second member of an initial group, and the *p* is therefore usually left out. A language having initial clusters but no final clusters, should then have more difficulty in introducing a final cluster than an unknown initial cluster (and still more if final single consonants were also unknown).—But only the relative difficulty of assimilation would be of interest in this connection, not the absolute difficulty, for this depends also on social and psychological factors : many European languages are more inclined to take over foreign words without alterations nowadays than some centuries ago. In Finnish all initial clusters were simplified in older loanwords ; but in recent loanwords clusters can be found. And this is not simply a question of time, but of social attitude.—There are linguistic communities where the "correct" pronunciation of foreign words is considered very important (German is a typical example), others where this pretension does not exist. These social differences must be taken into account in an evaluation of the material.

The above observations, and also the proposals concerning a fixed procedure for the classification of phonemes for comparative purposes are of a preliminary nature and do not pretend to give definitive solutions. Many questions need further discussion.—And it should not be forgotten that for other purposes other classifications may be preferable. Position seems to be a useful basis for comparative purposes, but for the description of a single language the relations between particular phonemes might be considered equally essential, e.g. the fact that in English *p*, *t*, *k* adjoining the vowel are only found after *s*.[75]

Finally we want to emphasize that the result of such a classification depends on the way the phoneme inventory has been established. The more the inventory is reduced, the greater will be the uniformity of distribution, and the more restricted the possibilities of classification on distributional grounds. These two aims of the analysis (to get few phonemes, and many categories), seem to a certain extent to be in mutual contradiction.

[75] For an interesting description of English consonant clusters from this point of view, cp. the article by Mel Most (to appear in *Word*).

32 THE PHONOLOGY OF THE NASALIZED VERBAL FORMS IN SUNDANESE

R. H. Robins

It is now established practice in descriptive linguistics to treat the subject-matter at separate, and definably separate, levels of analysis. Indeed the traditional categories of Phonology and Grammar represent such an employment of two different levels. Present-day linguists in Great Britain and America recognize the setting up and defining of the various levels of analysis as a basic procedure in handling the utterances of the speakers whose language is being studied.[1]

It is now generally agreed that the grammatical analysis of a language is analysis at a higher level than the phonological analysis; that is to say, it presupposes, to some extent at least, the results of phonological analysis.[2] In grammar we are dealing with the same material, the utterances of speakers or writers, but organizing and systematizing it by means of different criteria and making use of different terms for its description. Grammar, therefore, rests on, and is conditioned by, the techniques adopted and the methods followed in phonology.

Up to the present a great deal of published grammatical analysis has been built upon phonological analysis made in " phonemic " terms. For some years now members of the London group of linguists have been developing techniques of phonological analysis not based on purely " phonemic " principles, and to some extent rejecting certain of the tacit assumptions of strictly " phonemic " analysis.[3] Such analytic techniques have come to be called " prosodic ", and it is claimed that they enable a fuller and more convenient phonological statement

Reprinted from *Bulletin of the School of Oriental and African Studies* 15 (1953): 138–45, with the permission of the author and of the editorial board of *Bulletin of the School of Oriental and African Studies*.

[1] The cardinal importance of establishing separate levels of analysis in the study and description of language and in the statement of linguistic meanings was emphasized by Professor J. R. Firth in " The Technique of Semantics ", *TPS* 1935, pp. 36–72 (see especially pp. 54–5, 60–1, 63–5); cf. " Personality and Language in Society ", *Sociological Review* Vol. 42, 1950, p. 44, " General Linguistics and Descriptive Grammar ", *TPS* 1951, p. 76. See also C. F. Hockett, " A System of Descriptive Phonology ", *Lang.* Vol. 18, 1942, p. 3, G. L. Trager and H. L. Smith, " Outline of English Structure ", pp. 53–4, 81; cf. the use made by R. S. Wells of procedure by levels in his review of recent work by the Danish school (*Lang.* Vol. 27, 1951, pp. 562 ff.).

[2] Firth, " Technique of Semantics ", pp. 58 ff.; Trager and Smith, op. cit., p. 53.

[3] See especially Firth, " Sounds and Prosodies ", *TPS* 1948, pp. 127–152.

to be made of the observed and recorded phonetic facts abstracted from utterances.[4]

Since grammatical analysis is built upon the results of phonological analysis, it follows that a different technique of phonology will be likely to simplify or complicate, improve or mar, the presentation of the grammar of a language.[5]

In the Sundanese language a considerable simplification can be achieved, and a more coherent account given, of an important part of its grammatical system, when this is based on a phonological analysis not conceived wholly in traditional " phonemic " terms.[6] It may be regarded as an additional reason for analysing languages in terms other than purely " phonemic " if we find that, as well as providing a better means of stating the phonetic facts, it also simplifies and renders more coherent the statement of grammatical systems.[7]

There is a very large class of stems in Sundanese, mostly dissyllabic, which fulfil the function of verbals as defined within the grammar of the language; the majority of these are used independently as words (minimal free forms), and also serve as the base for further inflectional processes.

A fundamental inflectional process is Nasalization, whereby, from a Root (non-nasalized) form R, a Nasalized form N [8] is derived,[9] with syntactic function as a verbal, and with morphological potentialities as a base for further inflections. This nasalization is achieved, in Root forms beginning with a consonant, either by replacing the initial consonant by a nasal consonant or by prefixing the syllable **ŋa-**,[10] and in Root forms beginning with a vowel, by prefixing the nasal consonant **ŋ**.

Exx. **tendʒo, nendʒo,** to see; **pikir, mikir,** to think;
dɤhɤs, ŋadɤhɤs, to have audience with;
impi, ŋimpi, to dream.

The morphology of the Sundanese verbals has been treated by several Dutch scholars.[11] Their accounts are made on the basis of the Javanese script as adapted for Sundanese or of the Dutch romanization of this script; this romanization is now used officially in Indonesia for the Sundanese language.

[4] A recent bibliography of such work will be found in W. S. Allen, " Some Prosodic aspects of Retroflexion and Aspiration in Sanskrit ", *BSOAS* Vol. 13, 4, 1951, p. 945, footnote 1.

[5] Cf. Z. S. Harris, *Methods in Structural Linguistics*, pp. 76–8; but the discussion here is concerned with the choice between various alternative methods of " phonemicization " with an eye on morphemic simplicity.

[6] The Sundanese material here presented has been provided by my research assistant, Mr. Sobaran Nurjaman, from Garut, West Java. It is a pleasure to acknowledge the excellence of his work as my informant in our linguistic collaboration.

[7] Cf. H. Spang-Hanssen, " On the Simplicity of Descriptions ", *TCLC* 5, 1949, pp. 61–70.

[8] In this article structural elements abstracted at the Grammatical level are symbolized by large capitals, R, N. Structural elements abstracted at the Phonological level are symbolized by small capitals, C, V. Sundanese words are cited in heavy type, **nendʒo.**

[9] The statement that the Nasalized forms are " derived " from the non-nasalized Root forms is not intended as a historical statement, but means simply that the morphology of the Sundanese verbals can most easily be stated by treating the non-nasalized form, without any of its possible inflections, as *basic* in the description and the other forms as *derived* from it by the various inflectional processes. Cf. L. Bloomfield, *Language*, p. 217.

[10] And exceptionally **ŋə-** (see p. 328).

[11] G. J. Grashuis, " Over de Verbale Vormen in het Soendaneesch ", Bijdragen, Derde Volgreeks 8, 1873, pp. 4–15; H. J. Oosting, *Soendasche Grammatica*; S. Coolsma, *Soendaneesche Spraakkunst.*

Both these systems of writing may be said to be " phonemic " in principle, though the Javanese script is essentially syllabic ; and an adequate " phonemic " transcription for Sundanese can be achieved by taking over the Dutch romanization with a few individual changes and with the substitution of single letters for the digraphs. Most of the letters remain unaltered ; taking Coolsma's *Soendaneesch-Hollandsch Woordenboek* as typical (there are a few minor variations among writers in the choice of particular letters to be used), a " phonemic " transcription requires the following changes only : **ʧ** for *tj*, **ʤ** for *dj*, **ɲ** for *nj*, **ŋ** for *ng*, **u** for *oe* (this letter is now generally preferred to *oe* for written Sundanese in Indonesia), and **ɤ** for *eu*. I also use **ə** for Coolsma's *ĕ*, and **y** for his *j*. This transcription is used to identify the Sundanese words cited in this article.

Hitherto the rules for the formation of the Nasalized forms N of verbals have been stated as a set of unconnected procedures of letter changing, and have received little significantly different treatment since Grashuis gave his account in 1873.[12] In reconsidering this process of Nasalization, a statement of the relevant phonological features of the language must be given.[13]

Sundanese syllables are of the following types : CV, VC, CVC, V, CCV, and CCVC, the latter two types being relatively few in number. If, for descriptive analysis, a zero consonant unit (symbolized by ⌗) is posited and included in the consonant system, all syllables may be analysed as C (C) V C structures, with initial, medial, and final elements.

The vowels comprise a seven-term system :—

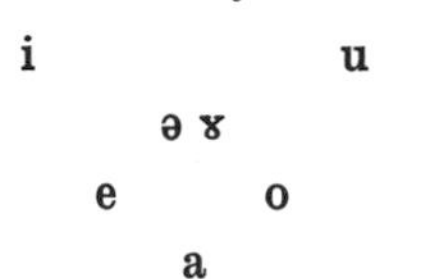

There is commutation [14] of front, central, and back quality, and of open, half-open, and close. With openness (**a**) the other commutation is not operative.

[12] See Grashuis, op. cit., pp. 7–9, Oosting, op. cit., pp. 19–22, Coolsma, *Soendaneesche Spraakkunst*, pp. 66–8.

[13] The phonological details stated here are those necessary for treating the subject of this article. A full study of the phonology and grammar of Sundanese, based on my work with Mr. Nurjaman, is in preparation.

[14] In recent discussions on phonological theory among members of the London group at the School of Oriental and African Studies, Professor J. R. Firth has suggested that the words " Substitution " and " Commutation " be employed as distinct technical terms in descriptive linguistics.

His suggestion is that " Substitution " should be used to refer to the replacement of one element by another at the same level of abstraction (word, morpheme, phonological unit, etc.) in a given place in a text or in a structure abstracted from a text.

" Commutation ", on the other hand, he suggests, should be used of the alternation of terms within a system. When, by abstraction at a particular level of analysis, closed systems of inter-related terms have been set up whereby all the relevant facts can be accounted for, there is Commutation of the terms within such closed and exhaustive systems and their subsystems. Thus in the Sundanese vowel system, as given here, there is a three-term Commutation of Open, Half-open, and Close, and a three-term Commutation of Front, Central, and Back.

Thus Substitution finds order and place within structures, in parallel with texts, whereas Commutation properly applies to systems, which may be multidimensional. In research procedure, substitution in a framework of structure generally precedes the setting up of a Commutation system. The statement of both sets of relations is desirable in linguistic description. See also J. Carnochan, " Glottalization in Hausa ", *TPS*, 1952, p. 79, footnote 5.

The front vowels, **i, e,** are articulated with spread lips, and the back vowels, **u, o,** with rounded lips. From these two classes of vowels we may abstract respectively the prosodic components Y (front quality with lip spreading) and W (back quality with lip rounding).[15] **ə** and **ɤ** are both central, half-open vowels, without lip rounding or lip spreading, and vary somewhat in quality according to the nature of the preceding and following consonants.

The initial consonants[16] may be divided into two main classes :—

Class 1, Consonants articulated without local supra-glottal closure or constriction :—

h, voiceless " glottal " fricative.[17]

#, realized as **ʔ** initially at word boundaries, between *any* two vowels or between consonant and vowel at the junction of prefixial morpheme and stem, and between two *like* vowels within words (e.g. **indit,** [**ʔindit**], to leave, go away ; **mi-omoŋan,** [**miʔomoŋan**], to warn ; **paŋ-adilna,** [**paŋʔadilna**], the most just ; **hees,** [**heʔes**], to sleep). Between *unlike* vowels within words, **#** is realized as the appropriate transition glide or as phonetic zero, which is also its most general realization in contexts other than the above.

Class 2, Consonants with local supra-glottal articulation, whose utterance involves local closure or constriction within the mouth.

In this class there is commutation in two dimensions, by place of articulation : Bilabial, Dental-alveolar, Palatal or Prepalatal, and Velar, and by method of release : Plosive, Fricative, Nasal, etc. :—

	Bilabial.	*Dental-alveolar.*	*Palatal.*	*Velar.*
Voiceless Plosive .	**p**	**t**	**ʧ**	**k**
Voiced Plosive . .	**b**	**d**	**ʤ**	**g**
Nasal . . .	**m**	**n**	**ɲ**	**ŋ**
Semivowel . . .	**w**		**y**	
Lateral and Fricative .		**l, r**	**s**	

The voiceless plosives are unaspirated, and the palatal plosives are affricated. **d** is alveolar ; **t** is dental ; **n** is alveolar except when following final **t,** in which case it is dental (palatograms have been made in confirmation of these observations).

r is an alveolar trill ; **l** is an alveolar lateral.

s is a voiceless sibilant, with tongue-tip down, varying between post-alveolar and prepalatal position, and may be assigned phonologically to the palatal series.

From the bilabial series we may abstract the prosodic component W, as in the case of the vowels **u** and **o,** lip rounding being realized in **p, b, m** as bilabial

[15] Though the phonetic realization of these prosodic components is most marked in the utterance of a particular vowel (or consonant [see below, and top, p. 326]) in the syllable, they serve to characterize by their presence, alone or in conjunction with other such components, Sundanese syllables as wholes.

[16] As the inflectional process of Nasalization concerns only the initial consonants of words, and so, in the Sundanese language, the initial consonants of syllables, phonological statements made here are confined to consonants in syllable initial position.

[17] See footnote 21, p. 327.

closure, the extreme form of lip rounding in Sundanese.[18] From the palatal series we may similarly abstract the prosodic component Y, as in the case of the vowels **i** and **e**.[19]

The dental-alveolar series of consonants in initial position are not markedly back or front in quality as compared with the Y and W characterized consonants, and are themselves articulated with neutral lip position, being slightly lip-rounded before W vowels and slightly lip-spread before Y vowels. The dental-alveolar consonants may be regarded as the central series.

Consonants of the velar group enjoy the greatest phonetic latitude of any of the Sundanese consonants in their realization, being articulated as pre-velar, mid-velar, or post-velar according to the nature of the preceding or following vowel, with noticeably greater variation than occurs in the Standard English k- and g-sounds in their different phonetic contexts.

The prosodic components mentioned so far are abstractions made from the places of articulation of the C and V units concerned. Apart from such abstractions, if it is observed that certain phonetic features are associated with the release of the initial element of syllables, the presence of such features may be separately abstracted and treated in the phonology of the language as a prosodic component of syllable initiality.[20]

Sundanese syllable (and therefore word) initial consonants occur with the following types of release :—

Class 1, Non-local Friction, without Voice, **h-**,
Phonological Zero, i.e. **ʔ**, at word initial position,

Class 2, Supra-glottal Articulation:
- Plosion without Voice, **p-, t-, ʧ-, k-,**
- Plosion with Voice, **b-, d-, ʤ-, g-,**
- Nasal Release, always with Voice, **m-, n-, ɲ-, ŋ-,**
- Local Friction without Voice, **s-,**
- Local interference, with or without Friction, of the egressive air-stream, always accompanied by Voice, **w-, l-, r-, y-.**

It will be seen that, besides zero, **#**, realized as momentary glottal closure, **ʔ**, in word initial position, three types of glottal action[21] are involved in

[18] That in Sundanese bilabial closure is the limiting condition of lip rounding is most clearly shown when one of the central, non-lip-rounded vowels precedes or follows one of these consonants, and an off-glide or on-glide is frequently heard (e.g. **bɤnaŋ** [**b^{w}ɤnaŋ**], to get ; **ŋadɤpa,** [**ŋadɤ^{u}pa**], to measure).

[19] In the vowels, Y and W are marked about equally by front quality with lip spreading, and by back quality with lip rounding, respectively. In the consonants, palatal or front articulation is the more prominent feature for Y, and lip rounding, or lip closure, is the more prominent feature for W.

[20] Cf. E. J. A. Henderson, " Prosodies in Siamese ", *Asia Major*, New Series, Vol. 1, 2, 1949, p. 192.

[21] The traditional designation of h-sounds as " glottal fricatives " is now seen to be inadequate (cf. W. S. Allen, *Phonetics in Ancient India*, § 2.00). These sounds are the result of general, non-localized " cavity friction " (cf. K. L. Pike, *Phonetics*, p. 71) as the air passes through the buccal cavity under pressure from the lungs ; nevertheless it seems clear that the glottis is not wholly passive, but plays some part in the production of this friction (cf. D. Jones, *Outline of English Phonetics*,[6] p. 186, R. K. Potter, G. A. Kopp, and H. C. Green, *Visible Speech*, p. 111, M. Joos, *Acoustic Phonetics*, p. 89), and it is this action of the glottis, as distinct from its non-interference (O) in the utterance of the voiceless supra-glottal consonants that is here referred to.

syllable initial articulations, and the presence of each may be regarded as a prosodic component of syllable initiality :—

Voicelessness (open glottis, permitting free passage of air during articulation of the consonant), O
Voice, Z
Voiceless " glottal " friction (the glottal action associated with buccal cavity friction) H

Supra-glottal consonants are orally or nasally released. Oral release, as the largest class of syllable initial articulations may be left unmarked ; nasal release, always accompanied by voice, may be treated as a prosodic component of syllable initiality and symbolized by N.

The derivation of the Nasalized forms, N, from the Root forms, R, may now be stated as depending on the type of glottal action involved in the initial articulation of the syllable. This statement may be simply rendered by means of the following formulæ (> = is replaced by) :—

At the Grammatical Level

R > N

At the Phonological Level

Initial Prosodic Components		
	O	> NZ
	Z, NZ [22], H	prefix **ŋa-**
	#	> **ŋ-**

Exx.

	R	N	
O	**pake,**	**make,**	to use ;
	tɤŋgɤl,	**nɤŋgɤl,**	to beat ;
	ʧokot,	**ɲokot,**	to take ;
	kirim,	**ŋirim,**	to send ;
	susul,	**ɲusul,**	to pursue ;
Z	**boroŋ,**	**ŋaboroŋ,**	to buy (an entire stock) ;
	dahar,	**ŋadahar,**	to eat ;
	ʤawab,	**ŋaʤawab,**	to answer ;
	ganti,	**ŋaganti,**	to change ;
	widaŋ,	**ŋawidaŋ,**	to dry skins ;
	liwat,	**ŋaliwat,**	to pass ;
	rawat,	**ŋarawat,**	to look after ;
	yakti, to be certain,	**ŋayakti(kɤn),**[23]	to make certain ;
NZ [25]	**musuh(an),**[24]	**ŋamusuh(an),**	to oppose ;
	nalaŋsa, to be sad,	**ŋanalaŋsa(kɤn),**	to make sad ;
	ɲaho, to know,	**ŋaɲaho(an),**	to inform ;
	ŋɤnah, to be pretty,	**ŋaŋɤnah(kɤn),**	to make pretty ;
H	**hanʧa,**	**ŋahanʧa,**	to work ;
#	**ala,**	**ŋala,**	to take ;
	inum,	**ŋinum,**	to drink ;
	usap,	**ŋusap,**	to stroke.

[22] See footnote 25.

[23] See footnote 24.

[24] Bracketed forms indicate that the R or N form itself is not used with the function of a verbal, but that it is so used with the inflective suffix given.

[25] R itself may begin with N, but is not thereby counted as N, and must be subjected to a further nasalization for the derivation of N.

There are some exceptions to the formulæ just given. They are the same in number to the exceptions to the " rules " given in the older statements of the formation of the Nasalized forms. The principal exceptions comprise the following classes :—[26]

Some R forms beginning with Z (**b-, d-, ʤ-, g-, w-**), which form N in NZ without prefixation,
 e.g. **bere, mere,** to give ; **dɤlɤ, nɤlɤ,** to see ;
 ʤiɤn, ɲiɤn, to make ; **gegel, ŋegel,** to bite (beside **ŋagegel**) ;
 wadaŋ, madaŋ, to eat.
Some R forms beginning with **#**, which add **ŋa-**, beside the regular form,
 e.g. **asup,** to enter, **ŋaasup(an),** to put in (beside **ŋasupan**) ;
 oyag, to shake (intr.), **ŋaoyag(kɤn),** to shake (tr.) (beside **ŋoyagkɤn).**
Some R forms beginning with H, which replace **h** by **ŋ,**
 e.g. **harti(kɤn), ŋarti(kɤn),** to explain (beside **ŋahartikɤn).**
Monosyllabic R forms, which in all cases prefix **ŋa-** or **ŋə-,**
 e.g. **ʧet, ŋaʧet** or **ŋəʧet,** to paint.

It is now clear from the formulæ and the examples given above that in all the Nasalized forms the prosodic component of syllable initiality is nasal release with voice, NZ. In the regular formations, with verbals whose R form begins with O the N form begins with the N consonant of the same phonological series.[27] With verbals whose R form begins with **#** the N form begins with **ŋ**. In all other cases the N form is derived by prefixing **ŋa-** to the R form.

The selection of **ŋ** and **ŋa** for this purpose, whatever historical developments may lie behind the process of Nasalization, is seen to bear a particular relation to the phonology of the Sundanese vowel and consonant systems.[28] **ŋ,** which occurs before vowels of all seven categories in N forms derived from R forms beginning with **#**, belongs to the velar group of consonants, which has the widest phonetic range of variation between front and back articulation (see p. 326, above), and is therefore the most " neutral " nasal consonant as between Y and W elements and those elements to which the distinction of Y and W does not apply. In **ŋa,** which is prefixed to R forms beginning with consonants belonging to each category in the Sundanese consonant system, **ŋ** is followed by **a,** the open vowel, which occupies the position in the Sundanese vowel system in which the commutation of Y, W and central is inoperative (see p. 324, above).

The statement of the derivation of the Nasalized forms N from the Root forms R in Sundanese has here been based on certain relevant features in the phonology of the syllables concerned. In this way the regular processes of this derivation can be reduced to three simple rules expressible in short formulæ. By this treatment, in what formerly appeared as the arbitrary substitution of individual letters, there is revealed a certain correspondence of systemic patterning between the grammatical and phonological levels of analysis, when Nasalization, as a process in the morphology of the language, is applied to the phonological structures comprising Sundanese words and syllables.

[26] The irregular **nədəŋ** from **sədəŋ**, and **nəʤa** from **səʤa**, given in Coolsma's *Woordenboek* are no longer used and are rejected by Mr. Nurjaman.
[27] Dental and alveolar articulations are treated as belonging to the same phonological category.
[28] Cf. L. Hjelmslev, *Principes de Grammaire Générale*, pp. 228 ff., on " causalité synchronique " in linguistic systems.

33 THE SEMEME

C. E. Bazell

At the European Semantic Conference, held at Nice in March, 1951 and attended by nine European linguists (including the present writer) and one American, it was agreed to call the fundamental unit of content (in the linguistic norm) the *sememe*. The term is of course not entirely new. But it cannot be described as a current term in structural linguistics. What led the members of the conference to find such a term necessary ?

It is difficult to give one answer to this, since subsequent discussion very soon revealed that members were not in agreement on the way in which the term should be used in practice. But if there is one answer, it is that the term *morpheme* could be recognised by nobody as descriptive of the fundamental semantic unit. Probably each linguist would have given a different answer to the question why this is so.

L. Hjelmslev was perhaps most explicit on this subject. For the glossematist the morpheme is a unit of content, but it is not a *minimal* unit, at least in the non-glossematic terminology with which he felt obliged to compromise. But this reason cannot have weighed very strongly with other members, who adopted the term *phoneme* as the corresponding fundamental unit of expression while not recognising the unit to be minimal. It is well known that Hjelmslev has objections of principle to Jakobson's " feature-analysis ", whereas the objections of other linguists are pragmatic. Furthermore few linguists would agree that minimality is the sole criterion of the fundamental. (The American member, J. Lotz, described the phoneme as a " derived notion ", by which however he seemed to mean only that it was a reducible notion.[1])

For the present writer, the fact that a morpheme may be split up into smaller units (e.g. the " morphemic components " of Zellig Harris [2]) played next to no role in his rejection of the term *morpheme* as fundamental semantic unit. His objection was, that the morpheme is not a semantic unit at all. However this objection could win only the most undesirable of allies. Only too many scholars will be ready to come forward with the assertion that the morpheme is a distributional rather than a semantic unit ; and they will be unwelcome allies, *not* because they are wrong, but because they are off the point.

Reprinted from *Litera* (Istanbul) 1 (1954) : 17–31, with the permission of the author.

[1] cf. J. Lotz, " Speech and Language ", *Journal of the Acoustic Society of America*, 22, p. 715.

[2] cf. *Methods in Structural Linguistics*, p. 301 ff.

When it is said that the morpheme is the unit of meaning it is not generally intended that this statement should be taken as parallel to the statement that the phoneme is the unit of expression. The phoneme *is* an expression, the morpheme (or so it is implied) *has* a content. Of course it is possible to shift the terminology so that the meaning as such be regarded as the morpheme. But this will not restore the parallelism with the phoneme. Nothing will alter the fact that a meaning is a meaning of a unit which may be identified by distributional criteria. The phoneme cannot be identified except through its intrinsic features. That these features are abstractions (or if one wishes merely fictions), and that the abstraction cannot be made without recourse, at every step, to distributional criteria, is evident but here irrelevant. It is also irrelevant here that it may be impossible to determine the morpheme without recourse to semantic criteria. What matters, is that it is not a *logical* impossibility that is involved. The impossibility arises, if it does arise, from the fact that speech is a continuum. It would certainly not be impossible to determine roughly the morphemes of long enough printed texts without taking meaning into consideration. It would be logically impossible to determine the graphemes of a printed text without taking the ink-marks into consideration. Graphemes and phonemes are not aspects of units which might be determined in some different way. Whereas morphemes, even conceived of as " meanings ", *can* be delimited by non-semantic criteria. In order not to beg the question, we do not say that they *must* be so determined.[3]

Hence there is a sense in which it is perfectly right to assert that the morpheme is a distributional rather than a semantic unit. It happens unfortunately to be a sense with which we are not concerned. This is not because we are concerned with some other sense in which the morpheme *may* be considered a semantic unit : namely the sense in which the distributional unit is the profitable *basis* of semantic analysis. On the contrary, we are concerned to deny that the morpheme is a semantic unit even in this sense. We deny not only that the morpheme is a unit of meaning, but also that it is a " meaningful unit ".

What are the requirements of a meaningful unit ? First and foremost, that we should be able to state what this meaning is ; or at least, that we should be able to *investigate* what this meaning is, with some probability of an answer. It is of no avail to postulate that the morpheme has a meaning, as Z. S. Harris does,[4] adding : " thus the meaning of *blue* in *blueberry* might be said to be the meaning of *blueberry* minus the meaning of *berry* . . . *blue* here therefore does not mean simply a colour, but the observable differentia of blueberries as against other berries ". One could give any element whatever a meaning in this sense ; e.g. the meaning of *b* in *beat* would be the difference between the meaning of *beat* and the meaning of *eat*. There is no reason to believe that one such " meaning " is more futile than another, unless the distributional criteria are selected so that it is likely to be so. What guarantees that the distributional criteria that yield the morpheme are suitable to the purpose of semantics ?

Most linguists are ready enough to agree that, in the lexical field, the morpheme does not always provide a basis for semantic analysis. Nobody seriously

[3] cf. R. S. Wells, *Language* 27, p. 559–60.
[4] cf. Z. S. Harris, op. cit. p. 347.

intends to give semantic accounts of the morphemes *butter* and *fly* such that *butterfly* be included in the semantic range. But then structural linguists have seldom been interested in lexical meanings. They concentrate on morphology in its old-fashioned sense. Even here no doubt they are perfectly prepared to allow for clichés that do not fall within the regular scheme. But the general morphological frame is held to demand the setting up of Gesamtbedeutungen. The theory of the Gesamtbedeutung has flourished since Jakobson's well-known *Beitrag zur allgemeinen Kasuslehre.*[5] It has been followed alike by linguists who believe that semantics is an integral part of linguistics (cf. the other articles on case-systems by H. Vogt and T. Sebeok) and those who hold that it is not (e.g. Harris). With the former authors the theory is at least genuine: it is something to be applied. With the latter it is mere claptrap.

Why should the theory be held to apply particularly to the non-lexical field? This leads to the question of the distinction between the lexical and the non-lexical.

The distinction between the lexical and the "grammatical" (as it used to be called) is a perfectly genuine distinction which has received very little real attention. The older definitions were circular; very roughly, lexemes were looked on as constants and inflections as variables: a view which survives in the questionnaire sent out by a mainly London-composed committee on the occasion of the seventh linguistic congress. We hear there of "variable words", by which is meant inflectional paradigms, in which the stem is kept constant and the other morphemes vary. Evidently one could make a paradigm out of a constant inflection with variable stems. One is free to choose what shall be regarded as constant and what shall be regarded as variable.

However in practice the distinction between the lexical and the non-lexical was always based primarily on the distinction between sets of *freely* commutable and sets of *not freely* commutable morphemes. The typical lexemes were the nouns, classes of units freely intercommutable; the typical grammatical units were the cases, which every schoolboy knows not to be intercommutable. Because the functions of morphemes which cannot freely be interchanged with any others, have to be cited by name in grammar, these morphemes were called grammatical. As is only proper, many morphemes were so classed, not on their individual merits, but because they belonged in other respects together with units already so classed; in particular, all inflections were classed as grammatical even where, as e.g. with the tense-inflections in many languages, there was very general intercommutability within the paradigm. Similarly the auxiliaries were regarded as grammatical on the ground that the most important members of the class had a unique distribution, although several members of the class might be widely intercommutable.

This being so, it should seem surprising that it is precisely among the inflections that the search for Gesamtbedeutungen became rife. For it had always been recognised that, when the occurrence of a unit was largely fixed by syntactic convention, synchronic grounds for this occurrence need not be sought. The older linguists were perfectly familiar with the principle that one should not sluggishly assume a variety of meanings in one language simply because another

[5] cf. R. Jakobson, "Beitrag zur allgemeinen Kasuslehre", *TCLP* 1, p. 243.

language had separate expressions; nobody wished to assert that "sheep" and "mutton" were two separate linguistic meanings of the French *mouton*. It did not require a Saussure to point out the absurdity of such an assertion, which had never been made. It was not because they *wished* to split up the meanings of a morpheme that the older linguists distinguished several unrelated or at least loosely related meanings of one and the same case (including for strict rection the meaning *zero*). On the contrary they were often inclined to allow uncritically a common psychological basis, on the evidence of morphemic identity alone. But such morphemes as the cases and genders proved a barrier to the generalisation of the principle of a unique overall meaning underlying all the normal uses of a morpheme in speech.

It is only too easy to define the meaning of a morpheme as that which is common to all its uses. The definition is vacuous if the common element is not also a peculiar element. Nothing guarantees that it should be. On the contrary there is a ready guarantee that the definition will sometimes prove vacuous. If a morpheme is compulsory by syntactic convention in a certain position, then it adds nothing to the meaning of a syntagm: i.e. its own meaning is zero. Now in many languages there are certainly at least two instances of a morpheme being compulsory by syntactic convention. What meaning do all usages of the one morpheme have in common, that does not belong to all usages of the other morpheme?

It is to be expected that a direct answer to this question will be avoided. We shall hear that in certain positions the meaning of a morpheme may be redundant, that the opposition between morphemes may be neutralised, and so on.

But what could be signified by the redundancy of the *meaning* of a morpheme (let us say, when an English plural noun follows the numeral *five*)? To say that a unit is redundant, is to say that it conveys no information. Hence a morpheme may be redundant, like a phoneme, if (but only if) it conveys no information. But to say that a *meaning* is redundant is to contradict oneself. Oppositions between morphemes may indeed be neutralised, but only on condition that the morpheme is not a semantic unit.

Two recent studies on the Gesamtbedeutungen of verbal inflections have just reached the present writer: the first, by J. Ferrell, on the Russian tense-system;[6] the second a detailed study by M. Ruipérez of the system of tenses and aspects in ancient Greek.[7] Much in the conclusions of both authors will seem plausible even to opponents of the general theory. They both illustrate the profitability of seeking an overall correspondence between morphological and semantic categories. But the profitability of looking for something does not of course go far to justify the conviction that it may always be found. Few scholars would deny that the search for rigorously formulable and exceptionless sound-changes initiated the most profitable revolution in the whole history of linguistics; but the theory which lay behind it (namely, that sound-changes *must* be without exceptions) has justly fallen into disrepute.

[6] J. Ferrell, "On the aspects of *byt'* and on the position of the periphrastic imperfective future in contemporary literary Russian", *Slavic Word* 2, p. 362.

[7] M. S. Ruipérez, *Estructura del sistema de aspectos y tiempos del verbo griego antiguo* (Salamanca 1954).

The studies cited above are concerned with a field exceptionally favourable to the theory of the Gesamtbedeutung. Tense and aspect are the verbal inflections with maximal intercommutability of morphemes (cf. *Linguistic Form*[8] p. 71). Here, if anywhere, is the place to look for Gesamtbedeutungen with a reasonable chance of success.

But actually neither author accepts the full consequences of the theory. J. Ferrell, while defending the immediate opposition of Russian *rešaju* and *rešu* (p. 367), still presents a tentative scheme in which *budu rešat'* functions as a future, thus implying a considerable asymmetry between morphology and sememics. It is true that he later puts this syntagm in brackets (p. 368), and finally (p. 376) describes it as " periphrastic for all verbs ". But of course the brackets are justified, since the syntagm does not make part of the morphological system ; and of course the syntagm is periphrastic, for this is just what is meant by *periphrastic.* These are not ways of concealing the asymmetry of morphemics and sememics, they are merely ways of accommodating it and (indirectly) of asserting it.

M. S. Ruipérez poses the following principle : " en el sistema de signos de la lengua, no puede haber una oposición de significados sin la correspondiente oposición de significantes. Por el contrario, puede haber una diferencia de significantes sin la correspondiente oposición de significados " (p. 11).

But his examples do not support this principle. The signifiants *i:* and *e:s* *may not* answer to a distinction of signifié (he cites equ-*i* / princip*es*), but also they *may* answer to a distinction of signifié (princip*i*/princip*es*). Similarly a distinction of signifiés need not *always* answer to a distinction of signifiants, though it must *sometimes* answer to such a distinction in order to be regarded as an opposition in *la langue.*

The asymmetry of principles posed by Ruipérez results from the fact that he compares an isolated (and so to speak accidental) identity of signantia with a systematic identity of signata. It goes without saying that the former does not prove the identity of the signantia in the system, whereas the latter *does* prove the identity of the signata (from the strict standpoint of *la langue*). But there is nothing surprising in this. One of the candidates (the difference in expression) has been submitted to a lax test ; the other (the difference in content) has been submitted to a severe test. It is not astonishing that the first candidate passes the test, and is admitted to have full linguistic status, while the second candidate is rejected. Since the tests were not equal, the result proves no inequality between the candidates.

There is also another respect in which the tests were not equal ; by a *significante* Ruipérez understands, with de Saussure, a whole complex chain of phonic features carrying a meaning. But by *significado* he means a simple irreducible morphological unit, such as a tense or an aspect. This is again the Saussurean tradition. De Saussure operated with three fundamental units, the signifiant, the signifié and the phoneme as minimal element in the signifiant. He never asked whether there was not a minimal unit in the signifié, corresponding to the phoneme in the signifiant. This question was left to the glossematists. But they have answered it wrongly.

[8] Istanbul, 1953.

It cannot be too strongly stressed that the glossematic view is wrong, not on account of any error inherent in the general glossematic attitude (though doubtless there are such errors), but rather from the glossematic standpoint itself. Glossematics presupposes a parallelism between the planes of content and expression (no doubt an erroneous parallel), but it fails to pursue this parallelism with any consistency. Now an absence of consistency may of course be a concession to better theories when these theories are only too obviously superior; and such a concession may render the inferior theory immune to its most absurd logical consequences. But this happens not to be the case here. Glossematics errs by refusing to admit its own logical consequences, rather than by embracing them too wholeheartedly. In accepting these consequences, it might still have been wide of the mark, but it would certainly have been *less* wide of the mark.

Glossematists split up " signs " into minimal units of expression (roughly phonemes) on the one side, and minimal units of content on the other. But these signs are nothing else than the good old-fashioned morphemes, segments consisting of phonemes and constituting isolable parts of words, reached by the method of substitution within a defined framework. The glossematic innovation is to regard these units as two-sided, the content being equipollent with the expression; whereas de Saussure, despite frequent insistence to the contrary, very often identified the sign with its expressive side. But this innovation is spurious. A linguistic unit is not like a piece of chalk, to be turned over and looked at from a different angle. In order that a unit of expression may be regarded from the standpoint of content, it is necessary that it should be isomorphous with a content-unit. Which it may or may not be. Glossematists have not laid down criteria to assure that it may be.

In particular they have taken the *word* as the operative unit. Now as the present writer has often insisted, the word is a unit of expression. Its boundaries do not answer to boundaries in content, nor does it in general belong to glossematic theory to assume that they do. Hjelmslev has himself (though on rather inadequate grounds) asserted that a " verbal inflection " is in reality an inflection of the total phrase. The consequences of such views have again not been drawn.

The right of the morpheme to be regarded as a semantic unit depends on the fact that it is reached by the examination of distributional proportions. There would not be two morphemes in *slept* if there were not at least one set of three other forms making together with it a distributional proportion. (In practice the position is often rather more complicated. For instance *sing : sang = sleep : slept* would be accepted as a distributional proportion, though in fact the forms as such do not stand in this relation, part of the distribution of *slept*, i.e. that which answers to *sung*, having to be disregarded. But such complications do not affect the point at issue.)

Now the right of the word to be regarded as a semantic unit would have to depend on the same fact. Yet it is quite evident that the word is not reached by the examination of distributional proportions between higher units (e.g. utterances). If we look for a set of three other forms making a distributional proportion together with *slept soundly*, we shall simply find ourselves substituting morpheme for morpheme, none of these substitutions going to prove that there were more than one word. Any number of distributional proportions is compatible with a complete absence of word-division. For word-division new criteria are needed; of these the most notorious is the criterion of the "minimal free form".

Now surely it is just this criterion which has led to the impression that a word "must have a meaning". An utterance has a meaning, hence a word which occurs as an utterance must have one? Well yes, it must have a meaning *when* it occurs as an utterance (providing at least that such an utterance is intelligible outside the context of other utterances). But then so also must a phoneme have a meaning *when* it occurs as an utterance. If it be replied that it is then not the phoneme *as such* which has a meaning, well and good. For then independent occurrence ceases to be an argument in favour of the word, *as such*, having a meaning.

But there is more to it than this. Not all words may occur independently, except in circumstances where any unit whatsoever might occur independently. Many units are classified as words simply because they share a structural feature with independently occurrent units. (Bloomfield's example was English *the*, so classified because of distributions shared with *this* and *that*.) But a unit may share one structural feature without sharing others. It may not even share the feature of meaningfulness with a unit having this feature.

Now if nothing guarantees the word to be a meaningful unit, nothing can guarantee that it be divisible into meaningful units.

If semantic units are being looked for, it must be seen that they are catered for at every stage. It may even be that the utterance is not a large enough unit to begin with; but for the purpose of argument it will be granted that it is. This being so, utterances must be divided up into smaller units on a distributional basis. If the distribution of the utterance *do go* does not answer to the distribution of the utterance *go* as the distribution of the utterance *do not go* answers to the distribution of the utterance *not go*, then there is no basis for a parallel semantic analysis. All subsequent attempts to find a *Gesamtbedeutung* for *do* here will be futile.

It may well be answered that nobody has ever denied this. Nobody has been silly enough to claim for English *do* a general meaning, covering its automatic use as an auxiliary with the negative, its emphatic use with non-negative verbs, and its non-auxiliary use with a direct object. Indeed. But it is not enough that the logical consequences of a theory should be avoided when these consequences are absurd. For every *absurd* application of a theory, there are a hundred *wrong* applications which are not absurd. The wrongness is demonstrated by the limiting-cases, so far as the theory is concerned; but once one is away from these cases, there is left the possibility of practical justification, for the manipulation of facts which would never have been so manipulated if a theory had not been built up on data which deliberately excluded the very data which alone were relevant. The Dutch scholar de Groot includes the Dutch "compound tenses" within morphology.[9] No Gesamtbedeutung need be sought for the Dutch auxiliaries; but their morphemic identity with non-auxiliaries must be concealed.

[9] *Structurele Syntaxis* p. 141.

Efforts made to refer all meanings peculiar to morphemes in word-combinations, to the contexts, are misplaced. A combination like *laudatus est* has a distribution parallel to that of *laudavit*; its exterior syntax, apart from the gender limitation and from factors had in common with *laudatur*, is the same. The empirical test of parallelism in meaning is parallelism in distribution. When parallelisms between the distributions of syntagms cannot be accounted for by parallelisms in the distributions of their parts, it is useless to speculate on how these parts come to have these meanings in combination. There remains only a diachronic explanation: how they *came* to have these meanings.

In the case of *laudatus est* it is easy to think of an explanation (though of course only research could show whether it is the right one). It may be assumed that the earliest use is parallel to that use of a non-periphrastic perfect which would in an *ut*-clause be followed by a present. At this stage, *laudatus est* would have been distributionally parallel to *bonus est*, and the distribution of the parts would indeed account for the distribution of the whole (even when this whole had not been taken account of in formulating the distribution of the parts). But since a normal perfect (e.g. *laudavit*) had also a use whereby it was followed by a non-present *ut*-clause, the periphrastic construction took on this function by analogy. This is a (and was probably the) Junggrammatiker's explanation. No other sort of explanation can be needed.

Psychologically disposed linguists are perpetually asserting that the grammarian has attributed to the linguistic system meanings that are purely contextual. Now the grammarian may indeed do this, but so also may the ordinary speaker (in his capacity of hearer). The mistakes made by grammarians here may also be made by a native listener, and, when they are made, the idiolect of the listener, and perhaps ultimately the code of the community, changes accordingly. This may even be the most common cause (though it is certainly not the only one) of the total asymmetry of morphemic and sememic levels.

An apparent inconsistency has now to be cleared up. It was said above that distribution is the test of meaning; but it was also said that, in so far as the distribution of a unit is fixed, no semantic conclusions can be drawn. From the fact that the plural is used with *six* in English, while the singular is used with *hat* in Hungarian, no conclusions about the meaning of singular and plural in these languages can be drawn (despite J. Lotz [10]); yet if we wish to examine the meanings of these units, we must start from their distribution.

The inconsistency is only apparent. If the meaning of a unit is being studied, one must start with *meaningful* distribution, i.e. *free* (but not *indifferent*) distribution. But free distribution can only be checked statistically. Now so far as free distribution can be statistically checked, it very largely answers to *bound* distribution, so far as the relations between forms are concerned. In other words, if the free distributions of singular and plural are found to be parallel, there is a strong presumption that their bound distributions will and vice-versa. It is therefore legitimate to use bound distribution as presumptive evidence of free distribution. Of course such evidence is very far from constituting proof. It may very well be that a morpheme which is more frequent

[10] *Recherches Structurales* p. 186–7; criticised by the present writer in *Dialogues* 3, p. 127 (Istanbul 1953).

than another of roughly parallel distribution, so far as usage is free, may be of more restricted range in bound distribution.

Since bound distribution entails redundancy, there can be no neutralisation of sememic oppositions. This obvious conclusion has hitherto been avoided by various devices.

(i) Syncretism has been regarded as the equivalent in the content to the neutralisation of phonemic oppositions in the expression (Hjelmslev, Jakobson, Cantineau [11]). Refuted by the present author (*Acta Linguistica* 5) and recently by Pérez (*Word* 9). I understand that P. Diderichsen and E. Fischer-Jörgensen had previously opposed the Hjelmslevian equation verbally in the Copenhagen Circle. The Hjelmslevian notion is that, just as Danish final *p* and *b* do not serve to distinguish content in word-final, Latin nominative and accusative are not distinguished by expression in the neuter.

(ii) A neutralisation of a morphemic opposition is taken as a neutralisation of a sememic opposition. This is slightly more plausible. While most linguists can see that the opposition between nominative and accusative is not as such lost in the Latin neuter (where the morphemes, as opposed to their expressions, can always be distinguished, on the analogy of non-syncretic declensions), far fewer linguists can see that the impossibility of the occurrence of an accusative with *sine* (where no other morpheme than the ablative is permitted) does not constitute a suspension of a distinctive opposition between sememes. But quite simply, when only one morpheme is permissible by syntactic convention, this morpheme is sememically irrelevant. It is not that one sememe is compulsorily selected in preference to another (for compulsory selection entails meaninglessness) nor yet that two sememes are merged and hence cannot be distinguished (for there is nothing to distinguish). There is just a morpheme without corresponding sememe(s).

(iii) As a last desperate effort to save the neutralisation of units of meaning (as opposed to that of units which *may* be meaningful in which case neutralisation signifies that they are *not* meaningful in the given context) it might be said that a meaning may be redundant. There are two " plural meanings " (so the version would run) in *many men*, of which the second confirms (though it cannot add anything to) the first. But this would be a very curious use of *redundancy*. One understands what is meant by the redundancy of a phonetic feature, i.e. that it adds nothing to the meaning. Of course, an otherwise redundant feature may (due to noise in the rendering of an otherwise non-redundant feature) have occasional relevance. But what could be meant by saying that a meaningful unit (let alone a unit of meaning) adds nothing to the meaning of an utterance ?

(iv) Finally there is the view of Sapir recently taken up by Henri Frei,[12] whereby the meanings of morphemes are (so to speak) spread out over several units rather like one of Harris' " long components " in phonemics. This view is perfectly harmless and in its Sapirian form even profitable. Only the comparison with phonemics is invalid. The view is not a compromise with, let alone a confirmation of, the idea of sememic neutralisation.

[11] cf. J. Cantineau, " Les oppositions significatives ", *Cahiers Saussure* 10, pp. 11–40.
[12] cf. H. Frei, " Langue, parole et différenciation ", *Journal de Psychologie* 1952, p. 140 ff.

The neutralisation of morphemic oppositions is often entirely arbitrary, the impossibility of a morpheme's occurrence in a given position being due to historic accidents (semantic or non-semantic) which have no relevance at the language-stage in question.

Very often however the neutralisation may be regarded as the stylisation of a sememic quasi-neutralisation, depending on the fact that either (i) there is seldom occasion to make a distinction which in itself is quite feasible, or (ii) the distinction, when made, almost always falls out in favour of one side of the opposition.

Both cases may be illustrated from gender, so far as this is linked to sex. The sex of many animals is not of interest, hence the choice of gender (so far as it is synchronically motivated) is likely to depend on such factors as the frequency of the different genders in general and the analogy of nouns of similar phonemic structure. The sex of a professor or a dustman is of interest, but since these occupations are almost always performed by males, the noun in question may have no feminine counterpart.

In the second case, the choice of morpheme may fall out in a manner precisely opposed to its normal sememic association. This is most likely when the sememically favoured morpheme is opposed to a morpheme with zero-expression (or, as it would usually better be put, to the absence of morpheme). For instance, the definite morpheme *the* is excluded for the superordinate noun in the English construction *man's wife*, "wife" here necessarily carrying the *definite* sememe. When the indefinite sememe is demanded, another construction is used ("a book of this man's"). Similarly the definite *morpheme* may be excluded in the vocative (e.g. Bulgarian), which is normally associated with a definite *sememe.* Or to return to gender : in Arabic, where only the feminine adjective has a positively expressed morpheme, the adjective for "pregnant" lacks this morpheme, the sememe "feminine" being in the nature of things quasi-obligatory. Far more remarkable is the fact that proper names in Quileute take the indefinite morpheme, which is compositionally marked ; the absence of the definite morpheme in European languages here is only to be expected. (For Quileute one is inclined to suspect the influence of a neighbouring dialect in which the indefinite is compositionally unmarked, and in which the definite *sememe*, as in most languages, had no morphemic representation with proper names except in conditions of semantic stress ("the Vienna of today is not the Vienna of yesterday").

What may be called *quasi-neutralisation* of sememes is very common ; an example is given in the author's article for *Acta Linguistica* 5 (p. 140) ; namely the quasi-neutralisation of the definite and indefinite in the vocative, or similarly with proper names. But it is only the absence of *complete* neutralisation which gives the term sense in such contexts ; there is another possibility, even if this possibility is not often actualised or even must be described as purely latent. Even if a syntactic convention made it "incorrect" to use any proper name with a morpheme expressing the indefinite, such a use would at least be intelligible if occasion arose. (In English, there is no syntactic convention prohibiting an indefinite particle with most proper nouns, but if *a London* is permissible, *a Hague* is hardly so.)

Very different is the case where one does not see what new meaning could be yielded by the commutation. If there is no use for Latin *ab urbem* *, this is not because it would have a meaning which in practice it is never required to convey, but rather because no meaning could be attributed to the combination at all, except as a false version of *ab urbe* (resp. *ad urbem* etc.). There is simply no basis on which any new meaning could be adduced by analogy, and we find what we expect, that when the (in classical Latin) prohibited combination occurs, it is in free variation with (or perhaps replaces) the old one.

Now the most plausible cases of sememic neutralisation belong under both headings. It appears to be a syntactic convention that *can* has no "progressive form" in English, since such a form is lacking with all verbs of the same inflectional class. At the same time no motive for such a form appears to exist : the synonymous *is able* has no counterpart *is being able* *, though no general syntactic convention prohibits such a combination. There is hence, so to speak, a *formal* bar to the creation of a syntagm which already has a *practical* bar.

The formalisation of a practical bar : this is surely very similar to what may be found in the domain of phonemics. There is a practical bar (though far from an absolute one) on the non-automatic simultaneity of post-palatal articulation and nasal aperture, and this is formalised in most phonemic systems by the absence of the class.

It must not be supposed that an utterance can be split up into sememes in the unique manner often possible for morphemes. Just as morphemic analysis is liable to be less determinate than phonemic analysis, so is sememic analysis liable to be more indeterminate than morphemic analysis. Indeed the relative indeterminacy of morphemics (stressed by D. L. Bolinger) is due in large part to its closer connection with sememics. The morpheme represents a sort of timid approach towards the sememe : the object is to set up a unit susceptible of semantic analysis, but in order that the unit may be reasonably determinate, it has been bound down by all sorts of criteria which prevent it from fulfilling this role.

The relative determinacy of the morpheme is a good reason for operating with this unit, but it is a very bad reason for preferring it to less determinate units when these are more directly devised to serve the purpose in hand. To seek a semantic unit within the boundaries of the word simply because these boundaries are clearer than others, is like looking for a lost ball on the lawn simply because the thicket provides poor ground for a search. The sememe may have to be sought on rough ground, and by rough methods ; but it must be looked for where alone it can be found. This may often mean abandoning the lawn of Hjelmslev for the jungle of Jespersen, or the Kindergarten of Roman Jakobson for the beargarden of Leo Spitzer. Any method (however clumsy it may appear) is welcome if it leads us nearer to the object of research.

Throughout this paper we spoke very much as though an utterance could be split up into sememes and morphemes in the same way as it can be split up into phonemes. The reservation has just been made that such analysis may be less determinate. But there is another, quite different, reservation to be made. One is apt, with the glossematists, to think of morphemes or sememes as constituent parts of the utterance, forming a "chain of content" running along parallel to the chain of expression. Such a chain is entirely mythical.

The word *mythical* is used deliberately, since a strong word is needed. It is not enough to speak of abstractions or even of fictions, since such words have also been used in speaking of phonemes. Now it is perfectly true that one cannot point to a given slice of the phonetic continuum and declare that this is such and such a phoneme. One may not even be able to point to a precise feature within the continuum and declare that just this feature represents the phoneme. But it is at least the ideal case that one should be able to do this. With morphemes and sememes it is not even the ideal case. There is no feature in the chain with which they could ideally be identified, nor do they make up separate chains of their own. There is no " amorphous semantic chain " from which sememes may be abstracted, as there *is* an amorphous phonetic chain from which phonemes may be abstracted.

The myth gains what plausibility it has from the assimilation of a natural language to a *code.* In a code, each discrete signans has a discrete signatum ; for instance in the Morse code a certain combination of dots and dashes signifies a certain combination of strokes and points (e.g. the letter *j*). This relation is reversible : one might regard the Morse signals as the meanings of the letters, rather than vice-versa. This would be a natural attitude for the encoder, though a very unnatural one for the decoder (and hence for the average man who is only interested in the results of decoding). Therefore one may easily adopt the image of two chains, the chain of the code and the chain of the decoded message. But this image is totally inadaptable to ordinary language. Here there is nothing whatsover, given in advance, which has to be expressed in code ; and hence there is nothing whatsoever to decode. Despite all this, we have chosen to keep the myth intact. Its explosion could in no way affect the substance of our argument.

34 THE "BROKEN PLURALS" OF TIGRINYA

F. R. Palmer

The paradigms that may be set up for the nominals in Tigrinya [1] in terms of the category of number (established on syntactical and further morphological grounds) consist of two members, conveniently termed " singular " and " plural ". The morphological analysis for the forms placed in this grammatical relationship may, for some of them, be given in terms of " external flection " or " suffixation ", but for many forms, including those in commonest use, the differences of syllabic pattern, and other differences throughout the entire forms, justify the use of the traditional term " broken plural ". It is the purpose of this paper to make a phonological analysis to handle the morphological relation between the broken plurals and the singular forms with which they are grammatically paired.

The traditional treatment of such relations, in terms of internal vocalic change,[2] involves a considerable number of separate, unconnected " morphophonemic " statements. The lack of integration in these statements is a result of a phonological analysis based on the script, which is designed to handle the entire data of the language with a single and limited set of symbols, and does not take into account the special requirements of the grammar. In this paper, instead of a monosystemic phonology of this kind, the approach is essentially " polysystemic ",[3] the phonological statement being made to cover only the data relevant to the present inquiry, and fully conditioned by the grammatical requirements.

It might be objected that this approach is unsound, since the grammatical statements are based upon, and therefore posterior to, the phonological statements. Such a view of the priority of phonology is not here accepted, the levels of analysis being regarded as interdependent.[4] Far from grammar being based on phonology, it is theoretically possible to make a grammatical statement

Reprinted from *Bulletin of the School of Oriental and African Studies* 17 (1955) : 548–66, with the permission of the author and of the editorial board of *Bulletin of the School of Oriental and African Studies*.

[1] My research assistant was Mr. Mesgenna Almedom of Shuma Negus in the Hamasien district of Eritrea, who has spent most of his adult life in Asmara. Research was carried out in 1951–3, both in London and in Eritrea. Other speakers were used, but the linguistic statements are based on his speech.

[2] Cf. W. Leslau, *Documents Tigrigna*, Paris, 1941, pp. 30 ff. The remarks that follow do not, however, apply to Leslau's analysis, which is neither directly based on the script, nor phonemic.

[3] Cf. J. R. Firth, " Sounds and Prosodies ", *TPS*, 1948, p. 151.

[4] Cf. J. R. Firth, " Modes of Meaning ", *Essays and Studies* (*The English Association*), 1951, pp. 118–49, esp. pp. 119–21.

without any reference to phonology at all. This may be illustrated by considering the following examples.[5]

Singular.	*Plural.*	
mɐflɐs	**mɐfaləs**	(" wild pig ")
dɐrho	**dɐrahu**	(" chicken ")

The arrangement of these four forms is based entirely on syntactical and lexical grounds, the lexical grounds involving analysis at the levels of context of situation and collocation, and the syntactical grounds involving concord, notably, but not solely, with the verb. The four forms are related in two directions. First **mɐflɐs** is paired with **mɐfaləs** and **dɐrho** with **dɐrahu,** each pair forming a single lexical entry. Secondly, **mɐflɐs** and **dɐrho** are both singular forms, and **mɐfaləs** and **dɐrahu** both plural forms. If the lexical identification is symbolized as Q and R for each pair, and singularity and plurality as S and T respectively, the following restatement, without loss of grammatical or lexical information, is possible :—

Singular.	*Plural.*	
QS	QT	(" wild pig ")
RS	RT	(" chicken ")

Although Q, R, S, and T are established without reference to a phonological analysis, a set of phonetic exponents can be given for each one of them. These are :—

Q [**m**], [**f**], [**l**], and [**s**].
R [**d**], [**r**], [**h**], and lip rounding and backness of vowel in the final syllable.
S Syllabic pattern two syllables, the first one closed. Vowel qualities (i) half open central, (ii) in the region half close to half open.
T Syllabic pattern three syllables, the first two open. Vowel qualities (i) half open central, (ii) fully open front, (iii) in the region half close to close.

The conclusion to be drawn from this illustration that it is possible to make grammar independent of phonology, is not that phonology is unnecessary, or that it is desirable to make grammatical statements without considering the requirements of phonology, but that a phonological statement made without considering the needs of grammatical analysis, and so obscuring the relationships indicated above, is not conducive to an economic statement of the facts. For instance, an overall analysis, which, like the transcription, recognizes seven vowels in Tigrinya, and then requires a morphophonemic alternation of **ɐ** and **ə** in the first example given above, and of **o** and **u** in the second, is to be avoided.

In order to undertake the phonological analysis it is necessary to assume :—

(1) that the singular and plural forms, identifiable both as word isolates and as elements of larger pieces, can be established ;
(2) that they can be placed in their paradigmatic pairs.

[5] Both the transcription and the translation are provided solely for the identification of the form, for the convenience of the reader, and are no part of the analysis presented here. The transcription does not belong in any way to the phonological analysis. It is based largely on the Ethiopic script used by my assistant. Most of the symbols have roughly the phonetic values indicated in the I.P.A. alphabet, except that **ṭ** is used for [**t'**], **c** for [**ʧ'**], **ş** for [**ts'**], **q** for [**k'**], **j** for [**ʤ**], **y** for [**j**], **ḥ** for [**ħ**], **ʕ** for [**ʔ**], **ɛ** for [**ʕ**], and $\mathbf{k^w}$, $\mathbf{g^w}$, and $\mathbf{q^w}$ for the labiovelars. Separate symbols are not used, as in the script, for the fricative (post-vocalic and non-geminated) **k** and **q**.

The justification for these assumptions is to be found in the analysis at all levels. The justification at levels other than the phonological must be taken for granted; the phonological grounds are, of course, contained in the analysis itself.

The phonological analysis presented here is in terms of structure and system.[6] This involves the setting up of structures consisting of the elements of structure, consonant, and vowel. For some of these elements of structure, systems are to be established, the value of each term in the systems being determined solely by its place within the system. Those elements of structure for which systems are to be established are symbolized C and V. For other elements of structure no systems are to be set up. These elements, whose function is purely structural, are symbolized c and v. For instance, for the singular forms **mɐflɐs** and **bɐrmil** a single structure, CVCCVC, is to be set up. Six systems are required, one for each element of structure, and in five of these systems (all except the second) the consonant or vowel term of **mɐflɐs** is different from that of **bɐrmil**. The structure of the plural form **mɐfaləs** is to be stated as CVCvCVC, no system of terms being set up for the vowel of the second syllable,[7] since the phonetic exponent of this vowel is always of a single quality, open front.

The analysis of the broken plurals of Tigrinya is based almost entirely on the relations between the two types of structure set up for the singular and plural forms and on the vowel systems established within those structures. No detailed reference is made to the consonant systems since the description of the consonants (the " radicals ") is to be placed in the lexical rather than the grammatical statement. It is assumed that analysis at the lexical level has been completed. In the symbolization used here the consonant elements are numbered, the numerals indicating the grammatical identification of the consonant elements of the singular and plural form. Thus the structures of **mɐflɐs** and **mɐfaləs** will be symbolized $C_1VC_2C_3VC_4$ and $C_1VC_2v\,C_3VC_4$. The relative position of these elements is an important feature of the relations between the structures.

Several divisions and sub-divisions of the data are required. The first major division is made in terms of two types of plural form :—

I. Without prefix, the initial consonants of the singular and plural forms being grammatically identified.
II. With prefix, the initial consonant of the singular form being identified with the second consonant of the plural form.

I

The pairs of syllabic structures required for the statement of the systems may be divided into three sets. Typical pairs in each set may be stated as :—

1.	Singular	$C_1VC_2C_3VC_4$	Plural	$C_1VC_2vC_3VC_4$
2.	,,	$C_1VC_2C_3V$	,,	$C_1VC_2vC_3V$
3.	,,	$C_1VC_2VC_3$	,,	$C_1VC_2vCvC_3$

[6] Cf. W. S. Allen, " Retroflexion in Sanskrit ", *BSOAS* xvi, 3, p. 556, n. 2.

[7] Syllabic division is made in terms of syllable types **CV** and **CVC** only, where **C** stands for C and c and **V** for V and v.

Four types of element are to be distinguished. First, there are those consonant elements which are numbered. As stated, no detailed description of these will be given. Secondly, there are those elements symbolized by v, for which no systems are to be set up. The exponent of v in the second syllable of all plural forms is in all cases open front,[8] and the exponent of v in the third syllable of the plural of 3 is half close central. Thirdly, there are the elements symbolized V, and fourthly the consonant element, in the plural form of 3, which is not numbered. It is with the third and fourth types, for both of which systems are to be established, that the analysis here is concerned. In each structure two such systems are required, and these will be referred to simply as the "initial" and the "final" systems. In all cases the initial system is the vowel system of the initial syllable, and the final system is the vowel system of the final syllable, except in the plural of 3, where it is the third consonant system.

In addition to the syllabic structures, two types of consonant articulation are relevant to the statement of the systems. The abstraction of these features and the establishment of different systems in terms of them is not justified on purely phonetic grounds, that is to say, not simply because they permit the handling of what in a phonemic analysis would be regarded as allophonic differences, but because different systems, with different numbers of terms, are required for them. The two types of articulation may be described as "labiovelarity", that is, simultaneous velar closure and lip rounding, and "laryngality", which includes voiced and voiceless pharyngals, glottal stop, and "**h**". The initial and final systems set up in these terms are to be established independently of each other, i.e., in the analysis of a single form, systems that are different in terms of labiovelarity and laryngality may be required initially and finally.[9] The data will, therefore, be redivided (the divisions cut across those of 1, 2, and 3).

A Non-laryngal, non-labiovelar
B Non-laryngal, labiovelar
C Laryngal, non-labiovelar
D Laryngal, labiovelar

There is one feature of the plural forms that must be excluded from this analysis. It concerns the recognition of phonetically different alternative forms of the plural, for which only individual, i.e. lexical, rules can be given. Examples are :—

Singular.	*Plural.*		
kɐnfɐr	**kɐnafər**	**kɐnɐffər**	"lip"
mɐflɐs	**mɐfaləs**		"wild pig"
kɐrmɐd		**kɐrɐmməd**	"kind of tree"

Phonetically the entries in the second and third columns differ in two respects :—

(1) the vowel quality of the second syllable—open and front in the second and half open and central in the third ;

[8] Or half open central in the alternative form—see below.

[9] In a full phonological analysis labiovelar and laryngal consonant systems are required. Labiovelarity and laryngality are then prosodic in that they jointly characterize the consonant systems and the initial or final systems—initial and C_1 or C_2, final and C_3 or (structure 1 only) C_4.

(2) the consonant articulation following this vowel—the greater length or " tenseness " in the examples in the third column are to be regarded as the exponents of " gemination ".

These differences will be ignored in the analysis, not only because no grammatical rules can be given for them, but also because there is no need to set up different systems for structures defined in terms of them. The two terms may be regarded as " prosodically equipollent ". Only in the transcription used for the identification of the examples will any indication of the difference be made.

It is convenient to divide first into A, B, C, and D (in terms of labiovelarity and laryngality), and to consider the structural pairs 1, 2, and 3 under each of these headings.

A. NON-LARYNGAL, NON-LABIOVELAR

For structures 1 and 2 vowel systems alone are involved, and these two structures may be taken together. The analysis of the final systems is the more difficult, and will be taken first. The relevant data are the vowel qualities of the final syllables, and the correspondences of these qualities in the singular and plural forms. They may be set out as follows :—

1. (Singular $C_1VC_2C_3VC_4$. Plural $C_1VC_2vC_3VC_4$)

	Singular.	*Plural.*
(i)	Half close central Half open central Open front	} Half close central
(ii)	Close back	Close back
(iii)	Close front	Close front

2. (Singular $C_1VC_2C_3V$. Plural $C_1VC_2vC_3V$)

	Singular.	*Plural.*
(i)	Close back Half close back Open front	} Close back
(ii)	Close front Half close front	} Close front

e.g.		*Singular.*	*Plural.*		
1	(i)	**qənfəz**	**qɐnafəz**		" porcupine "
		kɐnfɐr	**kɐnafər**	**kɐnɐffər**	" lip "
		fənjal	**fɐnajəl**	**fɐnɐjjəl**	" cup "
	(ii)	**ʈərmuz**	**ʈɐramuz**	**ʈɐrɐmmuz**	" bottle "
	(iii)	**bɐrmil**	**bɐramil**	**bɐrɐmmil**	" barrel "

		Singular.	*Plural.*		
2	(i)	**dəmmu**	**dɐmamu**		" cat "
		məlso	**mɐlasu**		" kind of bread "
		manta	**manatu**	**manɐttu**	" twin "
	(ii)	**sɐldi**	**sɐladi**		" money "
		sərre		**sɐrɐrri**	" trousers "

If the plural forms were treated alone, it would be possible to set up a three-term system for structure 1 and a two-term system for structure 2. For the grammatical statement, however, the relevant features of the vowel qualities of the plural forms are :—

(*a*) they are all close or half close, and differ in being front, back, and central;
(*b*) the front, back, or central quality can be directly related to a set of qualities in the singular form.[10]

Instead, therefore, of setting up two systems for the singular forms and two for the plural (one for each different structure), five systems in all may be set up, each comprehending the vowels of the paired singular and plural forms. The phonetic exponents of the terms within the systems are statable in degrees of openness and closeness, and the systems themselves are characterized phonetically as front, back, and central. The vowel quality of the plural form is in all cases the exponent of the closest term in each system, here symbolized by 3. The other terms will be symbolized, in order of openness, by ʌ and *a*. The five systems may be schematized as (the phonetic exponents are given in brackets) :—

1 (i) Central	1 (ii) Back	1 (iii) Front	2 (i) Back	2 (ii) Front
3 [**ə**]	3 [**u**] [11]	3 [**i**]	3 [**u**]	3 [**i**]
ʌ [**ɐ**]			ʌ [**o**]	ʌ [**e**]
a [**a**]			*a* [**a**]	

The relations between the singular and plural forms may be stated by recognizing, in the singular form, any one of the terms within one of the systems, but in the plural form, only the closest term, (3), in that system. Two points, both concerning the term *a* need explanation, first that [**a**] is the exponent of terms in two different systems, and secondly that, although the phonetic quality of [**a**] is front, it is the exponent of terms in systems that are described as central and back. The first point is explained by the recognition that not only are the structures, within which these two systems are set up, different (the final syllables being closed in 1 and open in 2), but also the grammatical relations differ since in 1 there is a correspondence of [**a**] in the singular with [**ə**] in the plural form, and of [**a**] with [**u**] in 2. It would be wrong, therefore, to treat these terms as phonologically identical, even though their phonetic exponents are exactly the same. The second point raises no more than a problem of terminology, resulting from the traditional phonetic description which classes [**a**] with [**i**] and [**e**] as " front ". The analysis here requires that [**a**] should be associated with [**ə**] and [**ɐ**] in closed syllables, and in open syllables with [**u**] and [**o**]. The use of negative expressions such as " non-back-close, non-front-close " in place of " central " for 1 (i), and of " non-front-close, non-front-half-close " in place of " back " for 2 (i) would overcome the difficulty, but the expressions are so clumsy that it is preferable to retain " central " and " back " with the reservation that they are applicable to systems with one term whose exponent is open front.

[10] Except where the vowel quality in the singular form is open front, but on this see below.
[11] It is necessary to set up here *unitary* systems (of one term—not including zero, which would mean two terms) which are not usually justified, but are required here in view of their exact parallelism with the two- and three-term systems.

The initial systems may be handled in a similar way. For structures 1 and 2 the relevant data may be set out as follows :—

	Singular.	*Plural.*
(i)	Half close central Half open central	} Half open central
(ii)	Open front	Open front

e.g. (All from 1. A similar set from 2 could be given.)

	Singular.	*Plural.*		
(i)	**dəngəl**	**dɐnagəl**	**dɐnɐggəl**	" virgin "
	mɐflɐs	**mɐfaləs**		" wild pig "
(ii)	**wancəl**		**wanɐccəl**	" young baboon "

For these initial syllables it is openness instead of closeness that is the feature of the plural form. Systems may, therefore, be set up with the term whose exponent is that of greater openness recognized as the only term of the plural form. This term will be symbolized by *α*. The other term (there are no three-term systems) will be symbolized by ʌ. In the diagram below the more open terms are placed at the bottom of the column, in order that the arrangement may be congruent with that of the final systems, but it must be remembered that it is the more open term that is the first term in the system. Two systems may be set up :—

(i) Central	(ii) Open
ʌ [**ə**]	
α [**ɐ**]	*α* [**a**]

The description of system (ii) as " open " may appear to raise a difficulty since the terms in system (i) are arranged in degrees of openness, and the use of openness to characterize both a system and terms within a system may appear to lead to confusion. But phonetic features are relative, and openness as an exponent of a term in a system is openness relative to other terms in the system. The full openness that is the exponent of system (ii) is therefore quite different from openness as the exponent of terms within the other system. The problem is again [12] a terminological one, the phonetic description of [**a**] as " open front " being the cause of the difficulty.

There are many syllabic structures, other than those already given (which will now be numbered 1 (*a*) and 2 (*a*)), for which the same systems and sets of relations may be set up. These differ from the others in two ways, either that there is a structural difference in the singular form alone, or that there are parallel differences in both singular and plural forms. In either case the differences are irrelevant for the setting up of the systems.

Thus to the structures under 1 may be added :—

1 (*b*) Singular $C_1VC_2C_3VC_4V$. Plural $C_1VC_2vC_3VC_4$
(*c*) ,, $C_1VC_2C_3VC_4V$. ,, $C_1VC_2vC_3VC_4V$

e.g.

	Singular.	*Plural.*	
1 (*b*)	**dɐbtɐra**	**dɐbatər**	" magician "
(*c*)	**mantile**	**manatile**	" rabbit "

[12] Cf. p. 346. The problem cannot be solved by calling the system " front ", since later in this analysis a front system with [**i**] and [**e**] as the exponents of the terms is required (p. 351).

In both cases a *word* final vowel system can be established, but in neither case is it relevant to the analysis of the initial and final systems. In 1 (*b*) this final V is to be set up for the singular only, while in 1 (*c*) it is to be recognized in both singular and plural, as are the consonant systems. In accordance with the analysis suggested here, the systems to be set up and the terms in those systems are, for the first example initially central and *a*, and finally central and ʌ, and for the second initially open and *a*, and finally back and ɜ.

Forms with even greater differences of syllabic structures may be handled in the same way. In the following example the *word* initial syllable and the *word* final vowel are not included in the analysis of the " initial " and " final " systems (in the sense prescribed here). In the symbolization the elements which, like the numbered consonant elements, are of relevance for structure only, and for which no systems are set up, are shown in brackets.

1 (*d*) Singular $(CV)C_1VC_2C_3VC_4(V)$. Plural $(CV)C_1VC_2vC_3VC_4(V)$

	Singular.	*Plural.*	
	mɐsɐngɐle	**mɐsɐnagəle**	" chest, box "

For this example central systems are to be set up initially and finally, *a* being the term in the initial system and ʌ in the final, in the singular form.

Similarly to the structures under 2 may be added :—

2 (*b*) Singular $C_1VC_2(V)C_3V$. Plural $C_1VC_2vC_3V$

	Singular.	*Plural.*	
e.g.	**wɐʈɐʈo**	**wɐʈaʈu**	" he-goat "
	dəqala	**dɐqalu**	" bastard "

A vowel system could here be set up for the second syllable of the singular forms, but it could not then be related to any feature of the plural form, and is not, therefore, to be handled in the grammatical analysis. In the following structure the entire *word* initial syllables are excluded from the analysis in terms of " initial " and " final ".

2 (*c*) Singular $(CV)C_1VC_2C_3V$. Plural $(CV)C_1VC_2vC_3V$

	Singular.	*Plural.*	
e.g.	**ʈɐbɐnja**	**ʈɐbɐnaju**	" gun "

All the structures treated above contain more elements than those originally considered. The same set of systems, however, can still be set up for a pair of structures, where there are fewer elements in the singular. In the following structures a single consonant element in the singular is to be related to two such elements in the plural.

2 (*d*) Singular C_1VC_2V. Plural $C_1VC_2vC_2V$

	Singular.	*Plural.*	
e.g.	**cəru**	**cɐraru**	" bird "
	səwa	**sɐwawu**	" beer "

The analysis in terms of systems is exactly as before.

The analysis of structures type 3 must be quite different from that of 1 and 2, since it involves relations between consonant and vowel elements, and cannot be dealt with entirely in terms of vowel systems. The pair of structures illustrated earlier is, in fact, the only one :—

3 Singular $C_1VC_2VC_3$. Plural $C_1VC_2vCvC_3$

For the final systems it is necessary to set up a relation between a vowel system of four terms in the singular form (exponents [**i**], [**e**], [**u**], and [**o**]),[13] and a consonant system, established in third consonantal position in the plural, of two terms (exponents labiovelar semi-vowel and palatal semi-vowel). No system is to be set up for the vowels of the final syllable of the plural forms.

It is not possible to establish systems to comprehend the relevant features of both singular and plural forms, since consonant and vowel terms are not to be placed in the same system. It is, however, possible to set up two vowel systems characterized as back and front, relatable to consonant elements which may equally be characterized as back and front.

The back vowel system (required for the singular structure) is of three terms, here symbolized by ɜ, ʌ, and *α*. The exponent of the relevant consonant element in the plural structure is a labiovelar semi-vowel.

e.g.		*Singular.*	*Plural.*		
	ɜ	**nəgus**	**nɐgawəs**	**nɐgɐwwəs**	" king "
	ʌ	**ʕəton**	**ʕatawən**		" oven "
	α	**kədan**	**kədawənti** [14]		" clothes "

The front vowel system has one term only. The exponent of the consonant element is a palatal semi-vowel.

e.g.	*Singular.*	*Plural.*	
	mɐdid	**mɐdayəd**	" grindstone "

In these examples the relation between the relevant elements of the singular and plural structures may be described either as " back-back " or as " front-front ". Quite commonly a " front-back " relation is also to be recognized. In the following examples the front vowel quality of the final syllable of the singular forms is to be regarded as the exponent of a term in a front system, whereas the labiovelar semi-vowel articulation in the plural form is to be treated as the exponent of a back consonant element. It is to be noted that although examples of this front-back relation are not rare,[15] in no case is the reverse (back-front) to be recognized.

Singular.	*Plural.*		
qɐmiʃ	**qɐmawəʃ**		" shirt "
ḫaric		**ḫarɐwwəc**	" flour "

[13] If the singular structure CVCVC were considered alone a seven-term system could be set up for the V of the second syllable. Where, however, central vowels [**ə**] and [**ɐ**] are the exponents of the terms the related plural form is cvCCVC ; this is dealt with in part II. Where [**e**] is the exponent, there is no corresponding broken plural.

[14] There are several plural forms of structure 1 with the suffix **-ti** which is there to be treated as a lexical feature. For its *grammatical* relevance here, however, see p. 350.

[15] There is a single example of such a relation for structure 2 : *Singular* **mɐgʷdi** *Plural* **mɐgʷadu** " lid ", where the relevant vowel quality of the singular is the exponent of a term in a front system, and the quality of the plural is the exponent of a term in a back system.

For the initial systems the analysis is largely as for 1 and 2.

e.g.		*Singular.*	*Plural.*	
(i) (Central)	ʌ	**nəgus**	**nɐgawəs nɐgɐwwəs**	" king "
	a	**mɐdid**	**mɐdayəd**	" grindstone "
(ii) (Open)	*a*	**saʂun**	**saʂawən**	" box "

For one set of forms this analysis of the initial systems cannot be employed since the vowel quality of the plural form is close, instead of half open.

e.g.	*Singular.*	*Plural.*	
	kədan	**kədawənti**	" clothes "
	məsar	**məsawərti**	" axe "

For a single example the relevant vowel quality is not only close, but also back and rounded, in both singular and plural forms :—

Singular.	*Plural.*	
ruʃan	**ruʃawənti**	" storied building "

It would be possible to treat the vowel qualities of the first two examples as exponents of the closer term in the initial central system, and to set up, for the last example, an initial back system. But it would then be necessary to point the anomaly that closeness, and not openness, is the feature of the plural. It is simpler not to handle these initial syllables in terms of the initial systems at all but, instead, to recognize vocalic elements that are the same in both singular and plural. There is no need to list these examples as " exceptions " since they belong to an easily identifiable class. In addition to the close quality of the vowel of the initial syllable of the plural form, they are characterized by

(*a*) close or half close vowel quality in the initial syllable of all the singular forms,
(*b*) fully open front quality in the second syllable of all the singular forms,
(*c*) the suffix **-ti** in all the plural forms.

Finally there are some forms whose structures differ from those of 3, but whose analysis involves consonant-vowel relations, but in the reverse order, the relevant element being consonant in the singular and vowel in the plural. The exponents of the consonant elements are again the two types of semi-vowel, but the exponents of the vowel element are always back and rounded.

Singular $C_1VC_2C_3VCV$ or $C_1VC_2VC_3CV$. Plural $C_1VC_2vC_3V$

e.g.	*Singular.*	*Plural.*	
	ʕancəwa	**ʕanaʂu**	" mouse "
	ʂənʂəya	**ʂɐnaʂu**	" fly "
	wɐkarya	**wɐkaru**	" jackal "

The relations may again be stated as back-back (the first example only) and front-back, but there is no example of front-front. Although the consonant-vowel relation is in the reverse order from that of 3, still no back-front relation is to be recognized. It is interesting to note that although the first example is described as back-back, the exponent of the term of C_3 is, in the singular a palatal, and in the plural an alveolar, ejective affricate. If palatal articulation were treated as the exponent of a front system of consonant terms,[16] in this example also it would be possible to recognize frontness in the singular and non-frontness, if not backness, in the plural forms.

B. NON-LARYNGAL, LABIOVELAR

The analysis of the non-laryngal, labiovelar systems follows closely that of A. The systems are similar to those of A, though with different exponents for the terms, except that a single three-term final system is set up to correspond to the back and central systems of A.[17]

The final systems required are :—

1 (i) (Back-central)	2 (i) (Back)	2 (ii) (Front)
ɜ [**u**]	(ɜ) [**u**] [18]	(ɜ) [**i**]
ʌ [**o**]	ʌ [**o**]	ʌ [**e**]
α [**a**]	*α* [**a**]	

The grammatical relations are stated by the recognition of ɜ as the only vowel term of the plural form. The following examples are all taken from structures 1 (*a*) and 2 (*a*) with the exception of the last one (structure 2 (*d*)), which is the only example for the front system.

		Singular.	*Plural.*	
1	ɜ	**mɐnkʷəb**	**mɐnakʷəb mɐnɐkkʷəb**	" shoulder "
	ʌ	**ɧangʷɐl**	**ɧanagʷəl**	" brain "
	α	**dəkkʷan**	**dɐkʷakʷən dɐkʷɐkkʷən**	" shop "
2 (i)	ʌ	**gʷɐggo**	**gʷɐgʷagu**	" kind of bread "
	α	**dəkkʷa**	**dɐkʷaku**	" stool "
(ii)	ʌ	**ɧəqʷe**	**ɧaqʷaqʷi**	" back "

For the initials two systems, as in A, are required, though the exponents of the terms in the first system are all back quality vowels.

(i) (Central) [19]	(ii) (Open)
ʌ [**u**]	
α [**o**]	*α* [**a**]

e.g. (All from structures 2 (*a*).)

		Singular.	*Plural.*	
(i)	ʌ	**dəkkʷa**	**dɐkʷaku**	" stool "
	α	**tɐkʷla**	**tɐkʷalu**	" wolf "
(ii)	*α*	**kʷatra**	**kʷataru**	" pigeon "

No labiovelar systems are to be set up for structures 3.

[16] Cf. p. 357.

[17] The fact that no front system is set up should not be regarded as important. Such a system would be required for singular forms not paired with broken plurals. System 1 (i) below might, on phonetic grounds, be labelled " back ", but since it is a three-term system with [**a**] as the exponent of the third term, it patterns with the central rather than the back system of A. In fact integration of the systems of A and B can be achieved by considering that the central and back systems of A are paralleled by a single system in B.

[18] The round brackets indicate that the term is to be set up only by reference to the plural form.

[19] Phonetically describable as " back " this system is labelled " central " since it patterns with the central system of A. Cf. n. 17.

C. LARYNGAL, NON-LABIOVELAR

The laryngal systems differ from those of A in two respects. First, the final central system of 1 is of two terms, instead of three. Secondly, a single system of two terms corresponds to the initial central and open systems of A. In addition, a single example justifies the setting up of a front initial system. There are no examples for such a system in A or B.

The final systems required are :—

1 (i) (Central)	1 (ii) (Back)	1 (iii) (Front)	2 (i) (Back)	2 (ii) (Front)
ɜ [**ə**]	ɜ [**u**]	ɜ [**i**]	(ɜ) [**u**]	ɜ [**i**]
ʌ [**a**]			ʌ [**o**]	
			α [**a**]	

ɜ is, as in A, to be recognized as the only vowel term of the plural.

e.g. (All taken from structures 1 (*a*) and 2 (*a*) for simplicity.)

			Singular.	*Plural.*	
1	(i)	ɜ	**mɐftəḫ**	**mɐfatəḫ**	" key "
		ʌ	**mɐţḫan**	**mɐţaḫən**	" mill-stone "
	(ii)	ɜ	**sanbuʕ**	**sanabuʕ**	" lung "
	(iii)	ɜ	**ʕawliɛ**	**ʕawaliɛ**	" olive "
			Singular.	*Plural.*	
2	(i)	ʌ	**dɐrho**	**dɐrahu**	" chicken "
		α	**qʷɐlɛa**	**qʷɐlaɛu**	" child "
	(ii)	ɜ	**ʕarḫi**	**ʕaraḫu** [20]	" calf "

The initial systems include, as already stated, a front system based on a single example. This is important, since it is wholly congruent with the rest of the analysis. The exponent of the more open term in this front system is half close front, which again emphasizes the point that, in Tigrinya, [**a**] is never to be treated as the exponent of a term in a front system.[21]

The systems to be set up are :—

(i) (Central-Open)	(ii) (Front)
ʌ [**ə**]	ʌ [**i**]
α [**a**]	(*α*) [**e**]

As elsewhere *α* is to be recognized as the term of the plural.

e.g. (All from structures 2 (*a*).)

		Singular.	*Plural.*	
(i)	ʌ	**ɛətro**	**ɛataru**	" water-jar "
	α	**maʕdo**	**mɐʕadu**	" brush "
(ii)	ʌ	**ɛillu**	**ɛelalu**	" foal "

The analysis of structures 3 is as under A. Two examples only, one illustrating the front-front relation and the other the back-back, were noted :—

Singular.	*Plural.*	
wəḫij	**wɐḫayəj**	" stream "
dəɛul	**dɐɛawəl**	" ram "

[20] With front-back relation, cf. p. 557.

[21] Cf. pp. 346–47 and note 12.

For three examples, while the singular form is of structure 2, the plural form is that of 3 :—

Singular $C_1VC_2C_3V$. Plural $C_1VC_2vCvC_3$

Singular.	*Plural.*	
dɐrho	**dɐrawəh** [22]	" chicken "
qʷɐlɛa	**qʷɐlawəɛ**	" child "
sɐsɧa	**sɐsawəɧ**	" deer "

For these a back vowel system, as in the analysis of 2, is to be set up, but related to a back consonant element as in 3.

There are two examples which resemble those mentioned under A 3 in which the vowel quality of the initial syllable of the plural form was close or half close.[23] These two examples, while having all the other features of those in A 3, differ in the essential feature, that the vowel quality of the initial syllable in both singular and plural is fully open. Unlike the examples of A 3, they do not, therefore, require separate treatment.

Singular.	*Plural.*	
ɛarat	**ɛarawətti**	" bed "
ɧamat	**ɧamawətti**	" mother-in-law "

D. LARYNGAL, LABIOVELAR

For structures 1 and 2 there is only one example which may be characterized as initially laryngal and labiovelar, and none that may be so characterized finally. On the basis of the analysis of A, B, and C, it would be reasonable to recognize here the more open term in a system.

Singular.	*Plural.*	
ʕagʷdo	**ʕagʷadu**	" round hut "

For structures 3, three examples permit the establishment of a final system with two terms :—

ɜ [**u**]
ʌ [**a**]

	Singular.	*Plural.*	
ɜ	**mɐgʷəʕ**	**mɐgʷawəʕ**	" mortar "
ɜ	**mɐqʷəɧ**	**mɐqʷawəɧ**	" handcuffs "
ʌ	**qʷɐqʷaɧ**	**qʷɐqʷawəɧ**	" francolin "

II

The second part of this paper deals with plurals with prefix (phonetic exponent, glottal stop and open front vowel).

Three types of syllable structure are required for the singular forms :—

(1) CVCCv (Example **bərki** " knee ")
(2) CVCVC (Example **fɐrɐs** " horse ")
(3) CVC (Example **bet** " house ")

[22] For different plural forms of the first two examples see above.
[23] p. 349.

If these forms were considered without reference to the corresponding plural forms, two-term vowel systems phonetically describable as " central " could be set up for the initial syllable of 1 and for both syllables of 2,[24] and a seven-term vowel system for 3. No system is to be established for the final vowel of 1. The phonetic exponent of this vowel is front close only. In isolation, examples of structure 1 have no exponents to distinguish them from examples of I 2 such as **ʕarhi** and **sɐldi.** In addition, however, to the grammatical difference illustrated by the different analysis given in this paper, it is essential to recognize a phonological difference, that is indicated by the forms with possessive suffixes, e.g. :—

ʕadgi (II)	**ʕarḫi** (I 2)	" donkey/calf "
ʕadgəka	**ʕarḫika**	" your donkey/calf "
ʕadgu	**ʕarḫiyu**	" his donkey/calf "

The final vowel of 1 is, then, to be regarded as a structural element only.

Three types of syllable structure are required for the plural forms too :—

(1) cvCCVC (Examples **ʕafras** " horses ", **ʕaɛruk** " friends ")
(2) cvCCvCcv (Example **ʕatkəlti** " plants ")
(3) cvCvCvC (Example **ʕafatəl** " threads ")

Except for the consonant systems, which are not given in detail here, only one system is to be set up, a two-term vowel system in 1, with front open and back close as the exponents of the terms. The exponents of the remaining elements are as follows :—

Initial cv of all structures—glottal stop and open front
Second v of 2—half close central
Final cv of 2—voiceless dental stop and front close
Second v of 3—open front
Third v of 3—half close central.

In this part of the paper labiovelarity need not be considered relevant to the analysis. This does not mean that it is ignored, but the same pattern of relations would be required for those examples which could be characterized as labiovelar as for those which could not, and that, therefore, labiovelarity will be assigned to the description of the phonetic exponents, and not to the phonological and grammatical analysis. Laryngality, on the other hand, is relevant to the establishment of the relations for one part of the analysis (section 1 below).

It is convenient to divide the analysis into three parts, numbered in accordance with the numbering of the structures of the singular forms.

1. Although two-term vowel systems could be set up for the singular structure CVCCv and the plural structure cvCCVC, this would involve the establishment of relations between terms in systems on the one hand, and structures on the other. To avoid this, it is convenient to recognize as structurally different CvCCv ([ə]) and CvCCv ([ɐ]), and cvCCvC ([u]) and

[24] See p. 349, n. 13.

cvCCvC ([**a**]), where the bracketed symbols indicate the exponents of the relevant vowels.[25]

For forms which are wholly non-laryngal three pairs of related structures may be established :—

(i) Singular $C_1vC_2C_3v$ ([ə]). Plural $cvC_1C_2vC_3$ ([**a**])
(ii) ,, $C_1vC_2C_3v$ ([ɐ]). ,, $cvC_1vC_2vC_3$
(iii) ,, $C_1vC_2C_3v$ ([ɐ]). ,, $cvC_1C_2vC_3cv$

e.g.

	Singular.	*Plural.*	
(i)	**bərki**	**ʕabrak**	"knee"
(ii)	**bɐtri**	**ʕabatər**	"stick"
(iii)	**tɐkli**	**ʕatkəlti**	"plant"

Some similar pairs of structures may be set up for laryngal forms with the proviso that the exponents of elements within the same syllable in the plural form are never *both* laryngal articulation *and* open vowel quality, except in the initial syllable. This means that, where laryngal articulation is an exponent of C_1, pattern (ii) is not to be established, and where it is the exponent of C_2 or C_3, pattern (i) is not set up. In each case, however, an additional pattern is to be recognized :—

Laryngal C_1 : Singular $C_1vC_2C_3v$ ([ɐ]). Plural $cvC_1C_2vC_3$ ([**u**])
Laryngal C_2 or C_3 : Singular $C_1vC_2C_3v$ ([ə]). Plural $cvC_1vC_2vC_3$

Examples of the patterns (i), (ii), and (iii), where they apply, and the additional patterns (marked with an asterisk) are :—

Laryngal C_1

	Singular.	*Plural.*	
(i)	**ʕəgri**	**ʕaʕgar**	"foot"
*	**ɛarki**	**ʕaɛruk**	"friend"
(iii)	**ḫamli**	**ʕaḫməlti**	"vegetable"

Laryngal C_2 or C_3

*	**zəbʕi**	**ʕazabəʕ**	"hyena"
*	**nəhbi**	**ʕanahəb**	"bee"
(ii)	**saʕni**	**ʕasaʕən**	"sandal"
(ii)	**wɐrḫi**	**ʕawarəḫ**	"month"
(iii)	**zɐrʕi**	**ʕazrəʕti**	"seed"

2. The only pattern to be set up is :—

Singular $C_1VC_2VC_3$. Plural $cvC_1C_2vC_3$ ([**a**])

e.g.

Singular.	*Plural.*	
fɐrɐs	**ʕafras**	"horse"
həbɐy	**ʕahbay**	"baboon"
ḫasər	**ʕaḫsar**	"straw"

3. One plural structure only is to be paired with the singular structure CVC, but the consonant elements are to be related in two different ways :—

(*a*) Singular C_1VC_2. Plural cvC_1CvC_2 ([**a**])
(*b*) Singular C_1VC_2. Plural cvC_1C_2vC ([**a**])

[25] The same symbols will be used even for the very different qualities in syllables with labio-velar or laryngal articulation. For the latter even the transcription uses **a** instead of **ɐ**, but this will be ignored in the analysis and one set of symbols used.

For many examples the analysis is similar to that of I 3. A back and a front system of vowels for the singular forms and a back and a front consonant element for the plural forms may be set up.

A back vowel system of two terms з and ʌ (exponents [**u**] and [**o**]), and a back consonant element (exponent labiovelar semi-vowel) are required for the following examples. Both are of pattern (*a*).

	Singular.	*Plural.*	
з	**ɛuf**	**ʕaɛwaf**	" bird "
ʌ	**ʕom**	**ʕaʕwam**	" tree "

A front vowel system of two terms (exponents [**i**] and [**e**]) may similarly be set up. In the first example below, which is of pattern (*b*), the exponent of the consonant element is a labiovelar semi-vowel, so that a front-back relation must again be recognized. In the second, which is of pattern (*a*), the exponent of the consonantal element is a palatal semi-vowel, so that the relation is front-front.

Singular.	*Plural.*	
ʕid	**ʕaʕdaw**	" hand "
bet	**ʕabyat**	" house "

For all other forms of pattern (*b*) the exponent of the final consonant element is a voiceless dental stop.

e.g.	*Singular.*	*Plural.*	
	ʈub	**ʕaʈbat**	" breast "
	ʃəm	**ʕaʃmat**	" name "

The treatment of pattern 1 in terms of laryngality is not applicable to patterns 2 and 3 only because, for 2 and 3, there are no examples of laryngal C_2 or C_3, though there are many examples of laryngal C_1. The plural structure of 2 and 3 is cvCCvC ([**a**]) only, and in accordance with the statement concerning laryngality, such a structure may be established for laryngal C_1 but not for laryngal C_2 or C_3. It is interesting to add that, for many speakers, where laryngal articulation is an exponent of C_1, the exponents of the prefix are palatal semi-vowel and half close central vowel, instead of glottal stop and open front. Thus, for these, the exponents of elements in the same syllable are never both laryngality and open front vowel quality, even in the word initial syllable,[26] except where the laryngality is solely that of the glottal stop of the prefix.

e.g.	*Singular.*	*Plural.*	
1.	**ʕəgri**	**yəʕgar**	" foot "
	ħamli	**yəħməlti**	" vegetable "
	ɛarki	**yəɛruk**	" friend "
2.	**həbɐy**	**yəhbay**	" baboon "
3.	**ɛuf**	**yəɛwaf**	" bird "

There are many forms which are not accounted for in either part of this paper, but for most of these some integration with the analysis presented is possible. For most of them it is necessary to set up unique patterns of the

[26] Cf. p. 355.

singular and plural structures, but then to handle them in terms of the systems of this analysis. Thus the following examples may all be analysed in terms of the systems of I 2 (in all three the systems are the vowel systems of the word initial and word final systems), all the other elements being regarded solely as structural features that are common to both singular and plural.

Singular.	*Plural.*	
nəʕəʃto	**nɐʕaʃtu**	" small "
ʕarɧədo	**ʕarɧadu**	" young she-goat "
baldɐng^{w}a	**baladɐngu**	" bean "

In the next two examples a single consonant element in the singular corresponds to two in the plural, as in I 2 (*d*). The first example will otherwise conform to the analysis of I 1, and the second is a further illustration of vowel-consonant relations (back-back) as in I 1 and II 3.

Singular.	*Plural.*	
k^{w}əlit	**k^{w}ɐlalit k^{w}ɐlɐllit**	" kidney "
sur	**sɐrawər sɐrɐwwər**	" root "

For others it would be convenient to handle the consonants as well as the vowels in front and back (or non-front) systems. It was suggested earlier that palatal articulation might be treated as the exponent of a term in a front system.[27] For the analysis of the following examples palato-alveolar friction is to be classed with palatal semi-vowel as the exponent of a front term, and alveolar friction with labiovelar semi-vowel as " non-front ".

	Singular.	*Plural.*	
(i)	**gaʃʃa**	**ʕagayəʃ**	" guest "
(ii)	**kəʃʃa**	**ʕakyaʃ**	" sack "
(iii)	**ɛaʃʃa**	**ɛayasu**	" foolish "
(iv)	**qɐʃʃi**	**qɐsawəsti**	" priest "

In the singular forms two front elements[28] (exponent of both, voiceless palato-alveolar friction) are to be recognized. In the plural similarly two elements are to be recognized, one of them with a semi-vowel as its exponent. The relation of the two pairs of consonant elements in terms of back and front may then be stated as :—

	Singular.	*Plural.*
(i)	Front and front	Front and front
(ii)	Front and front	Front and front
(iii)	Front and front	Front and non-front
(iv)	Front and front	Non-front and non-front

The structural patterns of (i), (ii), and (iv) are unique, but that of (iii) is the pattern set up in I 2.

The important features of the analysis presented here are

(1) that it is based solely upon the data relevant to the problem, an overall phonological analysis being explicitly rejected ;

[27] pp. 350–51.

[28] I do not regard these as examples of " gemination ", but of a cluster of two consonant elements.

(2) that it is both phonological and grammatical, and the phonology is not set out without reference to the grammatical requirements ;

(3) that it is in terms of structures and systems, which entails the recognition of consonant and vowel elements, and, where appropriate, the establishment of closed systems of consonant and vowel terms.

It is not claimed that the analysis leads to a simple statement. It is claimed that, instead of a set of unrelated statements, a single set of relations for part I and a limited number of such sets for part II have been established. Above all an attempt has been made to produce a statement that is appropriate to the complex but systemic patterns of the broken plurals of Tigrinya.[29]

[29] Cf. J. R. Firth, " Sounds and Prosodies ", *TPS*, 1948, p. 151 : " The suggested approach will not make phonological problems appear easier or oversimplify them. It will make the highly complex patterns of language clearer both in descriptive and historical linguistics ".

35 THE GRAPHEME

C. E. Bazell

A graphemics parallel in every way to phonemics is rendered infeasible by several familiar considerations, such as (i) the partial dependence of graphies on phonemic form, (ii) the fact that graphic systems are of many different kinds, while all phonemic systems are of essentially the same kind, (iii) the relative artificiality of graphic systems.

One consequence of the first consideration is that the term *allograph* is ambiguous. According to one linguist,[1] " the graphic shape of an allograph is dependent on its graphic surroundings ". On the other hand according to the authors[2] of a recent study of Old English graphies in relation to phonemics, two graphs are allographs of the same grapheme if they represent the same phoneme, whether or not they stand in relations of complementary distribution, as they confess that the two " allographs " with which they are concerned do not (despite a general tendency in this direction). Presumably also for them, graphic resemblance would not count as a criterion ; for instance the two forms of Greek sigma would be regarded as allographs whether or not one held there to be some similarity.

The first use of *allograph* is parallel to the use of *allophone*, while the second is more nearly parallel to the use of *allomorph*. Indeed it would be exactly parallel if (i) the identification of allomorphs is held to be a semantic rather than a purely distributional procedure, and (ii) phonemics is regarded as the " semantics " of graphemics. But this of course will not do. There is nothing for which morphemes " stand " in the way that letters stand for sounds, as morphemes are normally used. (There is indeed a set of morphemes which are exceptional in normally " standing for " something : namely the names of letters, which may stand either for letters or for sounds, and as abbreviations also for words. But such morphemes are semantically marginal.)

But the same consideration has also another consequence. We should not be interested, for its own sake, in the distribution of phonemes if this were normally dependent on written language : for then it would suffice to study the distribution of graphs and to record that oral speech followed the same pattern. This would answer to the method of excluding from the normal material for phonemic

Reprinted from *Litera* (Istanbul) 3 (1956) : 43–46, with the permission of the author.

[1] Ernst Pulgram, " Phoneme and Grapheme : a Parallel ", *Word* 7, 15.

[2] R. S. Stockwell and C. W. Barritt, *Some Old English Graphemic-Phonemic Correspondences* (Washington 1951).

analysis that part of the vocabulary which is notoriously under graphic influence, e.g. proper names and especially surnames. Even linguists who would include these as ordinary material through a reluctance to leaving any part of the investigated utterances out, would draw the line at *foreign* proper names. It is true that the objection would be based not on graphic motivation but rather on derivation from a different language-system. But this objection would then remain invalid if the pronunciation of the foreign proper names was based on the spelling of these names and not on their phonemic form in the other system. Actually the objection to taking in foreign material and the objection to taking in graphically motivated material, despite the fact that some linguists might allow the former without allowing the latter, have one and the same source. All *exterior* influence disqualifies, to some extent, the status of a unit—whether this is the influence of another language system, or the influence of another level within the same language. (What is called the " artificiality " of graphic systems may be treated as another form of " exterior influence "—it is difficult to take too seriously a convention which is subject to the whims of a minister of education or a rich spelling-reformer. Phonemics is a subject apart by virtue of the fact that the opportunities for interference are far more restricted.)

Hence *in so far as* spelling is influenced by its representative function, it is not a matter of " graphemics " at all. A pure graphemics would study the conventional relations between graphies ; e.g. the relation of *q* and *u* in English such that the former is invariably followed by the latter. Whereas the fact that *p* never follows *f* would have no graphemic interest ; it would be parallel to the fact that the morpheme " snow " never follows the morpheme " green ", which is not due to a distributional convention but rather to the fact that there is no occasion for the sequence. In either case, if occasion arose, the sequence would be used. (Experiments could readily be devised to call forth the sequence, without interfering with linguistic conventions.)

Up to the present point we have spoken as though the nearest equivalent on the graphic level to the phoneme is the letter. All writers on the subject seem to have assumed this. Yet once the question is raised, the assumption is easily seen to be wrong.

By definition the phoneme cannot contain smaller distinctive features unless these are simultaneous. The corresponding graphic unit should equally have no smaller features except such as are spatially superimposed. But letters are normally distinguished from each other by features (dots, curves etc.) located in different positions, these positions themselves being relevant (e.g. b/d). Hence it is, for instance, the bar and loop of *b* and *d*, not these whole letters, that answer to phonemes. (In *b* and *p* the vertical dimension is used ; instinctively one feels that there is something like " simultaneity " here ; but the instinct derives of course just from the fact that the linear sequence of letters is horizontal. A Chinaman might have the opposite " instinct ".)

An equivalent to the simultaneous features of the phoneme is rare on the graphic level, but not impossible. The best example is probably the distinction of *thin* and *thick* in the Pitman shorthand system. It matters little that this system is " artificial ", since this is a general property of graphs as opposed to phones. But if one asks for an example from a " natural " language, the distinction of small and capital letters will serve. The only reason for not putting it first, is that it bears some resemblance to the phonemic feature of " prominence ", which is regarded as prosodic rather than inherent.

Hence what one is at first sight inclined to look on as a " feature " turns out to be the equivalent (very roughly) of the phoneme. And the letter, which one took to be the equivalent (very roughly) of the phoneme, turns out to be more similar—to the morpheme. This conclusion was vaguely anticipated above, and will be returned to immediately. But it may be added that the graphic *word* also has similarities to the spoken *sentence* (spacing resp. pause). In other words the graphic categories, as compared with the phonic categories are shifted each time one unit along the hierarchy. It was a mistake to suppose that they occupied the same position in the hierarchy as the units they stand for.

The letter, we have said, answers to the morpheme; it is the " minimal meaningful unit " in the graphic form, though its meaning consists in its rendering of phonemes, immediately, not in its share in expressing ordinary linguistic meaning, which it does via the in themselves meaningless phonemes. Of course in traditional writing-systems individual letters do not always represent phonemes ; but then, neither do individual morphemes always have a meaning. It is merely a general characteristic that they should have. Just as no " phonemic meaning " can be attributed to the individual letters *e* and *a* in English *read*, so also no meaning can be attributed to the individual morphemes in fossilised groups. (True, one might refuse to analyse the group into morphemes when one cannot attribute meanings to them individually ; but a parallel example in which two ostensive letters are taken to be a single letter is given below.)

At the same time it must be stressed that graphemics is not important in the *same* way as phonemics.

The important questions in matters of graphy are historical, practical or aesthetic, not questions of synchronic analysis. It is to be hoped that nobody will ever write a paper on " One Grapheme or Two ? ", for the answer in each individual case is within wide limits up to the printing-house or the private writer. (Compilers of Czech dictionaries [3] choose to treat *ch* as a single letter, and since a dictionary is also a text, in some sense they thereby *make* it a single letter.) At the same time the second consideration leaves open the possibility that a graphematic analysis might be far more serious a task for one system than for another.

The renewed interest in the graphic side of language is in itself welcome. But the idea should not be encouraged that we have just another " substance " of language, which should be submitted to the same processes of analysis [4] as the " phonic substance ". And if the methods of phonemics cannot simply be transferred to the graphic level, the notion, prevalent in some circles, that they will finally be transferable to non-linguistic planes of culture (e.g. that social events will be sliced up into their component " behaviouremes " by application of the principles of intrinsic similarity and complementary distribution) should be recognised for what it is.

[3] It might be objected that a dictionary is a meta-text rather than a normal text. But this is its function only in relation to semantics ; obviously it could not be used along with normal texts in a semantic study ; but since it is not in any sense *about* graphemes, the graphic conventions it uses belong with other graphic conventions.

[4] Hjelmslev's ideas on the subject have been put into practice by H. Spang-Hanssen in a study for the Copenhagen Circle.

36 LA POSITION LINGUISTIQUE DU NOM PROPRE

Jerzy Kuryłowicz

On s'est toujours rendu compte du fait que tant dans la lexicologie que dans la grammaire, les noms propres semblent jouer un rôle plutôt marginal. On se propose ici d'analyser leur position dans le système de la langue, en insistant sur les critères formels qui conjointement avec leur valeur sémantique spéciale, de tout temps reconnue, leur assignent une place à part parmi les autres catégories nominales.

Tout nom commun (appellatif) a un contenu et une zone d'emploi étant en raison inverse du contenu : plus riche le contenu sémantique et plus restreint l'emploi d'un mot donné. Ainsi le terme *lévrier* comporte un contenu plus spécial et détaillé que le terme *chien*, mais la sphère d'emploi du dernier déborde celle de *lévrier*. Le rapport intrinsèque entre le contenu et l'étendue d'un concept intéresse surtout le logicien. Mais le linguiste, quand il parle des fonctions sémantiques du mot, recourt au fond aux mêmes notions. En vertu de son contenu, l'appellatif possède une signification, tandis que les objets qu'il est apte à désigner, constituent la sphère de son emploi.

Si parmi les substantifs les noms concrets représentent la catégorie sémantique centrale, c'est justement grâce au fait qu'ils jouissent de la double faculté de *signifier* et de *désigner*. Ils ont un contenu sémantique définissable et ils sont en même temps applicables à des objets réels. Ils ont une structure sémantique pleinement développée.

Mais dans la langue il existe toujours, à côté de structures pleines, d'autres qui sont défectives. Il y a des substantifs qui manquent soit de contenu soit de zone d'emploi. Le premier cas est celui des pronoms, p. ex. le démonstratif *celui-ci*, applicable à n'importe quel objet et limité par le seul critère de genre grammatical. De l'autre côté c'est justement *l'applicabilité* qui est réduite au minimum dans le nom propre. En effet, les noms comme *Cervantes*, *Napoléon*, *Mont-Blanc*, représentent, par opposition à *loup*, *arbre*, ou *ville*, des " classes à un seul individu ". Les cas extrêmes du pronom et du nom propre confirment la règle du rapport logique entre le contenu et l'étendue. Le contenu sémantique du pronom *celui-ci*, étant commun à tous les substantifs (de genre masculin), est infiniment pauvre : il ne connote aucune qualité en dehors de

Reprinted from *Esquisses linguistiques*, pp. 182–92 (Wroclaw-Krakow : Wydawnictwo Polskiej Akademii Nauk, 1960), with the permission of the author.

celle d'être un objet. Un nom propre comme *Cervantes* a, au contraire, un contenu infiniment riche, de sorte qu'attaché à un seul individu il n'est pas en principe transmissible. Au lieu de simplement désigner, comme fait le nom commun, il *nomme*.

Les logiciens sont tentés de considérer les substantifs abstraits comme des noms ayant une zone d'applicabilité *zéro*. Ces noms comportent sans doute un contenu sémantique, c.-à-d. un sens. Mais on a eu tort de les confronter directement avec les noms concrets (communs et propres). Les abstraits, de même que les adjectifs ou les verbes, n'appartiennent pas à la couche lexicale primaire. Ce sont des mots d'un ordre linguistique supérieur. Pour apprécier d'une manière exacte la position de l'adjectif ou du verbe, il faut partir de leur fonction syntaxique *primaire*, c.-à-d. des fonctions d'épithète (pour l'adjectif) ou de prédicat (pour le verbe). Un adjectif comme *rouge*, à l'état isolé, est dégagé de complexes comme *rose rouge*, *couleur rouge*, etc. C'est le groupe entier *rose rouge*, qui se rapporte à la réalité *directement*, tandis que *rouge* ne la vise qu'à travers le complexe syntaxique. *Mutatis mutandis* la même considération vaut aussi pour le verbe personnel. Pour ce qui est des abstraits, c'est le mérite de M. Porzig d'avoir démontré, il y a un quart de siècle,[1] que leur fonction primaire consiste à ramasser une proposition en un groupe syntaxique, p. ex. *le roi est mort* > *la mort du roi*. Le prédicat devient le membre déterminé d'un groupe nominal. Or, puisqu'il y a lieu de distinguer entre *abstraits déverbatifs* et *abstraits dénominatifs*, on peut préciser la position de ces sous-espèces à l'intérieur de la langue par le schéma suivant :

proposition (ou groupe)-base	*les vieilles coutumes dépérissent ; ses cheveux blancs*
groupe dérivé	*le dépérissement des vieilles coutumes ; la blancheur de ses cheveux*
nom abstrait (dégagé du groupe)	*(le) dépérissement* [2] *(la) blancheur*

Autrement que les noms appellatifs, qui sont autonomes, les abstraits représentent le troisième étage du bâtiment linguistique en ce qui concerne le mot. Mettre en opposition les noms abstraits et les noms concrets est une erreur méthodique à peu près comparable à la confusion d'un prosodème avec un trait pertinent du phonème.[3]

On arrive ainsi à la conclusion que les appellatifs concrets et les noms propres constituent le noyau de la catégorie du substantif, tandis que l'adjectif (substantivé) ou les abstraits relèvent d'abord de complexes syntaxiques et ne joignent le vrai substantif que par un détour. Cette constatation vaut pour le point de vue synchronique aussi bien que diachronique. Dans la couche

[1] *Die Leistung der Abstrakta in der Sprache*, Blätter für deutsche Philosophie IV, 1930, p. 66–77.

[2] On passe ici sous silence les fonctions *secondaires* des noms abstraits. Ainsi la fonction secondaire de *blancheur* est de servir d'abstrait à *être blanc* (*ses cheveux sont blancs*). Et, vice versa, *dépérissement* peut se rapporter, en fonction secondaire, à *dépérissant* (*les coutumes dépérissantes*). Le raisonnement ci-dessus n'est d'abord applicable qu'aux abstraits motivés, mais il peut être étendu aux abstraits immotivés (comme p. ex. *chance*, *malheur*), grâce à l'équivalence sémantique des deux groupes.

[3] Ainsi p. ex. η contraste en grec (ionien-attique) avec ει en tant qu'un ę̄ (ouvert) avec un ẹ̄ (fermé). Mais le contraste entre η (inaccentué) et η (accentué) se fonde sur une confrontation de complexes au moins dissyllabiques.

constitutive du nom, consistant d'appellatifs et de noms propres,[4] c'est donc le rapport entre ces deux groupes qui arrête l'attention du linguiste. Y a-t-il un pendant linguistique de la distinction, faite par les logiciens, entre les noms génériques et les noms individuels ? La réponse à cette question sera positive si l'on réussit à déterminer l'exposant formel qui différencie les deux catégories ou plutôt, puisqu'il ne s'agit pas d'une langue concrète, mais de considérations générales, si l'on arrive à formuler le rapport entre les noms communs et les noms propres de telle manière que les moyens de leur différenciation formelle, dans n'importe quelle langue, en découlent d'une façon automatique.

Pour simplifier notre exposé nous nous bornons dans la suite aux *noms propres de personnes*. C'est là que ressortent avec clarté les problèmes onomastiques.

L'intérêt linguistique du rapport entre nom commun et nom propre ne commence qu'au moment où entre ces deux groupes de substantifs concrets il s'établit une différence formelle, comme p. ex. une différence d'accentuation, des divergences dans l'usage de l'article, des particularités de flexion, etc. Tous ces morphèmes ont un caractère *actif* lorsqu'ils sont les seuls supports de la différence formelle entre les noms propres et les noms communs dont ceux-ci adoptent le thème. P. ex. all. *der* (*ein*) *Wolf*: *Wolf* (nom propre). Les mêmes morphèmes sont *passifs* et pour ainsi dire pléonastiques, quand il s'agit de noms propres immotivés, obscurs au point de vue étymologique, p. ex *Schubert, Schubart, Schuchardt* (sans article) < v.-h.-a. *scuoh-wurhto* " cordonnier ".

La variabilité d'emploi des appellatifs, capables de désigner des objets différents, est abolie dans les noms propres, qui par définition ne sauraient viser qu'un objet individuel déterminé. Cette réduction singulière d'emploi crée entre le nom commun et le nom propre un rapport de fondation, l'appellatif étant la forme-base, le nom propre, la forme fondée (cf. *Acta Linguistica* V, p. 15–37).

1. Lorsqu'un appellatif est aussi employé comme un nom propre (cf. un sobriquet), son renouvellement formel (morphologique) peut amener un scindement entre la forme nouvelle, restreinte à la seule valeur appellative, et la forme ancienne dévolue au nom propre (*l.c.*, p. 30).

2. Le rapport *forme nouvelle* : *forme ancienne*, chargé de la différence sémantique *appellatif*: *nom commun*, peut rester improductif (dans ce cas on ne parlera que des résidus de la forme ancienne), ou bien tendre à se généraliser en donnant naissance à un procédé nouveau de la formation des noms propres.

3. Dans le dernier cas tout se passe comme si l'appellatif était le mot-base, et le nom propre, le dérivé. Le principe de la proportionnalité ($a_1 : a'_1 = a_2 : a'_2 = a_3 : a'_3 ...$) y joue un rôle aussi important que celui de la polarisation formelle, c.-à-d. du choix de la différence (formelle) maxima fournie par le système de la langue (*ibid.*, p. 20).

4. Une fois installés, les traits morphologiques caractérisants les noms propres (surtout de personnes) peuvent être appliqués, pour des buts stylistiques (d'expression), à des noms communs.

Voici quelques exemples historiques illustrant ces tendances générales.

En v. indien les composés bahuvrīhi sont accentués sur le premier membre.

[4] Le fait que le pronom est perçu comme une catégorie distincte du nom prouve que la fonction sémantique constitutive de celui-ci est la *signification* et non pas la faculté de *désigner* (qu'il partage avec le pronom). Dans le nom propre cette dernière est restreinte à sa limite extrême.

En insistant sur la valeur adjective du composé, on recourt souvent au suffixe accentué *á* (qui reste latent lorsque le deuxième membre comporte déjà la voyelle thématique). Ainsi *vadhri-aśvá-* " qui a des chevaux châtrés ", *vṛṣan-aśvá-* " dont les chevaux sont des étalons ", à côté de bahuvrīhi normaux comme *hári-aśva-* et *āśú-aśva-*.[5] Le composé *śruta-sena-* " dont l'armée est célèbre " apparaît en indien sous la forme oxytone : *śruta-sená-*. Mais l'ancienne forme accentuée sur le 1er membre subsiste dans le nom propre d'un démon (*śrutá-sena-*). On a de même *bṛhad-rathá-* " dont le char est grand " en face de *bṛhád-ratha-*, nom propre. Le renouvellement morphologique des bahuvrīhi n'a pas donc envahi tous leurs usages. Employés comme noms propres ils ont conservé, ici et là, leur forme ancienne en représentant, au point de vue formel, *les résidus d'un état morphologique dépassé.*

Mais les résidus peuvent servir d'amorce pour créer une série productive de noms propres. Cela n'arrive que si l'opposition entre la forme nouvelle (nom commun) et la forme ancienne (conservée, à titre de résidu, dans quelques noms propres) devient un procédé morphologique, permettant de dériver d'un appellatif donné le nom propre correspondant. En grec prélittéraire l'accent libre et mobile, hérité de l'indo-européen, a été limité au *complexe final* consistant des deux dernières mores plus la syllabe précédente (XX⏑, X-). En même temps la langue a éliminé, à peu d'exemples près, l'accentuation récessive du vocatif, en la remplaçant par l'accentuation *columnale* propre aux autres cas du paradigme, p. ex. *ὦ ποιμήν, βασιλεῖ, ἐλπί, αἰδοῖ, πειθοῖ*, s'accordant avec *ποιμένος, ποιμένι, ποιμένα* ; *βασιλέως, βασιλεῖ, βασιλέᾱ*, etc. Les exceptions concernent surtout les noms de personnes : *ὦ πάτερ, μῆτερ, θύγατερ, ἄνερ.* Dans certains appellatifs employés, en fonction secondaire, comme noms propres (ou plutôt comme sobriquets), le vocatif s'est soustrait à ce réarrangement, p. ex. *Ἔλπι* en face de *ἐλπί.* L'opposition a fini par s'étendre sur tout le paradigme *Ἔλπιδος* : *ἐλπίδος*, *Ἔλπιδα* : *ἐλπίδα* . . . Ensuite, autrement qu'en indien, le contraste accentual du type *ἐλπίς* : *Ἔλπις* est devenu productif en grec historique. On trouve *καρπός* " fruit " : *Κάρπος* (nom propre), *ἀστήρ* " étoile " : *Ἄστηρ*, *φροντίς* " soin " : *Φρόντις*, *Γραικός* et *Τευκρός* (noms ethniques) : *Γραῖκος, Τεῦκρος* (noms de personnes). Par l'intermédiaire de l'adjectif substantivé on arrive à bâtir des noms propres sur des adjectifs, ainsi *γλαυκός* " luisant, bleuâtre " : *Γλαῦκος*, *ξανθός* " blond " : *Ξάνθος*, *γελῶν* " riant " : *Γέλων*, *ἀργεστής* " brillant " : *Ἀργέστης*, *ἀγακλεής* " célèbre " : *Ἀγακλέης*. L'accentuation récessive des noms propres continue donc, de manière indirecte, l'accentuation récessive du vocatif indo-européen, abandonnée en grec historique.

La genèse et l'extension de l'article défini en français, comme d'ailleurs dans toutes les langues romanes, est en grande partie un fait prélittéraire. Lorsque l'article devint obligatoire chez les noms communs, il s'est effectué un scindement entre la fonction primaire (appellative), dont l'exposant était l'article, et la fonction secondaire, celle de nom propre, caractérisée par son absence. De cette façon on est à même de distinguer deux couches chronologiques de noms propres provenant d'appellatifs :

1. sans article : *Barbier, Chapelain, Charpentier, Meunier...*
2. avec article : *Lefèvre, Lemoine, Lenormand, Leverrier...*

[5] *L'accentuation des langues indo-européennes*, 1952, p. 87.

Les deux groupes contrastent avec les appellatifs respectifs de la manière suivante :

Mercier	*le mercier*	*Lemercier*
de Mercier	*du mercier*	*de Lemercier*
à Mercier	*au mercier*	*à Lemercier* (point de contraction de *de à* + *le*)

Une évolution analogue a eu lieu en arabe. Dans cette langue l'article défini ancien est représenté par la nounation,[6] l'article défini récent, par le préfixe *al-*. Il y a donc d'une part une couche ancienne de noms propres, caractérisée par zéro en face de la nounation des noms communs, p. ex. *'aḳrabu* (nom propre), mais *'aḳrabun* " scorpion " ; *zufaru* (nom propre) mais *zufarun* " un personnage puissant " ; *zainabu* (nom de femme), mais *zainabun* " espèce d'arbre " ; *miṣru* " Egypte, le Caire ", mais *miṣrun* " pays, territoire, (grande) ville ". Il y a, de l'autre côté, un groupe de noms propres plus récent à nounation comme *ḥasanun* (" beau "), *sa'īdun* (" heureux "), *muḥammadun* (" célébré "), *murādun* (" voulu "). Mais le rôle de la nounation est différent dans *ḥasanun* " beau ", où elle est entretemps devenue un signe d'indétermination, et dans *ḥasanun* " Hassan ", où l'ancienne valeur d'article défini est inhérente au nom propre.[7]

La couche la plus récente des noms propres ce sont les substantifs ou les adjectifs munis de l'article *al-* : *al-ḥarīṯu* (" laboureur "), *al-ǰa'du* (" qui a les cheveux crépus ").

La langue arabe a profité du bouleversement causé par le remplacement des anciens pluriels réguliers en *-ūna* (masc.) et *-ātun* (fém.) par des formes collectives, pour délimiter d'une façon encore plus nette les appellatifs et les noms propres. En ce qui concerne les derniers, le pluriel " sain " est continué tant par les masculins que par les féminins : [8] *ḥasanun* " Hassan " : plur. *ḥasanūna*, mais *ḥasanun* " beau " : plur. *ḥisānun* ; *faṭīmatun* " Fatima " : plur. *faṭīmātun*, mais *faṭīmatun* " sevrée " : plur. *fuṭumun*. Dans la plupart des cas les anciens noms propres et les appellatifs homonymes diffèrent par le thème de pluriel.

Mais ce n'est pas tout. Les noms propres sans nounation (type *'aḳrabu* v. plus haut) se sont différenciés des noms communs aussi au singulier en devenant diptotes, c.-à-d. en faisant coïncider le génitif et l'accusatif en une seule forme.

al-'aḳrabu " le scorpion " (nom.) : *'aḳrabu* " Akrab " (nom propre)
al-'aḳrabi " du scorpion " (gén.) }
al-'aḳraba " le scorpion " (acc.) } : *'aḳraba* = gén. et acc.

Le diptotisme des noms propres sans nounation est probablement dû à l'influence des pluriels " sains ", diptotiques de provenance.[9]

Dans tous les exemples précités le renouvellement morphologique du nom commun entraîne un scindement formel entre l'appellatif comme tel et l'appellatif employé en fonction secondaire. Au point de vue du mécanisme linguistique, ces exemples sont comparables aux cas comme *tailleur* remplaçant *sartre* (> *Sartre*) ou *le forgeron* succédant à *le fèvre* (> *Lefèvre*). Mais ceux-ci sont

[6] Ancien morphème de détermination et non d'indétermination (v. *La mimation et l'article en arabe*, Archiv Orientální XVIII, 1–2, 1950, p. 323–328).
[7] Pour les grammairiens arabes le nom propre est *mu'arrafun binafsihi* " déterminé par lui-même ".
[8] V. plus loin pour ce qui concerne la fonction du pluriel des noms propres.
[9] *Le diptotisme et la construction des noms de nombre en arabe*, Word VII, 1951, pp. 222–226.

d'un ordre purement *lexical*, tandis que nous visons ici les aspects *grammaticaux* de l'évolution.

Un trait morphologique particulier des noms propres ce sont les procédés *hypocoristiques* étant en relation génétique avec les procédés de *diminution* des noms communs. Le même suffixe employé auprès un appellatif et un nom propre exprime des modifications de sens différentes, cf. *maison* : *maisonnette* et *Anne* : *Annette*. Il en suit qu'un renouvellement des procédés diminutifs est apte à conduire à une différenciation entre le suffixe nouveau, diminutif, et l'ancien suffixe, sortant d'usage comme suffixe diminutif et limité désormais à la fonction hypocoristique. Autrement dit : les suffixes hypocoristiques spéciaux représentent en principe des suffixes diminutifs devenus obsolètes.

On sait que la base du procédé hypocoristique est souvent constituée non pas par le nom propre sous son aspect normal, mais par une forme abrégée et modifiée provenant du langage enfantin et adoptée par les adultes. Son caractère spontané se perd quand on la soumet à une règle morphologique rigoureuse. En anglais les formes *Bess* (< *Elisabeth*), *Bill* (< *William*), *Dick* (< *Richard*), *Ned* ou *Ted* (< *Edward*), *Nell* (< *Eleanor*), sont des formes hypocoristiques originales acceptées par la langue des adultes. A part cela il y a un procédé d'abréviation conventionnelle rigoureusement appliqué, consistant à dégager la syllabe initiale du mot pour obtenir une espèce de " racine hypocoristique ". Munie de suffixe *-ie* (*-y*) ou zéro, elle sert de forme hypocoristique conventionnelle :

forme pleine	" racine hypocoristique "	forme hypocoristique usitée
Edward	*Ed*	*Eddie*
William	*Will*	*Willie*
Joseph	*Joe*	*Joey*
Louis	*Lou*	*Louie* [10]

En v.-h.-a., où les noms pleins de provenance germanique sont composés, la " racine hypocoristique " est habituellement représentée par le 1er membre (*Werinher* > *Werin*, *Arnold* > *Arn*), rarement par le deuxième. Elle peut être élargie par les suffixes hypocoristiques *-o* (impliquant parfois la gémination de l'occlusive finale de la racine) ou *-zzo* :

forme pleine	" racine hypocoristique "	forme hypocoristique usitée
Eberhart	*Eb*(*er*)	*Ebero*, *Eppo*
Heimrîch	*Heim*	*Heimo*, *Heinzo* (*Heinz*)
Uodalrîch	*Uod*(*al*)	*Uozzo*

Cf. aussi *Fritz*, *Kunz*, *Diez* (< *Frizzo*, *Kuonzo*, *Diezzo*), etc. La suppression occasionnelle de *r* est peut-être due au langage enfantin : *Benno* < *Bernhard*, *Geppa* < *Gêrbirga*.

En polonais une déformation systématique du nom plein consistait jadis à détacher le commencement du mot (= le consonantisme initial + la voyelle

[10] Cf. la syllabation *Ed-ward*, *Wil-liam*, *Jo-seph*, *Lou-is*. On trouve du reste aussi *Davy* < *David* (*Da-vid*).

suivante) et à y ajouter les éléments hypocoristiques *-ch*, *-sz*, *-ś*, éventuellement élargis d'autres suffixes :

forme pleine	" racine hypocoristique "	forme hypocoristique usitée
Jan	*Ja-*	*Jaś, Jasiek*
Paweł	*Pa-*	*Paszek, Paś*
Stanisław	*Sta-*	*Stach, Staszek, Staś*
Barbara	*Ba-*	*Basia*
Katarzyna	*Ka-*	*Kasia, Kachna*

Autrement qu'en anglais ou en allemand, la " racine hypocoristique " n'y est pas employée à l'état nu.

Tandis que la réduction de la forme pleine, due à des facteurs externes (langage enfantin), ne devient un phénomène morphologique qu'à condition d'être normalisée, les suffixes hypocoristiques qui s'y ajoutent, comme v.-h.-a. *-zzo* [11] ou pol. *-ch*, posent toujours des problèmes historiques. D'après tout ce qui précède, il faut les regarder comme des *suffixes diminutifs sortis d'usage.*

Parfois les diminutifs des noms de personnes, communs ou propres, loin d'être hypocoristiques, se chargent d'une fonction tout à fait différente. Ils servent à désigner le *descendant* de la personne portant le nom originaire :

noms de famille (polonais)			sens primitif
Kowalczyk	le petit forgeron (*kowal*)	=	fils du forgeron
Ślusarczyk	,, ,, serrurier (*ślusarz*)	=	,, ,, serrurier
Stolarczyk	,, ,, menuisier (*stolarz*)	=	,, ,, menuisier
Szklarczyk	,, ,, verrier (*szklarz*)	=	,, ,, verrier
Tokarczyk	,, ,, tourneur (*tokarz*)	=	,, ,, tourneur
Mikołajczyk	,, ,, Nicolas (*Mikołaj*)	=	,, de Nicolas
Stańczyk	,, ,, Stanislas (*Stan*)	=	,, ,, Stanislas

Et ainsi de suite, pour toute une série de suffixes diminutifs (*-czak*, *-czuk*, *-yk*, *-uk*, *-ek*, etc.).

Dans d'autres langues le même procédé peut aussi revêtir une forme " analytique " : fr. *Petitjean*, all. *Kleinhans*, etc.

L'adjonction de suffixes hypocoristiques ou patronymiques aux noms communs a d'abord une valeur expressive. En partant des noms propres ils pénètrent dans les noms de personnes communs, dans les noms d'animaux et même dans ceux d'objets inanimés. P. ex. lit. *brólis* < **brótė*, pol. *brach* < *brat(r)*, all. *Spatz* < v.-h.-a. *sparo*, *Petz* (*Bätz*) < *Bär*, pol. *brzuś* (< *brzuch* " ventre ") " petit (cher) ventre ", *pysio* " petite (chère) bouche " (< *pysk* " gueule "), *kuś* (< *kutas* " membrum virile "), etc.

Il semble donc, à première vue, que les deux domaines de l'appellatif et du nom commun s'enchevêtrent et s'influencent *mutuellement* de manière qu'on ne saurait parler d'une subordination des uns aux autres. Mais il ne faut pas être dupe des apparences. Grâce aux procès de renouvellement et de différenciation, les procédés hypocoristiques et patronymiques sont constamment nourris de la part de la suffixation diminutive ordinaire. Mais l'inverse n'est pas vrai. L'emploi de ces procédés expressifs en dehors du nom propre est toujours

[11] On y voit la continuation tantôt d'un *t* germanique (= *d* indo-européen), tantôt de *s* combiné avec une consonne dentale de la racine.

restreint et ne conduit point à la constitution d'une catégorie suffixale non-expressive. Privés de leur expressivité, les suffixes respectifs deviennent des morphèmes vides.

La hiérarchie qui règle les rapports des deux catégories principales des noms concrets, nous permet de déterminer l'origine de certains groupes importants de suffixes. Pour trouver le point de départ d'une formation hypocoristique ou patronymique, on cherchera parmi les formations diminutives apparentées subsistantes ou hypothétiques (préhistoriques). De l'autre côté, on attribuera sans hésitation aux formes comme *soliculus* (français *soleil*) ou *avicellus* (*oiseau*) une provenance expressive hypocoristique. Il y aura naturellement, comme partout ailleurs, des cas spéciaux limitrophes difficiles à trancher, dont voici un exemple. En slave les dérivés en *-ītįo-* (v. slave *-ištь*, s.-cr. *-ić*, russe *-ič*, pol. *-ic*) fournissent des noms de jeunes animaux et aussi des noms patronymiques. P. ex. slovène *ogọ̑r* " anguille " : *ogọ́rič* " petite ou jeune anguille ", *gọ̑s* " oie " : *gosìč* " jeune oie ", s.-cr. *vrân* " corbeau " : *vrànić* " jeune corbeau ", *vûk* " loup " : *vùčić* " jeune loup " ; s.-cr. *kràljević* = russe *korolévič* = pol. *królewic* " fils du roi ", s.-cr. *Pètrović* = russe *Petróvič* = pol. *Piotrowic* " fils de Pierre ", et ainsi de suite.

On se demande si *-ītįo-* est un suffixe patronymique autonome (provenant d'un suffixe diminutif préhistorique, transformé ou non, mais enfin autonome à date historique), dont l'emploi pour former les noms de jeunes animaux est secondaire et expressif, ou bien s'il s'agit d'un suffixe diminutif vivant, le sens patronymique n'étant qu'une variante sémantique commandée par la racine (nom de personne).[12]

Tout comme les suffixes hypocoristiques et expressifs, le nom propre tout fait connaît aussi l'emploi expressif : *Lazarus* > *ladre*, *Metze* (forme hypocoristique de *Mechtilde*) " fille ". Dans ce cas encore le procédé est sporadique, tandis que l'emploi des appellatifs au sens de noms propres ne connaît presque pas de limites. On comprend cette asymétrie en confrontant les contenus sémantiques de l'appellatif et du nom propre. Employé comme nom propre l'appellatif apporte un contenu relativement pauvre, qui est loin d'épuiser la richesse infinie du concret. De l'autre côté, la charge sémantique du nom propre déborde celle de l'appellatif qu'il remplace, ce qui explique son expressivité.

Ce rapport sémantique entre les deux catégories est accompagné d'une certaine différence formelle constante. Le nom propre, qui ne désigne qu'un seul individu, n'a pas de pluriel[13] au sens courant du terme (= ensemble d'individus ayant des qualités communes). Quand je dis *tous les Pierres célèbrent aujourd'hui la fête de leur patron*, je parle d'un ensemble de personnes de sexe mâle qui n'ont rien de commun en dehors du nom. Le pluriel dit elliptique, qu'on constate pour les noms propres, p. ex. pol. *Jankowie* " Jean et sa femme ", est aussi attesté dans le domaine de l'appellatif (type esp. *padres* " les pères " au sens de " parents " = père et mère). Mais cet usage est conditionné et exceptionnel. Enfin dans un exemple comme : *nous n'aurons plus*

[12] Aucune de ces deux hypothèses n'échappe à des difficultés. Les noms de jeunes animaux se retrouvent en lituanien (*ungurýtis, žąsýtis, varnýtis, vilkýtis*), il paraît donc difficile d'admettre un emploi expressif de *-ītįo-* en slave. Mais d'autre part un usage purement diminutif laisse inexpliquée l'absence de noms inanimés en *-ītįo-*.

[13] Nous ne parlons ici que de noms d'individus. Les noms de groupes (p. ex. ethniques) apparaissent surtout au pluriel.

de Catons, le nom propre s'approche par son sens de l'appellatif: "hommes ayant les qualités de Caton".

En formant le pluriel d'un nom propre on est donc obligé de récourir soit à un emploi métonymique, soit à un emploi métaphorique (basé sur les qualités caractéristiques de l'individu), en faisant ainsi tomber son caractère de nom propre.[14]

Les remarques précédentes ont le but de poser le problème *grammatical* du nom propre en le dégageant de la richesse déconcertante de points de vue et de considérations d'ordre non-linguistique, qui tendent à occuper le premier plan dans les recherches onomastiques. Les faits externes de l'histoire en général, de l'histoire de la civilisation en particulier, sont souvent décisifs lorsqu'il s'agit d'établir l'étymologie du nom propre. Mais son intérêt *linguistique* véritable repose dans les particularités qu'il présente par rapport aux autres catégories du substantif. Le reste relève en grande partie de sciences limitrophes: ethnologie, sociologie, histoire politique, histoire de civilisation, etc.

[14] Tout récemment, dans la Revista Brasileira de Filologia I, 1, 1955, pp. 1–16, M. E. Coseriu a consacré des remarques judicieuses au pluriel des noms propres. A son avis il faut d'abord écarter 1) le type *les Andes*, qui n'a pas de singulier; 2) le type *Μῆδοι* qui, en tant que nom ethnique, n'a point de singulier, mais en tant que pluriel de *Μῆδος* (+ *Μῆδος* + *Μῆδος* + ...) est le pluriel d'un nom *commun* (contenu = "ayant les qualités ethniques d'un Mède"). Dans la première acception le singulier est aussi admissible: ital. *il Turco*, pol. *Hiszpan na zamku zatknął sztandary*.

Quant aux formes *Claudii, los Sánchez*, l'auteur les considère à juste titre comme des noms de *familles* ou de *lignées*, et non comme des pluriels de noms individuels (*Claudius, Sánchez*): "*los Sánchez, Claudii*, a pesar de ser plurales, no son los plurales de *Claudius* et *Sánchez*".

Enfin un pluriel comme *los Sánchez* est en réalité un nom *commun* (appellatif) quand il désigne:
1. des individus *appelés* Sánchez;
2. les oeuvres de Sánchez;
3. des hommes comme Sánchez;
4. les manières d'être de Sánchez ("le Sánchez d'aujourd'hui n'est pas le Sánchez d'hier").

37 ARBITRAIRE LINGUISTIQUE ET DOUBLE ARTICULATION

André Martinet

Parmi les nombreux paradoxes qui sont, tout ensemble, un des attraits de la glossématique et la source de bien des réserves à son égard, le principe de l'isomorphisme [1] occupe une place de choix. Ce principe implique le parallélisme complet des deux plans du contenu et de l'expression, une organisation foncièrement identique des deux faces de la langue, celles qu'en termes de substance on désignerait comme les sons et le sens. Poser ce principe, c'est certainement outrepasser de beaucoup les implications de la théorie saussurienne du signe. Mais il n'en est pas moins vrai que c'est la présentation du signifiant et du signifié comme les deux faces d'une même réalité qui est à la source du principe hjelmslévien de l'isomorphisme.

Comme tous les paradoxes glossématiques, la théorie de l'isomorphisme est riche d'enseignements. Jerzy Kuryłowicz en a bien dégagé la fertilité tout en en suggérant, en passant, les limites.[2] Ce qui paraît généralement critiquable dans l'isomorphisme, c'est le caractère absolu que lui prête la glossématique. On lui reproche volontiers de méconnaître la finalité de la langue : on parle pour être compris, et l'expression est au service du contenu ; il y a solidarité certes, mais solidarité dans un sens déterminé. Les analogies qu'on constate — et que personne ne nie — dans l'organisation des deux plans, ne changent rien à ce rapport de subordination des deux plans, ne changent rien à ce rapport de subordination des sons au sens qui semble incompatible avec le parallélisme intégral que postule la théorie. On répondra, peut-être, que cette subordination ne prend corps que dans l'acte de parole, et qu'elle n'affecte pas la langue proprement dite en tant que réalité parfaitement statique. Mais quelle que soit l'issue du débat, il demeure que la pensée glossématique se heurte ici à des résistances sourdes, à une incompréhension récurrente dont il n'est peut-être pas impossible de dégager les causes. Avant de pouvoir constater le parallélisme des deux plans, il faut s'être convaincu qu'il y a effectivement deux plans distincts. Il faut avoir identifié un plan de l'expression qui est bien celui où les phonologues rencontrent les phonèmes, mais celui aussi où le glossématicien

Reprinted from *Cahiers Ferdinand de Saussure* 15 (1957) : 105–16, with the permission of the author and of *Cahiers Ferdinand de Saussure*.

[1] Le mot est employé par J. Kuryłowicz dans sa contribution aux *Recherches structurales* 1949, *TCLC* 5 (Copenhague), p. 48–60.

[2] *Ibid.*, p. 51.

retrouve les signifiants qui forment les énoncés : appartiennent au plan de l'expression non seulement les unités simples /m/, /a/ et /l/, mais, au même titre, le signifiant /mal/, la suite de signifiants /ž e mal o dã/, la face phonique (/mal/) ou graphique (*mal*) de tous les énoncés passés, présents ou futurs dont l'ensemble forme la réalité accessible de la langue. Il faut, ensuite, avoir identifié un plan du contenu d'où sont exclus les phonèmes (/m/, /a/ ou /l/), mais également les signifiants simples (/mal/) ou complexes (/ž e mal o dã/), où, par conséquent, ont seuls droit de cité les signifiés " mal ", " j'ai mal aux dents " et d'autres plus vastes. Ces signifiés n'existent, certes, en tant que tels, que parce qu'ils correspondent à des signifiants distincts. Mais ils ne peuvent figurer sur le plan du contenu que dans la mesure où on les conçoit comme distincts des signifiants. En glossématique, l'opposition de base est entre phonèmes (ou mieux " cénèmes ") et signifiants d'une part, signifiés d'autre part selon la schéma suivant :

/m/ /mal/ /ž e mal o dã/ etc.	~	" mal " " j'ai mal aux dents " etc.

Pour le linguiste ordinaire, l'unité du signe linguistique est une réalité plus évidente que sa dualité : /mal/ et " mal " sont deux aspects d'une même chose. On veut bien se convaincre que le signe a deux faces, mais on n'est pas prêt à fonder toute l'analyse linguistique sur un divorce définitif de ces deux faces. S'opposant au signe, unité complexe, certes, puisqu'elle participe à ce qu'on nomme traditionnellement le sens et la forme, mais considéré comme un tout, on reconnaît le phonème, unité simple dans la mesure où elle participe à la forme, mais non au sens. L'opposition de base est ici entre phonèmes d'une part, signifiants et signifiés d'autre part, selon le schéma suivant :

/m/	~	/mal/ — " mal " /ž e mal o dã/ — " j'ai mal aux dents "

Le linguiste ordinaire conçoit bien qu'il puisse exister de profondes analogies entre les systèmes de signes et les systèmes de phonèmes, et que le groupement de ces unités dans la chaîne puisse présenter de frappantes similitudes, encore que les tentatives pour pousser un peu loin le parallélisme se heurtent vite à la complexité bien supérieure des unités à deux faces et à l'impossibilité où l'on se trouve d'en clore jamais la liste. Mais ce même linguiste se trompe s'il s'imagine que ces analogies correspondent exactement et nécessairement à celles que suppose le parallélisme des deux plans hjelmsléviens de l'expression et du contenu, puisque ce parallélisme est entre signifiants et signifiés et que les analogies constatées sont entre signes et phonèmes. On note constamment, chez ceux qui, sans être glossématiciens déclarés, font un effort pour se représenter la réalité linguistique dans le cadre hjelmslévien, qu'ils se laissent aller à confondre, dans une certaine mesure, les deux plans, sans s'apercevoir que ce ne sont plus des unités de contenu qu'ils vont opposer à des unités d'expression, mais bien des signes, qui participent aux deux plans, à des phonèmes, qui n'appartiennent qu'à un seul.

Cet état de choses, qu'on peut déplorer, s'explique évidemment par la difficulté qu'on éprouve à manipuler la réalité sémantique sans le secours d'une réalité concrète correspondante, phonique ou graphique. Il faut noter d'ailleurs que nous ne disposons pas des ressources terminologiques qui pourraient nous permettre de traiter avec quelque rigueur des faits sémantiques indépendamment de leurs supports formels. Il n'y a, bien entendu, aucune discipline paralinguistique qui corresponde à la " phonétique " (par opposition à la " phonologie ") et qui nous permette de traiter d'une réalité psychique antérieure à toute intégration aux cadres linguistiques. Mais, même en matière d'examen de la réalité psychique intégrée à la structure linguistique, on n'a rien qui soit le pendant de ce qu'est la phonologie sur le plan des sons. On dispose heureusement du terme " sémantique " qu'on emploie assez précisément en référence à l'aspect signifié du signe et qui nous a permis, on l'espère, de nous faire entendre dans ce qui précède. On possède, en outre, le terme " signifié " qui, n'existant que par opposition à " signifiant ", est d'une clarté parfaite. Mais toute expansion terminologique est interdite à partir de ce participe passif. Quant à " sémantique ", s'il a acquis le sens qui nous intéresse, il n'en est pas moins dérivé d'une racine qui évoque, non point une réalité psychique, mais bien le processus de signification qui implique la combinaison du signifiant et du signifié. La sémantique est peut-être autre chose que la sémiologie ; mais on voit mal de quelle série terminologique " sémantique " pourrait être le départ ; un " sème ", en tout cas, ne saurait être autre chose qu'une unité à double face.

Il n'entre pas dans nos intentions de rechercher ici s'il est possible et utile de combler ces lacunes. On renverra à l'intéressante tentative de Luis Prieto,[3] et l'on marquera simplement que cette absence de parallélisme dans le développement de l'analyse sur les deux plans n'est pas fortuite : elle ne fait que refléter ce qui se passe dans la communication linguistique où l'on " signifie " quelque chose qui n'est pas manifeste au moyen de quelque chose qui l'est.

Les modes de pensée qui font échec à la conception hjelmslévienne des deux plans parallèles ont été fort mal explicités. Ceci s'explique du fait de leur caractère quasi général : on ne prend conscience de l'existence d'une chose que lorsqu'on ne la trouve plus là où on l'attendait. C'est, en fait, dans la mesure où l'on saisit exactement l'originalité de la position glossématique, qu'on prend conscience de l'existence d'un autre schème, celui selon lequel les faits linguistiques s'ordonnent dans le cadre d'articulations successives, une première articulation en unités minima à deux faces (les " morphemes " de la plupart des structuralistes), une seconde en unités successives minima de fonction uniquement distinctive (les phonèmes). Ce schème forme sans aucun doute le substrat ordinaire des démarches de la plupart des linguistes, et c'est ce qui explique que l'exposé qui en a été fait dans *Recherches structurales 1949* [4] ait généralement dérouté les recenseurs du volume qui estimaient n'y retrouver que des vérités d'évidence et ne discernaient pas les rapports antithétiques qui justifiaient l'inclusion de cet exposé parmi les " interventions dans le débat glossématique ".

Présentée comme un trait que l'observation révèle dans les langues au sens ordinaire du terme, la double articulation fait donc aisément figure de truisme. Ce n'est guère que lorsqu'on prétend l'imposer comme le critère de ce qui est

[3] Dans son article " Contributions à l'étude fonctionnelle du contenu ", *Travaux de l'Institut de Linguistique 1* (Paris 1956), p. 23–41.

[4] P. 30–37.

langue ou non-langue que l'interlocuter prend conscience de la gravité du problème. Et pourtant, s'il est évident que toutes les langues qu'étudie en fait le linguiste s'articulent bien à deux reprises, pourquoi hésiter à réserver le terme de langue à des objets qui présentent cette caractéristique ? Regrette-t-on d'exclure ainsi de la linguistique les systèmes de communication qui articulent bien les messages en unités successives, mais ne soumettent pas ces unités elles-mêmes à une articulation supplémentaire ? Le désir de faire entrer la linguistique dans le cadre plus vaste d'une sémiologie générale est certes légitime, mais en perdra-t-on rien à bien marquer, dès l'abord, ce qui fait, parmi les systèmes de signes, l'originalité des langues au sens le plus ordinaire, le plus banal du terme ?

Les avantages didactiques de la conception de la langue comme caractérisée par une double articulation se sont révélés à l'usage et se sont confirmés au cours de dix années d'enseignement. Ils apparaissent plus considérables que ne le laisserait supposer l'exposé un peu schématique de 1949. Ils comportent notamment l'établissement d'une hiérarchie des faits de langue qui n'est pas sans rapport avec celle qu'on aurait pu probablement dégager des exposés saussuriens relatifs à l'arbitraire du signe si l'on s'était attaché plus aux faits fonctionnels et moins aux aspects psychologiques du problème. Noter, en effet, que rien dans les choses à désigner ne justifie le choix de tel signifiant pour tel signifié, marquer que les unités linguistiques sont des valeurs, c'est-à-dire qu'elles n'existent que du fait du consensus d'une communauté particulière, tout ceci revient à marquer l'indépendance du fait linguistique vis-à-vis de ce qui n'est pas langue. Mais relever le caractère doublement articulé de la langue n'est-ce pas indiquer, non seulement comment elle parvient à réduire, au fini des " morphèmes " et des phonèmes, l'infinie variété de l'expérience et de la sensation, mais aussi comment, par une analyse particulière à chaque communauté, elle établit ses valeurs propres, et comment, en confiant le soin de former ses signifiants à des unités sans face signifiée, les phonèmes, elle les protège contre les atteintes du sens ? Qu'on essaye, un instant, d'imaginer ce que pourrait être une " langue " à signifiants inarticulés, un système de communication où, à chaque signifié, correspondrait une production vocale distincte, en bloc, de tous les autres signifiants. D'un point de vue strictement statique, on a pu se demander si les organes humains de production et de réception seraient capables d'émettre et de percevoir un nombre suffisant de tels signifiants distincts, pour que le système obtenu rende les services qu'on attend d'une langue '.[5] Mais notre point de vue est, ici, sinon diachronique, du moins dynamique : à condition que se maintiennent les distinctions entre les signes, rien ne pourrait empêcher les locuteurs de modifier la prononciation des signifiants dans le sens où, selon le sentiment général, l'expression deviendrait plus adéquate à la notion exprimée ; l'arbitraire du signe serait, dans ces conditions, vite immolé sur l'autel de l'expressivité. Ce qui empêche ces glissements des signifiants et assure leur autonomie vis-à-vis des signifiés est le fait que, dans les langues réelles, ils sont composés de phonèmes, unités à face unique, sur lesquels le sens du mot n'a pas de prise parce que chaque réalisation d'un

[5] Cf. *Economie des changements phonétiques, Traité de phonologie diachronique* (Berne, 1955), § 4–2.

phonème donné, dans un mot particulier, reste solidaire des autres réalisations du même phonème dans tout autre mot ; cette solidarité phonématique pourra, on le sait, être brisée sous la pression de contextes phoniques différents ; l'important, en ce qui nous concerne ici, est que, face au signifié, cette solidarité reste totale. Les phonèmes, produits de la seconde articulation linguistique, se révèlent ainsi comme les garants de l'arbitraire du signe.

Les Néogrammairiens n'avaient pas tort de placer au centre de leurs préoccupations ce que nous appellerions le problème du comportement diachronique des unités d'expression. De leur enseignement relatif aux " lois phonétiques ", il faut retenir le principe que, dans les conditions qu'on doit appeler " normales " le sens d'un mot ne saurait avoir aucune action sur le destin des phonèmes dont se compose sa face expressive. Ces linguistes ont eu tort de nier l'existence d'exceptions : il y en a, on le sait.[6] Mais il est important qu'elles restent conçues comme des faits marginaux qui, par contraste, font mieux comprendre le caractère des faits proprement linguistiques : une formule de politesse peut se réduire rapidement à quelques sons, une gémination ou un allongement expressifs peuvent arriver à se fixer dans des circonstances favorables. Mais ces cas, très particuliers, où l'équilibre entre la densité du contenu et la masse phonique des signifiants a été rompu dans un sens ou dans un autre, ne font que mettre en valeur le caractère normal de l'autonomie des phonèmes par rapport au sens particulier de chaque mot.

La théorie de la double articulation aboutit à distinguer nettement parmi les productions vocales entre des faits centraux, ceux qui entrent dans le cadre qu'elle délimite, et des faits marginaux, tous ceux qui, en tout ou en partie échappent à ce cadre.

Les faits centraux ainsi dégagés, signes et phonèmes, sont ceux dont le caractère conventionnel, arbitraire au sens saussurien du terme, est le plus marqué ; ils sont d'une nature qu'après les mathématiciens on nomme " discrète ", c'est-à-dire qu'ils valent par leur présence ou leur absence, ce qui exclut la variation progressive et continue : en français où l'on possède deux phonèmes bilabiaux /p/ et /b/, toute orale bilabiale d'un énoncé ne peut être que /p/ ou /b/ et jamais quelque chose d'intermédiaire entre /p/ et /b/ ; *bière* avec un *b* à moitié dévoisé n'indique pas une substance intermédiaire entre la bière et la pierre ; le signe *est-ce-que*, défini exactement comme /esk/, marque une question et jamais rien de plus ou de moins ; pour le nuancer il faudra ajouter à la chaîne un nouveau signe, également discret, comme *peut-être*.

Les faits marginaux sont en général, par nature, exposés à la pression directe des besoins de la communication et de l'expression ; certains d'entre eux, tels les tons, peuvent participer au caractère discret constaté pour les unités des deux articulations ; mais la plupart gardent le pouvoir de nuancer le message par des variations dont on ne saurait dire si elles sont ou non des unités nouvelles ou des avatars de l'ancienne : c'est le cas de l'accent qui, certes, participe au caractère discret lorsqu'il contraste avec son absence dans des syllabes voisines, mais dont le degré de force peut varier en rapport direct et immédiat avec les nécessités de l'expression ; c'est plus encore le cas de l'intonation où même un

[6] *Ibid.*, §§ 1–19 à 21.

trait aussi arbitrarisé que la mélodie montante de l'interrogation (*il pleut?*) comporte un message qui variera au fur et à mesure que se modifiera la pente ou que s'esquisseront des inflexions de la courbe.

Pour autant qu'il est légitime d'identifier " linguistique " et " arbitraire ", on dira qu'un acte de communication est proprement linguistique si le message à transmettre s'articule en une chaîne de signes dont chacun est réalisé au moyen d'une succession de phonèmes : /il fɛ bo/. On posera, d'autre part, qu'il n'est pas d'acte de communication proprement linguistique qui ne comporte la double articulation : un cri articulé n'est pas, en son essence, un message ; il peut le devenir, mais il ne différa pas alors sémiologiquement du geste ; il pourra s'articuler dans le sens qu'il se réalisera comme une succession de phonèmes existants dans la langue du crieur, comme dans l'appel /ɔla/ ou l'interjection /aj/ ; il ne frappera plus, dans ces conditions, comme phonologiquement allogène dans un contexte linguistique ; mais n'ayant pas été soumis à la première articulation, celle qui réduit le message en signes successifs, il ne pourra jamais s'intégrer pleinement à l'énoncé, ou, du moins, il faudrait pour cela qu'il reçût le statut d'unite de la première articulation, c'est-à-dire de signe linguistique.

Chacune des unités d'une des deux articulations représente nécessairement le chaînon d'un énoncé, et tout énoncé s'analyse intégralement en unités des deux ordres. Ceci implique que tout fait reconnu comme marginal parce qu'échappant, en tout ou en partie, à la double articulation, ou bien sera exclu des énoncés articulés, ou n'y pourra figurer qu'à titre suprasegmental. En d'autres termes, les faits marginaux que l'on peut trouver dans les énoncés pleinement articulés sont ceux que l'on nomme prosodiques. On tend à considérer les faits prosodiques comme une annexe des faits phonématiques, et à les ranger dans la phonologie, ce qui ne se justifie que partiellement. Certaines unités prosodiques, les tons proprement dits, sont des unités distinctives à face unique comme les phonèmes : la différence mélodique qui empêche la confusion des mots norvégiens /¹bønr/ " paysan " et /²bønr/ " haricots " a exactement la même fonction que la différence d'articulation glottale qui oppose en français *bière* à *pierre*. Mais d'autres traits prosodiques, maints faits d'intonation par exemple, sont, comme les signes, des unités à double face qui combinent une expression phonique et un contenu sémantique : l'intonation interrogative de la question *il pleut?* a un signifié qui équivaut généralement à " est-ce-que " et un signifiant qui est la montée mélodique. Il en va de même de faits dynamiques comme l'accent d'insistance qui peut frapper l'initiale du substantif dans *c'est un polisson* ; dans ce cas, le signifié pourrait être rendu par quelque chose comme " je suis très affecté ", le signifiant s'identifiant avec l'allongement qui affecte /p/. Ceci veut dire que le caractère suprasegmental vaut aussi bien sur le plan sémantique que sur celui des sons, et que les faits auxquels la double articulation confère un caractère marginal ne se limitent point au domaine phonologique.

Les faits prosodiques, dont l'aire est ainsi précisée, se trouvent si fréquemment au centre des préoccupations linguistiques, qu'on hésitera peut-être à n'y voir qu'une annexe du domaine linguistique proprement dit. Le diachroniste, par exemple, ne peut oublier que c'est dans ce domaine que se manifestent et s'amorcent les déséquilibres qui entretiendront une permanente instabilité dans le système des phonèmes : les modifications des inventaires phonématiques semblent, en effet, en dernière analyse, toujours se ramener ou se rattacher à quelque innovation prosodique. Le synchroniste dira que c'est par la structure prosodique que commence l'identification par l'auditeur des énoncés entendus, de telle sorte qu'en espagnol *pasé* " je passai " est perçu comme distinct de *paso* (/páso/) " je passe " parce qu'appartenant à un autre schème accentuel, — ´— et non ´— —, sans que le pouvoir distinctif des phonèmes des deux formes entre jamais réellement en ligne de compte.[7]

Tout ceci n'enlève rien au caractère plus central des unités de première et de deuxième articulation. Si les déséquilibres pénètrent jusqu'aux systèmes phonématiques par la zone prosodique, c'est que, précisément, cette zone est plus exposée aux atteintes du monde extérieur du fait de son moindre arbitraire. Il y a bien des raisons pour que les faits prosodiques s'imposent plus immédiatement que les faits phonématiques à l'attention des auditeurs. Mais la plupart d'entre elles se ramènent au fait qu'ils sont de nature moins abstraite, qu'ils évoquent plus directement l'objet du message sans ce détour que représente en fait la double articulation. Ce détour, certes, est indispensable au maintien de la précision de la communication et à la préservation de l'outil linguistique, mais l'homme tend à s'en dispenser et à en faire abstraction lorsqu'il peut arriver à ses fins à l'aide d'éléments moins élaborés et plus directs que signes et phonèmes. Ces éléments sont physiquement présents dans tout énoncé : il faut toujours une certaine énergie pour émettre une chaîne parlée ; toute voix a nécessairement une hauteur musicale ; toute émission, de par son caractère linéaire, a nécessairement une durée. Pour quiconque n'interprète pas automatiquement tous les faits phoniques en termes de pertinence phonologique, la présence inéluctable dans la parole de l'énergie, de la mélodie et de la quantité semble imposer ces traits comme les éléments fondamentaux du langage humain. En fait, ils sont si indispensables et si permanents qu'on peut tendre à ne plus les remarquer ; et quel usage linguistique peut-on faire d'un trait qu'on ne remarque pas ? De sorte qu'on serait tenté de dire qu'ils sont fondamentaux dans le langage, mais marginaux et épisodiques dans la langue. Mais comme c'est la langue, plutôt que le langage, qui fait l'objet de la linguistique, il est justifié d'énoncer que les faits prosodiques sont moins foncièrement linguistiques que les signes et les phonèmes.

Toutes les langues connues utilisent des signes combinables et un système phonologique. Mais il y en a, comme le français, qui, pourrait-on presque dire, n'utilisent les latitudes prosodiques que par superfétation ou par raccroc. On peut toujours, dans une telle langue, arriver à ses fins communicatives sans avoir recours à elles. On dira " C'est moi qui . . . " là où une autre langue accentuerait le pronom de première personne, et, en disant *est-ce qu'il pleut ?* ou *pleut-il ?*, on évitera l'emploi distinctif de la mélodie interrogative dont d'autres langues, comme l'espagnol, ne sauraient s'affranchir. Ceci ne veut naturellement pas dire qu'en français comme ailleurs le recours aux marges expressives ne permette, très souvent, d'alléger les énoncés et de rendre plus alertes les échanges linguistiques. A propos d'une langue de ce type, on pourra peut-être discuter de l'importance du rôle des éléments prosodiques dans un style ou un usage

[7] *Ibid.*, § 5–5.

déterminé. Mais on n'en pourra guère nier le caractère généralement facultatif. Et, puisqu'en dernière analyse nous sommes à la recherche de ce qui caractérise constamment tout ce que nous desirons appeler une langue, il est normal que nous retenions la double articulation et écartions les faits prosodiques.

Comme sans doute bien des œuvres dont la publication n'a pas reçu la sanction de leur auteur, le *Cours de linguistique générale* doit représenter, sous une forme durcie, un stade d'une pensée en cours d'épanouissement. Le structuraliste contemporain, qui y a appris l'arbitraire du signe et qui a laissé sa pensée se cristalliser autour de ce concept, est frappé, à la relecture de l'ouvrage, du caractère un peu dispersé de l'enseignement relatif aux caractères conventionnels de la langue qui apparaissent au moins sous les deux aspects de l'arbitraire du signifiant et de la notion de valeur. Il attendrait une synthèse qui groupe sous une seule rubrique tous les traits qui concourent à assurer l'autonomie de la langue par rapport à tout ce qui n'est pas elle, en marquant ses distances vis-à-vis des réalités extra-linguistiques de tous ordres. C'est au lecteur à découvrir que l'attribution " arbitraire " de tel signifiant à tel signifié n'est qu'un aspect d'une autonomie linguistique dont une autre face comporte le choix et la délimitation des signifiés. En fait, l'indépendance de la langue vis-à-vis de la réalité non linguistique se manifeste, plus encore que par le choix des signifiants, dans la façon dont elle interprète en ses propres termes cette réalité établissant en consultation avec elle sans doute, mais souverainement, ce qu'on appelait ses concepts et ce que nous nommerions plutôt ses oppositions : elle pourra s'inspirer du spectre pour dégager les qualités des objets qu'on appelle " couleurs " ; mais elle choisira à sa guise ceux des points de ce spectre qu'elle nommera, opposant ici un bleu, un vert et un jaune, se contentant là de la simple opposition de deux points pour le même espace. Les implications de tout ceci dépassent de loin celles qui découlent de l'enseignement relatif au signifiant. Nous mesurons jusqu'à quel point c'est la langue que nous parlons qui détermine la vision que chacun de nous a du monde. Nous découvrons qu'elle tient sans cesse en lisière notre activité mentale, que ce n'est pas une pensée autonome qui crée des mythes que la langue se contentera de nommer, tel Adam nommant les bêtes et les choses que lui présentait le Seigneur, mais que les mythes bourgeonnent sur la langue, changeant de forme et de sexe aux hasards de ses développements, telle la déesse *Nerthus* que l'évolution de la déclinaison germanique a virilisée sous la forme du *Njord* scandinave.

Ce sont les conditions et les implications de l'autonomie de la langue que groupe et condense la théorie de la double articulation et, à ce titre seul, elle mériterait de retenir l'attention des linguistes.

38 LES SEMI-VOYELLES ROUMAINES AU POINT DE VUE PHONOLOGIQUE

Andrei Avram

On admet généralement qu'il n'existe aucune différence, au point de vue phonologique, entre les semi-voyelles et les consonnes, étant donné qu'elles se comportent identiquement à l'intérieur de la syllabe.[1] Cette conception se fonde sur la distinction que l'on considère essentielle, entre les phonèmes qui peuvent former à eux seuls une syllabe (phonèmes " centraux ") et les phonèmes qui n'ont pas cette propriété (" non centraux " ou " marginaux ").[2]

S'il en est ainsi, des sons comme *i*, *u* non syllabiques peuvent être des variantes des voyelles correspondantes ou bien, au contraire, des phonèmes-consonnes [3] notés /y/, /w/ et groupés avec /p/, /m/, /k/, etc.

Une ligne de démarcation nette apparaît entre les deux sous systèmes de phonèmes (d'un côté, les voyelles — de l'autre, les consonnes). On considère comme faisant partie du contenu phonologique d'un phonème seulement les traits par lesquels il diffère des autres phonèmes qui tont partie du même sous-système,[4] on considère donc que l'asyllabisme ne peut pas constituer l'un des termes d'une opposition distinctive, car à l'intérieur de la même catégorie de phonèmes les traits " syllabique " et " non syllabique " ne sont pas pertinents.

Il y a pourtant des cas particuliers où il faut que l'on tienne compte de ces caractères pour définir le contenu phonologique (oppositionnel) d'un phonème. L'étude de la place qu'occupent les semi-voyelles à l'intérieur du système phonologique de la langue roumaine offre un exemple intéressant en ce sens.

Dans nombre de langues, les voyelles fermées /i/ et /u/ seulement, et à la rigueur /ü/, ont des correspondants non syllabiques. En roumain littéraire, dans les diphtongues ascendentes, l'élément non accentuée peut être [y], [w], [e̯] ou [o̯]. Voilà quelques exemples : *iarnă* " hiver ", *oase* " os " (pl.), *beată* " ivre " (fém.), *coasă* " faux " [yárnă, wáse, be̯átă, ko̯ásă].

Reprinted from *Mélanges linguistiques*, pp. 71–79 (Bucharest : Editions de l'Académie de la République Populaire Roumaine, 1957), with the permission of the vice-president of the Académie de la République Populaire Roumaine.

[1] Voir A. Rosetti, *Notes de phonologie*, " Acta linguistica ", III, 1942–1943, 1, p. 33 (= *Mélanges de linguistique et de philologie*, Copenhague-Bucarest, 1947, p. 39).

[2] Cf. Louis Hjelmslev, *On the principles of phonematics*, " Proceedings of the second Congress of Phonetic Sciences ", Cambridge, 1936, p. 51–52 ; Luis J. Prieto, *Traits oppositionnels et traits contrastifs*, " Word ", X, 1954, 1, p. 54–56.

[3] George L. Trager, *The phonemic treatment of semivowels*, " Language ", XVIII, 1942, 3, p. 223.

[4] Luis J. Prieto, loc. cit.

La présence des paires [y] — [e̯] et [w] — [o̯] constitue la première difficulté à laquelle nous nous heurtons ; la seconde est la suivante : il y a en roumain, à la fin de certains mots, des consonnes accompagnées d'un élément non syllabique, à timbre palatal, connu sous le nom de " pseudo *-i* final ".[5] Un mot comme *lupi* " loups " [lup^i] s'oppose au singulier *lup* et au pluriel articulé *lupii* [lúpi] avec un *i* syllabique. Ce pseudo *-i* n'est pas une voyelle proprement dite et d'autant moins une consonne.[6]

Au point de vue phonétique, il ressemble à [y] et [e̯] plus qu'à tout autre son de la langue ; il en résulte qu'on ne peut pas exclure *a priori* la possibilité de grouper [^{i}] avec [y] ou [e̯] ou bien avec les deux, en tant que variantes du même phonème. Le problème des semi-voyelles en roumain se rattache donc à l'interprétation phonologique du *i* final.

Selon la théorie de E. Petrovici,[7] qui a suscité, ces dernières années, de nombreuses discussions parmi les linguistes roumains,[8] l'élément palatal des mots comme [lup^i] n'aurait pas une existence phonématique autonome ; ce serait un caractère pertinent (une marque de corrélation) d'un ensemble (= phonème) appelé " consonne palatalisée " ; on donne la même interprétation à l'élément palatal noté généralement *e* [e̯] à l'intérieur du mot. Par conséquent, la transcription phonématique des mots comme *lupi*, *corbi* " corbeaux ", *beată* serait, selon E. Petrovici, la suivante : /lup′, korb′, b′ată/ ; les consonnes /p′/, /b′/, etc. et /p/, /b/, etc. constitueraient une corrélation consonantique à timbre palatal.

Dans une étude antérieure [9] nous nous sommes déclaré contre l'existence en roumain littéraire de corrélations de timbre des consonnes. Nous avons pourtant admis l'identité phonologique de groupes comme [b^i] dans *corbi* et [be̯] dans *beată*. Il résulte de cette identité, démontrée par E. Petrovici à l'aide d'exemples comme *luni* [lun^i] + l'article *a* = *lunea* [lune̯a], que seules deux interprétations sont possibles :

1. L'élément palatal est une marque de corrélation, aussi bien en finale qu'à l'intérieur du mot (la théorie de E. Petrovici).

2. La semi-voyelle [e̯] et le pseudo *-i* final ne sont pas des éléments constitutifs de certains phonèmes-consonnes palatalisés, mais bien des variantes d'un phonème autonome.

Les expériences effectuées sous la direction de A. Rosetti par le collectif de phonétique de l'Institut de linguistique de Bucarest,[10] démontrent, à notre avis,

[5] Voir E. Petrovici, *Le pseudo i final du roumain*, " Bulletin linguistique ", II, 1934, p. 86–97 et Alf Lombard, *La prononciation du roumain* (extrait de " Uppsala Universitets Årsskrift ", 1936), Uppsala, 1935, pp. 114–118.

[6] Dans certains parlers on retrouve des consonnes suivies d'un élément labio-vélaire similaire.

[7] Les articles plus importants de E. Petrovici consacrés au système phonologique de la langue roumaine sont parus dans " Studii şi cercetări lingvistice " (= SCL) : I, 1950, 2, pp. 172–220 ; III, 1952, pp. 127–185 ; VI, 1955, 1–2, pp. 29–40 ; VII, 1956, 1–2, pp. 7–18. Voir, en dernier lieu, Emile Petrovici, *Esquisse du système phonologique du roumain*, " For Roman Jakobson... ", La Haye, 1956, pp. 382–389.

[8] Voir surtout les articles de A. Rosetti, publiés dans SCL : V, 1954, 3–4, pp. 433–442 ; VI, 1955, 1–2, p. 25–26 et 3–4, pp. 199–205 ; VII, 1956, 1–2, pp. 21–24.

[9] Andrei Avram, *Contribuţii la studiul fonologiei limbii romîne*, SCL, VII, 1956, 3–4, pp. 193–204.

[10] Voir *Noi cercetări experimentale asupra diftongului romînesc* ea, SCL, VI, 1955, 3–4, pp. 183–196.

que la semi-voyelle [e̯] des mots comme *beată*, *stea* " étoile ", *ţinea* " (il) tenait " ne dépend pas de la consonne précédente.

Nous présentons deux expériences faites par le collectif de phonétique à l'aide d'enregistrements sur pellicule cinématographique :

a) On découpe [e̯] de *stea* et on l'introduit dans *sta* " (il) se tenait " ; on obtient [ste̯a].[11]

b) On substitue [e̯] de *ţinea* à [e] de *pe* " sur " et vice-versa ; on obtient les mots " normaux " [ţine̯á] et [pe].[12]

Il résulte de l'expérience *a*) que l'élément [e̯] succède [13] à la consonne et que [t] de *sta* est identique à [t] de *stea*,[14] la semi-voyelle [e̯] a, par conséquent, un rôle distinctif ; elle n'est pas simplement un son de transition [15] conditionné par la consonne précédente " palatalisée " /t'/. Le mot *stea* est donc formé de quatre sons : [s — t — e̯ — a]. Il est évident que cette manière d'analyse est valable pour tous les mots à structure similaire : *rupea* [rupe̯á] " (il) déchirait ", *Lupea* [lúpea] (nom propre), *lunea* [lúne̯a] " le lundi ", etc. Or, dans *lunea* les sons [n], [e̯] et [a] sont commutables (par exemple, [n] avec [m], [e̯] avec zéro, [a] avec zéro) : *lumea* " le monde ", *luna* " le mois ", *luni* " lundi " [lúme̯a, lúna, lunⁱ].[16] Ces faits prouvent, à notre avis, le biphonématisme des groupes " consonne + [e̯] " et " consonne + pseudo -*i* final ".[17]

En examinant les résultats de l'expérience *b*), il semblerait possible d'établir l'identité phonologique [e̯] = [e]. La constatation qu'il n'y a pas une trop grande différence de durée entre l'[e] de *pe* et l'[e̯] de *ţinea* (le premier son dure 5 centièmes de seconde, le second 4 centièmes) [18] vient aussi appuyer cette hypothèse. De plus, retenons que le groupe *e* + voyelle fait toujours partie de la même syllabe : leagă [le̯ágă] " (il) lie ", *deodată* [de̯odată] " tout à coup ", exception faite pour les mots récemment entrés dans la langue, du type *leal* " loyal ", *teoremă* " théorème " [leál, teorémă]. Autrement dit, nous pourrions être tentés de croire que [e̯] n'est que la variante pré-vocalique de [e] syllabique.

Nous ne pouvons pourtant pas accepter une telle interprétation. En finale, *lupi* [lupⁱ] diffère de *lupii* [lúpi] par l'opposition " *i* asyllabique (= pseudo -*i* final) : *i* syllabique ". Nous déduisons de cette constatation qu'il faut inclure l'asyllabisme dans le contenu du phonème réalisé comme [e̯] à l'intérieur du mot et comme [ⁱ] en finale. Par conséquent, ce phonème n'est identique ni à [e], ni à [i].

Il nous reste à étudier le rapport entre [e̯] et [y], pour établir si ces deux sons sont des réalisations du même phonème ou s'ils ne le sont pas. Leur distribution est la suivante : [19]

[11] Loc. cit., p. 194 (l'expérience nº 13).

[12] *Ibidem* (l'expérience nº 10).

[13] Sur l'importance du facteur temps en phonologie voir Joseph Vachek, *Can the phoneme be defined in terms of time ?* " Mélanges de linguistique et de philologie offerts à Jacq. van Ginneken "... Paris, 1937, pp. 101–104 ; Luis J. Prieto, loc. cit., pp. 44–47.

[14] Cf. André Martinet, *Un ou deux phonèmes ?* " Acta linguistica ", I, 1939, 2, p. 102, où l'on discute l'interprétation phonologique du groupe [th].

[15] E. Petrovici, SCL, VI, 1955, 1–2, pp. 31, 34–35.

[16] Nous avons vu plus haut qu'au point de vue phonologique, [lunⁱ] = [lune̯-].

[17] Pour les détails, voir notre étude déjà citée, p. 197.

[18] La différence de durée entre [e] et [e̯] ést d'habitude beaucoup plus grande.

[19] V = voyelle ; C = consonne ; # = pause.

		[y]	[e̯ = pseudo -*i* final]
1)	# . . . V + *iarbă*	[yárbă] “ herbe ”	—
2)	V . . . V + *nuia*	[nuyá] “ verge ”	—
3)	C . . . V + *biată*	[byátă] “ pauvre ” (fém.)	+ *beată* [be̯átă] “ ivre ” (fém.)
4)	V . . . C + *haină*	[háynă] “ vêtement ”	—
5)	V . . . #+ *cai*	[kay] “ chevaux ”	—
6)	C . . . #—		+ *lupi* [lup^{i}] “ loups ”

Il résulte de ce tableau que [e̯] et [y] apparaissent tous les deux dans une seule position (C . . . V) ; dans toutes les autres positions [e̯] et [y] s'excluent réciproquement. D'autre part, il y a très peu de mots qui ne diffèrent entre eux par l'opposition [e̯] : [y] ; d'ailleurs ce petit nombre d'exemples qu'on pourrait donner sont discutables, comme l'a remarqué A. Graur.[20] Cela pourrait constituer un argument en faveur de l'établissement d'une identité phonologique [e̯] = [y]. Mais il y a entre ces deux sons des différences importantes dont on doit tenir compte.

Nous mentionnons, en premier lieu, les différences d'ordre phonétique, signalées par E. Petrovici,[21] bien qu'elles ne nous paraissent pas décisives : [y] a la durée d'une consonne normale et on le prononce avec une forte friction ; [e̯] est très court et dépourvu du bruit de friction.

La différence qui existe entre les deux sons au point de vue de leur comportement à l'intérieur de la syllabe nous paraît plus importante. Le groupe “ voyelle + [y] ” est dissociable : *copii* “ enfants ” — *copiii* “ les enfants ” [kopíy — kopî|yi] ; *roi* “ essaim ” — *roiul* “ l'essaim ” [roy — ró|yul], tout comme *rob* “ esclave ” — *robul* “ l'esclave ” [rob — ró|bul] ; [e̯] n'apparaît jamais au début de la syllabe, autrement dit [e̯] ou [^{i}] se groupent toujours dans la même syllabe que le son précédent : *luni* — *lunea* [lun^{i} — lúne̯a].[22]

Il y a, enfin, une différence “ morphonologique ” entre les deux sons discutés. Le groupe [ya] alterne avec [ye] : *piatră* “ pierre ” — *pietre* “ pierres ” [pyátră — pyétre] ; [e̯a] alterne avec [e] : *neagră* “ noire ” — *negru* “ noir ” [ne̯ágră — négru].[23]

Mais il este préférable de laisser de côté ce dernier argument, étant donné que les alternances n'appartiennent pas au domaine de la phonologie.[24]

En échange, nous essayerons de démontrer que l'absence presque totale de paires minimales du type [be̯átă] — [byátă] ne constitue pas une preuve de l'identité phonologique de ces deux semi-voyelles. En effet, on ne peut pas soutenir que la différence entre [e̯] et [y] este due à l'environnement phonétique ; cela n'est pas pertinent au point de vue phonologique.[25] Entre [b, p, m], etc. et [á], l'opposition [e̯ : y] a une valeur distinctive, même si elle n'est pas le seul élément qui distingue les mots *bea* “ (il) boit ”, *rupea* “ (il) déchirait ”, *meargă* “ (qu'il) aille ”, etc. (avec [e̯]) des mots *abia* “ à peine ”, *piatră* “ pierre ”,

[20] “ Bulletin linguistique ”, VII, 1939, p. 170.

[21] SCL, VI, 1955, 1–2, p. 37.

[22] Idem, ibid., p. 36.

[23] A. Graur, loc. cit., p. 168. Dans *piatră* — *pietre* les termes de l'alternance sont à proprement parler [a] et [e], tout comme dans *fată* “ fille ” — *fete* “ filles ”.

[24] A. Martinet, *Phonology as functional phonetics*, Londres, 1949, p. 6. Il serait justifié de tenir compte des faits morphologiques seulement s'il y avait plusieurs interprétations possibles ; cf. C. E. Bazell, *Three conceptions of phonological neutralisation*, “ For Roman Jakobson... ”, p. 30. A notre avis, ce n'est pas notre cas.

[25] Cf. Eli Fischer-Jørgensen, *The commutation test and its application to phonemic analysis*, “ For Roman Jakobson...”, pp. 146–148.

amiază " midi ", etc. (avec [y]). L'inexistence d'une opposition du genre [be̯a] : * [bya], [pyátră] : * [pe̯átră], etc. peut être accidentelle.[26] En conclusion, ces deux semi-voyelles sont des réalisations de deux phonèmes différents.

On peut constater sans difficulté que l'asyllabisme et la localisation palatale sont des traits communs à [e̯] et à [y]. On pourrait conclure que la différence consiste dans le degré d'ouverture. Mais nous ne devons pas oublier que la variante du phonème que nous noterons dorénavant /e̯/ se réalise en finale comme pseudo *-i*, c'est-à-dire qu'elle a un timbre fermé ; l'opposition " fermé : ouvert " n'est donc pas pertinente.[27] Ce qui distingue [y] de [e̯] c'est le caractère consonantique du premier ;[28] dans *abia*, *piatră*, *amiază*, etc. nous avons affaire à un yod ; l'opposition entre /y/ et /e̯/ peut être formulée ainsi : " consonantique : non consonantique (= vocalique) ".

Le rapport entre [w] et [o̯] est de la même nature et la distribution des deux sons est semblable à la distribution de [y] et de [e̯], à cette différence près que la semi-voyelle [w] n'apparaît pas entre une consonne et une voyelle (exception faite pour quelques mots récents) ; ainsi donc [w] et [o̯] ne sont pas à retrouver dans un environnement phonétique identique. Nous admettons, pourtant, que [w] et [o̯] ont une existence phonématique indépendente, en nous fondant sur le principe du parallélisme dans le système.[29] Il faut mentionner de même que si [w] n'apparaît jamais dans la position C...V, cela est dû au hasard, constitue un cas de distribution défective et n'est nullement déterminé par une règle concernant l'enchaînement des phonèmes en roumain.[30] La preuve en sont les néologismes du type *cuarț* [kwarț] " quartz ", contenant le groupe [kwa], différent de la syllabe initiale de *coasă* /ko̯ásă/.[31] La transcription phonématique de ces deux mots sera donc la suivante : /kwarț, ko̯asă./ Le phonème /o̯/ n'apparaît en finale que dans certains parlers de la langue roumaine, où il se réalise comme " *u* final " ; le singulier [lup^u] diffère du pluriel [lup^i] par l'opposition /o̯/ : /e̯/.

En prenant comme point de départ la classification proposée par Roman Jakobson,[32] selon laquelle les phonèmes palataux diffèrent des labio-vélaires par l'opposition " aigu-grave ", on peut représenter les caractères pertinents des phonèmes /e, i, e̯, y/ et /o, u, o̯, w/ comme suit :[33]

[26] Cf. ci-dessous.

[27] A l'intérieur du mot aussi, /e̯/ se réalise parfois avec un timbre fermé : [i̯].

[28] Comme toute autre consonne faisant partie du système de la langue roumaine, /y/ n'apparaît pas dans certaines positions où, par contre, /e̯/ peut apparaître : *intreagă* " entière ", *umplea* " (il) remplissait " ayant les groupes de sons nonsyllabiques /ntre̯ /,/ ple̯/ ; voir les discussions à ce propos dans SCL, VII, 1956, 3–4, p. 200.

[29] Cf. N. S. Troubetzkoy, *Principes de phonologie*, Paris, 1949, p. 61 ; André Martinet, *Un ou deux phonèmes ?*, pp. 99–100.

[30] Voir, pour le principe, C. E. Bazell, loc. cit., p. 27.

[31] La distinction entre /w/ et /o̯/ est générale dans la prononciation littéraire, bien qu'elle ait peu d'occasions de se manifester ; cf. la remarque de A. Martinet, *Phonology...*, p. 35, concernant /œ/ et /ø/ dans l'usage parisien.

[32] *Observations sur le classement phonologique des consonnes*, " Proceedings of the Third International Congress of Phonetic Sciences ", Gand, 1939, pp. 34–41. Voir en dernier lieu Roman Jakobson, C. Gunnar M. Fant, Morris Halle, *Preliminaries to speech analysis. The distinctive features and their correlates.* Second printing. Massachusetts Institute of Technology, 1955. Du premier ouvrage (p. 39), nous avons retenu le terme de " mat " que nous avons considéré plus adéquat que " mou " ou " doux " (= angl. mellow), qui est usité dans *Preliminaries...*, pp. 23–24.

[33] Nous avons appliqué la méthode d'analyse proposée dans *Preliminaries....* Les espaces blancs indiquent que le phonème respectif ne participe pas à une opposition.

Les oppositions	e	i	e̯	y	o	u	o̯	w
Consonantique/non consonantique	−	−	−	+	−	−	−	+
Syllabique/non syllabique	+	+	−	−	+	+	−	−
Aigu/grave	+	+	+	+	−	−	−	−
Continu/interrompu *				+				+
Compact/diffus **	±	−		+	±	−		−
Strident/mat ***				−				−

* /y/ et /w/ sont des phonèmes continus, par opposition aux phonèmes " interrompus " /k'/ et /k/.

** Les consonnes palatales et vélaires sont compactes, tandis que celles articulées à la partie antérieure de la cavité buccale sont diffuses : /e/ et /o/ sont compactes par rapport à /i/ et /u/ et diffuses par rapport à /a/ ; voir *Preliminaries...*, pp. 27–29.

*** /y/ et /w/ s'opposent aux phonèmes stridents /š/ et /v/.

Ce tableau met en évidence la situation spéciale de /e̯/ et /o̯/ à l'intérieur du système phonématique de la langue roumaine. Ces deux semi-voyelles sont les seuls phonèmes qui s'opposent en même temps aux voyelles syllabiques (et non consonantiques), et aux consonnes (non syllabiques et consonantiques). Elles représentent la catégorie phonologique des semi-voyelles.

L'introduction de cette catégorie nécessite quelques explications. On a déjà signalé [34] que l'un des mérites de la méthode d'analyse décrite par R. Jakobson et ses collaborateurs était de mettre en évidence les liens existants entre les consonnes et les voyelles. L'interprétation proposée ici n'a pas pour but de créer un troisième sous-système, nettement délimité des deux autres généralement reconnus. Au contraire, le fait que nous admettons une classe intermédiaire de semi-voyelles se fonde sur la conviction que les rapports de la même nature que ceux existants entre deux consonnes ou entre deux voyelles ne sont pas exclus entre les phonèmes " centraux " et les phonèmes " non centraux ". Nous pouvons donc établir le parallélisme approximatif suivant :

Voyelles	*Consonnes*	*Phonèmes*
Ouvertes	Fricatives	Voyelles
Mi-ouvertes	Mi-occlusives	Semi-voyelles
Fermées	Occlusives	Consonnes

La classification que nous venons de proposer plus haut se réduit en quelque sorte à une question de terminologie : on pourrait appeler à la rigueur /e̯/ et /o̯/ des voyelles non syllabiques ; mais comme le terme de semi-voyelles [35]

[34] Edward Stankiewicz, " For Roman Jakobson...", pp. 518–519.

[35] Ce terme a pour nous une autre acception que celle que lui donne Louis Hjelmslev, loc. cit., p. 52 : " phonemes which are both combined and combining " — c'est-à-dire des phonèmes comme l'angl. /i/, /u/, /l/, qui peuvent être syllabiques aussi bien que non syllabiques sans que, par cela, ils cessent d'être les voyelles /i/, /u/ et la consonne /l/.

est plus simple et plus souvent employé en phonétique, nous pensons qu'il est préférable de l'employer aussi en phonologie. Ce qui est important c'est le fait que les phonèmes /e̯/ et /o̯/ ne sont ni des consonnes ni des voyelles proprement dites.

Il résulte du parallélisme que nous vénons d'établir que, pour certaines langues au moins, les caractères " syllabique " et " non syllabique " peuvent avoir la même valeur oppositionnelle que le degré d'ouverture pour les voyelles ou l'occlusion pour les consonnes, par exemple. Comme R. Jakobson [36] l'a montré, le vieux tchèque *brdu* /br̥du/ " to the summit " diffère du *brdu* /brdu/ " I stroll " par l'opposition " *r* syllabique : *r* non syllabique ".

D'autre part, la qualité de voyelle ou de consonne d'un certain phonème n'est pas toujours non pertinente, comme le soutient Robert Godel.[37] A. Martinet a démontré [38] que dans le fr. *pays* : *paye* le caractère vocalique de [i] et la nature fricative de [y] sont pertinentes.

Pour certaines langues,[39] il importe seulement de savoir si les voyelles non syllabiques sont les variantes des phonèmes consonnes /y/ et /w/ ou des voyelles correspondantes. En roumain *e* et *o* non syllabiques ne peuvent être considérées identiques, comme nous l'avons vu, ni à /y/, /w/ ni à /i/, /u/ ou à /e/, /o/. Ce fait détermine un dédoublement de l'opposition existante entre les consonnes et les voyelles [40] dans deux oppositions : " consonantique : vocalique " (dans notre tableau, " consonantique : non consonantique ") et " syllabique : non syllabique ". Les termes de ces deux oppositions ne se superposent pas : non consonantique ≠ syllabique, et non syllabique ≠ consonantique. Les phonèmes /e̯/ et /o̯/ ne forment pas syllabe, mais ne sont cependant pas consonnes.

Reconnaître l'indépendance phonématique des semi-voyelles par rapport aux consonnes et aux voyelles correspondantes n'équivaut cependant pas à mettre sur le même plan des oppositions come : /y : e̯/ ou /o : o̯/ d'un côté et /y : k′/ ou /o : u/ de l'autre. Les oppositions faisant partie de la première catégorie occupent une place à part dans le système de la langue par leur rendement fonctionnel très réduit aussi bien que par leur instabilité. Elles occupent une place semblable à celle des oppositions /a : ɑ/ et /e : ɛ/ en français [41] ou /e : ɛ/ et /o : ɔ/, en italien.[42] Le maintien de ces oppositions n'a pas un grand rôle pour la communication.[43] Mais ce qui est important, c'est que les oppositions /y : e̯/, /w : o̯/ et /e : e̯/, /o : o̯/ existent.[44]

[36] *Preliminaries...*, pp. 13, 20.

[37] *Les semi-voyelles en latin*, " Studia linguistica ", VII, 1953, 2, p. 91.

[38] *Phonology...*, p. 19.

[39] Pour l'espagnol, par exemple ; voir J. Donald Bowen and Robert P. Stockwell, *The phonemic interpretation of semivowels in Spanish*, " Language ", XXXI, 1955, 2, pp. 236–240.

[40] Voir plus haut l'exemple pris au français. Dans l'ouvrage (que nous n'avons pas pu consulter), *Fonología española* (IIe éd. Madrid, 1955, p. 156), Emilio Alarcos Llorach exprime un point de vue semblable au nôtre : l'opposition " voyelle : consonne " ne diffère essentiellement pas de l'opposition " sourd : sonore ". Cette conception est attaquée par Luis J. Prieto dans le compte-rendu publié dans " Studia linguistica ", IX, 1955, 2, pp. 102–105.

[41] A. Martinet, *Phonology...*, p. 32.

[42] Bertil Malmberg, *A propos du système phonologique de l'italien*, " Acta linguistica ", III, 1942–1943, 1, p. 39 ; la valeur distinctive de l'opposition /e : ɛ/ en italien est réduite, mais l'opposition a un grand rendement fonctionnel.

[43] Voir nos *Contribuţii...*, pp. 200–201.

[44] Cf. J. Kuryłowicz, " Biuletyn Polskiego Towarzystwa Językoznawczego ", IX, 1949, p. 76 : " Il est clair que c'est l'opposition qui constituera le point de départ de la recherche.... Le syncrétisme ou la neutralisation des deux formes opposées passe pour secondaire ".

39 SYNTACTIC ANALYSIS

R. H. Robins

Within the whole field of grammar what, if anything, can be designated in general terms as the province of syntax ? This question is implied, rather than explicitly asked, still less answered, in a good deal of contemporary grammatical theorizing, and one wonders whether there is any answer likely to receive the assent of most linguists today.

It might be reasonable to say, not so much by way of definition as to give a preliminary basis for further discussion, that syntax concerns the relations between the grammatical elements of the sentence, or, more strictly speaking, in the structures abstracted from and representing sentences. So much (and it is not very much) might be agreed, but beyond that any assertion is likely to require a particular answer to one of a number of controversial questions.

(1) What are the elements between which syntactic relations hold ? Traditionally and among many linguists today, they are words, and word groups exhibiting different degrees and types of structural union ; and the relations within words between roots and affixes, as well as the non-affixial variations in the members of paradigms (ablaut and the like), belong to morphology. But others, especially in America and perhaps under the influence of the study of native American-Indian languages where the word as a traditional orthographic entity was almost always lacking, have preferred to work with the morpheme as the minimal unit of syntax and to treat all syntagmatic relations (a term deliberately left ambiguous in de Saussure's *Cours* [1]) as basically of the same sort and all falling within the realm of syntax, the word unit being no more than a stage, like larger infra-sentential groupings, in sentence structure.[2] The arguments for each procedure need not be pursued here, except perhaps to say that a word-based syntax is more facilitated (permits a simpler set of statements) in languages wherein immediate constituents do not greatly cut across word boundaries, however established, and less facilitated (involves a more complicated set of statements) in languages where such cross cutting (of which the English *king of England's hat* is a hackneyed example) is at all widespread. Put another way, the choice may in part depend on the degree to which in a particular language morphic and morphemic divisions do or do not coincide.[3]

Reprinted from *Archivum Linguisticum* 13 (1961) : 78–89, with the permission of the author and of I. M. Campbell of *Archivum Linguisticum*.

[1] F. de Saussure, *Cours de linguistique générale*, 4th edition, Paris, 1949, p. 170.

[2] Cp. Z. S. Harris, *Methods in Structural Linguistics*, Chicago, 1951, p. 281.

[3] Cp. C. E. Bazell, *Linguistic Form*, Istanbul, 1953, pp. 64–6 ; this topic is further discussed in the present writer's " In defence of WP ", *TPS*, 1959, pp. 116–44.

(2) Do syntactic relations and structures, as such, express logical or semantic relations between the terms of propositions or the denotata of the words or other units involved ? This is a specialized version of the old question: Does language express thought ? Of course it does ; and to deny this role of language is hardly less misleading than the opposite error of the past (perhaps more accepted than consciously argued) that the definition of language is the " expression of ideas " and its only true function is the communication of formed thoughts, other speech activities and types of utterance being mistakenly disparaged and neglected both in linguistic theory and linguistic analysis.

What is to the point here is not a general definition of language nor a statement of the functions language fulfils, but the question whether in syntactic analysis one should take such logical relations as seem to bear some correspondence to syntactic arrangement of the sentence into account ; and there, surely, it must be said that one should not, in the first instance, if syntax is to be understood as part of formal grammatical analysis.[4] If syntax in linguistics is concerned with the way elements are related to each other in formal sentence structures of particular languages, the categories and the operations of syntactic analysis must be made in terms of such relations and those alone, since any other considerations will be either otiose or misleading.

This bears on the third question: (3) To what extent can there be universals in syntax, or a " general syntax " ? Certainly a fair degree of terminological agreement is found in the syntactic descriptions of languages by the adherents of very different theories of linguistic analysis. Subject and Predicate, Object, Attribute, and Modifier, among others, are in wide use as technical terms. But if these terms, and others of frequent occurrence, are to have more in common use than the mere names and are to serve as more than homonymous labels for items in different languages, then either (i) they must be based on common content, the interrelations of things in the world or our way of conceiving such interrelations, or (ii) it must be found that in translation the same terms appear applicable to lexically corresponding pieces in equivalent sentences. In other words we must choose to say either that the basic categories of syntactic analysis are the same because we establish them by reference to their common actual or conceptual meaning, or that these basic categories are similar because, after the most suitable categories for stating the formal structures of sentences in several languages have been arrived at, it is found subsequently that the semantic function or class meaning of a formal category in one language bears a strong resemblance to that of one in another language.[5] By the former view the categories are common by definition and *a priori*, by the latter empirically and by reason of a more or less similar semantic range *a posteriori*. But while many modern linguists would subscribe to the latter view there remains still a common core of syntactic terms, common by definition among those making use of them, not from any content or semantic meaning, but from the method of establishing them within each language. Terms like Nucleus, Expansion, Cohesion, Endocentric, and Exocentric are general (though not necessarily

[4] The use of the word " syntax " in collocations such as " logical syntax ", and by some logicians and " linguistic philosophers ", is a separate matter not at issue here.

[5] Cp. further: M. A. K. Halliday, *The Language of the Chinese Secret History of the Mongols*, *Publ. of the Phil. Soc.*, XVII (1959), pp. 68–74.

universal) categories, by reason of the common operations by which sentences in a language are compared and classed together as regards the formal interrelations of their components. These operations and the criteria employed need not be in detail the same between any two linguists, but the overall operational similarity in their use is obvious.

"General syntax" thus allows two possible interpretations, and different answers may be given to the question of generality on each of the two.

(4) What is the relationship between syntax and morphology? To some extent the answer to this question is conditioned by one's answer to question (1) above. If the morpheme, not the word, is the minimal unit of syntax, the role of morphology, no longer concerned with syntagmatic word structure, is correspondingly reduced; and there are those who say that the distinction between these two traditional parts of grammar is of little value today. But assuming that the distinction is maintained one may ask which is to be analytically prior: in which domain do we establish the majority of the principal categories first? Are syntactic structures set up to explain the use of the morphological form classes, or are form classes dependent on their role in syntactic structures for their grammatical significance? This question may be, and has been, answered either way irrespective of the degree to which logic or "meaning" are admitted as criteria in grammatical analysis; in traditional terms it involves the relative priority of such class concepts as noun and verb as against such as subject and predicate.

(5) What is meant by "structural" syntax? "Structural" is an epithet few linguists would deny of their work today, as it carries connotations of up-to-dateness and scientific thinking, however varied its applications may be. "Structural" is, in fact, consistent with a number of otherwise divergent approaches to language. Trubetzkoy's phonology as well as Pike's or Trager and Smith's phonemics is structural;[6] morphological analyses based on the "meanings expressed" by the forms can be worked out structurally, and equally the purely formal morphemic analysis of Harris is structural.[7] Semantics can, at least in part, be treated structurally on the lines of the de Saussure-inspired "field theory", or on the statistical models suggested by Wells and others, and Firth's theory of context of situation, framed so as to cover the whole of the semantic analysis of utterances as far as this can fall within general linguistics, is essentially structural.[8]

Applied to general linguistics as a whole, "structural" has a fairly definite comprehensive meaning, namely that the elements and categories of linguistic statement and analysis are established and explained by reference to their

[6] Cp. N. S. Trubetzkoy, *Grundzüge der Phonologie*, *TCLP*, VII (1939), (tr. Cantineau, Paris, 1949); K. L. Pike, *Phonemics*, Ann Arbor, 1947; G. L. Trager and H. L. Smith, *An Outline of English Structure*, *SIL Occasional Papers*, 3 (1951).

[7] Cp. M. S. Ruipérez, "The Neutralization of Morphological Oppositions", *Word*, IX (1953), pp. 241–52; Harris, *Methods*.

[8] Cp. S. Ullmann, *The Principles of Semantics*, Glasgow, 1957, pp. 152–70; R. S. Wells, "A Mathematical Approach to Meaning", *CFS*, XV (1957), pp. 117–36; C. E. Osgood, G. S. Suci, P. H. Tanennbaum, *The Measurement of Meaning*, Urbana, 1957; J. R. Firth, *The Tongues of Men*, London, 1937, chapters 8, 10; "The Technique of Semantics", *TPS* (1935), pp. 36–72; "Personality and Language in Society", *Sociol. Rev.*, XLII (1952), pp. 37–52 (the latter two articles are reprinted in Firth's *Papers in Linguistics 1934–51*, London, 1957, pp. 3–33, 177–89).

relations with one another within the system or systems of the language concerned, rather than as units of an aggregate each carrying its own independent formal constitution or value. Applied to syntax, perhaps, the term adds less than to the other levels of linguistic analysis. In a sense syntax has always been structural, as it has concerned the relations of the parts of sentences to each other, whether as exponents of the logical constituents of propositions in the traditional view, or as the expression of the psychological components of " Judgments ", or, in formal terms, as the elements of a number of patterns to which sentences of a particular language can be shown to conform.

These considerations are all pertinent to the reading of Tesnière's recently published extensive work on syntax.[9] His *Éléments*, in manuscript at the time of his death in 1954 and now published with an explanatory preface by J. Fourquet (pp. 3–7), arose from his dissatisfaction, especially from the teacher's point of view, which is constantly kept to the fore, with traditional grammar and its preoccupation with morphology as the basis of grammatical instruction and the learning of languages. For Tesnière syntax is the centre of grammar and the proper foundation for grammatical categories like word classes, morphology being the study of some of the markers of such categories and of the syntactic functions of words in the sentence (Chapters 15–6). In language description syntax is the heart of the grammar, not something added at the end to explain the uses of the morphologically different forms. This emphasis on syntax, or sentence structure, in grammar, rather than on word form, morpheme shapes, and paradigms, is to be welcomed, and is in agreeable contrast to an excessive devotion to purely morphological problems among some modern linguists as well as more old-fashioned ones. Tesnière shares with the more rigidly formal American linguists a reaction against tradition, but as Fourquet remarks he owes little to their work, and his theories are, more perhaps than with most writers, his own. One may, however, ask whether he has gone far enough in rejecting traditional ideas, and whether despite his insistence on the autonomy of syntax (p. 42) he has not, in fact, retained certain of them that look like convenient *points d'appui* for his theory but themselves lack a secure basis in language itself.

Tesnière's syntactic theory is general in the first sense mentioned above; language expresses thought (p. 12), and grammatical categories are *idées générales* and *classificateurs* of the innumerable *idées particulières*; they may vary from language to language and are not identical with the *catégories de la pensée* which are said to be the same for all men (how do we know this ?), but have close links with them and often coincide, and always *relèvent de la sémantique* (Chapter 24). An example of this kind of grammatical approach is found in the way Tesnière defines the various types of subordinate clause (causal, final, conditional, concessive, etc., Chapters 254–65) by their meanings, and then exhibits examples of the " same " types differently realized in different languages (e.g. Chapter 243, § 7; 259, § 15; 262, § 23). Though he elaborates his work mainly with reference to written French, with a bias towards the language of literature, and his illustrations are drawn largely from European languages (note that all the American-Indian languages are lumped together

[9] Lucien Tesnière, *Éléments de syntaxe structurale*, Paris, Klincksieck, 1959, pp. xxvi, 670.

typologically !, p. 33), he regards the basic elements of his syntax as universal.

Words as written are the units he works with, but he recognizes the difficulties of word delimitation and the occasional inadequacies of traditional orthographic divisions (Chapter 10). Where what he considers to be the same sort of syntactic process (e.g. a *translation*, see below) is carried out in one language by a separate word and in another by an affix, he does not for that reason analyse it differently (p. 361).

Tesnière's syntax is based on the *nœud*, and sentences consist wholly of *nœuds* hierarchically arranged, the minimal sentence being a single simple *nœud*. Sentences set out in such a way as to reveal their " nodal " structuring are called *stemmata*, and abstract *stemmata* (*phrases virtuelles*, Chapter 33) represent sentence types with the lexical differences of the component words ignored. Sentences in familiar languages are usually based on a verbal *nœud*, but other *nœuds* (nominal, adjectival, and adverbial) are possible as entire sentences, especially in conversational discourse (p. 15). *Stemmata* represent the sentence structure, and the " real sentence " syntactically ; speaking a language is transforming it into a linear succession of words, and conversely understanding is recovering the sentence structure from such a succession (Chapter 6). The following examples illustrate, (*a*) and (*b*) a single *nœud*, and (*c*) a hierarchy of *nœuds* in a *stemma* (pp. 14–15) :

(*c*) *mon vieil ami chante cette fort jolie chanson*

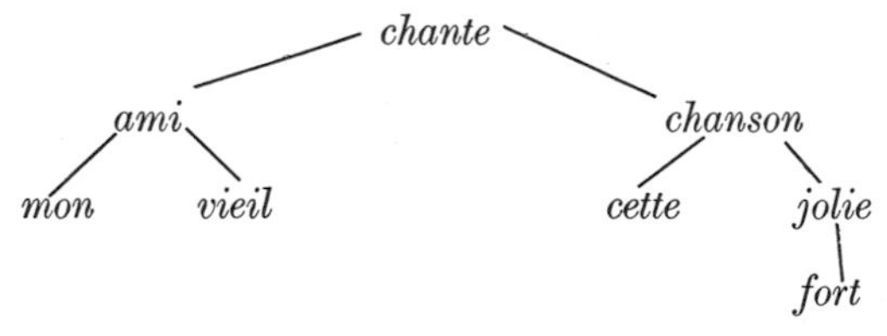

Subordination, the dependence of the governed on the governor, represented by its occupying a lower line in the *stemma*, is fundamental, since the *nœud* is defined as *un régissant qui commande un ou plusieurs subordonnés* (Chapters 2, 3), though the concept does not appear to be fully defined. Adjectives depend on nouns, and adverbs on verbs or adjectives, and *tout subordonné suit le sort de son régissant* (p. 14), just as in Bloomfieldian terms words are grouped into endocentric constructions because they behave syntactically like their head component. But Tesnière also subordinates " subject " nouns to verbs, as is seen in the examples cited above, where *parle* governs *Alfred* as well as *Bernard*, and so on. We are not told why ; is it because in some languages (e.g. Latin) the verb by itself can form a complete sentence (*cantat*, of which *vir cantat* is an expansion) ? In French *chante* is not a complete sentence of the same type as *Alfred chante*, but *il chante* is, and such a sentence, wherein *il* is a *mot vide* and a mere *indice*, is regarded as a single semantic unit (*nucléus*), though a *nœud* of head and subordinate (Chapter 22, cp. *stemma* 33, p. 56). If this is the argument, it is not made clear by Tesnière.[10]

Words are divisible into the categories of " full " (*pleins*) and " empty " (*vides*) on semantic grounds, full words bearing a separate meaning, empty words only a grammatical use (Chapter 28). This is familiar ground, and it is hard to see how the distinction can be rigorously carried through; " having an independent meaning " is probably equivalent to the fact that a gloss can be given by a native speaker to the word in isolation, and this is likely to be a matter of degree rather than of a binary division into two classes. Tesnière follows the full/empty division with the more formal division of *mot constitutif* and *mot subsidiaire* (Chapter 29), the former being able to constitute the head of a *nœud*, while the latter can only appear as a subordinate member of one. The divisions full/empty and constitutive/subsidiary are nearly though not quite coextensive in membership (p. 57).

Although the full/empty division is the less satisfactory of the two, it is this that is used subsequently in word classification, and within full words four classes (each of which can be the head of its own *nœud*) are recognized and distinguished by their class meanings (*contenu catégorique*, Chapter 32):

noun	substance	concrete notions
verb	process	
adjective	epithet of substance	abstract notions
adverb	epithet of process	

Defined thus these classes are general, but not universal, because, astonishingly, we read that the noun/verb distinction is predominantly European, and that the majority of other languages show only nominal *nœuds* as the basis of their sentences, and " conceive of process as a substance " (p. 61).

Mots vides are either " junctives ", joining grammatically equivalent words and word groups together, or " translatives ", which convert the grammatical class of one word into that of another or convert a sentence or word group into the grammatical equivalent of a single word. Thus *and* and *but* (traditionally coordinating conjunctions) are junctives; prepositions are translatives converting nouns into adverbs (" first degree *translation* ", pp. 386–7), and the traditional relative pronouns and subordinating conjunctions are translatives of the second degree (conjunction + verbal *nœud* = adverb, relative pronoun + verbal *nœud* = adjective). *Translation* (in Tesnière's sense), which may be marked by separate *mots vides* (*translatifs*), by affixes or word form changes, or be unmarked, is what gives languages their universal suppleness and utility (Chapter 153), and its importance in grammar is emphasized throughout the book. In fact approximately the second half of it is devoted to the theoretical exposition and copious exemplification of the various types of *translation*, and includes double (and triple and upwards) *translations*, as when, for example, a de-adjectival noun or nominal expression is adverbialized (e.g. French (*trancher*) *dans le vif*, pp. 474–5).

[10] J. Damourette and E. Pichon, *Des mots à la pensée : Essai de grammaire de la langue française*, Paris, 1927, vol. 1, §§ 98–102, also treat the main verb as governing the entire sentence, but without giving adequate reasons. Conversely Otto Jespersen, *The Philosophy of Grammar*, London, 1925, pp. 96–8, asserts that finite verbs are " secondary " and " subordinate " parts of speech in sentences.

The four classes of full words always preserve their class meanings and their consequent grammatical status, and an apparent atypical use (e.g. adverb with a noun head, *un homme bien, un vin extra, οἱ πάλαι ἄνθρωποι*, Chapter 197) is explained as a *translation* adverb to adjective, without overt mark ; conversely, morphological form, if in apparent contrast to syntactic function, has no effect on classification (in French *tout/toute* in sentences like *elle est toute honteuse*, p. 184, is an adverb irrespective of its concordial variability of gender form). As the word classes are general and defined in the same way (by their class meaning) in any language wherein they are found, " the same *translations* ", differently marked, appear in many languages (cp. pp. 361, 372).

Within the word classes, and especially that of the nouns, there are subclasses boldly cutting across traditional classifications (cp. p. 68) ; and there is, indeed, a good deal of terminological innovation throughout : pronouns disappear, and the emphatic pronouns (of French) become " personal general substantives " (Chapter 34), and the unemphatic personal pronouns become *indices* (a species of *mot vide* akin to the *translatifs*, Chapter 41). The subclasses proposed, whatever may be their formal marks in particular languages, are general ones, distinguished by the type of meaning expressed ; the classification is logically attractive, but unless syntax is to be based on a universal logic it seems hardly relevant.

Less convincing is Tesnière's treatment of the relations between nouns and their head verb in the verbal *nœud*. He recognises that the two noun functions, traditionally that of subject and object, are not related (subordinated in his scheme) to the verb in the same way, and he admits a third noun to the verbal complex, traditionally the indirect object (Chapters 48–51). Thus *stemma* 77 :

Alfred donne le livre à Charles

donne

Alfred *le livre* *à Charles*

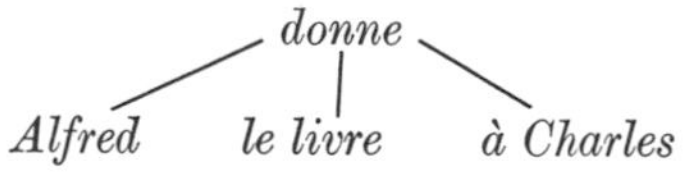

All other nouns subordinated to a verb are (marked or unmarked) denominal " translated " adverbs (cp. Chapters 201–3). The former are called *actants*, and the latter *circonstants* (Chapter 48) ; but it is hard to see why the line is drawn as it is by Tesnière, who indeed admits that it is not at all easy to decide between them in many cases (Chapter 57). In comparing sentences together one finds that all non-subjectival nouns are essentially similar in function (whether linked directly to the verb or by means of a preposition or postposition), being expansions of the verb, which can, in most cases, appear without any non-subjectival noun. The prepositional phrases are, one would think, grammatically parallel in *il donne le livre à Charles* and *il discute le livre avec Charles*. Semantically we may ask why " the benefit or detriment " of someone (even if an adequate label) justifies a special syntactic classification (p. 109). Transformationally direct object and subject are closely linked, as Tesnière shows (p. 105) ; perhaps languages like English, where the indirect object can be converted transformationally into a subject (*Charles was given a book* alongside *a book was given to Charles*) might justify, in such a language, a special place for the indirect object, but the relative rarity of this type of passive transformation in languages argues against setting it up as a separate category in a general syntax.

Tesnière's syntactic system, set out at great length and in great detail (though illustrated mainly in French), finds a place for sentences of overtly the most varied types, and he has taken the trouble to subject to his method of analysis far more material than have some writers of more standard linguistic textbooks. In face of the widespread feeling that syntactic structures and propositional forms have something in common and that grammatical categories have a logical or semantic content, and in view of the fact that Tesnière's framework, if accepted, finds a place for the many and varied examples that he cites, what are the objections to a syntax based on logical (or psychological) considerations ?

The brief answer would seem to be that the same objections apply to it as do to basing general grammatical analysis on Latin grammar (to which he objects, pp. 52–3). Any scheme that assumes something in advance, from whatever source, about a language, other than what can be produced by the very processes of analysis themselves, is likely to run into difficulties if what is presumed there is not easily established or found. Tesnière is properly cautious (Chapter 24) about the *idées générales* underlying the *plan linguistique* of each language, and admits (though in fact probably wrongly) that his scheme applies more readily to European languages (p. 61), whereas a scientific method should be equally well applicable to the whole of the relevant subject matter. Field investigations have shown that the languages of uncivilized peoples do not exhibit a general typological difference from more familiar ones, and the assumed linguistic reflexes of cultural primitivity or a " *mentalité prélogique* " (cp. pp. 324, 549, 663), are just not borne out by the facts. But it is in doubtful cases that extralinguistic appeals so clearly fail. That *ours* and *cheval* are nouns and stand for concrete objects no one doubts, but what about *demain* and *hiver* ? Tesnière's difficulties in drawing a line between *actant* and *circonstant* have already been noticed ; appeals to the speaker as to how he conceives the entity concerned (cp. p. 238) either nonplus him or lead to a confused and personally variable answer depending on his intellectual background. And in no case is it observable and therefore checkable. Tesnière states elsewhere (Chapter 18) that syntactic analysis is best carried out on one's own language since introspection, as well as formal observation, is required. But introspection is part of the method, not the justification of the analysis. Syntactic analysis depends in part, at least, on the comparison of many sentences in a language differing formally in controlled ways from each other ; the native speaker knows what is acceptable and what is not, and can produce examples at will. But the resultant analysis rests on the facts observed (dug out by introspection if necessary), not on introspection itself as a self-justifying intuition. Of course marginal cases (*précisions délicates*, pp. 240, 426) often remain marginal ; but the decision, albeit an arbitrary one, can be shown to rest on a balance of the evidence from the linguistic material, examples of comparable sentences, and not on what the speaker allegedly " feels " or " thinks " about what is expressed. Probably indeed many such " feelings " (*sentiment linguistique*) are the naive expression of a half realized apperception of formal relationships in sentences. The reader can evaluate a decision based on a balance of observed evidence, and accept or reject it ; appeal against intuition is without avail, which is why it is unsuitable as an analytic or classificatory criterion in an empirical science of which linguistics is one, and also unhelpful to the language teacher when either he or his pupils are concerned with a language other than their native tongue.

Tesnière is clear about his interpretation of " structural " as applied to syntax. Structural order (Chapter 4) as against the linear order of the *chaîne parlée,* is that in which connections between parts in the hierarchies of *nœuds* are established. One of the basic facts about syntax is that in every language, though in each one differently (Chapters 5–9), the linear order of words in speaking or writing is something quite apart from the syntactic structure of the sentences as grammatical complexes, though the former in varying degree often serves as a marker of the latter. A syntactic typology of languages may be made according to the order most associated with the fundamental syntactic relation of subordination (in Tesnière's sense, though not greatly different from its more formal use) ; he sets up two types of language, centripetal and centrifugal (Chapter 14), according to whether subordinate elements precede or follow their heads, each type being subdivided into (*langues*) *accusées* and *mitigées* by the degree of rigidity with which this linear expression of a syntactic relationship is enforced.[11]

It would be easy for a linguist brought up in a rigorously formal school as a disciple of Bloomfield to dismiss Tesnière's syntactic system as psychologistic, conceived on principles rejected by such a school, and couched in a technical language he was unable to use with profit. One might also claim that the Europocentricity of the author's linguistic views, and his rather wild statements about the less familiar languages of the world as in some way structurally different from the rest, argue against the value of his exposition of syntax as a work of general linguistic importance. But this would be a mistake. Tesnière is right to complain (p. 34) that too little has been written specifically about syntax by any linguist ; and whatever one's views on the basis of syntactic analysis, once the author's principles are seen and kept in mind (and this extended review has sought to bring them into prominence), a great deal can be learned from his work, which is set down in a clear and lively style.

In particular the *translations,* which occupy so much of the book and on which such emphasis is placed, provide an interesting comparison with Chomsky's somewhat similar concept of transformation,[12] the similarity (metalinguistic formulation apart) being the more remarkable as the two can scarcely have had any contact with one another. Certain diachronic *translations* are, one would think irrelevantly, introduced by Tesnière in some syntactic analyses of actual sentences (e.g. p. 537, example 2) ; but, apart from this, *translation* supplements analysis in terms of *nœuds* and *nucléus,* as transformation supplements phrase structure syntax, neither author being content with a single progression from minimal to maximal sentence structure by means of only one structural concept, *nœud-nucléus* in the one case, immediate constituent in the other. It is also noticeable that both authors claim more for their concepts than mere analytic utility ; in Tesnière's theory a change in category by *translation* is

[11] One may compare C. E. Bazell's discussion of linear order and syntactic relations in different language types in " Syntactic Relations and Linguistic Typology ", *CFS,* VIII (1949), pp. 5–20.
[12] N. Chomsky, *Syntactic Structures,* Gravenhage, 1957.

also a change in the way whatever the word refers to is classified in the mind of speaker and hearer (cp. Chapter 32 and p. 361), and Chomsky in a different technical language claims that transformational analysis actually represents the process of understanding utterances by speakers of the language.[13]

Tesnière's plea for syntax as the centre of grammar, in both linguistic theory and in language teaching, is to be welcomed ; syntactic function is then what constitutes the importance of word class distinctions, and morphology is assigned to the position of serving, to a greater or lesser extent according to the language, as a marker of syntactic connections and structures. This seems only to make explicit what has been implied by much linguistic practice already, and would help to bridge the apparent gap, as regards grammatical analysis, between languages of the type represented by Chinese and those with a complex system of morphology.

There is altogether too little material on syntax in general linguistic publications for anyone to neglect any serious work on the subject because he does not agree with the author's assumptions about language and linguistic analysis. Serious students in any branch of linguistics will study Tesnière's *Éléments* with profit, and if his approach annoys them the proper response is a book of equal length, detail, and insight, written in a technical language and within a theory of linguistic description of which they approve.

[13] Cp. op. cit., pp. 87, 92, 103.